HET HUIS DES LEVENS

Chelsea Quinn Yarbro

Het Huis des Levens

Uitgeverij Luitingh ~ Sijthoff

© 1990 Chelsea Quinn Yarbro
Published by agreement with Lennart Sane Agency AB.
All rights reserved
© 1998 Nederlandse vertaling
Uitgeverij Luitingh ~ Sijthoff B.V., Amsterdam
Alle rechten voorbehouden
Oorspronkelijke titel: *Out of the House of Life*
Vertaling: Ingrid Tóth en Henny van Gulik
Omslagontwerp: Luc Couvée
Omslagfotografie: Uwe Scheid Collection

CIP/ISBN 90 245 2105 X
NUGI 336/341

Aangezien deze roman twee afzonderlijke intriges bevat, ligt het voor de hand dat hij twee afzonderlijke opdrachten heeft: voor de weergaloze *Roger Zelazny* en ter nagedachtenis aan *George Sheviakov*, gekoesterde vrienden, jullie allebei.

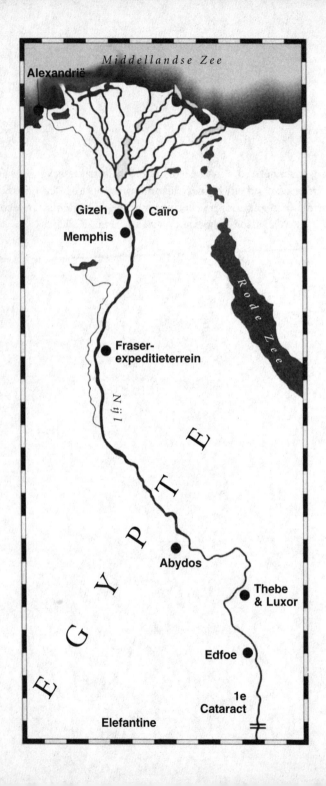

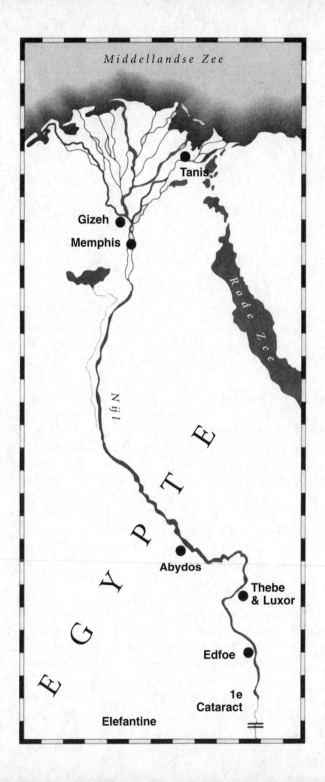

Middellandse Zee

Tanis

Gizeh
Memphis

Rode Zee

Nijl

E G Y P T E

Abydos

Thebe
& Luxor

Edfoe

1e
Cataract

Elefantine

Opmerkingen van de auteur

Van de Zeven Wonderen van de Oude Wereld houden alleen de piramiden van Gizeh tot de dag van vandaag stand. De Hangende Tuinen van Babylon zijn verdwenen en de Vuurtoren van Alexandrië is reeds lang geleden gevallen; de Colossus van Rhodos noch het standbeeld dat Phidias van Jupiter vervaardigde, bestaat nog; de tombe van Mausolinus en de tempel van Diana zijn tot stof vergaan; maar de tempels van Luxor en Thebe verrijzen nog steeds als feniksgedaanten uit hun puin. Slechts weinig verdwenen beschavingen hebben zulke indrukwekkende monumenten nagelaten als die van de Egyptenaren; weinige hebben een dergelijke fascinatie gewekt of zijn zo intrigerend gebleken voor diegenen die in de ban raakten van hun mysterie. En een mysterie, dat waren ze – stil en raadselachtig. Tot Jean-François Champollion er in 1823 in slaagde de steen van Rosetta te ontcijferen en de taalcode van dat oude volk te breken, vormden de Egyptenaren meer dan vijftienhonderd jaar lang een raadsel.

Het Egypte van de Farao's heeft meer dan 2700 jaar standgehouden, verreweg de meest stabiele cultuur in de oudheid, in duurzaamheid slechts door China overtroffen. Tegen deze achtergrond zou zelfs een semi-onsterfelijke vampier het gevoel kunnen bekruipen dat hij enigszins in het niet viel: tegen de tijd dat Saint-Germains herinneringen aan het Egypte uit zijn verleden beginnen, op het hoogtepunt van de glorierijke achttiende dynastie, zijn de piramiden van Kufu en de Grote Sfinx al zo'n achthonderd jaar oud. Meer dan duizend jaar lang blijft Saint-Germain in Egypte, en gedurende die hele periode en nog lang daarna houdt de integriteit van de cultuur stand.

Voordat archeologie een formele studie werd en het begrip in 1890 voor het eerst gebezigd werd, nog voor de opgravingen in Griekenland en Turkije, bestond er al een niet-aflatende preoccupatie met Egypte. Die enorme gebouwen en kolossale gedaanten dwongen op zijn minst bewondering en verwondering af. Romeinen reisden al sinds de tijd der Caesars als toeristen naar Egypte om zich te vergapen aan de tempels en piramiden en beelden. Het toerisme hield vanaf die tijd tot de dag van vandaag stand, in weerwil van beproevingen, vijandige religieuze en politieke leiders, oorlogen, ziekte en het ongemak van het reizen. In de loop der jaren zijn van tijd tot tijd toeristen in Egypte gebleven teneinde de monumenten van die verloren gegane beschaving te bestuderen, om op zoek te gaan naar de verborgen tomben in de rotswanden voorbij de zwade van de Nijl, om de half onder het zand bedolven ruïnes te verkennen. Deze oudheidkundigen waren de eersten die de schatten van de farao's te boek stelden en hun aantekeningen zijn tot op de dag van vandaag nuttig, vooral met betrekking tot artefacten die verdwenen zijn of verwoest werden.

De studie van het oude Egypte raakte in een stroomversnelling toen Champollion zijn werk eenmaal had gepubliceerd en de Egyptenaren hun zwijgen verbraken. In de decennia meteen na de ontcijfering van de hiërogliefen grepen vele oudheidkundigen Egypte aan als een middel om hun reputatie te vestigen en intellectueel terrein af te bakenen. Toentertijd had men theorieën over de oude Egyptenaren die vandaag de dag bespottelijk zouden zijn, maar destijds werd daarover even hartstochtelijk gedebatteerd als paleontologen tegenwoordig over de aard en het wezen der dinosauriërs discussiëren. Het wetenschappelijke inzicht in de Egyptenaren is sinds de eerste dagen van de egyptologie veranderd. De overvloed aan materiaal is enorm toegenomen en het rangschikken van gegevens is verbeterd, evenals de bemoeienis van de huidige regering met de restauratie en het behoud van de oude artefacten. De politiek van oudheidkundige expedities aan het begin van de negentiende eeuw maakte het dikwijls noodzakelijk om rekening te houden met meerdere niveaus van machtsspel en corruptie en speelde in elke fase van deze ondernemingen een rol, vanaf de eerste, nog in Europa gesmede plannen, tot de werkelijkheid van het gekonkel ter plekke; daar komt nog bij dat de normen van academische integriteit bij de expedities op het tweede plan stonden.

Dankzij Napoleons expeditie naar Egypte was de Franse betrokkenheid bij de Egyptische oudheden in de jaren twintig van de negentiende eeuw zeer sterk en toen Champollions wapenfeit het vuur nog eens aanwakkerde, werden verscheidene oudheidkundige expedities naar Egypte uitgezonden. Hoewel de meeste hiervan – vanwege de gemakkelijke toegang tot Gizeh, de piramiden en de Sfinx – naar Caïro en Memphis gingen, reisden er ook een paar vierhonderd mijl stroomopwaarts naar de enorme tempels van Thebe en Luxor, zowel om de inscripties vast te leggen als om te proberen de gebouwen die grotendeels in puin lagen enigszins te restaureren. Naast de Franse oudheidkundigen was er in die periode ook een aantal Britten, hoewel deze meer belangstelling hadden voor de tomben aan de overkant van de Nijl, op de westoever; hun werk bracht de Tempel van Hatsjepsoet aan het licht en leidde uiteindelijk tot de ontdekking van de tomben in de Vallei der Koningen en de Vallei der Koninginnen.

In het gedeelte van deze roman dat in de jaren twintig van de negentiende eeuw speelt, heb ik mijn uiterste best gedaan om mij te houden aan het inzicht in het faraonische Egypte zoals dat toentertijd bestond en dat naar huidige maatstaven oppervlakkig en onnauwkeurig is. Saint-Germains herinneringen zijn gebaseerd op zijn ervaring en zijn subjectieve interpretatie en niet op een wetenschappelijke theorie; ze zijn vaak in tegenspraak zowel met de egyptologie van de tijd waarin dit boek speelt als met de hedendaagse zienswijze.

Voor hulp en inzicht bij het voorbereiden van deze roman wil de schrijfster graag haar dank uitspreken aan J.K. Pearl en Elaine Thomas voor gegevens over Egypte in de jaren twintig van de negentiende eeuw, aan Dave Nee (zoals altijd) omdat hij meer onbekende informatie heeft gevonden dan hij of ik mogelijk hadden geacht, aan leden van de vakgroep egyptologie aan de Universiteit van Californië te Berkeley, die geduldig tientallen vragen hebben beantwoord, en aan de fijne mensen van Tor voor hun niet-aflatende belangstelling.

Berkeley,
oktober 1989

Deel Een

Senh

Demon

Tekst van een brief van le Comte de Saint-Germain tussen Zwitserland en de Nederlanden, aan Madelaine de Montalia in Egypte, gedateerd 17 april 1825.

Madelaine, mijn hart,

Dus je bent in Caïro aangekomen. Je beschrijving van de piramiden roept vele herinneringen bij me op, hoewel mijn nostalgie in de laatste drieduizend jaar is afgezwakt. Ja, nu zijn dit uiterst wonderbaarlijke en droefgeestige monumenten, toen ik ze voor het eerst zag, waren het niet de ruwe steenblokken die jij beschrijft, maar waren zij bekleed met witte kalksteen en schitterden zij als enorme edelstenen. Al wist ik ze destijds niet te waarderen.
Als het enig ander dan jou betrof, zou ik niet over die periode spreken, neem dat van mij aan. Ik heb het verleden lang geleden achter mij gelaten daar de last mij te zwaar viel. Ik betreur wat ik was en betreuren is nog zwak uitgedrukt. Mijn enige excuus is dat ik in retrospect begrijp hoe ik was geworden tot wat ik was. Niet dat Egypte mij op mijn ergst heeft meegemaakt – bij lange na niet. Tegen de tijd dat ik naar Egypte kwam, was ik te murw om de gruwel te zijn die ik voorheen was geweest. Ik viel mijn slachtoffers niet langer aan als voorheen. Ik was niet langer belust op doodsangst. Ik heb je verteld dat er dingen in mijn leven zijn waaraan ik liever niet terugdenk en jouw vragen roepen deze opnieuw op. Ik vertel je ongaarne wat ik was, uit angst voor wat je van mij mocht denken en uit angst voor wat ik moet aanvaarden. De woorden staan mij tegen en de daden vervullen mij met afgrijzen. Maar aangezien ik jou duidelijk wil maken hoe ik in Egypte kwam, moet ik je dit naar ik aanneem wel vertellen, en hopen dat jij mij niet zult verachten voor die tijden.

Ik zweer je bij alle vergeten goden dat ik liever de ware dood zou omhelzen dan opnieuw een dergelijk monster te zijn.

Welnu, in Nineveh en Babylon werd ik voor een demon aangezien; niet zonder reden. Men hield mij geketend in een ondergrondse kerker die op een diepe put geleek en wierp mij bij elke nieuwe maan een slachtoffer toe om de goden gunstig te stemmen. Meestentijds verkeerde ik alleen met de ratten in de stank. In die duistere eindeloze uren zwoer ik dat ik niet meteen zou doden, dat ik mij niet direct op het volgende offer zou storten. Maar de tijd was lang en ik raakte uitgehongerd. Wanneer zij kwamen, waren de slachtoffers zo verschrikkelijk bang dat zij bijna waanzinnig waren en verloor ik alle hoop. Honger evenzeer als isolement dreef mij tot vertwijfeling en ik verlustigde mij aan het afgrijzen dat ik wekte, om toch iets te hebben dat mij zou helpen het lege duister te doorstaan. De priesters waren een eeuw of twee tevreden over mij voordat zij besloten dat ik te gevaarlijk was om nog langer in hun nabijheid te verkeren. Zij sleurden mij naar buiten, het volle felle zonlicht in, en bonden mij vast terwijl ik van schok en pijn krijste en wartaal uitsloeg. Toen ketenden zij mij vast in een enorme kooi, teneinde zichzelf te beschermen terwijl zij op zoek gingen naar een manier om zich dan eindelijk van mij te ontdoen.

Het was als demon dat ik verkocht werd aan de Hogepriester van Judea, die mij in ketenen hield, zij het niet in een ondergrondse kerker: hij hield mij gevangen met enorme netten en zonlicht. Van tijd tot tijd probeerde hij met mij te spreken om mij te laten zien hoe groot zijn macht over demonen was en om zijn magische vermogens te bewijzen. Sommige mensen dachten dat hij een verschrikkelijk risico nam door mij bij zich te houden en er werd hier en daar gefluisterd dat de Hogepriester met mij samenspande, zij het dat de meeste mensen te bang waren om meer te doen dan fluisteren. Na enige tijd stierf hij en zijn opvolger, die niet naar contact met demonen taalde, besloot mij te verbannen, zodat ik als eerbewijs werd weggegeven aan Farao Hatsjepsoet tijdens haar verblijf in Judea. Zij fascineerde de Opperkoning en verontrustte de priesters aangezien zij hun erediensten niet bijwoonde en een vreemdelinge was. Ik vermoed nu dat men erop vertrouwde dat ik haar uit de weg zou ruimen.

Welk een vreemde gewaarwording om over die tijden te schrijven.
Ik wil mijzelf niet herkennen in dat bloedbeluste, onmenselijke
schepsel, maar toch is die herkenning er. Ik voel afschuw voor wat
ik mij herinner, maar ik kan het niet loochenen. Ik vraag me af
of mijn relaas dat ik jou van dit alles doe, mij van mijn afkeer en
vertwijfeling zal bevrijden. Dat zal blijken.
Hatsjepsoets entourage bracht mij in een open wagen over het
land naar de zee en de zon deed mij van doodsnood krijsen. Ik
herinner mij hoe ik al die jaren in dat Babylonische slachthuis
naar het licht had gehunkerd en vervloekte mijn dwaasheid. Die
avond gaven zij mij een geit en ik mocht mij, omringd door een
schare gewapende wachten te goed doen, hetgeen de grootste
goedertierenheid was die mij in bijna driehonderd jaar was
bewezen. Farao Hatsjepsoet sloeg mij gade terwijl ik mijn dorst
leste en gaf mij na afloop een carneolen scarabee. Tot op de dag
van vandaag weet ik niet wat zij met haar geschenk beoogde.
Toen wij uitvoeren, werd ik in het ruim opgesloten. Daarvoor
ben ik dankbaar: zo men mij met de andere slaven aan dek had
vastgeketend, dan wens ik zelfs nu mij niet voor te stellen welk
een kwelling dat zou zijn geweest, water en zon tezamen.

Te Memphis waren de priesters aan boord gekomen en nadat zij dank hadden gezegd aan Hapi en Atan voor de behouden en voorspoedige reis van Farao Hatsjepsoet, kregen zij de gelegenheid de vele geschenken te inspecteren die haar door de Opperkoning van Judea waren gegeven, evenals de schenkingen van andere, minder prominente hoogwaardigheidsbekleders.

'Waar komen deze vandaan?' vroeg de eerbiedwaardigste der priesters, die een enorm borstschild droeg dat de kop van een jakhals voorstelde, terwijl hij de slaven inspecteerde. 'Zij zijn redelijk uit de kluiten gewassen. Anubis kan er hier drie van krijgen. Wij nemen de grootste, die kunnen de lijken afhandelen.'

'En deze dan? Men zegt dat hij een demon is. Hij heeft alle bloed uit een geit gezogen,' merkte een schrijver op, terwijl hij naar de haveloze gedaante gebaarde die met dubbele ketens aan de wand geklonken was.

'Nee,' zei de priester van Anubis met een gedecideerd hoofdgebaar. 'Laat die maar aan het Huis des Levens over. Die daar zal het koud laten wat hij is. Er zal aan hem niets verloren gaan en zijn dood zal de goden gunstig stemmen.' Hij liep verder, met een gebaar naar de anderen in zijn gevolg dat zij mee moesten komen.

Een andere, minder indrukwekkend uitgedoste priester bleef voor de demon staan. 'Donker haar, donkere ogen, met een huid als een Thraciër.' Hij tikte de demon met een korte staf op de schouder. 'Waar kom je vandaan?'

'Stuur me niet naar buiten,' smeekte de demon, evenwel in een taal die niemand dan hijzelf sprak of verstond. Hij herhaalde de woorden in de taal van Babylon maar het mocht niet baten.

'Primitief gebrabbel,' prevelde de priester hoofdschuddend. 'Ik veronderstel dat ik niet anders had kunnen verwachten.' Hij gebaarde naar de enkele acoliet die hem vergezelde. 'Nu dan, aangezien Anubis zo vriendelijk is ons een luttel deel van de buit te gunnen, neem ik aan dat wij dankbaar moeten zijn. Wij weten hoe inhalig een jakhals met zijn prooi kan zijn.' Hij deed een stap achteruit en bezag de ketenen die de handen van de demon boeiden. 'Je bent krachtig en dat is tenminste iets. Het is jammer dat je niet verstaanbaar kunt spreken maar ach, onder de stervenden...' Hij haalde zijn schouders op. 'Wij brengen je naar het Huis des Levens. Imhotep zal je voor het afgelopen is nog wel weten in te zetten.'

De demon deinsde achteruit toen de priester probeerde hem bij zijn haar te grijpen. Hij ontblootte zijn tanden en grauwde: 'Raak me niet aan.' Hij viel evenzeer uit wegens de vergeefsheid iets tegen deze arrogante Egyptenaren te zeggen, als bij wijze van dreigement.

'Kan het zijn dat hij reeds aan een god toebehoort?' vroeg de priester aan zijn acoliet. 'Soms drukken de goden hun stempel op hun slaven maar...' Zijn grote, met kohl omlijnde ogen versmalden zich. 'Ben je een waanzinnige of een verdoolde afgezant?'

Nu was de demon rusteloos en kwam in beweging voor zover de dubbele belasting van ketenen hem dit toestond. Hij zei niets maar er lag een uitdrukking in zijn donkere ogen die treffender was dan de meest welsprekende woorden hadden kunnen zijn.

'Laten we maar terugkomen met meer mannen. Het zou niet veilig zijn als jij en ik hem naar de tempel brachten.' De priester schudde zijn hoofd terwijl hij de demon bleef aanstaren. 'Zonder die baard en die haardos zou hij er best mee door kunnen. Maar zoals hij er nu uitziet, kunnen wij hem niet onder de doden sturen. Zorg dat hij en de twee anderen die ons zijn toegewezen naar behoren gewassen en geschoren worden.' Hij maakte aanstalten weg te lopen, keek toen nog eens om naar de demon. 'Rijzig, een brede borst, zeer krachtig maar toch met zulke kleine handen en voeten. Die littekens zijn afschuwelijk. Ik vraag me af waar hij vandaan komt.'

Het is misleidend het Huis des Levens als de Tempel van Imhotep te betitelen, alhoewel het wel zo genoemd werd: dit was een toevluchtsoord voor mensen met gezondheidsproblemen en het werk van de priesters lag meer in de verzorging van zieken en gewonden dan in gezangen en offers aan hun godheid, en hoewel de verering eindeloos voortging opdat de medicamenten die zij boden effectief mochten blijken, hielden de meeste aanwezigen in het Huis des Levens zich bezig met het verzorgen van mensen die op genezing hoopten. Allen, met uitzondering van de allerhoogste priesters, beperkten hun vrome werk tot het bestuderen van behandelingen en het verzorgen van diegenen die buiten het bereik van medicijnen en gebeden lagen en wie de dood wachtte. Dit nu was mijn bestemming: ik begaf mij onder de stervenden.

Amensis stond bij de ingang tot het plein buiten het Huis des Levens. Het bedroefde hem altijd weer de ongelukkigen te zien die daar samenstroomden, elk van hen opgewacht door Anubis, Ma-a-t en Thot. Als Hogepriester van Imhotep was het zijn plicht dit oord tweemaal daags te bezoeken. Van al zijn plichten viel deze hem het zwaarst, want dit was de meest zinloze, de plicht die hem meer dan al het andere pijn berokkende. In weerwil van zijn voornemen het na te laten, merkte hij dat hij toch weer toekeek hoe de slaaf uit den vreemde, die door sommigen de Demon werd genoemd, de ronde deed langs degenen die op de strobedden lagen. 'Senh,' zei hij, de naam gebruikend die aan de slaaf was toegekend, de enige die het hem paste uit te spreken: niemand zou hem hardop in zijn gezicht Demon noemen.

De slaaf onderbrak zijn taak, het afsponsen van een man die van koorts in delirium verkeerde. Zijn gedrag was onaangedaan, er sprak evenmin zorg uit als afkeer. 'Hogepriester,' zei hij, met zijn verschrikkelijke accent, zijn woorden van elke emotie ontdaan.

'Wat is zijn kwaal?' Hij had het niet hoeven vragen; Amensis had reeds drie dagen tevoren gelast de man uit het Huis des Levens te dragen, toen duidelijk werd dat de behandeling van zijn gebroken heup niet tot zijn herstel zou leiden. Nu was er op de plaats waar het bot was gebroken, een verkleurde zwelling, groter dan een gebalde vuist, en kon de man niet langer lopen.

'Hij is gloeiend heet,' zei Senh, de Demon, die met moeite de woorden vond. Hij was drie dagen geleden voor het laatst geschoren, toch zaten er amper stoppels op zijn hoofdhuid en armen, minder dan men bij andere mannen zou verwachten. 'Koorts.'

Amensis knikte. Hij rook zelfs op tien stappen afstand de infectie die de ijlende man verteerde. 'Hoe lang ben je nu hier in het Huis des Levens?'

Het kostte Senh enige tijd om de vraag te doorgronden en zijn antwoord te formuleren. 'Twee jaar, meer nog, Hogepriester.'

'Twee jaar, meer dan twee jaar,' herhaalde Amensis, hoewel hij dit al had geweten. 'Je bent hier nu twee jaar, twee jaar en drie maanden.' Hij schudde zijn hoofd. Geen wonder dat de vreemdeling Demon werd genoemd. Geen slaaf buiten het Huis des Levens was zo lang in leven gebleven. Tot nog toe was de langste periode dat iemand als slaaf levend buiten het Huis des Levens had doorgebracht, acht maanden geweest: Senh was hier nu meer dan driemaal zo lang. Amensis staarde naar de brede baan van littekens die Senhs huid vlak onder de ribben overdekte en schuilging onder het middenstuk van de korte kalasiris die alle slaven van het Huis des Levens droegen. Teneinde zijn veronderstellingen te ontlopen, rechtte Amensis zijn rug en zei: 'Hij is nog voor de ochtend dood. Het is ons niet vergund hem te helpen. De priesters van Anubis moeten op de hoogte gesteld worden opdat zij zich kunnen opmaken hem mee te nemen.'

'Ik blijf hier,' zei Senh, op dezelfde vlakke, van elke melodie verstoken toon waarop hij alles zei.

'Kennelijk, ja,' antwoordde Amensis, blij met het excuus weg te lopen van de slaaf die hem van zijn stuk bracht, gretig weer terug te keren binnen de muren van het Huis des Levens, daar waar nog hoop was.

Toen ik buiten het Huis des Levens diende, had ik niet de mogelijkheid mijn identiteit of mijn voorgeschiedenis te verbergen, waartoe ik ook geen enkele poging deed. Ik had mij niet kunnen verbergen zo ik dat al had gewenst en er was geen

enkele reden voor dergelijke voorzorgsmaatregelen, niet daar, niet
toen. Amensis en alle andere Hogepriesters noteerden mijn naam
en mijn taken in hun aantekeningen, en dit verontrustte mij niet,
want ditzelfde deden zij voor iedereen binnen het Huis des
Levens. Misschien vind je dit vreemd, in aanmerking genomen
wat er van de wereld geworden is, maar toentertijd in Egypte
achtte men onsterfelijkheid mogelijk, iets dat binnen bereik kon
liggen van diegenen die zekere rituelen volbrachten. Dat ik, een
vreemdeling, tegen alle verwachtingen in overleefde, en wel
dankzij onorthodoxe middelen, wekte niet de haat van de
priesters van Imhotep, althans niet die van de meesten uit hun
midden. Het was later – veel later – dat ik mijn vergissing besefte
en ontdekte dat ik, als ik in leven wilde blijven, mijn naam, mijn
oorsprong en mijn aard diende te verhullen.
Vele jaren lang verzorgde ik de stervenden ongeveer op dezelfde
wijze waarop een goede boer zijn kippen verzorgt, hoewel zij
minder voor mij betekenden dan de gezangen der priesters. Van
tijd tot tijd nam ik wat ik nodig had van iemand die te ver heen
was om te beseffen wat ik deed of zich daar druk over te maken.
Liefst iemand die in schitterende dromen gevangen was, want hun
fantasieën voedden mij evenzeer als hun bloed. Maar doorgaans
was ik tevreden met de geiten die mij gebracht werden. Het was
allemaal niets meer dan voer en de kwaliteit deed er niet toe.
Tot op de dag van vandaag herinner ik mij hoe het er toe kwam
dat ik veranderde: het staat mij even helder voor de geest als mijn
herinnering aan de muziek die ik gisterenavond heb beluisterd en
onverschillig hoe lang geleden het is voorgevallen, het beheerst
mij nog steeds. Het gebeurde gedurende de turbulente jaren na de
hongersnood onder de heerschappij van Thoetmozes iii. Ik werd
steeds meer aan mijn lot overgelaten want sommige priesters
waren bang voor mij en enigen uit hun midden wilden mij aan
de Tempel van Anubis overdragen om daar met de doden te
werken. Maar Neptmozes, die Amensis als Hogepriester opvolgde,
was een pragmatisch man die wist dat hij nooit een tweede slaaf
zoals ik zou vinden en gaf mij niet op. En zo bleef ik buiten het
Huis des Levens.
Er was een kind, een meisje niet ouder dan zeven of acht, dat
door een dolle hond was gebeten. De priesters hadden haar zoals

zij in dergelijke gevallen gewoon waren met ossenvet ingesmeerd,
en toen hadden zij haar naar mij gebracht aangezien hun niets
anders restte. Zij wisten dat zij niet gered kon worden en zij wist
natuurlijk wat er gebeurde: dat was wat het ondraaglijk maakte.

Haar gezicht was kletsnat en opgedroogd schuim vormde een korst op haar lippen. Zij stond naast het lage bed dat voor haar was opgemaakt. 'Ga ik dood?' Zij keek op naar de slaaf die buiten het Huis des Levens diende.

Senh knikte. 'Ja.'

Het meisje ging op het bed zitten en staarde naar een punt op een armlengte voorbij de muur. 'Spoedig?'

Het antwoord van de slaaf verraste hemzelf meer dan haar. 'Ik hoop van wel.'

Zij wierp hem een snelle, onderzoekende blik toe. 'Waarom zeg je dat?' Er lag meer woede dan angst in haar ogen en als haar handen niet hadden gebeefd terwijl zij ze langs haar zijden balde, zou het onmogelijk zijn geweest te onderkennen dat zij bang was.

'Omdat het een zware manier is om te sterven,' zei Senh.

'Uit mededogen?' Zij overdacht zijn antwoord en aanvaardde het. 'Ik heb twee broers.'

Senh zei niets.

In de stilte hief zij haar hand en begon aan haar vingernagels te knagen, hoewel die al afgekloven waren. 'Als ik in leven blijf, krijg ik dan toestemming om te trouwen?' vroeg zij na enige tijd.

'Je blijft niet in leven,' zei Senh.

Opnieuw zweeg zij.

'Het... spijt me,' zei Senh, en elk woord stak hem, 'dat ik zo weinig kan doen.'

Voor zonsondergang had zij een volgende aanval en gedurende de nacht nog eens twee, waarvan elk langer duurde dan de voorgaande. Senh hield haar vast en hoe zij ook spartelde en schopte en worstelde, hij liet haar niet gaan.

'Zij heeft geen dag meer te leven,' zei een van de priesters, toen hij Senh de volgende ochtend aantrof terwijl hij het meisje verzorgde. 'Imhotep behoede ons! Zij heeft je gebeten. Daar!'

'Het is niets,' zei Senh fronsend, terwijl hij naar het kleine bloedspoortje boven aan zijn arm keek.

'Jij zult ook dol worden,' zei de priester, wiens schrik toenam terwijl hij terugdeinsde van de slaaf uit den vreemde. 'De razernij zal over jou komen.'

'Nee,' zei Senh. Hij probeerde terug te denken en zich voor de geest te halen wanneer zij hem gedurende de nacht had gebeten, maar hij kon het zich niet herinneren. Hij wreef afwezig het bladderende bloed weg. 'Zij kan mij geen schade berokkenen.'

De priester was nieuw in het Huis des Levens maar hij kende de geruchten over Senh, die de Demon werd genoemd wanneer hij dit niet kon horen. Men had hem verteld van de keren dat Senh over de binnenplaats was gelopen wanneer er zoveel stervenden waren dat er bijna geen plek was om je voeten neer te zetten en ongedeerd was ontkomen. Hij had anderen horen zweren dat Senh niet besmet was toen de koorts kwam die Egyptenaren velde. Men had hem verteld dat zij die Senh schoren, zeiden dat zijn haar veel langzamer groeide dan normaal was en dat in weerwil van zijn hoge leeftijd er helemaal geen wit haar tussen zat. Hij bezag verontrust de vreemde slaaf. 'Hoe kunnen wij daar zeker van zijn? Hoe kun je weten dat jij niet dol zult worden?'

'Omdat dat mij nog nooit is gebeurd,' zei Senh. Zijn ogen bleven even op de priester rusten en flitsten toen weg. 'Ik moet gaan. Ze mag niet alleen gelaten worden.' Hij liep weg van de priester, iets wat geen enkele slaaf ooit zou wagen, en beende terug over de binnenplaats, op- noch omkijkend, zijn rug recht en met grote, regelmatige stappen. Niemand wist hoeveel pijn het zonlicht hem berokkende.

'Je bent weggeweest,' zei het kind, toen Senh aan haar zijde verscheen.

'Ik ben nu terug.' Hij legde zijn hand op haar voorhoofd en voelde hoe de dolheid haar bloed vergiftigde.

Tegen het hoogtepunt van de middag, toen de hitte over het Zwarte Land lag, even opdringerig als een gepassioneerde minnaar, hadden de veelvuldige en zware aanvallen van het meisje haar aan de uitputting voorbij gedreven. In haar laatste heldere momenten staarde zij op naar Senh, haar ogen enorm in hun donkere kassen, alle huichelarij weggebrand door de wreedheid van haar ziekte. 'Ik had je niet willen bijten.'

'Het hindert niet,' zei hij, terwijl hij haar nu meer vasthield om haar te steunen dan om haar in bedwang te houden.

'Nu zul jij even erg lijden als ik. Het spijt me.'

Hij streek een lok van haar haar glad. 'Het hindert niet,' herhaalde hij. Wat was ze licht. Wat was ze jong.

Zij hief smekend haar hand. 'Bind me vast aan het bed en laat me alleen. Ik wil je niet verder in gevaar brengen.' Haar stem was hees en zacht en bij iedere ademteug tekenden haar ribben zich strak tegen haar huid af.

'Dat kun jij niet,' zei Senh tegen haar, en het viel hem zwaar dit te bekennen aan een kind dat zo kwetsbaar was. Verbaasd over zichzelf trok hij haar dichter tegen zich aan, alsof hij haar met zijn eigen duurzamere lichaam kon beschermen tegen haar naderende dood.

'Nee?' Haar ogen keken hem beschuldigend aan maar zij stribbelde niet tegen. Kort daarop woedde een volgende aanval door haar gestel en toen die uitgeraasd was, stuurde Senh bericht aan de Tempel van Anubis dat zij voor de teraardebestelling klaargemaakt kon worden. Hij stond midden op het plein buiten het Huis des Levens en keek omhoog naar de enorme schittering van de nachtelijke hemel. Voor het eerst sinds zijn eigen dood miste hij iemand. In zijn vertwijfeling wekte de onbewogenheid en de schoonheid van de hemel zijn woede. Hij miste het meisje dat door de beet van een dolle hond was gestorven en hij rouwde om haar. Hij wreef over de plek op zijn arm waar zij hem had gebeten en hij vroeg zich af of zijn bloed iets van zijn aard aan haar had overgedragen. Het was de eerste maal in meer dan een eeuw dat deze mogelijkheid in zijn geest opkwam. Het was de eerste keer dat hij hoopte dat dit het geval was en wist dat het niet zo was.

Ik ben haar naam nooit te weten gekomen en ik ben haar nooit vergeten. Het was geen noodlot dat eiste dat zij zou sterven; het was blind toeval. Geen god had die dood van haar gevraagd en om die reden, omdat niemand kon veranderen wat er gebeurd was, had ik het gevoel dat ik haar voor haar dood verantwoording schuldig was. Dat was niet mogelijk maar het gevoel dat het leven haar had te kort gedaan heeft mij nooit helemaal verlaten. Zij was geen beest, hoe graag ik haar ook als zodanig had gezien, en haar sterven liet mij achter in een zo grote vertwijfeling als ik niet had gekend sinds ik had gezien hoe mijn familie werd afgeslacht toen ik door onze vijanden gevangen

werd genomen, voordat ik tot dit leven kwam. Zij was zo
sterfelijk, zij was zo verloren.
Wees op je hoede, mijn hart, tijdens je verblijf in dat oord. Het
Zwarte Land is prachtig, maar het is ook onverbiddelijk; neem
tijdens je verblijf daarginds geen risico's. Hoezeer het verlies van
dat kind mij ook door de eeuwen heen heeft vervolgd, die pijn is
niets vergeleken bij de kwelling die ik zou kennen als jou iets zou
overkomen. En in Egypte kan je iets overkomen, twijfel daar niet
aan. Misschien is het omdat ik zo vele, vele eeuwen naar jou heb
verlangd dat ik je wil beschermen. Misschien is het mijn vaste
overtuiging dat wat jij en ik hebben gevonden, slechts eenmaal
gevonden kan worden, als je zeer veel geluk hebt en de moed dat
te aanvaarden.
Geef mij, nu je hebt besloten naar Thebe te gaan, toestemming je
enige assistentie te verlenen. Doe dit om mij te plezieren zo niet
voor je eigen veiligheid. Ik zal mij niet met je ontdekkingen
bemoeien. Ik zal je niet beroven van de kennis die je zoekt en ik
zal niets doen dat je positie bij de oudheidkundige expeditie in
gevaar kan brengen, dat zweer ik je. Ik weet hoezeer je hecht aan
studie, want dat is een deel, een zeer klein deel van wat jou voor
mij zo dierbaar maakt. Maar dat is eveneens de reden waarom ik
mij zorgen maak. Je bent een ongetrouwde vrouw, alleen in een
mohammedaans land, werkend met een gezelschap Europese
mannen. Je rijkdom en aanzien kunnen je niet beschermen, die
hebben daar waar jij heen gaat niets te betekenen. Al die
overwegingen zijn voldoende om mij te verontrusten maar gezien
onze geaardheid maak ik mij extra zorgen. Ik wil je niet
beangstigen maar ik druk je op het hart voorzichtig te zijn. Ik
koester je om je moed maar ik ben diep bevreesd waartoe die
moed zou kunnen leiden. Laat dikwijls van je horen, Madelaine.
Wees ervan verzekerd dat je immer in mijn gedachten verwijlt,
zoals je bloed, je leven, in mijn aderen leeft.

Saint-Germain
(die ooit Senh was)
(zijn zegel, de eclips)

Mei tot en met september 1825

Tekst van een brief van Jean-Marc Paille in Caïro aan Honorine Magasin in Poitiers, via de goede diensten van haar neef Georges in Orléans.

Mijn aanbeden Honorine,

De Goede God zij gedankt die jou een neef als Georges heeft bezorgd! Waarlijk, hij is een heilige onder de zondaren. Hoe had ik, zonder zijn hulp, met jou in contact kunnen blijven. Hij heeft mij zelf verteld dat hij van mening is dat je vader wreed tegen jou is en onheus tegenover mij omdat hij ons huwelijk verbiedt enkel en alleen wegens mijn gebrek aan geld. Hij heeft mij voor mijn vertrek beloofd dat hij alles binnen zijn vermogen zou doen om zijn contact met jou te onderhouden opdat hij in staat zou zijn mijn berichten aan jou over te brengen en de jouwe aan mij. Het is om woedend van te worden dat wij onze toevlucht tot dergelijke arglist moeten nemen. Dit is niet de middeleeuwse wereld, maar jouw vader is erger dan de oppermachtige heren die hun lijfeigenen verkochten om aan hun speelschulden te voldoen. En nu wil hij ons nog de troost van een briefwisseling ontzeggen. Ik kan mij niet indenken hoe het voor mij zou zijn als ik geen manier zou vinden om tijdens mijn afwezigheid uit Frankrijk een correspondentie met jou te onderhouden. Het zou mijn ziel aanvreten zoals de worm het lichaam opvreet. Wanneer ik terugkeer, zullen wij beslissen wat ons te doen staat.
Wij zijn twee dagen geleden in Caïro aan land gegaan en ik heb een kamer gevonden in het hotel dat Baundilet aanbeval, naar verluidt een van de beste voor Europeanen, zij het niet zo goed als ik qua onderkomen ben gaan verwachten. Ik weet dat het nog veel primitiever zal zijn wanneer ik mij bij de rest van de expeditie voeg, maar dat valt te verwachten. Hier in deze stad

had ik op beter gehoopt, alhoewel de prijs niet al te hoog is – iets waarvoor ik gevreesd had, want men hoort verhalen over deze gelegenheden in den vreemde. Het is goed te weten dat ik mij in dit geval zonder goede reden zorgen had gemaakt.

De hitte hier is onuitsprekelijk, alsof een enorm onzichtbaar beest zich om je heen heeft gewikkeld. De adem van de woestijn, zo noemde een Engelsman het en dat moet ik beamen. Het is een levende, dodelijke hitte. Hij draagt zand en stof mee. Die vind ik overal, zelfs in kleren die opgevouwen in mijn bagage weggesloten waren. Dat zijdeachtige stof dringt door tot de kleinste uithoeken. Verder, zoals men mij al had gewaarschuwd, zijn er vlooien. De lucht ziet er zwart van en je kunt de straat niet opgaan zonder dat honderden je omzwermen. De mensen die hier leven schijnen ze niet op te merken en hun vee evenmin. Ik neem aan dat zij dit gewend zijn.

Ik heb eindelijk kennisgemaakt met Alain Baundilet, de leider van deze expeditie. Hij was vijf dagen eerder stroomafwaarts gekomen en wachtte mij in het hotel op. Sinds ik de brief heb ontvangen waarin hij mij bij de expeditie aanvaardt, heb ik mij voorgesteld hoe hij zou zijn. Een dergelijke geleerde, zo had ik bedacht, moest wel oud en uitgedroogd zijn van het speurwerk in ruïnes in de woestijn, krom van het bukken en verstrooid zoals zovele geestdriftige lieden. Dat was wat ik verwacht had. Wie schetst mijn verbazing toen Professor Baundilet zich aan mij voorstelde, een jonge man voor een zo groot geleerde, niet ouder dan vijfendertig. Hij is een knappe verschijning, een goede spreker, zeer geestig en erudiet. Hij was tijdens het diner dat wij samen genoten zeer onderhoudend en schetste mij zijn indrukken van wat hij tot dusverre heeft ontdekt. Let wel, hij heeft vooralsnog geen grote ontdekkingen op zijn naam staan, maar hij heeft er alle vertrouwen in dat hij binnen het jaar dergelijke aanspraken kan doen gelden. Zijn optreden maakt deze beweringen aannemelijk en ik heb meer dan ooit het gevoel dat ik in hem een waardevolle mentor heb gevonden. Zelfs zijn kleren zijn zeer modieus en toen ik hier een opmerking over maakte, vertelde hij mij prompt dat hij er twee afzonderlijke garderobes op na houdt: een om mee in de ruïnes rond te scharrelen en een voor het maatschappelijk verkeer, zo verwoordde hij het.

Alles wat hij mij heeft verteld, heeft mij met nieuwe hoop voor ons beiden vervuld. Nu wij Champollions vertaling van de hiërogliefen bezitten, begint deze oude wereld, die tot nog toe een gekmakende puzzel was, aan het licht te komen. Ik kan niet zeggen hoe trots ik ben te weten dat ik een kleine rol mag spelen in dat grootse proces. Er zijn nog genoeg geschriften op deze oude muren om geleerden zeker twintig jaar en nog langer bezig te houden, hetgeen mijn toekomst verzekert. Tegen de tijd dat wij een antwoord op het raadsel van de Egyptenaren hebben, zal elke grote universiteit in Frankrijk maar al te graag van mijn diensten gebruik maken. Het is mij duidelijk dat Baundilet vastbesloten is een grondige studie te maken van al wat hij vindt en dat overtuigt mij ervan dat ik mijzelf bij de juiste man heb gevoegd. Als ik eenmaal heb aangetoond hoe oprecht mijn vastberadenheid is, ben ik er zeker van dat je vader zijn hand over het hart zal strijken en zijn toestemming zal geven voor ons huwelijk. Aangezien hij mij slechts op zijn eigen voorwaarden wenst te accepteren, zal ik mijn wereldse waarden aan hem tonen op een zodanige wijze dat hij niet voorbij kan gaan aan wat ik heb bereikt. Het vervult mij van afschuw te bedenken dat hij jou net als ooit enige ongelukkige slavin op een veilingblok heeft gezet. Dat hij de geschiktheid van een man die naar jouw hand dingt, volledig op diens financiële vooruitzichten beoordeelt, stuit mij evenzeer tegen de borst als jou. Zo hij enige poging doet jou zover te brengen om een van die bemiddelde oude heren over wie je zo klaagde te accepteren, houd dan voet bij stuk, want weet dat ik des te vastberadener mijn best zal doen je te krijgen.

Zo er een dergelijke noodzaak zou zijn, heeft je neef Georges gezegd dat hij jou in zijn huis toevlucht zal bieden, mocht je die vereisen. Hij heeft mij overtuigd van zijn volslagen oprechte bedoelingen, want hij heeft mij verteld dat hij reeds sinds jullie kinderen waren jouw geluk hoog in zijn vaandel heeft staan. Denk dus niet dat je niemand hebt tot wie je je kunt wenden omdat jij in Frankrijk bent en ik in Egypte. Jouw neef stelt zijn deuren voor je open op enig moment dat dit nodig mocht blijken en hij heeft mij bezworen dat hij jou zal bewaken als was je zijn eigen geliefde.

Ik ga morgenochtend de zonsopgang bij de piramiden bezien. Je kunt je er geen voorstelling van maken wat een monumenten dat zijn. Geen beschrijving kan ze recht doen. Onverschillig hoe indrukwekkend de tekeningen ervan zijn, die zijn niets vergeleken bij de werkelijkheid. Toen ik ze voor de eerste maal tegen de avondschemering naderde, kon ik goed begrijpen hoe de Egyptenaren het gevoel hadden dat zij in de aanwezigheid van een god verkeerden. Het is niet louter hun enorme afmetingen, het is hun onschatbare leeftijd. Op een dag, mijn lieveling, zul je deze verbluffende aanblik samen met mij aanschouwen. Je zult aan mijn zijde staan en samen zullen wij de majesteit van deze stenen deelachtig zijn.

Wanneer wij Thebe bereiken, zal ik de andere leden van deze oudheidkundige expeditie leren kennen. Wij zijn in het totaal met zijn negenen, hoewel de namen die Baundilet noemde mij niet bekend voorkomen. Hij vertelde mij dat een deel van het werk reeds een aanvang heeft genomen. Alles is geregeld. Overmorgen zullen wij de reis stroomopwaarts langs de Nijl aanvaarden. Stel je voor! Ik zal de rivier zien die de Farao's hebben bevaren. De rivier die het land van Egypte tot leven brengt. Ik zal reizen zoals de Egyptenaren honderden en honderden jaren hebben gereisd, naar het hart van die aloude beschaving. Wellicht zal ik zelfs in de gelegenheid zijn de grote Jean-François Champollion te ontmoeten want deze stelt met Ippolito Rosellini uit Pisa een expeditie samen, althans dat heeft men mij verteld. Ik weet nog niet of zij op weg zijn gegaan of zijn aangekomen of in wezen wat dan ook. Nieuws verbreidt zich hier maar langzaam en je zult mijn traagheid wat dit aangaat bijwijlen moeten excuseren.

Gedenk mij in je gebeden en je dromen, mijn dierbare Honorine, zoals ik jou in de mijne zal gedenken. Wanneer ik terugkeer, hoef je nimmer meer vrees te koesteren. Ik zal mijzelf opwerpen als een bastion tussen jou en de beproevingen van de wereld. Ik zal de last van al je zorgen op mij nemen en jouw geluk als het mijne beschouwen. Ik mag dan nu geen geld hebben maar ik zweer je dat ik je met juwelen en bont zal overdekken wanneer ik uit Egypte terugkeer. Er is niets wat je vader kan doen om ons gescheiden te houden als wij eenmaal onze eed aan elkaar gezworen hebben. Deze scheiding is slechts een ongemak dat mij

in staat stelt mijn weg naar jou met goud en faam te plaveien.
Aldus stuur ik je met mijn naam duizend kussen en de zoetste,
meest geheiligde eed op onze duurzame liefde.

Met mijn hart in mijn handen,
Jean-Marc
3 mei 1825, te Caïro

Een

'Ben je nog wakker, Paille? Het zal al bij drieën zijn.' Alain Baundilet zat op een zak graan op het achterdek van de dhow en zijn trekken waren in het licht van de afnemende maan niet te onderscheiden.

Jean-Marc Paille schrok van de onverwachte woorden maar deed toen zijn best zich kalm voor te doen. 'Ik had u daar niet gezien,' zei hij.

'Dat is geen wonder,' verzuchtte Baundilet. 'Er ligt nog een andere baal een stukje verderop aan dek als je die wilt.' Hij pakte zijn enorme linnen zakdoek en depte zijn nek. 'Ik kan niet slapen als het zo heet en zo stil is.'

'Het is alsof je stikt,' zei Jean-Marc, die probeerde ervarener te klinken dan hij was. Hij haalde zijn horloge te voorschijn en tuurde ernaar bij het plotselinge felle schijnsel van een lucifer die hij afstreek en bij de wijzerplaat hield. 'Volgens mij is het twee uur negenenveertig.'

Baundilet grinnikte. 'Stikken om twee uur negenenveertig. Of smoren. De lakens wogen meer dan ik wenste te dragen. De lucht is al gewicht genoeg. Nu ja, mijn vrouw is tenminste niet bij me. Kun je je voorstellen dat je iemand in deze hitte naast je hebt liggen? Ik moet er niet aan denken.' Hij streek zijn lapellen glad. 'Zij raakt bij heet weer toch al zo verlept. Ik zou haar nooit hierheen brengen. Dat zou niet aangaan.'

'U heeft uw vrouw thuisgelaten?' vroeg Jean-Marc, vol afschuw dat iemand zoiets kon doen.

'Dat is beter dan haar hier hebben.' Hij bespeurde de afkeuring van de jongere man en hief verzoenend zijn hand. 'Goeie god, man, kijk eens om je heen. Je ziet toch hoe die mohammedanen zijn. Moet je dit oord zien. Dit is geen land voor een Française. En wij hebben andere dingen aan ons hoofd. Vrouwen lopen maar in de weg, Paille, zoals je zult ontdekken zodra je er eentje krijgt.' Hij sloeg zich plotseling tegen de hals. 'Vermaledijde muskiet. Zo groot als een tor.' Hij staarde naar zijn vingers maar kon niet zien of hij het insect nu had doodgeslagen of niet. 'In Egypte sterft het van de torren en dat zijn heus niet allemaal scarabeeën. Verleden maand heb ik er eentje opgegraven. Dat kreng was zo groot als mijn hand, ik zweer het je. En hij stonk godsgruwelijk.'

'O,' zei Jean-Marc, die de hele kwestie van echtgenotes vergeten was. Hij was in de ban van wat hij hoorde, al had hij weinig op met torren. Hij verkeerde in de roes van zijn avontuur.

'Je moet bij het graven heel voorzichtig zijn,' vervolgde Baundilet, die plezier beleefde aan de aandacht waarmee Jean-Marc als gehypnotiseerd naar hem luisterde. 'Je moet niet alleen voor torren uitkijken. Schorpioenen, daarvoor moet je hier pas goed voor oppassen. Al was het maar omdat ze dodelijk zijn. En je ziet ze niet altijd. Een van de inboorlingen is nog niet zo lang geleden door een schorpioen gestoken. Hij heeft vreselijk geleden, dus neem geen risico's. Pas op voor schorpioenen. Slangen, idem dito, al zijn sommige daarvan niet zo gevaarlijk. Neem daarmee ook maar geen risico, onverschillig wat voor soort het is. Je kunt maar beter voorzichtig zijn, zeg ik altijd.' Hij keek op naar de zeilen. 'De ontwerpen zijn niet veel veranderd, weet je. Die latijnachtige tuigage en zoals ze zover over de rivier steken. Als je stroomopwaarts vaart, heb je de wind min of meer in de rug. Als je stroomafwaarts gaat, moet je de stroom gebruiken en zijn de boten moeilijker bestuurbaar. De rivier bepaalt alles in Egypte. Zo is het altijd al geweest. De schepen van de Farao zouden vandaag de dag niet misplaatst zijn, althans niet de gewone schepen.'

'Heeft u bij uw onderzoek meldingen van schepen ontdekt?' vroeg Jean-Marc gretig, en hij vervloekte zichzelf dat hij zo naïef klonk. Hij wijzigde zijn toon, zorgde dat er meer zelfvertrouwen in doorklonk, althans dat hoopte hij. 'Heeft u daar enigerlei bewijs voor? Heeft u een schip gevonden uit de tijd van de Farao's?'

'Een paar. Je ziet ze weleens op muurschilderingen. Wij hebben brokstukjes verguld hout gevonden. Dat zou afkomstig kunnen zijn van schepen of katafalken of... wie zal het zeggen?' Baundilet slaakte een zucht en schudde zijn hoofd; hij vouwde zijn zakdoek zorgvuldig op alvorens hem in zijn zak terug te stoppen. 'Je kunt linnen hier niet fris houden. Het is vergeefse moeite dat te proberen.' Hij wierp een zijdelingse blik op de stuurman, die nadrukkelijk geen aandacht aan hen besteedde. 'Hij spreekt een klein beetje Frans, weet je. Niet veel, maar genoeg om zich te redden. Hij luistert mee. Dus bedenk wat je zegt wanneer deze knapen in de buurt zijn. De meesten zijn onwetend en niet veel meer dan wilden, maar sommigen zijn listig en doortrapt, en die zijn eropuit om hun voordeel te doen met ons en de dingen die wij ondernemen. Het zou niet verstandig zijn dat te vergeten.'

'Bedankt voor de waarschuwing,' zei Jean-Marc, die niet wist hoe hij zou moeten bepalen welke van de Egyptenaren die hij ontmoette, werkelijk Frans spraken en welke van hen niet.

'O,' zei Baundilet, terwijl hij opstond en zich even uitrekte. 'Nog één ding. Ik geloof dat ik behoor te melden dat er zich nog een persoon bij onze expeditie zal voegen, iemand die nu net aangekomen is.' Zijn glimlach – als het al een glimlach was – verdween alweer bijna voordat hij begon. 'Het gaat om een vrouw: jong, rijk, een van die aristocraten die de Revolutie overleefd hebben en Frans mochten blijven. Haar familie zal wel iemand omgekocht hebben of een verbond met de Kerk hebben gesloten. Hoe het ook zij, ze bezit landerijen en geld en een of andere titel. Ze beweert dat ze serieus geïnteresseerd is in oudheidkunde, en voor zover ik het kan beoordelen, is dat de waarheid. Ze heeft een villa gehuurd vlak bij Thebe en ze betaalt een aanzienlijke som voor het voorrecht om met ons in het zand te graven. Haar bijdrage waarborgt ons een extra verblijf hier van zes maanden ongeacht wat de universiteit mocht besluiten. Ik vermoed dat haar belangstelling niet erg lang stand zal houden, om welke reden ik in eerste instantie zoveel geld heb gevraagd, maar zolang zij bij ons is, zullen wij ons niet vervelen. Het biedt naar ik aanneem de gelegenheid voor afwisseling.'

'Een jonge vrouw? Wat heeft die hier nou te zoeken?' Jean-Marc dacht aan zijn geliefde Honorine en hoe hij ertegenover zou staan haar met zich mee te nemen op deze expeditie, zelfs als het mogelijk zou zijn geweest. 'Waarom is zij gekomen?'

Ergens in de buurt van de kust weerklonk het geluid van een plons en gespartel. Jean-Marc keek met grote ogen in de richting van het geluid; Baundilet vervolgde alsof hij niets had gehoord.

'Het vermoeden van de groep is dat zij is weggelopen bij haar echtgenoot. Je weet hoe die aristo's zijn. Welke andere reden zou een vrouw zoals zij kunnen hebben om zich in een villa buiten Thebe te vestigen? Dit is geen plaats voor iemand zoals zij. De mohammedaanse wetten zullen haar niet veel meer bevrediging geven dan haar echtgenoot en als zij van een sjeik als minnaar droomt, zal zij lang alleen blijven. Mohammedanen vinden buitenlandse vrouwen niet aantrekkelijk. De meeste Egyptenaren hebben vrouwen in overvloed en zoeken hun pleziertjes buitenshuis bij jongens.'

Jean-Marc kon daar geen antwoord op bedenken. Hij knikte verscheidene malen om Baundilet aan te moedigen door te gaan.

Baundilets plezier in zijn eigen uiteenzetting nam toe. Hij schoof wat dichter naar Jean-Marc toe. 'Ik heb de laatste paar dagen veel aan haar gedacht. Ze zou natuurlijk een van die vrouwen kunnen zijn die haar pleziertjes bij haar eigen sekse zoekt, doch Egyptische vrouwen, de meeste tenminste, leven even teruggetrokken als nonnen. Als zij al lesbisch zijn, uiten zij dat binnenskamers, in het gezelschap van alleen andere vrouwen. Bovendien doen ze iets met hen als ze nog kinderen zijn – een deel van het vrouwelijke orgaan wordt weggehaald, het kleine knopje, weet je wel, en de binnenste schaamlippen; soms naaien ze de geslachtsopening gedeeltelijk dicht om maagdelijkheid te waarborgen – dus ze zijn niet geschikt voor vrouwelijke perversiteiten.' Hij lachte smalend.

'Waar is deze Française dan opuit?' vroeg Jean-Marc, die alles wat Baundilet zo achteloos had gezegd probeerde te overdenken.

'Ze zoekt vertier. Wat zou het anders kunnen zijn?' deelde Baundilet hem mee, alsof het zijn nieuwste ontdekking was. 'Zo zijn aristo's, zelfs nu nog. Ze wil iets nieuws in haar leven, iets waarover ze kan pochen als ze in hoog gezelschap verkeert. Ze zoekt een aannemelijk excuus om bij haar echtgenoot weg te blijven zonder in opspraak te geraken. Een reis naar Egypte was precies wat ze zocht, net nu wij de betekenis van al die eindeloze inscripties beginnen te snappen.' Hij haalde zijn zakdoek weer te voorschijn en veegde zijn voorhoofd af. 'Over een maand of wat zal zij genoeg hebben opgestoken om zonder gezichtsverlies naar Parijs terug te kunnen keren, een paar sieraadjes rijker en haar reputatie als geleerde gevestigd. Dan zal haar echtgenoot het niet wagen vragen te stellen over haar tijd in Egypte.' Hij lachte, ditmaal uiterst onaangenaam.

'En als ze nou eens echt geïnteresseerd is? Zou ze geen oprechte belangstelling voor de oudheidkundige wetenschap kunnen hebben?' vroeg Jean-Marc.

'Als dat zo was, zou ze geen mooi schepseltje met geld zijn. Vrouwen die om de wetenschap malen, zijn zuur en lelijk, teleurgesteld in hun familie en zonder hoop op een echtgenoot, en geen van die omschrijvingen passen bij la Montalia. Vreemde naam, nietwaar? Uit Savoie, heb ik mij laten vertellen, waar ze nagenoeg Italiaans zijn, sommigen tenminste. Donker haar, een goed figuur, verbluffende ogen, bijna de kleur van viooltjes, en elegante manieren. Een eeuw geleden zou men duels over haar uitgevochten hebben.' Hij lachte nogmaals. 'Nu, dat is dus de vrouw die zich bij ons voegt. Je zult spoedig je opwachting bij haar willen maken, want als ik mij niet vergis, stelt zij zeker prijs op correctheid.'

Jean-Marc knikte. 'Ik zal haar een bezoek brengen.'

'Mooi, mooi.' Baundilet liep weg over het dek en keek toen achterom naar Jean-Marc. 'Heb je scheerzeep meegenomen? Behoorlijke scheerzeep? We zijn er bijna doorheen, weet je.'

'Eigenlijk niet, nee, dat heb ik niet,' zei Jean-Marc. 'Ik had er geen idee van dat wij behoefte zouden hebben aan extra zeepvoorraad. Maar ik geloof dat er drie stukken bij mijn spullen ingepakt zijn. Heeft u daar wat aan?' Deze wending overviel hem en hij antwoordde openhartiger dan hij gewild had.

'Geef me er een, wil je? Ik wil mij in de ochtend opfrissen, er op mijn best uitzien. Ik ben bang dat mijn kaak onder de uitslag komt te zitten door de rommel die ik de laatste tijd gebruik. Ze weten hier niet wat behoorlijke zeep is. Alles is olie en sandelhout.' Hij wreef met zijn hand over zijn kin om zijn bewering kracht bij te zetten en vervolgde toen: 'Ik hoop dat jij het goed met Mademoiselle de Montalia zult kunnen vinden. Iemand moet toch bij haar in de smaak vallen en zij heeft duidelijk geen vertrouwen in mij, ondanks het vele geld dat ze mij heeft betaald.'

'Geen vertrouwen in u?' Jean-Marc was oprecht verbaasd. 'Welke reden heeft ze daarvoor?'

'Die geeft ze niet. Dat soort vrouwen doet dat niet.' Hij sloeg zijn armen over elkaar en schraapte zijn keel, als voorbereiding op een doorslaggevende verklaring. 'Iemand zal een oogje in het zeil moeten houden, alleen niet te opvallend. Zij is zo'n vrouw die je in de gaten moet houden. Ze is te nieuwsgierig.'

Jean-Marc fronste zijn voorhoofd. 'Maar waarom zou dat een probleem zijn?'

Baundilet hief vermanend zijn vinger naar Jean-Marc. 'Wij hebben geen behoefte aan iemand van dat slag die onze gangen nagaat. Het past niet. Wij zijn rationele mannen, niet van haar stand. Wij ondernemen deze expedities niet louter voor ons plezier.' Hij beroerde zijn horlogezakje. 'Het is één ding om haar toe te staan met ons mee te graven, zolang zij niet door de zon bevangen raakt, maar het is heel wat anders als zij zich met ons werk gaat bemoeien.'

'Ja,' zei Jean-Marc een ogenblik later. 'Dat begrijp ik.'

'Welnu dan, ik neem aan dat ik erop kan vertrouwen dat jij me op de hoogte houdt van alles waar zij zich mee bezighoudt.' Ditmaal glimlachte hij breeduit, begeriger. 'Hou me te goede, er zijn enkele dingen waar zij van mij best haar neus in zou mogen steken, zonder enig bezwaar.'

Deze toespeling ging niet verloren aan Jean-Marc, die zijn verbazing met een wereldwijze lach trachtte te verhullen. 'Omdat u uw vrouw thuis hebt gelaten, is dat het?'

'Gedeeltelijk zeker,' zei Baundilet, een geeuw achter zijn hand verbergend. 'Ik zei je al dat zij een aantrekkelijke vrouw is. Dat is altijd beter dan risico's te lopen bij prostituees, nietwaar?' Hij schraapte zijn keel. 'Ik ga maar eens proberen wat te slapen. Het zal niet gemakkelijk zijn, maar...'

Jean-Marc stond onmiddellijk op. 'Ik had juist dezelfde gedachte,' vertelde hij Baundilet. 'Het zal mij enige tijd vergen om aan dit klimaat te wennen.'

'Ja, in het begin is het voor ons allemaal moeilijk,' zei Baundilet. 'Welnu, Paille, goedenacht dan.' Hij wendde zich zonder verdere opmerkingen af en liep naar de smalle deur van de hut. Daar aarzelde hij even, maar of het was om Jean-Marc aan te kijken of om een laatste blik op de stuurman te werpen, was met geen mogelijkheid te zien.

Nadat hij nog een halfuur op het dek had gezeten en had toegekeken hoe de maan steeds lager aan de nachtelijke hemel stond en had geluisterd naar het gekreun van de zeilen en de schoten, naar de ondefinieerbare geluiden die van tijd tot tijd vanaf de oever te horen waren en het eindeloze geklots van de rivier tegen de voorsteven van de boot, besloot Jean-Marc een hernieuwde poging te wagen de slaap te vatten. Hij keerde terug naar zijn hut en verzekerde zich ervan dat de luiken in de goede stand stonden om het kleine zuchtje wind dat er was binnen te laten. Terwijl hij zich uitkleedde, overdacht hij wat Alain

Baundilet hem had verteld en hij kon geen besluit nemen of hij dacht dat de leider van de expeditie in ernst had gesproken of niet. Een man als Baundilet zou toch waarachtig zijn goede naam als oudheidkundige niet in gevaar brengen door een rijke vrouw van stand te verleiden, getrouwd of niet. Hij bereikte geen bevredigende conclusie voordat de slaap hem eindelijk overviel.

Al lang voor tienen was de ochtend heet. De zon scheen helder op de spiegel van de Nijl terwijl hij aan de hemel stond te branden. Onbekende vogels scheerden over het water, hun gekrijs als het geblaat van lammetjes die om hun moeders riepen. Jean-Marc stond aan de zijkant van de dhow en volgde met zijn hand voor zijn ogen de vlucht van de vogels. Hij wenste dat hij wist wat voor vogels het waren. Hij voelde zich ietwat licht in zijn hoofd, alsof hij te veel brandewijn had gedronken. Het enige excuus dat hij voor zichzelf kon aanvoeren was vermoeienis, want hij had niet meer dan vier uur kunnen slapen. Hij deed zijn best zich te concentreren op de voortgang van de dhow stroomopwaarts.

'Gecharmeerd van wat je ziet?' Degene die naast zijn elleboog het woord tot hem richtte, was Ursin Guibert, de factotum van de expeditie, die Baundilet stroomafwaarts had vergezeld.

'Ik weet het nog niet,' bekende Jean-Marc. Hij was een beetje gedesoriënteerd en keek er dan ook niet van op dat Guibert hem aansprak. Normaal gesproken zou hij niet zo ontspannen met een bediende converseren.

'Het vergt tijd,' zei Guibert, die als sergeant in Napoleons leger naar Egypte was gekomen en als burgergids was achtergebleven toen de troepen vertrokken. Nu bedekte hij zijn hoofd met een soort tulband, hoewel zijn kleren nog redelijk Europees waren, zij het jaren op de mode achter. Zijn gezicht was even donker en verweerd als dat van de stuurman. Hij was negenendertig maar zag eruit als zestig. 'De eerste drie jaar dat ik hier was, dacht ik dat ik het land nooit zou leren kennen, dat ik hier nooit mijn draai zou vinden. Ik dacht dat ik koste wat kost naar Frankrijk terug wilde, maar dat is veranderd.' Hij rookte een pijp, het soort pijp gemaakt van klei met een lange steel. Deze vulde hij nu en stampte de tabak zorgvuldig aan. 'Ik heb nooit geleerd die waterpijpen die de inboorlingen roken lekker te vinden. Ik heb ook niet veel op met wat ze erin stoppen. Ik haal mijn roes wel uit wijn en brandewijn, niet uit een handjevol kruiden. Dank je feestelijk.' Hij stak op en inhaleerde de rook. 'Er is tabak bij de voorraden. Daar heb ik wel voor gezorgd.'

Jean-Marc dacht aan hetgeen Baundilet de avond tevoren had gezegd en vroeg: 'En scheerzeep?'

'Och, maakt Alain zich daar alweer druk over? Scheerzeep!' Guibert grinnikte door zijn opeengeklemde tanden. De pijp trilde. 'Hij is altijd bang dat hij zich niet behoorlijk kan scheren. Ik heb hem nog nooit teleurgesteld, maar hij blijft zich ongerust maken. Hij moet zich zo nodig altijd ergens over opwinden.' Dit klonk eerder geamuseerd dan klaaglijk en hij gaf geen verdere commentaren over zijn werkgever. 'Ha, kijk eens.' Hij wees naar de overkant van de rivier op de westoever. 'Kijk daar. Die dingen noemen ze shadufs. Die gebruiken ze om de velden te besproeien. De tegenwichten tillen de wateremmers op, zie je wel.'

'Ja,' zei Jean-Marc, die gefascineerd de constructies bekeek. 'Wat slim.'

'Baundilet denkt dat de oude Egyptenaren ook zoiets gebruikten. Hij heeft in elk geval een muurschildering gevonden waarop iets dergelijks staat. Hij gaat er tekeningen van maken ter presentatie samen met schetsen van de shadufs die wij nu zien om zijn theorie kracht bij te zetten. Hij neemt altijd zijn kans waar. Onze Alain is een zeer ambitieus mannetje. Hij stelt zich hoge doelen.' Guibert leunde met zijn ene hand op de reling en draaide zich om om naar het kielzog van de dhow te kijken. 'En jij dan, Paille, waarnaar ben jij op zoek in Egypte?'

'Nou, oudheden,' zei Jean-Marc al te snel.

'Natuurlijk,' zei Guibert, en hij voegde er toen aan toe: 'En verder? Er moet nog iets zijn. Als je alleen maar op oudheden uit was, zou je die in Parijs kunnen kopen.'

'O, nee,' wierp Jean-Marc tegen. 'Oudheden kopen stelt niets voor. Iedereen met *geld* – hij sprak dit woord op bittere toon uit want hij had er maar zo weinig van – 'kan alles kopen als hij het geduld en de vastberadenheid heeft. Oudheden aanschaffen heeft geen enkele betekenis. Waar het om gaat, is ze te ontdekken. Iets te vinden wat niet eerder gevonden is en dat de wereld onder ogen brengen.'

'Ach,' zei Guibert met een hoofdknikje. 'Roem, je bent op roem uit. Nu, die is hier wel te vinden, een bepaald soort roem zeker.' Hij lachte. 'Maar die is niet voor iedereen weggelegd, of wel?'

Jean-Marc kreeg een kleur en probeerde zichzelf ervan te overtuigen dat de hitte en niet zijn ijdelheid deze teweegbracht. 'Roem is onbeduidend,' zei hij, en hij wenste dat hij het meende. 'De ontdekkingen zijn van belang, het vergaren van kennis. Deze mensen uit de oudheid hebben ons veel te vertellen. De gelegenheid hier te komen als er zoveel nieuws is, nu, dat is een kans die maar weinig leraren hebben. Het moet een eer zijn voor elke geleerde om een bijdrage te leveren aan de kennis van de wereld.'

'En aan zijn eigen reputatie, toch ook even,' zei Guibert lachend met een knikje. 'Je hoeft je niet te schamen voor waar je op uit bent. Als je bereid bent zover te komen en onder de meest uitputtende omstandigheden als de armzaligste boer te zwoegen, dan zul je je roem, je reputatie verdienen. Ik heb er geen belang bij om met jou te redetwisten over hetgeen jij wilt.' Hij haalde zijn pijp uit zijn mond toen hij de verbeten trek om Jean-Marcs mond zag. Zijn toon werd gemoedelijker. 'Laten we hier maar mee ophouden voordat we beginnen. Ik heb niets tegen jou of tegen je streven. Wij zullen geruime tijd deel uitmaken van dezelfde expeditie, jij en ik. In oorden die zo afgelegen zijn als Thebe kunnen we ons geen rancune veroorloven. Het is niet verstandig om aanstoot te nemen aan wat ik nu zeg, want dat zou alleen maar tot problemen tussen ons leiden die geen van ons beiden willen, of wel?' Hij stak zijn knoestige hand uit. 'Dit is het oosten, snap je? Dat zal je veranderen als je hier blijft.'

Jean-Marc nam met tegenzin Guiberts hand aan. 'Neem me niet kwalijk als ik je verkeerd begrepen heb. Ik hoop dat we goed zullen samenwerken.'

'Uiterst tactvol,' zei Guibert goedkeurend. Hij deed er nog een paar minuten het zwijgen toe en merkte toen op: 'Ga maar liever je hoed halen. Als je zonder iets op je hoofd in de hete zon blijft staan, raken je hersens nog aan de kook.' Met die vermaning slenterde hij weg over het dek, bij zichzelf neuriënd.

Terwijl hij toekeek hoe Ursin Guibert wegwandelde, probeerde Jean-Marc voor zichzelf vast te stellen waar hun woordenwisseling – want hij kon het amper een conversatie noemen – nu eigenlijk over gegaan was. Had Guibert geprobeerd hem te waarschuwen? Waarvoor dan? Waarom? Hoezeer hij ook nadacht, Jean-Marc werd er geen wijs uit. Hij slenterde naar de voorsteven van de boot, waarbij hij zijn best deed nonchalant over te komen. Er was zoveel dat nieuw voor hem was dat hij zich er niet van kon weerhouden te staren. Ten slotte bleef hij staan en keek uit over het opkrullende water waar de boot de rivier doorkliefde.

'Iets gevonden?' vroeg Alain Baundilet, terwijl hij achter Jean-Marc opdoemde.

Jean-Marc schudde zijn hoofd, keek achterom en haalde zijn schouders op. 'Niets. Ik geloof dat ik een beetje licht in mijn hoofd word van de hitte.'

'Dat komt nogal eens voor,' zei Baundilet, amper geïnteresseerd. Toen hij zag dat Jean-Marc niets op zijn hoofd had, zei hij: 'Bescherm je er alleen wel tegen.' Hij gebaarde naar de zon. 'Ursin heeft je toch een hoed aangeraden, nietwaar?'

'Zoiets zei hij, ja,' was Jean-Marcs gereserveerde antwoord.

'Nu,' zei Baundilet, met een gebaar naar zijn eigen hoed. 'Je zou er goed aan doen de jouwe op te zetten. De dag wordt er voorlopig niet koeler op tot meerdere uren na zonsondergang.' Zijn glimlach was zo glad dat deze bijna geen realiteit had. 'Ik zou niet willen dat je door de hitte bevangen werd.'

'Ik ben redelijk taai,' zei Jean-Marc, en hij voegde er verontwaardigd aan toe: 'Waarom denkt iedereen toch dat alle Europeanen niet tegen de woestijn bestand zijn?'

'Omdat de meeste dat ook niet zijn,' zei Baundilet bondig. 'Ik zou in elk geval niet naar buiten komen zonder dit op mijn hoofd.' Hij tikte tegen de rand van zijn hoed. 'Toe nou maar. Ga je hoed halen. En kom daarna naar mijn hut, dan laat ik je zien wat wij tot nog toe hebben gedaan. Dan krijg je een idee waarmee we bezig zijn.' Hij sloeg Jean-Marc op de schouder met een geveinsde kameraadschappelijke houding. 'Het is makkelijk je wat verloren te voelen wanneer je net in Egypte bent aangekomen. Het is een overweldigend oord. Maar als je mij iets van je tijd vergunt, kunnen we naar ik hoop het ergste wel vermijden. Als je eenmaal bekend bent met het project, dan wen je zo.'

'Natuurlijk,' zei Jean-Marc meteen. Hij knikte Baundilet toe. 'Je hebt gelijk wat betreft die hoed. Ik ben, geloof ik, wat koppig geweest.'

'Dat kan gebeuren als je hier net bent. Het is vreemd voor ons en we willen geen afstand doen van wat we gewend zijn,' zei Baundilet wat hartelijker. 'Ik herinner me nog hoe ik me aan mijn beste Franse gewoontes vastklampte toen ik hier net was aangekomen. Ik dacht dat het zo hoorde. Ik ging ervan uit dat dit de juiste manier was: net te doen alsof Egypte Parijs was of op zijn minst Marseille.'

Jean-Marcs lachje was even beleefd als verwacht. 'Ik zal mijn best doen aan Egypte gewend te raken.'

'Mooi zo,' zei Baundilet goedkeurend. 'Het heeft geen zin je tegen dit oord te verzetten.' Hij wees naar de oever, waar een tiental koeien half in het water aan de rand van de rivier stonden, gehoed door twee broodmagere ondermaatse jongetjes. 'Zelfs de mensen die hier nu zijn, horen hier ook niet echt thuis. Dat is niemand vergund. Deze plaats is ouder dan wie dan ook van ons.'

'Deze plaats is ouder dan wie dan ook van ons,' herhaalde Jean-Marc binnensmonds, terwijl hij over het dek achter Baundilet aanliep en voor het eerst besefte hoe vermetel hij was geweest hierheen te komen.

Tekst van een brief van de Koptische monnik Erai Gurzin te Edfoe in Boven-Egypte aan le Comte de Saint-Germain in Rotterdam.

Aan de Leermeester van de Grootse Kunst, Saint-Germain,
gegroet in de naam van God en de Eucharistie,

Uw brief heeft mij ten langen leste bereikt, hetgeen evenwel langer vergde dan men zou verwachten, aangezien de eerste bode naar de Eerste Cataract bij Aswan ging, in de veronderstelling dat hij daar het klooster zou vinden. Dat staat, reeds sinds zijn oprichting zestienhonderd jaar geleden, nabij de oude tempels van Ramses II. De bode was door dit misverstand drie weken te laat met zijn bezorging.
Wij hebben uw verzoek ingewilligd en het graf van Niklos Aulirios gemarkeerd met een steen die niet christelijk is. De inscriptie die u leverde is, in het Grieks, erin gebeiteld. De monniken waren hier niet echt gelukkig mee maar zij beseffen dat Aulirios een goed mens was die, verstoken van de doop, toch een christelijk leven heeft geleid en dus hebben zij er uiteindelijk in toegestemd hem bij de ingang van de kloostertuin, nabij de muur, een rustplaats te gunnen. Wellicht heeft hoe hij de dood vond een rol gespeeld in hun beslissing, want hij zou dat vuurpeloton nooit het hoofd hebben moeten bieden als hij niet

die Franse soldaten had tegengehouden toen zij de oude inscripties wilden vernietigen. De meeste monniken zijn de mening toegedaan dat hij juist heeft gehandeld in het beschermen van de inscripties, ook al stammen deze uit de tijd van Ramses II en horen ze niet bij de Heilige Schrift. Verder bidden wij voor de rust van zijn ziel.

Ik heb toestemming gekregen om noordwaarts naar Thebe te reizen en eenmaal daar zal ik mij bemoeien contact op te nemen met deze Madelaine de Montalia, die daar is teneinde zoveel over de Egyptenaren onder de Farao's te ontdekken als haar vergund is. Uw beschrijving van haar is intrigerend. Ik heb niet veel Europese vrouwen ontmoet en diegenen die ik heb getroffen waren heel anders dan zij, althans zo maak ik op uit wat u mij vertelt. Het valt mij moeilijk te geloven dat het haar zozeer ernst is met haar studie als u beweert, maar ik heb nog nooit meegemaakt dat uw oordeel faalde. Zo deze vrouw van uwen bloede is en uw vermogen tot kennis heeft, past het mij niet haar te wantrouwen enkel omdat zij een jonge Française is.

Een toenemend aantal Europeanen komt de laatste tijd hier de oude monumenten bezichtigen. Vorige winter waren er meer dan dertig te Philae, allen volslagen in de ban van wat zij zagen, ook al begrepen zij er niets van. Ik ben door een gezelschap ingehuurd wegens mijn kennis van het Frans en Engels, welk geld ik aan mijn klooster heb geschonken. Ik betwijfel of zij beseften dat ik een christen ben, want het geloof van de Kopten uit zich niet op wijzen waarmee zij bekend zijn. Deze Europeanen keken bij alles wat zij zagen hun ogen uit maar, afgezien van hun eigen wilde speculaties, hadden zij geen werkelijk verlangen naar enige kennis aangaande de Egyptenaren die Philae hebben gebouwd of wat ook verder. Ik neem aan dat wij meer bezoekers moeten verwachten en ik aanvaard dat de meesten van hen niets meer wensen te weten dan dat de taal vreemd is en de mensen die deze dingen hebben vervaardigd, er niet meer zijn.

Uit de toon van uw brief durf ik te hopen dat uw Madelaine de Montalia niet zo is als deze lieden. Ervan uitgaand dat zij bereid is mij als haar mentor te aanvaarden, is er veel wat ik haar kan mededelen. Zoals u weet, want uw kennis is groter dan de mijne, kan zij veel ontdekken als zij in staat is verder dan haar eigen

land en taal te zien en inzicht te krijgen in de harten van
vreemden. Haar toewijding aan de studie van verdwenen
volkeren, zo vertelt u mij, is diep doorvoeld. Dat zou een
welkome verandering zijn van het vertonen van tempelpoorten
aan Europeanen die zich alleen maar willen vergapen. Het zal
zeer de moeite waard zijn als zij maar half zo leergierig is als u
beschrijft. Het zal mij een genoegen zijn mij van deze taak te
mogen kwijten, want op deze wijze zou ik wellicht ten dele
kunnen vergoeden al hetgeen u bereid bent geweest mij bij te
brengen en waarvoor ik elke ochtend te uwen goede bid. God zal
mild zijn jegens al diegenen die Zijn dienaren geleiden en u heeft
de deur verder voor mij geopend dan enig andere leermeester van
Gods Woord.
Ik zal u op de hoogte houden van de vooruitgang die deze
Madelaine de Montalia boekt. U heeft mijn woord op het altaar
dat ik niet zou toestaan dat het feit dat zij jong en Frans is mij
voor haar vermogens zal verblinden. Ik zweer dat haar geen
kwaad zal geschieden zo het in mijn macht ligt dit te voorkomen.

In de Naam Gods,
Erai Gurzin, monnik
Volgens de Europese kalender, 29 juni 1825
Het Klooster van Sint Pontius Pilatus, te Edfoe

Twee

Lange, spitse schaduwen snelden hun vooruit toen Madelaine de Montalia en Claude-Michel Hiver hun paarden in de eerste schittering van de zonsopgang aanspoorden tot een galop. Zij konden Thebe en Luxor in het verschiet zien liggen, waarbij de tempelpoort en obelisken als doel voor hun rit dienden.

'Beteugel uw paard,' schreeuwde Claude-Michel toen hij een aantal kamelen voor hen uit zag en gaf meteen gevolg aan zijn eigen bevel. Hij had een hekel aan de schaarse ontmoetingen die hij met de nabij Thebe woonachtige Egyptenaren had en wilde niet dat een zo fraaie ochtend werd bedorven door dreigementen en boze woorden.

Madelaine liet lachend haar paard tot draf overgaan, opdat Claude-Michel haar kon inhalen. 'Ik zei toch dat u de andere Barbarijs had moeten nemen.' Zij klopte haar donkere kastanjebruine paard op de glanzende hals. 'Goed zo, meisje.'

'Doet u dit elke ochtend?' vroeg Claude-Michel, lichtelijk buiten adem van de opwindende rit. Hij had haar meer dan eens gezien maar tot haar uitnodiging drie dagen geleden was het nooit bij hem opgekomen dat dit haar dagelijkse uitje was.

Madelaine dacht even na voordat zij antwoord gaf. 'De meeste ochtenden. Niet echt elke ochtend. Ik blijf binnen gedurende de ergste hitte van de dag, dus dit is de beste tijd voor een rit. Als ik eenmaal met mijn boeken bezig ben, ben ik tot het donker wordt onaanspreekbaar en dat is niet het juiste moment om eropuit te gaan. En het is ook voor de paarden vroeg in de ochtend minder belastend.' De merrie ging maar al te graag stapvoets verder, werd evenwel ongedurig toen de eerste van de kamelen passeerde. 'Vreemd,' merkte Madelaine op, terwijl zij haar best deed de kamelen alle ruimte te geven. 'Ik bedacht net hoe informeel de expeditie ons allen heeft gemaakt. Ik zou er niet over gepeinsd hebben u Claude-Michel te noemen als wij nog in Frankrijk waren, maar hier, waar we maar met zo weinig zijn en waar we zo nauw samenwerken lijkt het... ongepast u Professor Hiver te noemen.'

'Dat verwacht ik ook niet. Straks, eenmaal terug in Frankrijk, komt het mij wellicht vreemd voor dat ik daar niet zo informeel kan zijn.' Hij trok zijn neus op. 'Godallemachtig, wat stinken die beesten,' zei Claude-Michel, erop vertrouwend dat geen van de mannen die de slechtgehumeurde dieren bereed of meevoerde, zou verstaan wat hij zei.

'En ze spugen nog ook,' zei Madelaine, die hoopte dat zij en haar rijdier zich buiten hun bereik bevonden. 'Pas maar op.'

'Zeker,' zei Claude-Michel, die wachtte tot de kamelen voorbij waren gegaan voordat hij zei: 'Gaat u nu naar Baundilets huis of keert u eerst terug naar uw villa? Ik veronderstelde dat u naar de ochtendbespreking ging maar misschien is dat niet zo.' Hoewel hij nu vier maanden in Egypte was, bezat hij nog steeds zijn monterheid en de voortreffelijke manieren die hem als leraar in Anjou zo geliefd hadden gemaakt.

'Ach, laat ik maar luisteren naar wat Baundilet voor vandaag in petto heeft. Hij lijkt vastbesloten voor het eind van de week die hele muur te kopiëren.' Zij trok een gezicht. 'Ik wil ook graag dat hij gekopieerd wordt, maar niet als het volbrengen van die taak een soort wedren wordt. De inscripties zijn daar al heel lang. Die kunnen nog wel een week of twee wachten tot wij ze hebben gekopieerd.' Zij keek neer op het zandpad, dat nu overging op een stoffig straatje. 'Komt u ook of heeft u andere studiebezigheden die u opeisen?'

'Ach, ik kan ook maar beter aanhoren wat Baundilet te zeggen heeft.' Hij schonk haar zijn meest opgewekte glimlach. 'Denkt u dat hij gelijk heeft? Denkt u dat de mensen uit de oudheid die tegenwichtgevallen gebruikten om schepen te laden en water naar hun huizen te brengen?'

'Waarom niet?' vroeg Madelaine. 'Ze gebruiken ze nu.' Zij verschikte haar been over de hoorn en wenste dat zij nog wat langer hadden kunnen galopperen.

'Maar de oude Egyptenaren hadden dergelijke vaardigheden en nog veel meer,' zei Claude-Michel. 'Geen van ons is in staat tot wat zij hebben volbracht. Daarover zijn we het allemaal eens.' Zijn frisse gezicht met de lichte teint nam een lichtrossige gloed aan toen de eerste warmte van de dag hem bereikte. 'Wie zal zeggen hoe ze al die dingen gebouwd hebben?'

Madelaine glimlachte even. 'Het waren geen tovenaars, Claude-Michel. Het waren mensen, net als jij. Ze wisten gebruik te maken van wat ze hadden. Ze stelden prijs op deze tempels, meer dan op... och, wat zal ik zeggen... aangedreven ploegen of enorme schepen. Ze waren het eens over de waarde van de goden ook al waren ze het misschien over niets anders eens.' Zij zei dit met zoveel overtuiging dat zij Claude-Michels aandacht behield. 'Wij dichten hun wonderen toe omdat wij onze kennis niet hebben toegespitst op de dingen waarin zij zich verdiept hebben. Je ziet geen stoommachine op die muurschilderingen, geen spoorweg, ook al hadden zij die wellicht allebei van nut gevonden. Zij hebben hun kennis aangewend voor het verplaatsen van zware voorwerpen en hun ontdekkingen hebben al deze monumenten mogelijk gemaakt.' Zij naderden de huizen die nabij de aloude gebouwen van Thebe in een groepje bijeen stonden. Met tegenzin bond Madelaine haar halsdoek over de onderste helft van haar gezicht.

'U verwondert zich over bijna niets, Madame,' zei Claude-Michel verwijtend.

'Integendeel,' zei Madelaine, nu met gedempte stem. 'Ik ben immer van verwondering vervuld. Niet omdat ik wonderen veronderstel maar juist omdat ik geen wonderen veronderstel. Waar schuilt het wonder in de magie die deze tempels maakte? Het is niets meer dan een goocheltruc op grote schaal, maar het besef dat mensen, doodgewone mensen, al wat u hier of waar dan ook in de wereld ziet tot stand hebben gebracht, dat wekt verwondering.' Zij glimlachte heel even, een lachje dat hij niet kon zien. 'Dat is mijn lievelingsstelling. Vergeeft u mij dat ik die op u loslaat.'

'Maar er valt niets te vergeven,' zei Claude-Michel, waarna hij zijn paard aanspoorde en voor haar ging rijden.

'De volgende straat is waar Baundilet zijn huis heeft, nietwaar?' riep Madelaine met stemverheffing om er zeker van te zijn dat Claude-Michel haar kon verstaan.

'Ja. We zetten de paarden op de binnenplaats. Hij heeft bedienden die ze vastmaken en ze te drinken geven.' Claude-Michel aarzelde en zei toen: 'Het is geen slecht huis wat hij heeft – god weet dat het prettiger is dan het huis dat ik heb gehuurd – maar het is niets vergeleken bij uw villa.'

Madelaine lachte. 'Ik heb geluk gehad en de koopprijs was gunstig. Hoe dan ook, ik betwijfel of mijn villa voor Baundilet geschikt zou zijn aangezien die zover buiten Thebe zelf ligt, bijna vier mijl hiervandaan – drie vanaf el-Karnak.' Zij dempte haar stem toen zij zag hoe een koopman een woedende blik op haar richtte. 'Het is een hele mars elke ochtend en elke avond als je geen paarden hebt of als de paarden lam zijn.' Dit was het enige echte nadeel dat zij tot nog toe aan de villa had ontdekt en tot dusver vond zij het geen probleem.

'Dat zijn beslist afwegingen,' zei Claude-Michel terwijl hij halt hield voor de ommuurde binnenplaats van Alain Baundilets huis. Hij tikte tegen de bel die bij de poort hing en wachtte tot een van de bedienden aan de oproep gehoor gaf.

'Gelukkig hoef ik geen rekening te houden met iedereen die aan deze expeditie deelneemt; in Baundilets plaats zou ik moeite moeten doen om huisvesting nabij het werk te vinden, want er kan zich op elk uur van de dag of nacht iets voordoen en dan zou ik vlakbij moeten zijn.' Zij maakte er geen gewag van dat een van de pluspunten van de villa die zij had gekocht, was dat deze zo ver van de plaats van de expeditie verwijderd was dat zij zich geen zorgen hoefde te maken over verstoring van haar privacy.

'Die Duitse kerel... – die heeft die villa nabij de uwe genomen, nietwaar?' vroeg Claude-Michel, die in de stijgbeugels ging staan toen hij voetstappen aan de andere kant van de poort hoorde naderen. 'Volk! Openmaken. Hier zijn Professor Hiver en Madame de Montalia.'

'Falke heet hij. Ik heb nog geen kennis met hem gemaakt. Men heeft mij verteld dat hij geneesheer is,' zei Madelaine, die van verder commentaar afzag toen de poort werd geopend en Hassan, de eerste bediende van Baundilets huishouden een stap opzij deed om hen binnen te laten.

'Goedemorgen, Hassan,' zei Claude-Michel terwijl hij afsteeg. Hij knikte als antwoord op Hassans buiging. 'Madame de Montalia en ik zijn hier voor de ochtendbespreking. Is Professor Baundilet al gereed om ons te ontvangen?'

'Hij kleedt zich net aan,' zei Hassan, wiens Frans goed genoeg was om zich verstaanbaar te maken maar beperkt bleef tot een paar luttele zinsneden.

'Dan gaan wij wel naar de salon en wachten daar op hem. Ik neem aan dat geen van de anderen er al is?' Hij overhandigde Hassan de teugels en liep op Madelaine toe om haar te helpen.

'Geen anderen hier,' zei Hassan, die afkeurend fronste toen Madelaine Claude-Michel toestond haar bij het middel te pakken toen zij zich uit het dameszadel liet glijden. Hij nam met weerzin het tweede paar teugels aan.

'Nu, die komen zo wel,' zei Claude-Michel, zich er niet van bewust dat zijn gedrag Hassan aanstoot had gegeven. 'Als er koffie is...'

'Die wordt geschonken,' zei Hassan, wiens frons zich verdiepte toen hij toekeek hoe Madelaine haar sjaal voor haar gezicht weghaalde.

'Mooi,' zei Claude-Michel terwijl hij Madelaine liet voorgaan het huis binnen. Van de tweede bediende wisten ze dat hij louter het plaatselijke dialect sprak en dus zei Claude-Michel niets tegen hem. Hij gebaarde alleen waar hij en Madelaine heen gingen. 'Koffie,' zei hij tegen deze bediende, in de hoop dat de man dit woord zou kennen. 'Twee.' Hij stak twee vingers op.

De bediende maakte een buiging en verwijderde zich, maar of hij koffie zou brengen bleef te bezien.

Terwijl Claude-Michel door de vestibule naar de salon liep, keek hij naar buiten door de hoge ramen de tuin in, waar een fontein gorgelde en klaterde. 'Ik heb gehoord dat die dingen je huis koel helpen houden.'

'Als het huis op de juiste wijze ontworpen is, neem ik aan dat dat mogelijk is,' zei Madelaine, met een blik op de twee grote tafels die klaarstonden. Overal lagen kaarten uitgespreid, samen met een veelvoud aan schetsen en een aantal zakformaat notitieboekjes. 'Kennelijk hebben ze gisteravond na het avondeten nog zitten werken.'

'Dat doen ze zo af en toe. Ik heb zo'n avond nog niet bijgewoond. Doorgaans hebben ze het over graafwerk. Daarvoor hebben ze mij niet nodig.' Hij nam plaats op de langste van de drie sofa's. 'Deze zitten gemakkelijk, moet ik zeggen.'

'Wat?' vroeg Madelaine terwijl ze zich naar hem omdraaide. 'O, het meubilair. Ja, zeer comfortabel.' Zij liep terug naar de tafels en zag erop neer. 'Ik zie dat Jean-Marc verdere notities heeft gemaakt over de tempelpoort en de obelisk. Hij is daar helemaal van in de ban.'

'Nu, ze zijn ook indrukwekkend. De meeste mensen die hier een rondreis maken, willen ze bezichtigen.' Claude-Michel haalde zijn zakdoek te voorschijn en wiste zijn gezicht en hals af. 'Ze zeggen dat de hitte gedurende de zomer nog erger wordt. Het is nu al erger dan in Zuid-Spanje. Ik vind het moeilijk te geloven dat het nog heter wordt.' Hij stopte de zakdoek terug in zijn borstzak. 'Ik weet niet of ik in staat ben nog hogere temperaturen te verdragen.'

'Dan doet u er goed aan voorzichtig te zijn,' zei Madelaine met haar blik op de kaarten gericht. Zij traceerde met haar vinger een van de routes van de tempelstraten. 'Wist ik maar welke tempel dit is. Er moet ergens een inscriptie zijn die ons dat zegt. Ze kunnen niet allemaal aan de zonnegod gewijd zijn – Amon, Atoem, Re, hoe ze hem ook noemen – of wel?'

'Natuurlijk niet,' zei Claude-Michel meteen, en hij vervolgde toen minder zelfverzekerd: 'Tegen de tijd dat wij de taal beter kennen, zullen we ook meer over de aard van de tempels weten. Het wordt heel opwindend meer over deze tempels te weten te komen. Champollion heeft een geweldige bijdrage geleverd, daar wil ik niets aan af doen, maar er zijn dingen over het oude volk die niet in één dag geleerd kunnen worden. Ik geloof dat Baundilet nijdig op mij is omdat ik niet onder aan een van die reusachtige pilaren kan staan en de tekst erop kan voorlezen zoals iemand een krant leest. Daarmee is niet gezegd,' vervolgde hij, nu weer wat zelfverzekerder, 'dat er iemand anders is die dat wel vermag: Champollion niet, niemand niet.'

'Misschien konden zelfs de mensen die de inscripties vervaardigden ze niet allemaal zomaar oplezen,' zei Madelaine, nog steeds ietwat afwezig terwijl ze zich op de kaarten richtte. 'Denk eens aan de bedienden in Parijs die maar een paar woorden kennen uit de krant die zij bij hun werkgever bezorgen.'

'Daar zegt u zo wat,' zei Claude-Michel, duidelijk opgelucht door dit denkbeeld.

Madelaine haalde glimlachend de kaarten van Luxor te voorschijn. Dit was het gedeelte van Thebe dat haar dierbaar was, het gedeelte dat haar voorkwam als het meest Egyptische, hoewel haar verteld was dat sommige van de indrukwekkendste oude gebouwen door zowel de Perzen als de Romeinen gebruikt waren. 'Dit heiligdom,' zei zij, terwijl zij met haar vinger de lijnen van de grenzen van het tempelterrein volgde. 'Hoe denk je dat dit eruitzag toen de gelovigen hier kwamen? Wat hebben die mensen gezien dat wij niet zien?' Zij keek uit over de tuin.

'Nu,' zei Claude-Michel terwijl hij nadacht over haar vraag, 'zij hebben de stenen en de inscripties gezien toen die net nieuw waren, dat kunnen wij niet zeggen. En zij hadden het voordeel dat ze wisten waartoe de tempel diende.' Hij richtte zijn hoofd op toen hij voetstappen hoorde. 'Aha, onze koffie.'

'Nog even wachten,' zei Baundilet terwijl hij het vertrek betrad, met een glimmend gezicht na zijn recente scheerbeurt. Zijn kledij was even praktisch als fris. 'Goedemorgen, Claude-Michel,' zei hij terwijl hij zijn hand uitstrekte en toen, minder enthousiast: 'Goedemorgen, Madame de Montalia.'

'U ook, Professor Baundilet.' Zij week niet van haar plaats bij de tafel ook al schonk Baundilet haar een nijdige blik. 'Ik stond net de kaarten van Luxor te bekijken, de nieuwe. Het viel me op dat hier op het terrein van de tempel kennelijk een paar sfinxen zijn – minstens drie schoften en poten kunnen van sfinxen zijn geweest – en er zijn veel sfinxen in Luxor.'

'Het zouden ook leeuwen kunnen zijn,' zei Baundilet kortaf. 'Het hoeven helemaal geen sfinxen te zijn enkel en alleen omdat er nog andere zijn. U zou net zo goed bij de vondst van de voetstukken van alle standbeelden in Parijs kunnen veronderstellen dat het allemaal ruiterbeelden waren louter omdat enkele ervan dat ook zijn.'

'Mogelijkerwijs,' zei Madelaine, vastbesloten om geen aanstoot te nemen aan Baundilets bruuske manier van doen. Zij liep weg van de tafel en nam nu plaats op een van de lage Turkse stoelen. 'Ik hoop dat u mij vergunt deel van het gezelschap uit te maken als u die oude gebouwen in Luxor gaat onderzoeken.'

'U bent een van de onzen, Madame,' zei Baundilet met een starre glimlach. 'Als dat uw wens is, dan mag u zeker met ons meewerken.'

'Dank u, Professor,' zei Madelaine, terwijl zij bij zichzelf dacht dat de kameraadschap die zij met de meeste van de anderen genoot bij Alain Baundilet beslist niet aan de orde was.

Zij hoorden de voordeur opengaan en toen hoe Jean-Marc Paille iedereen een groet toeriep en zich kenbaar maakte nog voor hij de salon betrad. Hij bleef in de deuropening staan en keek om zich heen. 'Zo weinig; ik dacht dat we hier een halfuur na zonsopgang zouden samenkomen, Baundilet.'

'Dat was de tijd die ik voorstelde,' zei Baundilet, die zijn bediende gebaarde binnen te komen met het dienblad. 'Mooi. Volgens mij zijn wij zover. Toe maar, ga zitten, Jean-Marc.'

Madelaine nam meteen het woord. 'Ik dank u voor het gebodene, maar ik vrees dat de koffie die u geniet mij te sterk is. Ik wacht als dat u niet ontrieft tot ik terug ben in mijn villa en neem dan wel iets, Professor Baundilet. Ik wens uw bedienden geen nodeloze moeite te bezorgen.'

'Ach, een extra kop koffie is toch geen moeite?' vroeg Baundilet. 'Jean-Marc, neem wat van die vijgen. Ze zijn werkelijk voortreffelijk. En jij ook, Claude-Michel. Ik neem aan, Madame, dat u geen...'

'Nee, dank u,' zei Madelaine, terwijl de mannen op het grote koperen dienblad afliepen; de bediende had het op poten neergezet.

'Zoals u wenst, Madame,' zei Baundilet, louter voor de vorm. Hij richtte het woord tot Jean-Marc terwijl de koffie werd uitgeschonken, dik en gloeiend heet in kleine beschilderde kopjes. 'Ik heb je notities bekeken en moet zeggen dat ik het met je eens ben dat er weleens een verborgen kamer onder die vloer zou kunnen zijn. Ik betwijfel echter of de plaatselijke autoriteiten blij zouden zijn als wij die zonder hun toestemming en de geëigende omkoopsommen zouden openbreken. Nu ze Europese bezoekers trekken die deze ruïnes komen bezichtigen, willen ze die wel in goede staat bewaren.' Hij nam een rond, luchtig broodje uit de mand midden op het dienblad en zette zijn tanden erin.

'Wie zal zeggen wat voor schatten wij zouden kunnen vinden,' zei Jean-Marc terwijl hij zijn koffie pakte.

'Dat is de narigheid,' zei Baundilet met een mondvol brood. 'Als wij hun schatten kunnen garanderen, zouden ze geen bezwaar maken, ook al zouden wij de hele laan naar el-Karnak opbreken. Maar zoals de zaken staan, kunnen we ze niet vertellen wat we zouden vinden, zo we al iets zouden vinden.' Hij nam een slokje koffie, kauwde verbeten verder en slikte toen. 'Nu goed dan,' zei hij. 'Als jij denkt dat we er goed aan doen, zal ik met de plaatselijke beambte gaan praten, maar ik moet je wel vertellen dat ik weinig hoop heb op het verkrijgen van een graafvergunning.'

Jean-Marc schudde ontmoedigd zijn hoofd. 'Misschien zouden wij wel de grootste vondst doen sinds Egypte zijn deuren voor ons heeft geopend.'

'Egypte heeft geen deuren geopend,' zei Madelaine op milde toon. 'Napoleon heeft ze opengebroken en de Egyptenaren waren daar allesbehalve blij mee.' Zij beantwoordde Baundilets nijdige starogige blik met een neutraal lachje. 'Het is nuttig dat te onthouden, want weest u ervan verzekerd dat de Egyptenaren rondom ons het niet vergeten zijn.' Zij aarzelde, vervolgde toen: 'Een zeer... zeer oude vriend van mij heeft mij verteld dat Egypte vreemdelingen immer met argwaan bejegend heeft.'

'Vanuit de veiligheid van Parijs of Avignon,' zei Baundilet laatdunkend.

Haar flauwe glimlach veranderde niet. 'Om precies te zijn heeft hij hier lange tijd gewoond. Hij kent Egypte bijzonder goed.' Zij dacht aan de brief die zij in een verborgen vakje van de hoge secretaire in haar villa had achtergelaten. Hoe zou zij enig lid van het gezelschap kunnen uitleggen hoe zij haar kennis van dit oord had opgedaan of wie haar die had bijgebracht?

'U vindt dit amusant?' vroeg Claude-Michel, die iets in haar ogen bespeurde dat hij niet eerder had opgemerkt.

'Niet direct,' zei zij, terwijl zij zich dwong haar aandacht tot het gesprek te bepalen. 'Ik wil u enkel en alleen in herinnering brengen dat wij er goed aan doen op onze hoede te zijn, dat is alles. Zoals Professor Baundilet ons waarschuwt voor schorpioenen en slangen en het gevaar van te veel zon.' Haar glimlach kwam terug. 'Ik ben... uiterst gevoelig voor de zon.'

'Dat zei u reeds,' merkte Baundilet op terwijl hij een vijg pakte. 'Nu, er schuilt beslist waarheid in wat u zegt. Er zijn Egyptenaren die Europeanen ongaarne zien verschijnen. Waar het hen betreft doen wij er goed aan ons uiterst correct te gedragen. Bent u dat met mij eens, Madame?'

Madelaine gedroeg zich alsof zij zich niet bewust was van het sarcasme van de vraag. 'Ja, Professor, dat ben ik met u eens.'

De deur ging open, ditmaal om Ursin Guibert binnen te laten, samen met Justin LaPlatte, een lange, hoekige Elzasser die toezicht hield op de plaatselijke mannen die voor het graafwerk waren ingehuurd. Hij had het dialect van de streek redelijk onder de knie en was vanaf het begin een aanwinst voor Baundilet geweest. 'Goedemorgen,' riep hij uit terwijl hij met grote stappen de salon binnenkwam. 'Waar zijn De la Noye en de anderen?'

'Die zijn er nog niet,' zei Jean-Marc terwijl hij opschoof om aan de tafel plaats te maken voor LaPlatte. 'Wij zitten net aan de koffie,' voegde hij er onnodig aan toe.

Guibert aarzelde in de deuropening. 'Wilt u dat ik naar De la Noyes huis ga om te zien waar hij blijft?' De vraag was aan Baundilet gericht, die de tijd nam om nog een teug koffie te nemen.

'Wacht nog maar even,' besloot deze. 'Als zij hier over een kwartier nog niet zijn, wordt het zinnig om ze te gaan halen.' Hij gebaarde naar een zitplaats op de langste sofa. 'Kom. Drink koffie met ons.'

'Nee,' zei Guibert, ontspannen als altijd. 'Misschien een andere keer.'

Madelaine sloeg deze woordenwisseling onopvallend gade. Besefte Baundilet, vroeg zij zich af, dat Guibert nooit zou instemmen om met de anderen te ontbijten, dat hij zijn maaltijden gebruikte met het personeel? Zo Baundilet zich hiervan bewust was, liet hij dit niet blijken. Zij maakte een afwerend gebaar toen Claude-Michel haar het bord vijgen voorhield en zei: 'Ik ontbijt pas later,' hetgeen niet anders dan waar was.

Tegen de tijd dat Merlin de la Noye en Thierry Enjeu arriveerden, had Baundilet een tweede pot koffie en meer van de kleine broodjes besteld. De la Noye trok een kruk voor zichzelf bij en Enjeu vond een zitplaats op de langste sofa, vlak bij Madelaine. Hij begroette haar vluchtig en stortte zich op het eten.

'Ik wil dat we allemaal speciaal uitkijken naar alles wat met de rivier te maken heeft,' zei Baundilet terwijl hij zijn tweede kop koffie leegdronk. 'Ik hoop iets te kunnen aantonen over de manier waarop de steden aan deze zijde van de rivier zich verhielden tot de steden aan gene zijde van de rivier. Ik denk dat we hier bij Thebe een duidelijke kans hebben om bloot te leggen hoe dat in zijn werk ging.'

'Waar wil je dat we naar uitkijken?' vroeg Jean-Marc. Hij pakte zijn notitieboek uit zijn zak en viste zijn pen uit de houder. Terwijl hij zijn notitieboek op zijn knie legde, keek hij Baundilet verwachtingsvol aan.

'Dat weet ik nog niet,' gaf Baundilet toe, bedachtzaam gestemd door zijn eigen gebrek aan kennis. 'Misschien was er een soort pont. We weten dat ze weinig aan bruggenbouw deden hoewel het duidelijk is dat zij daartoe in staat zouden zijn geweest als ze zich erop hadden toegelegd.'

'De Nijl treedt ieder jaar buiten zijn oevers,' zei Madelaine, evenzeer om hen eraan te herinneren dat zij in het vertrek aanwezig was als om hen op de feiten te wijzen. 'Het was waarschijnlijk vanwege die overstromingen niet praktisch om bruggen te bouwen.'

De la Noye trok aan zijn korte geleerdenbaardje. 'Dat zou kunnen. Het zou ook kunnen dat de een of andere god het verbood. Met zoveel tempels aan beide zijden van de rivier moet het volk van Farao zijn handen vol gehad hebben om dan weer deze dan weer gene god gunstig te stemmen.'

Zijn opmerking lokte een gegrinnik van de anderen uit.

'En de overzijde van de rivier dan?' vroeg Enjeu. 'Laat je die volledig buiten beschouwing, Baundilet?'

'Voorlopig wel,' zei Baundilet. 'Het is zeker twee mijl vanaf de rivier naar de tempels daar. Waarom zouden wij ons zoveel moeite getroosten wanneer er hier vlak onder onze neus meer dan genoeg overblijfselen van het oude Egypte zijn?' Hij strekte zijn hand uit en sloeg Thierry Enjeu op de schouder. 'Over een jaar of twee is het misschien de moeite waard om de rivier over te steken en te kijken wat daar in die kale rotswanden te vinden is. Niet dat ik daar veel van verwacht nu Belzoni er al is geweest. Hoeveel solide albasten sarcofagen denken jullie dat daar in die graven bedolven liggen? We zouden jarenlang kunnen graven zonder ooit op meer dan geplunderde overblijfselen te stuiten. Misschien, als we geluk hebben, een deel van een mummie. De grafrovers hebben trouwens al drieduizend jaar geleden de belangrijkste stukken gevonden. Voorlopig kunnen wij ons bezighouden met Thebe en Luxor en daarna el-Karnak. Kijk eens wat daar staat, dan besef je dat we geen enkele reden hebben om de rivier over te steken behalve misschien om erachter te komen hoe de oude Egyptenaren dat deden.' Hij dwong zichzelf hardop te lachen, maar de blik in zijn ogen ontbeerde elk spoortje humor en Madelaine merkte dit met een slecht voorgevoel op.

'En de inscripties dan die wij aan de voet van het standbeeld van de god met de zon op zijn hoofd hebben ontdekt?' vroeg De la Noye. 'Je zei drie dagen geleden dat je toch niet zeker weet of dat wel de zonnegod is.'

'Nu, dat weet ik nog steeds niet zeker. Dat moet je maar met Claude-Michel bespreken, dat is onze talenexpert.' Baundilet gebaarde naar zijn bediende voor verse koffie en vervolgde: 'Wij staan nog steeds op de drempel van de kennis. Je kunt niet verwachten dat ook maar iemand zonder enige twijfel weet welke god door de zon wordt vertegenwoordigd. Een jaar geleden gingen we er allemaal van uit dat het Amon of Re was of misschien Osiris, maar nu zijn we erachter dat er nog andere goden worden afgebeeld met de zon op het hoofd en dus moeten we voorlopig onze conclusies opschorten.' Hij glimlachte en zijn glimlach werd begroet door de goedkeurende blik van de anderen.

'En als het niet Re of Amon of zelfs Osiris is, wat dan?' vroeg Madelaine, die de mannen nieuwsgierig gadesloeg terwijl haar gedachten teruggingen naar Saint-Germains brief. 'Wie zal zeggen dat wij gelijk hebben met onze veronderstelling dat er maar één zonnegod was? Misschien waren er vele, of zou de ronde schijf voor meer kunnen staan dan alleen de zon?'

'Zoals wat?' wilde Baundilet weten. 'Het is echt iets voor een vrouw om de zaak voor ons te compliceren.' Hij keek Madelaine voor het eerst sinds De la Noye en Enjeu waren gearriveerd recht in de ogen. 'Tot wij reden hebben om te geloven dat dit het geval zou kunnen zijn, doen wij er goed aan ervan uit te gaan dat er één zonnegod is en wel Amon of Re, net naar gelang welke manifestatie beschreven wordt. Als het niet Amon of Re was, dan kunnen wij gevoeglijk aannemen dat het Osiris is.' Hij wachtte even en toen zij zweeg, vervolgde hij: 'U bent uiterst intelligent, Madame, dat geef ik u na. Niet vele leden van uw sekse hebben dergelijke scherpe intellectuele vermogens, maar u staat uw geest toe complicaties in het spel te brengen die geen plaats in ons onderzoek hebben. Wij hebben al vastgesteld dat er een zonnegod is die Amon en Amon-Re genoemd wordt. Die god heeft een zoon, Horus, die door een havik wordt weergegeven. Er is een gemalin, een moedergodin die Isis heet. Er is geen reden aan te nemen dat er anderen zijn die hun attributen hebben. Men hoeft alleen maar naar de tempels te kijken om te zien hoe vastomlijnd deze religieuze figuren in de geest van de oude Egyptenaren waren.' Zijn mond benaderde een glimlach maar nog steeds was daarvan geen spoor in zijn ogen te bekennen.

Madelaine keek strak naar beneden, naar de teen van haar laarsje waar dit van onder haar rok uitkwam. 'U bent er volslagen zeker van dat er in al die honderden jaren geen verandering heeft plaatsgevonden?'

Baundilet schonk haar zijn beste neerbuigende grijnslach die hij doorgaans voor zijn eerstejaars studenten bewaarde. 'Zijn de Apostelen veranderd sinds de stichting van de Kerk? Is de Drie-eenheid veranderd? Hoe komt u erbij dat deze hoogontwikkelde mensen van de oude wereld geen goden zouden hebben die eeuwenlang standhielden, net zoals de heiligen en martelaren in christelijke doctrine en traditie ook in gedachtenis gehouden worden?' Hij keek de anderen aan, die zich rond het koperen dienblad dat als tafel dienstdeed, hadden verzameld. 'Ik zeg niet dat de kwestie die Madame de Montalia aanroert niet interessant is maar alles wat wij tot dusver hebben ontdekt, duidt op een uiterst beperkt pantheon. Ik acht het dus het verstandigst als wij ervan uitgaan dat dit de correcte visie is op het Egyptische religieuze leven.'

Jean-Marc viel hem meteen bij. 'Dat is een uiterst scherpzinnige redenering, Professor Baundilet.' Hij knikte de anderen toe als riep hij hen op tot bijval.

De la Noye frunnikte aan zijn baard. 'Ik wil niet tegenspreken wat u zegt, Baundilet,' zei hij, 'maar ik aarzel vooralsnog om te beslissen wat de geloofsovertuigingen van de oude Egyptenaren waren. U bent ervan overtuigd dat de goden vaststaand waren en gering in aantal, maar daarvan ben ik lang niet zo zeker als u, want ik heb veel gelezen over de tradities van de oude Grieken en ik ben ervan overtuigd dat er onder hen geen eenduidigheid was qua mening betreffende de goden. Als de Grieken ambiguïteit bij hun goden kenden, waarom zou dat dan niet voor de Egyptenaren gelden?' De vraag was niet bedoeld om beantwoord te worden en het verraste hem dan ook toen Jean-Marc erop inging.

'De Grieken waren onderling zeer verschillend. Dat kunnen wij opmaken uit hetgeen over hen bekend is. Zij woonden in afzonderlijke steden en elke stad beschouwde zichzelf als een staat. Dus het is niet echt verbazingwekkend te zien dat elke Griekse stad zijn eigen denkbeelden over de goden had. Maar Egypte zat heel anders in elkaar. Egypte kende een grote mate van samenhang, zelfs toen het land verdeeld was in Boven- en Beneden-Egypte. Het is dan ook passend die unificatie als bindend te beschouwen.' Hij keek Baundilet aan, op zoek naar steun.

'Zeer zinnig,' zei Baundilet terwijl hij zijn laatste slokje koffie dronk. 'U zet mijn zaak uiterst helder uiteen.'

'Maar er is geen zekerheid dat dit de correcte interpretatie is,' zei De la Noye. 'Het zal nog enige tijd duren voordat wij hier zeker van kunnen zijn.'

'O, natuurlijk, natuurlijk,' zei Baundilet, ervan overtuigd dat hij de bovenhand had gekregen in de discussie. 'Maar het zou ons doel niet ten goede komen om ons onderzoek onder te verdelen teneinde mogelijke andere afwijkende godheden na te jagen.' Hij gaf een hoofd-knikje in Madelaines richting. 'Niet dat u het mis hebt, Madame. Zo-als ik al zei, u heeft op uw wijze een zeer zinnige kwestie aangeroerd. Wij zullen dit in gedachten moeten houden bij het voortzetten van onze verkenningen.' Hij gaf de mannen aan de tafel een signaal. 'Nu, het is bijna tijd om aan het werk te gaan. Enjeu, ik wil dat u de kaar-ten meeneemt die ik heb klaargelegd opdat wij alles kunnen aante-kenen wat wij bij de obelisk vinden. Ik wil niets aan giswerk overla-ten.'

'Uitstekend,' zei Enjeu.

'Bent u zover, heren?' De vraagstelling sloot haar niet nadrukkelijk uit, maar Madelaine bespeurde niettemin de onderliggende doelstel-ling. Zij stond op, tegelijk met de mannen.

'Ik ga een paar uur terug naar mijn villa. Vanmiddag voeg ik me bij u op het terrein.' Haar paarsblauwe ogen bleven op Baundilet rusten. 'Ik wil zien wat er in de laatste paar dagen is volbracht. Ik ben bang dat ik niet helemaal naar behoren op de hoogte ben gebleven.'

Baundilet maakte een wellevend gebaar alsof hij zich niet bewust was van de kritiek die in haar opmerking school. 'Voortreffelijk. Het zal ons een genoegen zijn u te tonen wat wij hebben gedaan.'

Met een zucht gaf zij zich voor het moment gewonnen. 'Dank u. Ik ben u zeer erkentelijk voor uw instructie,' zei zij. Haar houding ver-bloemde de ergernis die aan haar vrat. Zij voelde zich bijna overwel-digd door haar verlangen de strijd met Baundilet aan te binden met gebruikmaking van vuisten of messen of kanonnen. Haar gezichts-uitdrukking verried niets, hoewel zij de hele tijd wenste dat zij de ver-metelheid kon opbrengen hem met knuppels te lijf te gaan, hem af te ranselen voor zijn niet-aflatende neerbuigendheid.

Tekst van een brief van Professor Rainaud Benclair in Parijs aan de Magistraat Kareef Numair te Thebe.

Mijn waarde Magistraat Numair,

Laat mij u verzekeren dat de aanspraken die Professor Baundilet doet volledig juist zijn. Hij heeft zich in geen enkel opzicht misleidend voorgesteld. Zijn oudheidkundige expeditie wordt ondersteund door drie universiteiten in Frankrijk en wij volgen

zijn vorderingen met intense belangstelling en grote
betrokkenheid. U kunt volledig vertrouwen stellen in Professor
Baundilet en de oudheidkundigen die met hem samenwerken,
want zij zijn niet slechts voor hun vakkundigheid uitverkoren
maar tevens voor hun hoogstaande principes en gedragsnormen.
Wij hebben generlei verlangen om deze expeditie door enig
schandaal verstoord te zien worden of de vooruitgang die door de
bestudering van uw schitterende land wordt geboekt bezoedeld te
zien worden.
Wij hebben toegestemd in deze expeditie aangezien wij ervan
overtuigd zijn dat deze het belang dient van historisch inzicht en
verdere kennis van het oude volk van uw land en nu de
geschriften ten langen leste gelezen kunnen worden, zijn de oude
Egyptenaren niet langer van spraak verstoken en zijn wij
vastbesloten hun elke gelegenheid te schenken tot ons te spreken.
Wij zijn van mening dat de gehele wetenschappelijke wereld
profijt zal trekken van hetgeen wij over de Egyptenaren van
faraonische tijden ontdekken. Zoals u bekend, hebben wij reeds
eerder expedities gesteund om de piramiden van Gizeh te meten
en te onderzoeken. Deze huidige expeditie in Thebe dient ertoe
onze mate van interesse in het hart van het oude land uit te
breiden.
U spreekt bezorgdheid uit over het feit dat er een vrouw aan de
expeditie deelneemt. Ik kan slechts mededelen dat Madame de
Montalia aan mij bekend is en dat ik er zeker van ben dat haar
beweegredenen van elke blaam gezuiverd zijn. Zij heeft op
overtuigende wijze haar plaats verworven in academische
kringen in Frankrijk en hoewel zij niet algemeen bekend is, is
haar reputatie in een kleine groep van oudheidkundigen uiterst
benijdenswaardig. U hebt geen enkele reden haar aanwezigheid
verdacht te vinden of haar oprechtheid in de bestudering van de
oudheid in twijfel te trekken.
Zo dit u mocht geruststellen, zal ik Professor Baundilet vragen
met enige regelmaat rapporten bij u uit te brengen zoals hij die
ook aan mij en andere geldschieters voor zijn expeditie toezendt.
U zult wensen op de hoogte gehouden te worden van al hetgeen
Professor Baundilet doet teneinde beter inzicht te krijgen in zijn
verzoeken en zijn taken. Ik weet zeker dat hij u met alle egards

zal behandelen en uw belangstelling zal verwelkomen voor
hetgeen zijn expeditie bewerkstelligt. Hij heeft opdracht gekregen
nauwgezette veldnotities bij te houden en deze zullen te uwer
inspectie beschikbaar gemaakt worden. Ik zal zo vrij zijn hem in
mijn volgende brief op de hoogte te stellen van uw bezorgdheid en
zal er bij hem op aandringen u te bezoeken en van zijn werk op
de hoogte te stellen. Het zal mij tevens een genoegen zijn u de
getuigschriften van de andere leden van zijn expeditie te doen
toekomen, met niet louter vermelding van hun academische
verdiensten maar tevens van hun karakterreferenties. Als u
eenmaal dergelijke documenten tot uw beschikking heeft, zult u
zich ongetwijfeld minder zorgen maken over de verrichtingen van
deze expeditie.

Ik zal beslist uw groet overbrengen aan mijn collegae aan de
universiteit en zal ernaar streven uw bezorgdheid aan hen
duidelijk te maken, opdat wij beter met u in deze bemoeienissen
kunnen samenwerken. Een bewijs van goede wil in de vorm van
gouden munten zal aan het eind van het jaar met het eerst
beschikbare militaire schip worden verzonden, met een bode en
een wacht die zijn aangesteld om dit stroomopwaarts naar u toe
te brengen. Wij hebben geen enkel verlangen onze positie bij
Egyptische autoriteiten zoals uzelf in diskrediet te brengen en te
dezen einde heb ik een geldwissel voor de somma van eenduizend
pond sterling bijgesloten om enigerlei kosten te dekken die u
zoudt kunnen maken in het volgen van het werk van deze
expeditie, geheel losstaand van het voornoemde goud. Ik ben mij
ervan bewust dat u een drukbezet man bent en dat dit bedrag u
in staat zal moeten stellen het werk van de oudheidkundigen te
observeren zonder uw middelen al te zeer aan te spreken. Het is
een ongelukkige onachtzaamheid dat deze somma niet al eerder
is verstuurd, maar de universiteit is zoals zovele grote
organisaties een logge instantie en derhalve zijn dergelijke
aangelegenheden soms onverdraaglijk traag. Ik vertrouw erop dat
u deze traagheid de expeditie niet zult aanrekenen. Ongetwijfeld
zijn onze betalingen aan hen evenzeer af en toe verlaat geweest.
Alhoewel wij God onder verschillende namen aanroepen, hoop ik
dat Hij u mag zegenen en u Zijn goedertierenheid zal betonen,
want een eerzaam man is immer welkom in het zicht Gods. Het

is immer een genoegen te handelen met een gezaghebber die zijn
verplichtingen serieus neemt en betrouwbaar is in het uitvoeren
van zijn taken. Als er verder iets is wat wij kunnen doen om u bij
te staan in uw transacties met onze oudheidkundige expeditie en
Professor Baundilet, dan hoop ik dat u niet zult aarzelen ons dit
te laten weten. Ik zal erop toezien dat enigerlei verzoek
onverwijld alle aandacht ontvangt.

Met mijn oprechte goede wensen,
Professor Rainaud Benclair
29 juli 1825, te Parijs

Drie

Madelaine de Montalia arriveerde als laatste. Haar rijtuig hield halt voor Yamut Omats overdadige villa, meer dan twee uur na de tijd die was aangegeven op de uitnodiging die zij evenals de andere leden van Baundilets expeditie had ontvangen. Zij stapte uit de coupé van haar rijtuig en keek op naar haar koetsier. 'Curtise, over twee uur graag.'

De koetsier tikte de rand van zijn hoed aan. '*Bien sûr, Madame*,' zei hij, waarna hij de drie paarden die in een driehoeksvorm waren ingespannen met een fluittoon aanspoorde tot een pittige draf.

Bedienden aarzelden alvorens een buiging te maken voor Madelaine, want zij was een vrouw alleen die haar gezicht niet had afgedekt. Toch was zij duidelijk een waardige gast van hun meester aangezien zij volgens de laatste mode gekleed ging in een zijden japon met een hoge taille in een tint die het midden hield tussen lavendel en lila. Sieraden tooiden haar oren en hals. De omslagdoek van voile die zij om haar schouders had geslagen, was zo ragfijn dat het louter een zucht had kunnen zijn. Haar donkere haar was opgestoken in een knotje maar drie krullende lokken waren eruit vrijgelaten. Zij keek de bediende met de meest indrukwekkende tulband aan. 'Ik betreur mijn zo late komst,' zei zij, net alsof hij niet had nagelaten haar te begroeten.

'Mijn meester heet u welkom,' zei de bediende, die zich nogal laat zijn taak herinnerde. 'Tot mijn spijt moet ik u mededelen dat u de maaltijd heeft misgelopen.'

'Uiterst betreurenswaardig,' zei Madelaine op haar beste aristocratische toon. 'Weest u alstublieft zo vriendelijk mij aan Madame Omat voor te stellen en aan haar echtgenoot, zo dat gepast is en zo ik hen niet ontrief.'

De bediende maakte nogmaals een buiging. Zijn eerste negatieve indruk was ietwat verzacht door de onberispelijke manieren die de Française aan de dag legde. 'Zoudt u met mij mee willen komen,' zei hij in voortreffelijk Frans terwijl hij haar voorging de villa binnen.

'Hoe buitengewoon groots,' zei Madelaine, opgelucht dat zij dit compliment welgemeend kon maken. 'Uw meester is een fortuinlijk man.'

'Allah is hem welgezind geweest,' zei de bediende met een gebaar naar een kleine salon. 'Weest u zo goed hier te wachten, dan haal ik Mademoiselle Omat.'

'Mademoiselle?' herhaalde Madelaine verrast. 'Hoe dat zo?'

'Het is mijn meesters treurige lot weduwnaar te zijn,' zei de bediende met een buiging die een compromis inhield tussen Europese en Egyptische manieren.

'Uiterst onfortuinlijk,' zei Madelaine terwijl zij zich afvroeg hoeveel van 's mans echtgenotes wel niet waren overleden, want zij had genoeg van haar bedienden vernomen om te begrijpen dat haar gastheer de toegestane vier vrouwen tot zich had genomen. Waren zij allen gestorven of was zijn weduwnaarschap niets meer dan een pose of een fictie ten behoeve van zijn Europese gasten? Zij bleef staan om een met glas en edelstenen ingelegde schaal te bewonderen die duidelijk het fraaiste voorwerp in het vertrek was. Ze streek uiterst voorzichtig over de schitterende schaal en verbaasde zich erover hoe deze aanvoelde.

'Men zegt dat hij afkomstig is uit het graf van een Hogepriester van Isis,' zei Rida Omat terwijl zij het vertrek betrad. Zij hield stil met een verraste blik op haar jonge gezicht. 'Bent u Madame de Montalia? Ik ben Mademoiselle Omat.'

Madelaine draaide zich om en keek haar aan, schonk haar een vluchtige beleefdheidsbuiging zoals gepast was jegens een meisje dat amper haar tienerjaren achter zich had gelaten. 'Het spijt mij dat ik zo laat ben. Ik hoop dat ik u niet ontrief.'

'Niet in het geringst. Ik vertrouw erop dat er geen moeilijkheden waren, geen ongeluk,' zei Rida Omat, wier manieren zo onberispelijk waren dat deze volslagen gekunsteld aandeden.

'O, nee, geen moeilijkheden. Er waren enige aangelegenheden die mijn aandacht behoefden en de taak vergde langer dan ik had voorzien.' Madelaine gebaarde naar de salon. 'Dit is een prachtig vertrek.'

'Het zal mijn vader genoegen doen dat het u bevalt,' zei Rida Omat, die ietwat onbeholpen op haar toeliep. 'Ik ben niet gewend aan het schoeisel dat Europese vrouwen dragen,' zei zij tegen Madelaine.

'Dat kan ik mij voorstellen,' zei Madelaine. 'U bent geloof ik de eerste Egyptische die ik in Europese kledij heb gezien. Ik kijk ervan op.'

'Geef ik u aanstoot?' vroeg Rida angstig.

Madelaine schudde haar hoofd. 'In het geheel niet. Het is een compliment om u aldus gekleed te zien. Ik heb alleen weinig mohammedaanse mannen meegemaakt die... hun vrouwen in Europese kledij zouden velen. Deze japon staat u bijzonder goed.'

'Is het heus?' Het deed Rida oprecht plezier dit te horen. 'Ik heb maar zo weinig japonnen gezien en de meeste waren niet geschikt voor mij. Mijn vader verzekert mij dat ik geen reden tot zorg heb maar ik kan er niets aan doen.' Zij frunnikte aan de sjaal die rond haar schouders was gedrapeerd. 'Dit is het enige deel van het ensemble dat mij vertrouwd is. Al het overige is mij vreemd.'

'En waarschijnlijk niet geheel comfortabel,' vulde Madelaine aan, sluw de waarheid radend.

'Niet geheel,' gaf Rida toe. 'Ik kan mij maar niet losmaken van de angst dat ik als ik in deze kledij een voet buiten de villa zou zetten, gestenigd zal worden tot de dood erop volgt.'

Madelaine hief haar hand bij wijze van protest maar was bang dat Rida's vrees niet geheel onredelijk was. 'Dus u draagt hier maar verder nergens de Europese kledij?'

'Ik draag deze kledij wanneer mijn vader dat van mij verlangt. Hij is zich bewust van de mening der mohammedanen aangezien hij zelf mohammedaan is, maar hij is geen gevangene van zijn godsdienst zoals naar zijn zeggen velen wel zijn.' Zij sprak deze woorden alsof zij ze uit haar hoofd had leren opzeggen. In haar grote ogen lag verwarring. 'Neemt u mij niet kwalijk. Ik zou u een beter onthaal moeten geven. Als gaste in deze villa zou u verwelkomd moeten worden.'

'Dat heeft u net gedaan,' zei Madelaine. 'Ik voel mij juist zeer welkom dankzij uw openhartigheid.'

Rida maakte een ontkennend gebaar. 'Dat was een inbreuk op uw vertrouwen. Het zou passend zijn u de hoffelijkheid te betonen die een gast van mijn vader verdient. Wij kunnen u gerechten laten brengen...' begon Rida Omat in haar vlekkeloze Frans, niet ingaand op het compliment.

'O, nee, dank u. Ik vrees dat ik een lastige aandoening heb die beperkingen oplegt aan hetgeen ik mag eten. In het algemeen dineer ik in afzondering opdat ik niet in de verleiding kom iets tot mij te nemen dat... dat mij niet bekomt.' Zij strekte haar hand uit en liep af op de jonge vrouw die deze avond als gastvrouw optrad. 'Ik was bijzonder blij uw uitnodiging te ontvangen maar ik ben tevens nieuwsgierig. Ik dacht dat het niet... geheel correct was om bij dergelijke gelegenheden ongehuwde vrouwen uit te nodigen.'

Rida Omats antwoord klonk ietwat buiten adem. 'O, welzeker. Ik bedoel de meeste huishoudens zouden niet... bereid zijn u als gast te ontvangen zonder dat u door een man vergezeld werd. Egyptische families ontvangen zelden gasten in de stijl van Europeanen. Maar weet u, mijn vader gaat sinds de komst van Napoleon met Europeanen om en hij heeft een aantal van de Franse manieren overgenomen.' Zij gebaarde naar de kleding die zij droeg. 'De meeste meisjes krijgen niet zulke japonnen. Die gaan gekleed zoals mohammedaanse vrouwen sinds de dagen van de Profeet zich kleden.'

'Ja, ik heb ze gezien,' zei Madelaine, wier nieuwsgierigheid toenam. 'Ik kan begrijpen waarom een man die met Europeanen omgaat, het gepast zou vinden rekening te houden met Europese manieren maar dit is voor het eerst dat ik met iemand te maken heb die daarbij ook zijn familie betrekt. Het is – zoals u reeds zei – uiterst ongebruikelijk dat een mohammedaanse vrouw zich kleedt zoals u, zelfs om haar vader een genoegen te doen.' Zij zag de consternatie op het gezicht van het meisje en vervolgde: 'Het is niet mijn bedoeling u van streek te brengen, Mademoiselle Omat, maar ik moet toegeven dat dit mij intrigeert. Neemt u er alstublieft geen aanstoot aan dat ik hierover begin want het is niet mijn bedoeling oneerbiedig of spottend tegenover u te doen en weest u ervan verzekerd dat veel van uw gasten vervuld zijn van dezelfde vragen als ik.'

'Zoals zij ook vervuld zijn met vragen over u,' zei Rida Omat plotseling nogal vinnig. 'O, ja, ik heb het giswerk over u gehoord. Mijn vader zei dat ik daar geen acht op moest slaan maar ik weet wat er gezegd wordt.'

Madelaines glimlach was bijna engelachtig. 'En wat wordt er gezegd? Wilt u mij dat vertellen?'

Rida Omats gezicht betrok. 'Ze zeggen dat u voor een man op de loop bent, dat u hier bent... om... andere genoegens te proeven. Ze zeggen dat u op zoek bent naar een minnaar om wraak te nemen op uw echtgenoot.' Dit laatste zei zij op zo'n ontdane toon dat Madelaine tegen haar bedoeling in moest lachen.

'Mademoiselle Omat, ik ben niet getrouwd. Ik ben nooit getrouwd geweest. Ik ben voor niemand op de loop. Ik neem op niemand wraak. Ik wijd mij in wezen aan datgene wat mij het meest interesseert: het bestuderen van het verleden.' Zij liep dichter op haar gastvrouw toe. 'Mijn genoegens, in de betekenis waarin u dat woord gebruikte, betreffen alleen mijzelf.'

Nu was Rida vervuld van gêne en haar enorme bruine ogen werden vochtig van schrik. Zij deinsde weg van Madelaine en haar rusteloze vingers bleven haken in de franjes van de kunstig bewerkte sjaal die zij om haar schouders droeg. 'Het... het was niet mijn bedoeling om mijzelf zo te vergeten. Ik weet niet hoe dat komt. Mijn vader zou verschrikkelijk...'

Madelaine onderbrak haar op milde toon. 'Uw vader zal hier niets van vernemen tenzij u hem er zelf van vertelt.'

'Wat?' Rida draaide zich om en staarde Madelaine aan.

Madelaine sprak op serene toon. 'Ik zie geen enkele reden ook maar iets van uw... opmerkingen tegen uw vader te herhalen. Ik ben mij ervan bewust dat men over mij speculeert en het is niet onredelijk te veronderstellen dat u daarvan het een en ander ter ore is gekomen. Ik kan het in mijn hart vinden u erkentelijk te zijn voor het feit dat u hardop hebt gezegd wat anderen slechts fluisteren.' Zij gaf Rida enige tijd om hierover na te denken. 'Nu dan, als u mij de eer wilt bewijzen mij aan uw vader voor te stellen?'

Rida knipperde verrast met haar ogen. 'Mijn vader?' Toen herstelde zij zich voldoende om te zeggen: 'Ja, ja, natuurlijk. Dat zal mij een genoegen zijn.' Zij liep op de deur af en aarzelde toen even. 'U gaat hem werkelijk niet vertellen hoezeer ik mij misdragen heb?'

'Ik zei toch dat ik dat niet zou doen,' zei Madelaine op wat zij graag als haar Saint-Germain-toon beschouwde.

'Normaal gesproken zou ik niets hebben gezegd. Het was alleen de schok u te zien. U bent zo jong. Ik verwachtte iemand die ouder was en heel anders,' zei Rida bij wijze van excuus.

'Ik ben niet zo jong als u denkt, Mademoiselle.' Madelaine volgde Rida Omat op de voet terwijl deze haar in de richting van de balzaal voorging. De balzaal was groot genoeg om meer dan honderd dansers met gemak ruimte te bieden. De pilaren waren van gepolijste groene marmer, de vloer was een marmeren parketontwerp dat duizelingwekkend was in zijn complexiteit. Vier enorme kristallen kroonluchters voorzagen het vertrek van verlichting. De grandeur van de balzaal was zo overweldigend dat het gezelschap van zestig er vrijwel in verloren leek te gaan en hoewel een orkestje van vijf man zat te spelen, danste bijna niemand.

'Vader,' zei Rida Omat terwijl zij Madelaine door de balzaal voerde. 'Uw laatste gast is gearriveerd.'

Yamut Omat ging gekleed in de voorgeschreven formele dracht en afgezien van zijn tulband had hij, als hij in Europa een bal had bijgewoond, kunnen doorgaan voor een Italiaan. Hij stond op enige afstand van zijn gasten deze met scherpe zwarte ogen gade te slaan. Toen Rida op hem toekwam, schonk hij Madelaine een onberispelijke buiging en pakte haar hand. 'Madame de Montalia, ten langen leste,' zei hij. 'U behoeft geen introductie.'

Madelaine verbeet een scherp antwoord over roddel en zeeg voor haar gastheer neer in een onberispelijke revérence. 'Monsieur Omat, ik dank u voor uw goedertieren uitnodiging en smeek uw vergiffenis af voor mijn late komst.' Zij keek toe terwijl hij haar hand kuste en maakte uit de bezitterige manier waarop hij haar aanraakte op dat zij met deze man op haar tellen zou moeten passen, want zij voelde aan dat hij haar onder zijn invloed zou willen brengen. Hij beschouwde haar kennelijk als een uitdaging. Haar glimlach was beminnelijk maar verstoken van elke koketterie.

'Wat valt er te vergeven?' vroeg Yamut Omat met een weids gebaar. 'Hier is eerder dankbaarheid dan vergiffenis aan de orde.' Hij wees naar de andere gasten. 'U heeft mij de eer bewezen deze gelegenheid bij te wonen terwijl u mij nog niet kende, hetgeen een enorm compliment is.'

'U hebt alle anderen van Baundilets oudheidkundige expeditie uitgenodigd. Het is passend dat ik als lid van die expeditie aanwezig ben.' Zij was op dit moment blij dat zij zich nog steeds op de hooghartige wellevendheid van haar jeugd kon beroepen. 'Het is bijzonder goedertieren van u dat uw gastvrijheid vreemdelingen niet uitsluit. Al te veel anderen hebben misbruik gemaakt van Egyptische hoffelijkheid. Men zou u kunnen vergeven voor enige mate van twijfel over Europeanen en in het bijzonder Fransen.'

'Ach, u bedoelt vanwege Napoleon?' vroeg Yamut Omat, en hij liet hierop meteen een theatrale lach volgen, die ervoor zorgde dat verscheidene andere gasten hun hoofd omdraaiden. 'Mijn waarde Madame, ik ben niet een van die lieden die zich in de ruïnes verschansten en stenen naar het leger wierpen. Ik zag meteen dat het gevecht van korte duur zou zijn maar dat er voordelen te over zouden zijn wanneer de oorlog eenmaal voorbij was. Mijn voorspoed – Allah is groot! – is daar het bewijs van.' Hij pakte Madelaines arm, haalde die door de zijne en begon op zijn gemak in de richting van de buffettafel te kuieren, die aan de overzijde van de balzaal stond. 'Staat u mij toe u een glas champagne aan te bieden, Madame. Ikzelf drink niet, maar ik heb voor mijn gasten het beste dat beschikbaar is. Ik zal u vertellen hoe ik mijn fortuin heb vergaard.'

Madelaine wilde haar hand verwijderen maar besefte dat een dergelijk onverbloemde schoffering riskant zou zijn. 'U mag mij uw verhaal vertellen, Monsieur Omat, maar ik betreur het dat ik de champagne moet afslaan.'

'Afslaan?' Yamut Omat bleef staan toen hij dat woord hoorde.

'Ik vrees dat ik geen keus heb,' zei Madelaine, die van het moment gebruikmaakte om haar hand uit de kromming van zijn arm te bevrijden. Zij schonk hem haar meest innemende glimlach. 'Ik drink geen wijn.'

'Allah zij geprezen,' zei Omat, wiens ogen schitterden van veronderstellingen. Onder andere omstandigheden had hij haar wellicht meer gevraagd maar dit was niet het gepaste moment en dus liet hij het bij een vluchtige buiging. 'Weest u zo goed mij te vertellen wat ik u wel mag aanbieden?'

'Dit alleraangenaamste gezelschap is meer dan voldoende,' zei Madelaine met een gebaar naar de groep Europeanen die zijn gasten waren. 'Ik ben maar zelden in de gelegenheid hen te ontmoeten, behalve de expeditieleden en dan nog alleen maar diegenen die met Professor Baundilet werken. Ik heb bijvoorbeeld het Engelse gezelschap nooit eerder ontmoet al heb ik wel van ze gehoord. Zij zijn naar ik heb begrepen overwegend oudheidkundigen.' Zij deed een paar stappen van hem weg. 'En ik moet geen misbruik maken van uw gastvrijheid. Ik mag u niet vragen al uw aandacht op mij te richten.'

Als hij niet haar gezelschap wilde afdwingen, zat er weinig anders voor hem op dan haar zijde te verlaten. 'Ik zou het zeer op prijs stellen als u mij wilde vertellen waarmee ik u van dienst zou kunnen zijn, Madame de Montalia,' zei hij met een buiginkje alvorens op een groepje Britten af te lopen die Madelaine niet herkende.

Eindelijk alleen zocht Madelaine een plaatsje op niet ver van het orkestje. Zij miste het beluisteren van kamermuziek meer dan zij wenste toe te geven en hoewel zij heel verdienstelijk de pianoforte bespeelde, had zij sinds zij Monbussy, haar recentelijk verworven château aan de Marne had verlaten, er geen beroerd. Haar gedachten waren nog steeds bij het château toen zij een fraaie stoel in de stijl van haar jeugd zag staan en ging zitten teneinde een reeks menuetten van Mozart te beluisteren. Zij zat al een tijdje te luisteren toen zij zich ervan bewust werd dat iemand nabij haar stoel had postgevat. In de veronderstelling dat dit wellicht opnieuw haar gastheer was, stond zij snel op en keek pardoes in een paar verbluffend blauwe ogen.

'Het was niet mijn bedoeling u schrik aan te jagen,' zei de onbekende, wiens Frans hoekig klonk door een Duits accent. Hij ging gekleed in volledig formele dracht en had een leeg punchkopje in zijn hand.

'Dat deed u ook niet,' zei Madelaine niet geheel waarheidsgetrouw en op gereserveerde toon, terwijl zij de nieuw aangekomene opnam. 'Ik dacht dat u een van mijn collega's van Professor Baundilets expeditie was.'

De man glimlachte. Diepe groeven vormden zich rond zijn ogen en aan de zijkanten van zijn gezicht. Madelaine herzag haar schatting van zijn leeftijd – ten onrechte – van dertig naar vijfendertig. Er was een grijze pluk in zijn lichtbruine haar die deed denken aan de glans op een gepolitoerde eiken tafel. Hij pakte haar hand en boog zich eroverheen. 'Mij is verteld dat wij buren zijn. Ik vertrouw erop dat dat voldoende grond is om mij gegeven de omstandigheden voor te stellen. Neemt u alstublieft geen aanstoot aan het feit dat ik mij zonder tussenpersoon bij u introduceer.'

Haar houding veranderde. 'U moet de geneesheer zijn,' zei zij terwijl zij een buiging maakte en vervolgde: 'Ik had mij een heel andere figuur voorgesteld.'

'Een bol besnord mannetje dat aan een stuk door rookt?' opperde hij. 'Dat was mijn lievelingsprofessor.' Opnieuw toonde hij haar die onthutsende glimlach. 'Ik ben Egidius Maximillian Falke; tot uw dienst. U bent Madame de Montalia, de oudheidkundige die de villa nabij de mijne bezit.'

'Ja,' zei zij terwijl zij opnieuw meer op haar hoede raakte. 'Hoe weet u zo zeker wie ik ben?'

'Kijkt u eens om u heen. Hoeveel' – hij maakte een abrupt gebaar naar het gezelschap – 'hoeveel Europese vrouwen ziet u hier? Tien? Twaalf? En hoeveel van hen zijn jonger dan ik? Twee? Drie? En wie van hen is alleen, mooi en duidelijk rijk?' Hij keek haar recht in de ogen. 'Eentje maar.'

'Dus dan is het domweg een kwestie van deduceren,' zei Madelaine, die zich merkwaardig gedesoriënteerd voelde in Falkes aanwezigheid.

'Het was een koud kunstje. Als er vier of vijf vrouwen van uw leeftijd zonder escorte waren geweest zou het meer problemen hebben opgeleverd. Zoals de zaken staan, had een pientere schooljongen van acht het kunnen bedenken.' Hij deed er het zwijgen toe en luisterde naar de muziek. 'O, gelukkig. Ze hebben Mozart eraan gegeven.'

'Heeft u dan een hekel aan Mozart?' vroeg Madelaine verschrikt. 'Ik dacht dat alle Duitsers van Duitse muziek hielden.'

'Mozart was Oostenrijker,' zei de vreemdeling. 'En hij is ouderwets, nietwaar? Ik geef de voorkeur aan wat moderners. U niet?'

'Ja. Dus nu hebben we dan Rossini,' zei Madelaine, die het verleidelijke, aanstekelijke 'Di Tanti Palpiti' uit *Tancredi* herkende. 'Die melodie is in Venetië bij de wet verboden.'

Falke grijnsde en de groeven in zijn gezicht werden geprononceerder en interessanter. 'Alleen de Italianen zouden een wet tegen een melodie aannemen.'

'Omdat niemand het kon laten die te zingen,' merkte Madelaine op. 'En de wet is alleen van toepassing op mensen die voor de gerechtsburelen werken.'

'Een maatregel om te voorkomen dat de griffiers midden in een proces losbarsten in het refrein, neem ik aan,' zei hij. Hij luisterde een tijdje. 'Het is zeker waar dat die melodie in je hoofd blijft hangen. Het lijkt wel een muzikale besmetting.' Zijn goede humeur verbleekte vrijwel op slag. 'Neemt u mij niet kwalijk, Madame de Montalia. Dat was een smakeloze opmerking. Als ik u aanstoot heb gegeven...'

'Dat heeft u niet, Herr Doktor Falke,' zei zij, bewust zijn formaliteit navolgend. 'Eerlijk gezegd ben ik het met u eens.'

Hij stond haar niet toe hem te ontzien. 'Maar muziek, en dan nog voortreffelijke muziek, met ziekte vergelijken, dat geeft geen pas.' Hij staarde omlaag naar het punchkopje in zijn hand. 'Ik vraag mij af of ik te veel hiervan heb gedronken.'

'Vast en zeker niet,' zei Madelaine, die met zekerheid wist dat hij volslagen nuchter was.

'Ik hoop van niet. Een geneesheer kan zich niet veroorloven beneveld te raken.' Hij zette het kopje zorgvuldig weg op de brede rand van een hoge vaas waarin een woud van grote, veelkleurige lelies stond. 'Zo, nu raak ik niet verder in de verleiding.' Hij liet de muziek als excuus voor zijn stilzwijgen dienen en zei toen: 'Misschien was ik een beetje te streng. Het ligt aan mijn werk. Ik bestudeer de ziektes die in dit deel van de wereld voorkomen. Er zijn dingen in Egypte die wij zelden of nooit in Europa zien.'

'Een moedige onderneming, Herr Doktor,' zei Madelaine uit de grond van haar hart. 'Ik vertrouw erop dat u alle mogelijke voorzorgsmaatregelen heeft genomen voor uw eigen bescherming.'

Hij haalde zijn schouders op, en als hij Fransman of Italiaan was geweest, had het als een laatdunkend gebaar beschouwd kunnen worden. 'Ik heb alles gedaan wat wordt aangeraden. Als er nog meer is dat mij en de arme stakkers die ik behandel kan helpen, zou ik dat graag vernemen.'

Madelaine dacht onwillekeurig aan de brief die zij de week tevoren aan Saint-Germain had verstuurd en vroeg zich af wat haar dierbare eerste minnaar haar zou vertellen dat deze geneesheer van nut zou kunnen zijn en op welke wijze zij zou kunnen uitleggen hoe zij aan deze informatie kwam. Het antwoord daarop kwam snel en zij zei: 'Doktor Falke, de expeditie van Baundilet houdt zich bezig met het opgraven van allerhande geschriften en aantekeningen in Luxor en Thebe. Zo wij iets op het spoor komen dat de geneeskunde van de tijden der Farao's betreft, zal het mij een genoegen zijn die informatie aan u door te geven.' Terwijl zij het aanbod deed, was zij opgelucht bij de gedachte dat wat zij hem zou kunnen vertellen inderdaad de medische gebruiken uit de tijd van de Farao's betrof.

'Wat een fascinerende gedachte,' zei hij met hernieuwd enthousiasme. 'Ja. O, zeker, als u zo vriendelijk zou willen zijn, zou ik alle dergelijke informatie die u mij kunt toespelen waarderen.'

'Het zal mij een voorrecht zijn,' zei Madelaine. 'Als er vandaag de dag mensen baat bij zullen hebben zoals ooit in het verre verleden, dan heeft die kennis ten tweeden male zijn nut bewezen.'

'Wat ziet u dat goed,' zei Falke, die haar met toegenomen respect bezag. 'Ik zal Professor Baundilet bedanken.'

'Professor Baundilet?' Madelaine gaf hem niet het scherpe antwoord dat bij haar opkwam maar zei: 'Ik geloof niet dat dat verstandig zou zijn. Professor Baundilet is bang dat anderen onze bevindingen zullen publiceren voordat hij zover is en in het algemeen geeft hij ons geen toestemming om ook maar iets van onze vondsten met anderen te bespreken totdat hij zijn rapporten heeft geschreven en deze heeft verstuurd. Ik betwijfel of hij zou wensen dat ik u over onze bevindingen vertel aangezien hij zou denken dat u zijn resultaten zou willen gebruiken teneinde uw eigen loopbaan te bevorderen.'

'Hoe kunt u mij dan dit aanbod doen?' vroeg Falke ontdaan.

'Omdat er waar het u betreft geen reden tot zorg is, of wel?' Zij gaf hem geen tijd om antwoord te geven. 'Professor Baundilet is een vooraanstaand oudheidkundige en hij streeft ernaar zijn positie nog verder te verbeteren. Voor hem zou elke inscriptie de sleutel tot academische vooruitgang kunnen bevatten. Uw situatie zou hem niets zeggen.'

Falke was geschokt. 'Ik begrijp wat hem beweegt, maar geneeskunde...'

'Geneeskunde uit het oude Egypte ligt evenzeer binnen het bereik van de oudheidkunde als enig ander oud geschrift,' zei Madelaine in de hoop dat Falke geloof zou hechten aan wat zij zei. Zij bespeurde zijn weerstand tegen haar voorwaarde en zij vervolgde met grotere overredingskracht: 'Laten wij deze overeenkomst onder ons houden, tussen u en mij. Ik vraag u om wat ik u vertel niet te publiceren en u op uw beurt stemt erin toe om onze afspraak geheim te houden zolang de expeditie van Baundilet zich bij Thebe bevindt. Is dat voor u aanvaardbaar?'

'Ik weet het niet,' zei hij toen hij haar had aangehoord. 'Ik moet erover nadenken. Ik wil het werk dat hier geschiedt niet in de waagschaal stellen.'

'Maar u wilt ook niet dat enige patiënt sterft of lijdt als dat niet noodzakelijk is,' vulde zij zijn gedachtegang voor hem aan. 'Wij hebben het vermoeden dat de Egyptenaren uit de oudheid het vermogen hadden ziekten te behandelen die vandaag de dag op geen enkele wijze in de hand te houden zijn. Het is niet verkeerd van u om de patiënten die aan u zijn toevertrouwd leniging te schenken.'

Hij knikte en glimlachte opnieuw, ditmaal met enige verbittering.

'Ik moet eerlijk zijn. Ik zou bijzonder graag het middel tegen een gruwelijke ziekte ontdekken. Als men in de oudheid dergelijke kennis bezat, zou ik zeer blij zijn die te verwerven.' Hij zag op haar neer met een houding die aandachtig en ernstig was. 'Ik zal moeten nadenken over hetgeen u heeft gezegd. Ik heb weinig op met een zo heimelijke overeenkomst maar als u erop staat... Zou het u schikken als ik u morgenavond opzoek om u te vertellen wat ik heb besloten?'

'Zeker.' Zij schonk hem een lange, onderzoekende blik. 'Ik zal het verder met u bespreken als u dat wenst.' Als hij haar nu maar vertelde wat hij wilde weten, zou zij die vraag kunnen stellen in haar volgende brief aan Saint-Germain.

'Nee.' Hij schudde zijn hoofd eenmaal om zijn antwoord te onderstrepen. 'Nee, dit moet ik zelf overdenken. Ik weet nu al dat uw argumenten grote overredingskracht hebben. Ik heb tijd nodig ter bespiegeling.' Hij pakte haar hand en boog zich erover. 'Dit was een zeer onverwacht genoegen, Madame. Het is mij waarlijk een voorrecht u dan eindelijk te hebben leren kennen.'

'Mij evenzeer, Herr Doktor Falke,' zei zij, in het besef dat als zij elkaar in Parijs hadden leren kennen een dergelijke introductie niet gepast zou zijn geacht en dat hun gesprek helemaal niet plaats zou hebben gevonden. Maar in dat geval, bedacht zij, zou er ook geen reden zijn geweest, geen excuus.

'Tot morgen dan.' Met deze woorden draaide hij zich om en slenterde weg in de richting van het Engelse groepje.

Madelaine keek hem korte tijd na en richtte zich toen opnieuw op het kamermuziekensemble. Zij slaagde er niet in haar aandacht bij Rossini's werk te houden, noch bij de suite van Cimarosa die daarop volgde. Haar gedachten keerden keer op keer terug naar Egidius Maximillian Falke en zij vroeg zich af waarom die lachrimpeltjes en dat likje grijs in zijn haar zo'n betoverende invloed op haar uitoefenden. Of was dat het eigenlijk wel? Was het soms iets dat in die blauwe ogen brandde?

'Verveelt u zich?' vroeg Alain Baundilet, die als een pauw op haar af kwam stappen, met een halfleeg champagneglas in zijn hand. 'Dit is waarschijnlijk niet zo chique als u gewend bent.'

'Het is bijzonder genoeglijk,' zei Madelaine, die haar best deed niet te laten merken dat hij haar had opgeschrikt. 'Ik ben nu eenmaal niet iemand die zo in het uitgaansleven opgaat als sommige anderen.' In

wezen vermeed zij nu al meer dan drie decennia opzettelijk gelegenheden als deze, teneinde het handjevol bejaarde dames te ontlopen
die haar hadden gekend toen zij veel jonger was. Zij was tot tweemaal
toe onderworpen aan uiterst onaangename vragen over haar leeftijd
en wenste dat niet nog eens mee te maken.

'Gaat u dan zo op in uw studie?' vroeg Baundilet plagerig. 'Staat u
mij toe, Madame, te zeggen dat ik dat moeilijk te geloven vind.'

'Desalniettemin is het waar, zoals ik heb gestreefd u te overtuigen,'
bracht Madelaine hem in herinnering. 'U heeft mijn geloofsbrieven
gezien. U weet dat ik hier niet zomaar uit een gril ben.' Zij wilde niets
liever dan hem ontlopen.

Maar hij was niet van plan haar te laten gaan. 'Volgens mij moest
u morgenochtend maar eens komen ontbijten voordat de anderen arriveren. Ik zal nog eens goed nadenken over uw verzoek over de inscripties en de tempels.' Zijn ogen gleden inhalig over het collier van
diamanten en saffieren dat zij droeg. 'Ik moet u zeggen dat u het mis
heeft wat de plaats aangaat maar als u besef hebt van de waarschijn-
lijkheid van het falen van uw theorie, dan kunnen wij misschien wel
iets voor u regelen.'

Madelaine wenste dat zij Saint-Germains meest recente brief aan
Baundilet kon laten zien. Die zou haar theorieën geloofwaardigheid
verlenen, dacht ze, maar zij liet die gedachte meteen weer varen in de
wetenschap dat Baundilet er dan van overtuigd zou zijn dat zij niet
alleen excentriek maar ook waanzinnig was. 'Goed dan,' zei zij zacht.
'Ik zal morgenochtend een halfuur eerder dan gebruikelijk komen.
Maar ik zal geen ontbijt wensen. Het gaat mij om een gesprek, Professor Baundilet.'

'Uiteraard, uiteraard,' zei Baundilet met verdacht veel haast. 'En laat
Claude-Michel zelf zijn weg maar vinden, vindt u niet?'

'Als u daar de voorkeur aan geeft,' zei Madelaine, vastbesloten die
avond een bericht aan Jean-Marc Paille te sturen opdat zij niet met
Professor Baundilet alleen zou hoeven te zijn. Zij deed een stapje van
hem weg en vroeg toen: 'Neemt u mij niet kwalijk, Professor, weet u
hoe laat het is?'

Baundilet haalde met uitgebreid vertoon zijn gouden horloge uit
zijn vestzakje. 'Tien voor elf,' zei hij.

Madelaine wist het klaar te spelen haar opluchting te doen voorkomen als ontzetting. 'Hemeltje, mijn koetsier staat al lang op mij te

wachten.' Het was nog niet eens het tijdstip waarop Curtise moest terugkeren maar ze wist dat hij de gewoonte had aan de vroege kant te
zijn. 'Ik moet gaan. Het is mijn plan om morgen vlak voor de dageraad te arriveren.' Zij snelde van hem weg en zocht haar gastheer op.
'Monsieur Omat,' zei zij, terwijl zij op hem toeliep, 'ik moet u bedanken voor een buitengewoon aangename avond. Het was bijzonder
vriendelijk van u mij te inviteren.'

'Gaat u al?' vroeg Omat terwijl hij haar hand in de zijne gevangennam. 'Ik had gehoopt dat u mij voor een middernachtelijk souper gezelschap zou houden. Kijkt u maar. Ik heb de tafel in Europese stijl
laten dekken.'

'Ja,' zei zij, 'en u heeft het schitterend gedaan. Maar ik moet vroeg
op en er wachten mij nog huiselijke plichten alvorens ik mij kan terugtrekken voor de nacht.' Zij maakte een revérence en trok haar hand
uit de zijne. 'Een waarlijk schitterend feest.'

'Dan moet u mij spoedig opnieuw de eer bewijzen,' zei Omat met
een gebaar naar een van zijn bedienden. 'Vergezel Madame de Montalia naar haar koets en zorg dat zij veilig vertrekt.'

Het was niets meer dan wat een Franse gastheer zou doen maar
toen Madelaine zijn instructies hoorde, kreeg zij de neiging te knar-
setanden. 'Hoe bijzonder goedertieren van u,' dwong zij zichzelf te
zeggen terwijl zij de bediende toestond met haar door de villa te lopen. Toen zij de binnenplaats betrad, kwam haar rijtuig net om de
hoek. De typerende driehoeksvormige inspanning zorgde ervoor dat
deze koets zich meteen van de andere onderscheidde. Toen Curtise
voor de koetspoort halt hield, overhandigde Madelaine een zilveren
munt aan de bediende terwijl zij haar dankzegging prevelde. Toen
stapte zij in haar koets.

Terwijl Curtise de paarden aanspoorde weg van Omats villa, slaakte Madelaine een zucht. De zittingen en vloer van haar rijtuig waren
ingelegd met haar geboortegrond en dit schonk haar een weldadige
kalmte. Op een dag, besloot zij, zou zij een ontwerp moeten bedenken voor dansschoentjes dat haar zou toestaan die dunne flexibele zolen ervan met haar geboortegrond te voeren.

Tekst van een brief van Kareef Numair, Magistraat van Thebe, aan
Professor Alain Baundilet.

Waarde Professor,

Ik wacht op ontvangst van de verificaties en geloofsbrieven die
uw Franse geldschieters mij, naar u mij verzekerde, zouden
toesturen en ik zal u, zodra zij aankomen, daarvan op de hoogte
stellen. In de tussentijd zal ik het door u verrichte werk
inspecteren om te zien hoe ver u bent. Bij die inspectie verzoek ik
om een inventaris van alle ontdekkingen die u heeft gedaan,
evenals een geverifieerde kopie van het officiële verslag van uw
oudheidkundige expeditie. Verder instrueer ik u om alle leden
van uw expeditie op te dragen insgelijks voorbereid te zijn op
mijn inspectie en zich beschikbaar te stellen voor het
beantwoorden van mijn vragen, hoe deze ook mogen luiden. Zo
enig lid van uw expeditie tijdens mijn inspectie afwezig zal zijn,
zal ik een volledige schriftelijke uitleg vereisen van de reden, met
getekende verklaringen die het waarheidsgehalte van deze
bewering staven.
De afgelopen vier dagen heb ik met de door u ingehuurde gravers
en dragers gesproken en deze hebben mij verslag gedaan. Zo uw
verslag noemenswaard van het hunne verschilt, zal ik een formeel
onderzoek moeten instellen naar uw werk om na te gaan wat u
heeft gedaan. U zult het niet gemakkelijk hebben als uw
meldingen ontoereikend of onnauwkeurig zijn.
Ik ben voornemens uw vorderingen nauwlettend gade te slaan
want wij wensen geen verdere schendingen te zien van de
muren en inscripties in de oude ruïnes die u verkent. Er is
genoeg schade berokkend aan deze fraaie bouwwerken en ik zal
u niet toestaan bij te dragen aan het kwaad dat reeds geschied
is. Wij hebben gezien hoe andere oudheidkundigen hun werk
als voorwendsel gebruiken om de graven van onze voorvaderen
te plunderen en de wetten van de Profeet in de wind te
slaan. Dat zal niet getolereerd worden zolang ik Magistraat te
Thebe ben. Als er enige twijfel rijst over mijn autoriteit, zal ik
verzoeken dat de aangelegenheid aan de Khedive wordt
voorgelegd.
Wij zijn geen onwetend volk, Professor, en wij zullen u noch
welke andere Europeanen ook toestaan zich te gedragen op een
wijze die ons en ons land oneer doet. Het is mijn voornemen alle

schatten van Thebe te beschermen tegen uitbuiting en ik heb op
de Koran gezworen deze stenen voor ontheiliging te behoeden.

Kareef Numair,
Magistraat
16 augustus 1825, volgens de christelijke jaartelling, te Thebe

Vier

Het grootste deel van het werk bestond uit het verwijderen van het zand. Bergen, oceanen zand waren in de loop der eeuwen de ruïnes binnengewaaid en maakten het moeilijk of onmogelijk te zien wat eronder lag. Ursin Guibert en Justin LaPlatte werkten zij aan zij en riepen terwijl zij het zand opschepten aanwijzingen naar de gravers en naar de mandendragers die het wegsleepten.

Waar de gravers hun werk hadden verricht, stroomden de leden van de expeditie toe met hun notitieboekjes in de aanslag en hun ezels gereed om de schetsblokken erop te zetten. Merlin de la Noye stond met een pijp tussen zijn tanden geklemd op een ladder en tuurde omhoog naar een enorme reeks hiëroglifen die in het steen waren gehouwen. Op de grond, waar een stukje plaveisel aan het licht kwam toen het zand zorgvuldig werd weggeveegd, repte Alain Baundilet zich van de ene oudheidkundige naar de andere met een eindeloze serie vragen.

'Wat denkt u hiervan?' vroeg Claude-Michel aan Madelaine terwijl zij al vegend rond de voet van een enorme zuil liepen.

'Ik weet het werkelijk niet. Het ziet eruit alsof... alsof er een wijziging is aangebracht. Kijk daar, ziet u wel?' Zij wees naar een plaats aan de zuil waar het bas-reliëf was opgelapt met een dun laagje mortel.

Claude-Michel raakte zachtjes het oppervlak aan. 'Een reparatie misschien, denkt u?'

'Een wijziging,' zei Madelaine, die zich niet wenste vast te leggen. 'Misschien op bevel van de priesters.'

'Wilt u daarmee zeggen dat de *Egyptenaren* dit hebben gedaan?' vroeg Claude-Michel verbluft.

'Mogelijkerwijs,' antwoordde Madelaine. 'Maak er hoe dan ook maar een tekening van en laten we er vooral voor zorgen dat we al die tekentjes daar – ziet u? die figuurtjes daar? – ook vastleggen.' Zij liet zich op haar knieën vallen en bezag de sierrand van het houwwerk. Met een schilderspenseel verwijderde zij de laatste zandkorrels. 'Een lotusrand. Dat zou van belang kunnen zijn. Ik geloof niet dat het ook

77

maar iets zegt maar misschien heeft het een speciale betekenis, zoals de laurierbladeren voor de Grieken en Romeinen.'

'O. Ja.' Claude-Michel kwam naast haar op zijn hurken zitten. 'Ik heb genoeg Champollion gelezen om hier het een en ander van te herkennen. Die open hand is een *t*. Het Egyptische kruis, met de lus aan de bovenkant is...'

'*Anh*,' zei Madelaine. 'Of *enh*.' Zij wreef haar handen tegen elkaar om ze van het zand te ontdoen. 'Ook ik heb enige studie van de taal gemaakt.'

'Dat is voortreffelijk,' zei Claude-Michel. 'Ja. En die havik die ons aankijkt is een *m*. Die horizontale kartellijn is een *n*.' Hij kreeg een kleur terwijl hij dit zei en zijn jonge gezicht gloeide van opwinding; hij was trots op zijn kennis en er zeer mee in zijn nopjes dat hij die kon spuien. 'Deze lege troon en het oog in het zegel is de naam van *Osiris*.'

'En dit?' Zij wees naar een volgende cartouche. 'Wat is dat?'

Claude-Michel tuurde er aandachtig naar. 'Het is de naam van een van de Farao's. Soms hebben ze een dergelijke dubbele cartouche. Ik maak er een aantekening van. De zonneschijf, een soort kom of halve cirkel, en een deel van het bovenlichaam van iemand met een veer op zijn hoofd, die een Egyptisch kruis draagt. Het andere deel is een veer en een rechthoek met puntjes aan de bovenkant, dan het teken van *n*, dan een smallere rechthoek met een soort kruikvorm erbovenop, dan een staf met wat zo te zien een plantensteel is.' Terwijl hij zijn beschrijving deed, schetste hij. 'Ziezo. Het spijt me dat ik niet beter kan tekenen. Ik heb er geen aanleg voor, maar is dit duidelijk?'

Madelaine keek naar de schets en toen opnieuw naar de dubbele cartouche. 'De gedaante met de veer op zijn hoofd houdt de *anh* onder een hoek vast, weg van het lichaam,' zei zij terwijl zij de plaats op de zuil aanwees. 'We kunnen De la Noye vragen of hij ook een cartouche heeft gevonden. Ik vraag me af welke van al die Farao's dit is.'

'Dat weet ik niet,' gaf Claude-Michel toe. 'Het is niet Ramses; zijn cartouche is ook bij deze tempels te vinden, maar dit is niet de zijne.' Hij legde opnieuw zijn hand tegen een steen. 'Stel je de mannen voor die deze steen hebben gehouwen, zoals ze hier jaar in jaar uit in de zon hebben gezeten met de opdracht houwwerk van steeds gelijke diepte te leveren. De hele tempel moet weergalmd hebben van het geluid van hamers op beitels.'

'Hoogstwaarschijnlijk,' zei Madelaine, 'tenminste als het houwwerk hier is uitgevoerd. Misschien verrichtte men dat wel in de groeve waar de steen voor de zuil is gewonnen.' Zij stond op. 'Wanneer u erachter komt welke Farao dit is, wilt u het mij dan laten weten?'

'Zeker,' zei hij terwijl hij overeind krabbelde. 'Aan welk deel van de tempel gaat u werken?'

'Het meest schaduwrijke,' zei zij, slechts deels als scherts. 'Ik heb gevraagd of ik de hiërogliefen rond de deur in het middelste deel van de tempel mocht transcriberen. Daar staan er heel wat en die kunnen ons misschien een aanwijzing geven waarvoor die binnenste ruimtes dienden en wat daar plaatsvond.'

'Bedoelt u riten en offers?' vroeg Claude-Michel gretig. 'Denkt u dat ze hier hun offers brachten?'

'Dat weet ik niet,' zei Madelaine gedecideerd. 'Dat weet nog niemand. Daarom wil ik ook aan die inscripties werken. Die kamer is bijzonder klein. Misschien was het alleen maar een bewaarplaats voor ceremoniële voorwerpen en gewaden.'

'Bedoelt u dat het alleen maar een soort klerenkast was?' Claude-Michel nam aanstoot aan zijn eigen hypothese.

'Dat zou kunnen,' zei Madelaine, die zijn verschrikte toon vermakelijk vond. 'Nu, ze zouden de voorwerpen en speciale kledij toch ergens moeten bewaren, nietwaar?' vervolgde zij op redelijke toon. 'We weten dat dit een belangrijk deel van de tempel is. Daarginds brengen ze delen van beelden aan het licht. Deze ruimte kon weleens een bijzonder privévertrek voor de priesters zijn geweest of een bewaarplaats of een plaats waar sommige gelovigen heen gingen, zoals die zijkapellen voor de adel en de koninklijke families in Europa.' Zij stak het penseel dat zij bij zich droeg, in haar ceintuur. 'Wat het ook is, ik ben van plan alles erover te weten te komen wat ik maar kan.'

'Heeft u mijn hulp nodig?' vroeg Claude-Michel smachtend.

Zij keek hem glimlachend aan. 'Nee, dank u. Nee. Misschien later, wanneer ik alle inscripties heb opgetekend en niets kan ontcijferen behalve zo hier en daar een *anh*.' Haar paarsblauwe ogen schitterden van vermaak. Zij vond zijn toewijding roerend maar wist met grote zekerheid dat hij, indien hij ook maar enig idee van haar ware aard had, onherroepelijk van afgrijzen vervuld zou zijn. Zij vond zijn romantische inslag charmant en ergerlijk tegelijk en besloot dat dit aan haar leeftijd lag. 'Baundilet heeft uw hulp harder nodig dan ik en hij heeft hier tenslotte de leiding.'

'Ja,' zei Claude-Michel, opeens op zeer zakelijke toon. 'U heeft gelijk, Madame. Dat had ik zelf moeten bedenken.'

'Niets aan de hand. U heeft mij bijzonder goed geholpen.' Zij maakte een bemoedigend gebaar en liep toen in de richting van het curieuze kleine vertrek, in de hoop dat de gravers het merendeel van het zand uit die ruimte hadden verwijderd.

'Past u maar goed op daarbinnen, Madame,' riep Ursin Guibert haar na. 'Kijkt u uit voor slangen en wat dies meer zij.'

'Dank u,' zei zij in respons op zijn waarschuwing. 'Ik zal mijn best doen goed op te letten.'

De hoofdgraver keek haar fronsend aan terwijl hij haar een minimale buiging schonk en riep zijn ploeg iets toe. 'U kijken willen?' vroeg hij met zijn moeilijk verstaanbare Frans.

'Ja,' zei Madelaine terwijl haar ogen over het reliëf boven de deur gleden. 'Maar ik wacht wel tot jullie klaar zijn.'

'Wat is?' vroeg de graver.

'Ga maar verder,' zei zij, terwijl zij een gebaar naar hem maakte dat hij zijn werk kon hervatten. 'Ik kan wel wachten.'

'Wachten,' herhaalde hij tevreden.

Madelaine trok zich terug uit de kamer en bleef in de schaduw van de enorme zuilen staan. Zij haalde haar aantekeningenboek te voorschijn en begon uiterst zorgvuldig de tekentjes rondom de deur te kopiëren. Zij besteedde weinig aandacht aan de arbeiders en was blij dat die haar negeerden. Toen zij de tekentjes boven de deur af had, maakte zij een notitie voor zichzelf om bij haar volgende brief een kopie hiervan aan Saint-Germain te sturen. Er was zo bijzonder veel wat zij van hem wilde weten, zoveel verklaringen over dit verdwenen volk die zij verlangde. Zij keek van haar schets naar de hiëroglieven die de deur omlijstten en dacht aan de mensen die deze daar hadden aangebracht. 'Wie waren jullie?' fluisterde zij, terwijl zij haar wilskracht op de hiërogliefen richtte om die te dwingen haar hun geheimen prijs te geven. Het kostte haar moeite haar blik af te wenden en toen zij dat deed, zag zij een man in een onopvallende pij met kap die haar van enige afstand gadesloeg.

De man knikte en hoewel zijn gezicht in de schaduw was, keken Madelaines paarsblauwe ogen recht in de zijne. 'U bent Madame de

Montalia?' vroeg hij in voortreffelijk ouderwets, voornaam Frans, zoals Madelaine sinds de Revolutie niet meer had gehoord.

Madelaine schrok en stond heel even op het punt om hulp te roepen, maar dat was absurd, zo bedacht zij streng. Wat voor gevaar school erin met deze eenling te spreken? Als hij kwaad in de zin had, dan had hij een bijzonder slechte plaats gekozen om haar te benaderen, omringd als zij waren door leden van Baundilets expeditie. Als hij iets gewelddadigs van plan was, had hij zijn kans gemist en hij was nu niet meer in een positie om iets anders te doen, niet op een zo openbare plaats. Er was één enkel dreigement dat hij zou kunnen gebruiken, zo wist zij, iets dat even gevaarlijk voor haar was als zonlicht zonder haar geboortegrond in de zolen van haar schoenen; maar hoe kon deze onbekende haar ware aard kennen? 'Ja,' zei zij, toen zij besefte dat hij op een antwoord wachtte.

'Madame,' zei de man, terwijl hij op haar toekwam en zijn hoofd boog. Zijn stem was warm, diep en welluidend. Zijn spreektrant was bedaard. 'Ik ben Erai Gurzin. Ik ben een Koptische monnik, een christen.'

'Ja,' zei zij en haar bedenkingen verleenden haar stem een koele toon.

'Saint-Germain heeft mij gestuurd.'

Zij staarde hem aan. Zijn mededeling was temidden van deze ruïnes ongelooflijk. 'Wat?'

'Saint-Germain heeft mij gestuurd,' herhaalde hij, en hij stak zijn hand in de mouw van zijn habijt om een brief te voorschijn te halen. 'Hier. Dit geeft u een verklaring. Leest u het zelf maar.' Hij keek toe hoe zij de brief aannam. 'Men had mij te verstaan gegeven dat u mij zou verwachten. Saint-Germain had u gezegd...'

'... dat iemand zou komen,' maakte Madelaine voor hem de zin af, met haar blik gericht op Saint-Germains in de druppel was gedrukte zegel van de eclips. Daar zag ze het vertrouwde sobere handschrift, de woordkeus die haar bijna het gevoel gaf dat zij hem hoorde spreken. Enkel de aanblik van zijn brief schonk haar een gewaarwording alsof hij nabij was.

'Hij heeft mij verteld dat u hier bent om het oude volk te bestuderen, de Farao's en de schrijvers,' zei de monnik.

'Ja,' zei zij terwijl zij de brief herlas. 'Ja. Die verkeren nu al zo lang in de schaduw... verstoken van spraak en in geheimen gehuld. Maar nu staan wij bij die inscripties niet langer voor een raadsel. Nu is er een kans om hen te horen spreken, te ontdekken wie ze waren, hen te leren kennen.'

'Saint-Germain zou wellicht...' begon de monnik.

Zij was verdiept in de brief en sprak evenzeer tegen Saint-Germain als tot de monnik aan haar zijde. 'Nee. Hij beantwoordt vragen wanneer ik die stel, maar ik zoek geen verstrooiing in verhaaltjes over teloorgegane tijden. Studie is niet een amusement om de tijd te verdrijven maar brengt mij nabij de kern van... al het overige. Wanneer ik een vraag stel, is het omdat ik mijn eigen vraag wil begrijpen.' Haar gezicht klaarde op. 'Ik wil de waarheid omtrent deze mensen leren kennen, niet het zoveelste verhaal over hen vernemen. Ik wil hun stemmen over de eeuwen heen horen. Als alles mij verteld wordt, zal dat niet gebeuren en...' Zij liet de woorden wegsterven.

'Een omvangrijke taak,' zei de monnik.

Haar glimlach was vluchtig. 'Ja, dat is zo.'

'Zoals u ziet is mij gevraagd u te helpen op elke wijze dat ik kan.' Hij wierp een blik op het puin van een gevallen zuil. 'Mij is tevens verteld mij nergens in te mengen maar u louter behulpzaam te zijn.'

Madelaine gaf de brief met tegenzin terug, als deed zij afstand van de schrijver zelf. 'Dank u,' zei zij zacht.

Hij aarzelde, zei toen: 'Voordat ik monnik werd, was ik huisbediende van een Griek genaamd Niklos Aulirios. Ik herinner me dat Saint-Germain tweeëntwintig jaar geleden, toen Aulirios nog in leven was, de Eerste Cataract bezocht. In mijn hoedanigheid als zijn bediende heb ik veel geleerd.'

'Ongetwijfeld,' zei Madelaine, nu des te nieuwsgieriger naar de monnik.

'Ik had hier eerder willen zijn. Het was mijn bedoeling op een vroeger tijdstip te vertrekken zoals le Comte verzocht, maar door een onvoorziene omstandigheid in mijn klooster was ik niet in staat om eerder te komen. Ik maak mij zorgen. Het baart mij zorgen dat ik pas ben aangekomen bij het begin van de Overstroming want dat zal voor oponthoud zorgen bij enig werk dat wij samen zullen ondernemen. Als de wateren stijgen, zullen onze werkzaamheden binnen enkele dagen noodgedwongen een einde nemen.' Hij borg de brief op. 'Saint-Germain heeft mij, zoals u heeft gelezen, gevraagd uw leermeester te zijn in alles wat met Egypte te maken heeft en ik ben, mits u bereid bent mij aan te nemen, bereid dat te doen omwille van hem en omwille van de nagedachtenis van Niklos Aulirios.' Het was niet het meest hartelijke aanbod, maar Gurzin vond het nog steeds moeilijk te geloven dat deze bekoorlijke jonge vrouw de serieuze studente kon zijn die zij volgens Saint-Germain beslist was.

'Ik ben u... erkentelijk,' zei Madelaine met een zweempje ironie. 'Ik hoop dat ik een goede leerling zal zijn.'

Haar toon ontging Gurzin niet en voor het eerst glimlachte hij. 'Ik begin het te begrijpen en ik vraag u nederig om vergiffenis; ik was te haastig in mijn oordeel,' zei hij, en hij schonk haar zijn zegen. 'Saint-Germain heeft respect voor uw geleerdheid en ik wil hem buitengewoon graag ten dienste zijn. Misschien moesten wij allebei onze gevolgtrekkingen nog maar een paar dagen opschorten. Als mijn beperkte kennis u tot nut kan zijn, hoop ik dat u er gebruik van zult maken.' Hij zweeg even, wachtend of hij weggestuurd zou worden. 'Het is niet te laat in de middag om nog een begin te maken. Het is nog vier uur tot zonsondergang. We kunnen beslist beginnen. Welaan, wat zou u graag willen dat ik u vertelde?'

Zij maakte een hulpeloos gebaar. 'Dat kan ik niet beantwoorden, waarmee moet ik aanvangen? Ik wil alles weten, maar er is zoveel en...'

'Ja,' zei Gurzin, toen zij niet verder sprak. 'Waar te beginnen.' Hij keek in de tempel rond. 'Ik weet niet alles. Ik meende het toen ik zei dat mijn kennis beperkt is. Zelfs als ik heel veel meer wist, zou ik nog steeds niet in staat zijn het allemaal te verklaren. Ik beschik over enige informatie, meer dan de meeste mensen, dankzij Gods goedertierenheid, en toch is mijn kennis niet groot; Saint-Germain weet veel meer dan ik.' Hij ademde lang, bedachtzaam in. 'Maar goed, u bent nu een deel van de taal meester, nietwaar?'

'Een wel heel klein deel,' zei zij, en zij voegde er aan toe: 'Niemand weet veel. Het is nog maar een paar jaar geleden dat de eerste vertalingen werden gemaakt. Ik heb het werk bestudeerd dat Champollion heeft verricht, maar ik heb geen echte vaardigheid verworven, niet van het soort dat ik nodig heb. Dat zal tijd vergen en meer teksten ter bestudering.' Zij wees op de inscriptie die zij had gekopieerd. 'Nu, aangezien we ergens moeten beginnen, laten we dan maar hier aanvangen. Ik wil weten waartoe deze kamer diende. Ik wil weten wat hier gebeurde.' Zij borg haar aantekeningenboek op in de kleine tas die zij bij zich had. 'Ik wil weten wiens tempel dit is en wanneer hij gebouwd is en waarom. Ik wil weten wat voor priesters hier dienden. Ik wil weten wat voor mensen hier kwamen en hoe zij hun erediensten hielden.'

Gurzin tuitte meewarig zijn lippen. 'Kortom, u wilt weten wat het inhield om destijds Egyptenaar te zijn en er is niemand meer die u dat kan vertellen.'

Zij stond op het punt Gurzin te herinneren aan Saint-Germains hoge leeftijd en deed er toen het zwijgen toe: als Saint-Germain Gurzin niet van zijn lange leven had verteld, ging het niet aan dat zij dat zou doen. 'U heeft gelijk, dat is wat ik wil,' beaamde zij, 'en aangezien ik geen Egyptenaar kan zijn, wil ik dat de Egyptenaren het mij zelf vertellen door middel van hun geschriften en beeltenissen.'

'Ik zal mijn best doen.' Hij sloeg haar belangstellend en met stijgende achting gade. 'Ik zal het werk moeten zien waarover u het had, die vertalingen. De taal van het oude Egypte was de voorloper van de taal die wij Kopten nu spreken en als ik eenmaal de vertalingen kan bekijken die u heeft, zal ik u behulpzaam kunnen zijn. Wat vindt u daarvan?'

'Dat is beter dan wat mij zonder uw hulp vergund is,' zei zij, en zij voegde er toen aan toe: 'Zo ik u aanstoot heb gegeven, was dat niet mijn bedoeling maar u moet toch zien dat dit werk een beproeving is, want elke nieuwe ontdekking is een nieuw raadsel en elk stukje kennis wat wij vergaren roept een tiental nieuwe vragen op.'

'Dat is het lot der geleerden,' zei Gurzin terwijl hij rondkeek in dat deel van de tempel dat vrij was van zand. 'Hoeveel langer denkt u dat het zal vergen, dit graafwerk?'

'Dat weet ik niet,' zei Madelaine. 'Dat hangt af van wat wij hieronder begraven vinden. Als deze zuilengang enkel is wat hij lijkt, zal het grootste deel van het zand misschien tegen de tijd van de Overstroming verdwenen zijn. Maar als er beelden of andere objecten zijn of dingen waarop wij niet hadden gerekend, zal het meer tijd vergen.' Zij liep naar de kleine kamer toe. 'Er is zand daarbinnen en wij hebben besloten dat weg te vegen aangezien er wellicht... nu ja, allerlei dingen onder het zand zouden kunnen schuilen.'

'Uiterst zorgvuldig,' zei Gurzin.

'Ons is opgedragen zeer nauwgezette veldnotities bij te houden. De universiteiten die de expeditie steunen, willen absoluut waar voor hun geld. Bovendien is de plaatselijke Magistraat hier al eenmaal geweest en die zal waarschijnlijk terugkomen. Hij staat wantrouwig tegenover de expeditie en houdt onze verrichtingen strikt in de gaten.' Zij slaakte een zucht van ergernis. 'Ik had hem graag verteld van een deel van het werk dat ik zo graag zou willen doen maar hij wenste niet met mij te spreken.'

'Hij is een vrome mohammedaan, Madame. Hij is... niet gewend aan Europese vrouwen,' zei Gurzin, die zich probeerde voor te stellen wat de Magistraat wel had moeten denken toen hij oog in oog stond met deze jonge ongesluierde vrouw. 'U had nog geluk dat hij uw aanwezigheid duldde toen hij hier was. Het zou gebruikelijker voor hem zijn erop te staan dat u zich verwijderde of op zijn minst uw gezicht sluierde.'

'O, dat weet ik,' zei Madelaine. 'Als ik uit rijden ga, bind ik in de bewoonde wereld mijn sjaal of halsdoekje over mijn gezicht. Maar hier met de expeditie is het onhandig om dergelijke maatregelen te nemen. Ik weet dat de gravers het onprettig vinden dat ik hier werk met mijn gezicht onbedekt. Ik weet dat er expeditieleden zijn die het aangenamer zou zijn als ik mijn tijd doorbracht met lezen of de aanschaf van snuisterijen in plaats van hier te werken.' Zij zweeg. Na enige tijd zei zij: 'Ik wil niemand aanstoot geven, geen van hen. Maar ik ben vastbesloten mijn werk te doen. Daarom ben ik hier. Er zijn andere Europese vrouwen in dit land. Zij kunnen niet allemaal doen alsof zij mohammedaans zijn.'

Gurzin dacht na over haar tegenwerpingen. 'Vrouwen in Egypte zijn maar zelden geschoold, in ieder geval niet zoals u. Volgens sommigen druist het tegen de godsdienst in om vrouwen te leren lezen en schrijven. U spreidt een mate van onderlegdheid ten toon die niet gepast is. Daar hebben velen het moeilijk mee. U bent bijzonder jong, Madame. Dat is nog verontrustender dan het eerste; de beambten zouden eerder geneigd zijn uw belangstelling voor oudheidkundige zaken te accepteren als u zelf wat ouder was.'

'Maar ik ben niet jong,' zei Madelaine. 'Dat ben ik werkelijk niet.'

'Saint-Germain zei ook dat hij ouder was dan hij leek,' merkte Gurzin op. 'Als u van zijn bloed bent...'

'Dat ben ik,' verzekerde zij hem.

'... dan zou het kunnen zijn dat leeftijd minder vat op u heeft dan op de meeste andere mensen.' Zijn fraaie stem was zacht, gedempt als de pedaalnoten van een orgel. 'Saint-Germain is een man van vele vermogens. Misschien heeft hij een aantal daarvan met u gemeen aangezien u van zijn bloed bent...' De toon van onuitgesproken vermoedens hing tussen hen in de lucht terwijl zijn woorden wegstierven.

Het vergde haar enige tijd een antwoord te geven. 'Als hij u heeft verteld wat u net zei, heeft hij u ongetwijfeld ook verteld dat diegenen die van zijn bloed zijn hun leeftijd niet aan te zien is. Stelt u zich tevreden met de wetenschap dat ik niet zo jong ben als mijn gezicht zou doen vermoeden. Ik heb tientallen jaren aan studie besteed, Broeder Gurzin, tientallen jaren.'

Gurzin dacht hierover na en nam haar eens nauwkeuriger op. 'Ik heb weinig ervaring met Europeanen maar ik zou u op het oog niet ouder schatten dan twintig of tweeëntwintig, misschien vijfentwintig.'

'Zo zie ik eruit,' zei Madelaine, die bedacht dat zij iets meer dan honderd jaar geleden geboren was. 'Ik vrees dat schijn bedriegt.'

Een van de gravers dook uit de kleine kamer op met een emmer vol zand en prevelde iets. Hij wierp Madelaine een nijdige blik toe, grauwde een reeks woorden en repte zich toen naar de kar waar het zand werd opgeladen teneinde naar de woestijn te worden vervoerd.

'Wat zei hij?' vroeg Madelaine toen de graver buiten gehoorsafstand was.

'Het was geen compliment,' waarschuwde Gurzin, en hij vertelde het haar toen. 'Hij noemde u een vloek op dit oord en een demon.'

Madelaine knikte. 'Hij zei ook nog iets over de dril van padden en de uitwerpselen van kamelen, nietwaar?' Zij lachte schalks toen Gurzin verrast opkeek. 'Ik weet niet veel van de taal maar ik heb enige van de meer gangbare krachttermen leren kennen.'

'Weten zij dat?' vroeg Gurzin, geïntrigeerd door haar houding.

'De gravers? Ik dacht van niet. Ik heb ervoor gewaakt geen blijk te geven dat ik weet wat zij zeggen. De meeste expeditieleden hebben er evenmin enig besef van, hoewel Claude-Michel zijn verdenkingen heeft. Hij is tenslotte onze taalkundige.'

Gurzin maakte een gebaar waaruit begrip sprak. 'Het zou weleens verstandig kunnen zijn hen in het ongewisse te laten over uw kennis, allemaal,' zei hij bedachtzaam. 'Er zou een tijd kunnen komen wanneer u het nuttig zult vinden dat te horen wat zij veronderstellen voor u onverstaanbaar is.' Hij sloeg zijn handen ineen. 'In een land zoals dit is het goed enige vermogens verborgen te houden; en een vrouw uit den vreemde zou nog meer reden kunnen hebben haar kennis te verbergen dan een man uit den vreemde.'

'Dat klinkt alsof u zich zorgen maakt over mijn veiligheid,' zei Madelaine, haar toon opzettelijk luchtig.

'Laten wij gewoon zeggen dat ik mij zorgen maak,' zei Gurzin, die vervolgens meer de toon van een geleerde aannam. 'Kom, laat mij dat aantekeningenboek eens zien. Vanavond kunnen wij zo u wilt de vertaling vergelijken met wat u hier heeft.'

Zij aarzelde. 'Maar waarom zou u dat willen?'

'Om soortgelijke inscripties te zoeken natuurlijk,' zei Gurzin, die zich afvroeg waarom zij hem nog aan deze vraag onderwierp nu zij hem bijna voor zich had gewonnen. 'We moeten pilaren, de obelisk en de tempelpoort onderzoeken. Tegen zonsondergang zult u meer aantekeningen hebben en zal ik in staat zijn u te vertellen wat ik heb gevonden. Als blijkt dat er opschriften zijn die overeenkomen, zal dat ons meer zeggen over de tempel in zijn geheel.'

'Ja,' zei Madelaine, wier besluit vast stond. Zij pakte haar aantekeningenboek uit haar tas. 'Alstublieft. Ik haal de pagina's er wel uit. Verliest u ze niet.' Terwijl zij dit zei, scheurde zij voorzichtig de bladzijden uit het aantekeningenboek en plaatste toen haar handtekening op elk ervan. 'Om zonsondergang. Dan keer ik terug naar mijn villa. Als u daar voor de avondmaaltijd bent, kunt u die met de rest van mijn huishouden delen, als dat met uw overtuigingen strookt tenminste.'

'En u dineert net als Saint-Germain in afzondering?' giste Gurzin.

'Daar komt het op neer, ja,' zei Madelaine. Zij overhandigde hem de pagina's. 'Ik wil weten welke Farao's naam in de cartouche staat, als dat tenminste ontdekt kan worden. Als er een manier bestaat om de namen van de goden te identificeren, wil ik dat ook weten. Is dat te veel gevraagd?'

'Dat weet ik niet tot ik de pilaren en andere inscripties heb bestudeerd.' Hij hief de pagina's op en keek van de hiëroglifen naar het vel papier en weer terug. 'U tekent verdienstelijk, Madame,' zei hij tegen haar. Toen liep hij weg tussen het woud van pilaren door.

'Dank u,' zei zij, terwijl haar gedachten alweer naar de geheimzinnige kamer terugkeerden. Zij ging al snel geheel op in het maken van nieuwe schetsen terwijl de gravers binnen het zand wegveegden. Haar aandacht werd nu volledig in beslag genomen door de geschriften in de deuropening zelf, die moeilijk te zien waren.

'Iets gevonden?' vroeg Alain Baundilet, wiens schaduw het grootste deel van het licht wegnam.

Madelaine dwong zichzelf volslagen kalm te lijken, ondanks zijn plotselinge komst. 'Vooralsnog niets waar ik uit wijs word maar dat zal mettertijd wel komen.'

'U bent een uiterst vastberaden vrouw, Madame,' zei Baundilet, niet echt als compliment. Hij kwam iets dichter op haar toe zodat zij niet van haar plaats kon komen zonder hem aan te raken. 'Er staat daarbuiten een rare snoeshaan met een kap op die zegt dat hij u assisteert.'

'O, u bedoelt de monnik. Hij is een Kopt,' zei Madelaine, die wenste dat Baundilet verdween. Zij hoorde hoe twee van de gravers binnen de kamer met het werk ophielden om erover te klagen dat hun enkele lantaarn niet genoeg licht gaf nu er mensen in de deuropening stonden.

'O, dus dat is een monnik?' zei Baundilet terwijl hij weer naderbij kwam. 'Waar heeft u hem gevonden?'

'Eigenlijk heeft hij mij gevonden,' zei Madelaine. 'Hij spreekt Frans. De... de vriend van wie ik reeds gewag maakte, die geruime tijd in Egypte heeft gewoond, heeft deze monnik bij mij aanbevolen en hij heeft mij opgezocht.' Zij deed een paar stappen terug en betrad de engte van de kamer. 'Ik dacht dat hij, aangezien hij zijn eigen land zo goed kent en over informatie beschikt, mij bij mijn werk zou kunnen helpen.'

'En u betaalt hem natuurlijk zelf,' zei Baundilet terwijl hij zijn ene hand uitstrekte om haar arm aan te raken. 'Als hij u komt helpen, zijn de kosten aan u.'

'Natuurlijk,' zei zij.

'Goed.' Zijn vingers bewogen zich langs haar arm. 'U bent een bijzonder mooie vrouw, Madame.'

'Het is vriendelijk dat u dat zegt, maar ik ben ervan overtuigd dat uw vrouw mooier is dan ik,' zei Madelaine nadrukkelijk. Zij nam een paar stappen in een poging Baundilet te dwingen haar voldoende ruimte te bieden om te vertrekken maar tevergeefs.

'Maar zij is niet hier. Ik heb haar in geen maanden gezien,' zei Baundilet zacht. 'Nu de Overstroming is begonnen, hebben we straks wellicht dagenlang niets te doen. Bent u nooit eenzaam?'

'Dat is mijn zaak, Professor. Daar hoeft u zich geen zorgen over te maken.' Zij vroeg zich af of hij de vermetelheid zou hebben haar hier onder het oog van de gravers te kussen. 'Ik maak mij echter zorgen over mijn reputatie, evenals over de uwe.'

Baundilet grinnikte. 'Ik kan uiterst discreet zijn, Madame. Als u mij de gelegenheid geeft, zal ik u dat tonen.'

Madelaine hoorde hoe een van de gravers een grap over hoeren maakte. Zij keek Baundilet recht in de ogen. 'Als dit uw opvatting van discretie is, ben ik niet bepaald onder de indruk.' Zij riep alle aristocratische grandeur op die haar als kind was bijgebracht. 'Ik ben niet van zins u toe te staan mij en mijn werk te compromitteren, Professor, niet zomaar uit een gril uwerzijds. Ik heb te veel respect voor uw academische status en voor uw huwelijk, ook al heeft u dat zelf kennelijk niet. Als u mij aanraakt of enige andere intimiteit aan mij opdringt, dan zweer ik dat ik ga gillen en dan laat ik het aan u over om uit te leggen hoe het zover is gekomen.'

Enkele seconden deed Baundilet er het zwijgen toe en toen maakte hij een buiging. 'Het eerste punt is aan u, neem ik aan,' zei hij terwijl hij een stapje opzij deed. 'Goed gespeeld. Wellicht heb ik u onderschat.' Zijn glimlach was die van een roofdier. 'Maar het volgende punt zou weleens aan mij kunnen vallen.' Hij strekte zijn hand naar de hare uit maar zij trok die terug. 'Welk een verontwaardiging.'

Madelaine schonk hem niet de voldoening van een antwoord maar verliet de kleine kamer en repte zich naar de schaduw van de zuilen. Plotseling waren het licht en de niet-aflatende hitte welkom.

Toen hij de kamer uit stapte, bleef Baundilet even naast haar staan. 'Niets is nog beslecht, Madame,' fluisterde hij haar toe, als zwoer hij een eed.

Tekst van een brief van Honorine Magasin in Poitiers aan Jean-Marc Paille in Thebe, door de welwillende tussenkomst van haar neef Georges in Orleans.

Mijn liefste Jean-Marc,

Georges is voor een kort verblijf bij ons en heeft mij verteld dat hij dit zal meenemen en zal posten opdat mijn vader van niets zal weten. Wat is Georges een lieve schat en welk een onzelfzuchtige rol heeft hij gespeeld in deze trieste aangelegenheid. Hij is in jouw afwezigheid mijn steun en

toeverlaat en heeft keer op keer zijn toewijding aan ons beiden
betoond. Je had gelijk toen je me zei dat hij de meest betrouwbare
bondgenoot was die wij ons maar konden wensen. Ik ben
dankbaar voor alles wat hij in deze moeilijke tijd voor jou en mij
heeft gedaan.

Ik heb met belangstelling de brieven gelezen die hij heeft
gebracht. Ongelooflijk, dergelijke oorden verborgen in het zand.
Ik kan niet bevatten hoe dat moet zijn, deze grootse gebouwen uit
de duinen te zien opdoemen. Alhoewel je beslist gelijk hebt en ik
niet in staat ben mij de afmetingen en majesteit voor te stellen
van de tempel die je uitgraaft, heb ik geprobeerd mij de duinen
en de oceaan voor de geest te halen en heb mij een kathedraal als
Chartres ingebeeld die daaronder bedolven lag. Het is een
denkbeeld dat haast niet te bevatten is.

Je weet nog dat mijn zuster Solange zich kort voor je vertrek naar
Egypte had verloofd. Toentertijd was nog geen exacte
trouwdatum vastgesteld. De reden dat Georges hier is, is vanwege
de bruiloft, die over vier dagen plaatsvindt. Het wordt een
grootscheepse aangelegenheid met driehonderd genodigden. Je
kunt je geen lieftalliger bruid voorstellen dan Solange, zo blond
en popperig. Op hun achttiende zijn de meeste vrouwen op hun
mooist en dat geldt zeker voor Solange. Haar bruidsschat maakt
een ieder afgunstig. Onze vader is zeer wreed geweest en heeft mij
berispt dat ik een oude vrijster ben terwijl mijn jonger zusje zich
van haar toekomst verzekerd weet: haar verloofde is een
weduwnaar, achtendertig met twee kinderen, een jongen van
twaalf en een meisje van negen. Hij heeft een goedlopende zaak
en is compagnon bij een handelsbank. De familie is dolblij voor
haar en de meeste generen zich voor mij. Het heeft geen zin als
ik, zelfs al zou ik daar de moed toe hebben, tegen hen zeg dat
mijn hoop reeds zijn doel kent en dat louter de halsstarrigheid
van mijn vader de oorzaak is dat ik ongetrouwd blijf. Ik heb de
laatste tijd allemaal uiterst subtiele standjes gekregen omdat
Solange als eerste trouwt terwijl zij toch zeven jaar jonger is dan
ik. Ik neem aan dat het geen zin heeft aan te voeren dat jij en ik
op een dag zullen trouwen. Voorlopig moet ik de schijn
ophouden, anders zou ik de dag voor mijn zuster bederven. Ik
gun mijn familie de voldoening niet mijn verdriet te zien of mij

enigerlei scène te zien veroorzaken omdat ik nog niet getrouwd
ben. Vanavond is er een formeel diner en Georges heeft erin
toegestemd als mijn tafelheer op te treden, hetgeen mijn status als
oude vrijster minder opvallend maakt.
Wat verlang ik ernaar bij je te zijn, Jean-Marc. Ik zit urenlang je
brieven te lezen en te dromen over hoe dat vreemde land moet
zijn. Ik ben onder de indruk van de moed die jij toont door
daarheen te gaan en ik bid dat God je zal behouden in een oord
waar zo weinig christenen vertoeven.
Mijn tante Clémence heeft mij gevraagd twee weken naar haar
huis in Parijs te komen en mijn vader heeft toestemming gegeven
voor deze reis. Twee weken in Parijs, weg van de waakzame blik
van mijn vader! Zij heeft aangeboden mij voor het winterseizoen
van een garderobe te voorzien en wie kan nu weerstand bieden
aan nieuwe jurken uit Parijs. Het is twee jaar geleden dat ik voor
het laatst een dergelijke reis ondernam en toen kon ik mijzelf niet
zo verwennen als nu, want mijn tante is de meest goedgeefse ziel
ter wereld. Zij is schatrijk en dus heeft zij er geen enkel probleem
mee bedragen uit te geven die voor mij zelfs voor de allerbeste
kleding uitgesloten zouden zijn. Ik geloof dat mijn vader haar
heeft gevraagd mij voor te stellen aan de verscheidene
begerenswaardige vrijgezellen die zij kent, in de veronderstelling
dat dit mij zal afbrengen van mijn voornemen jouw vrouw te
worden maar je hebt niets te vrezen. Ik heb gezegd dat ik
uitnodigingen zal aanvaarden als mijn tante die goedkeurt en dat
zal ik ook, maar ik ben vastberaden om geen enkele man op een
dusdanige manier te behandelen dat ik hem valse hoop zou
geven. Ik zal er enorm van genieten nieuwe middag- en
avondjaponnen uit te zoeken en zal, afgezien van het winkelen,
met plezier een concert bezoeken en een toneelstuk, Le Menteur
Véridique *van Scribe wellicht – zo heeft tante Clémence me*
beloofd – en dit alles zal mijn verblijf uiterst aangenaam maken.
Mijn vader is vastbesloten mij deze winter aan de wereld te tonen
als iets dat aantrekkelijker is dan men doorgaans van een oude
vrijster denkt en hij kan er nu zeker van zijn dat ik in ieder geval
een bijzonder goede indruk zal maken.
Ik heb een van de boeken gelezen die je me hebt gestuurd, maar
ik vrees dat veel van wat er op die pagina's staat mijn begrip te

boven gaat. Als ik een paar regels heb gelezen, duizelt het me. Mijn hoofd tolt van alle kennis op die pagina's. Ik ben vervuld van ontzag bij de beschrijvingen van de piramiden en de obelisken maar veel van het overige kan ik niet bevatten. Ik weet niet hoe je in staat bent iets te bestuderen dat zo vreemd en zo oud is. Als ik aan jullie expeditie denk, ben ik zeer trots dat jij deel uitmaakt van een dergelijke onderneming. Op een dag, als wij samen zijn, hoop ik dat je me alles zult kunnen vertellen wat je hebt bestudeerd en ontdekt.

Ter gelegenheid van Solanges bruiloft mag ik van mijn vader de prachtige parels dragen die mijn moeder mij heeft nagelaten. Dit is onderdeel van zijn plan mij de wens te bezorgen zelf getrouwd te zijn om ten langen leste deze juwelen echt in eigen bezit te hebben. Er is verder een gouden armband met smaragden en hoewel die niet echt aan de laatste mode voldoet, is hij bijzonder fraai en is het een genot deze te mogen dragen. Daarnaast is er een kleine broche met diamanten en smaragden. De armband en de broche moeten naar het kantoor van de advocaat worden teruggebracht voor veilige bewaring, maar mijn vader heeft besloten dat ik de parels mag houden. Ik weet dat ik het collier aan je heb beschreven: drie zeer lange strengen parels, allemaal even groot en van elkaar gescheiden door nietige gouden kraaltjes. De sluiting is van goud en overdekt met cultivépareltjes die passen bij de parels aan de strengen. De parels zelf hebben een roze gloed hetgeen ze, naar mij verteld is, nog waardevoller maakt. De diamanten tiara waar ik altijd zo dol op was, krijgt Solange als deel van haar bruidsschat. Haar erfenis omvat ook een nauwsluitend halssnoer van vijf strengen parels met in het midden een camee in een gouden lijstje. Mijn overgrootmoeder kreeg dit van haar echtgenoot bij de geboorte van haar eerste zoon. Na de schatten die jij in Egypte moet hebben gevonden, zullen deze jou wel onaanzienlijk voorkomen, maar ik ben dolblij dat die parels nu eindelijk echt van mij zijn. Als wij elkaar weerzien, zal ik ze dragen en dan kun je me vertellen dat ik even schitterend ben als de gemalin van welke Farao ook.

Elke ochtend denk ik aan je en elke avond bid ik voor je. Ik zie uit naar de tijd wanneer jij in mijn vaders ogen in het gelijk gesteld zult worden en zult worden onthaald als de held die je bent. Dan zul je zonder enige tegenspraak je recht op mijn hand kunnen doen gelden. Is de tijd niet nabij waarin de Nijl buiten zijn oevers treedt? Hoe kun je de gedachte aan een dergelijke vloed verdragen? Ik ben vervuld van bewondering voor jou en die wordt steeds groter naarmate je mij van je werk te Thebe vertelt. Ik zou nooit de moed bezitten om naar een dergelijk oord te gaan of de dingen te doen die jij doet terwijl ik deze woorden op papier zet. Wat ben je dapper, Jean-Marc, en wat ben ik trots op je verrichtingen. Ik weet dat als je eenmaal uit Egypte terugkomt en men hoort wat je allemaal hebt gedaan, iedereen even grote bewondering voor je zal koesteren als ik en dan zal ik wel tot jaloezie gedreven worden, zo beroemd zul je dan zijn.

Duizend kussen,
Honorine
5 september 1825, te Poitiers

Vijf

Aan de oostelijke oever van de Nijl was de overstroming minder erg dan aan de westzijde. Madelaines villa was indachtig de Overstroming ontworpen en stond op een verhoogde fundering van gesteente. Hoewel het water eromheen steeg, stond het nog niet hoog genoeg om de woonvertrekken te bereiken en nu het water zich terugtrok, was het rondom de grondvesten van het huis minder dan dertig centimeter diep. De binnenplaats en stallen stonden ook op een verhoging, eveneens beschermd tegen het water, zij het niet tegen de ratten, die voor de vloed uit het land op waren gezwermd. Bedienden hadden opdracht gekregen het huis en de stallen van ratten te ontdoen en dagelijks werden beloningen uitgeloofd voor diegene die de meeste had gedood. 's Avonds brandden overal rondom het huis en de stallen potten met wierook die naar verluidt de ratten weerden.

Het was ruim na middernacht en de geur van wierook hing zwaar in de lucht. Lantaarns brandden in de bovenkamers en de deuren naar de veranda die rondom de bovenverdieping liep, stonden open. De meeste bedienden waren reeds lang naar bed maar de jonge Sardinische dienstmeid wachtte geduldig tot de vrouw des huizes ging slapen. Op de veranda beende Madelaine rusteloos af en aan. In weerwil van al haar geboortegrond onder de vloer zorgde het water rondom haar dat zij zich ongedurig en slecht op haar gemak voelde. Eerder die avond had zij de kabbelende Nijl getrotseerd om een van de jonge Engelsen in zijn slaap te bezoeken: een ranke, schichtige, poëtische figuur, die haar in zijn dromen verwelkomde met een onstuimigheid die hij in zijn wakende uren nimmer tentoon zou spreiden.

Iets streek langs haar been en Madelaine bukte zich. 'Oisivite,' zei zij terwijl zij de bruingestreepte kat in haar armen optilde. 'Wat doe jij hier, zeg?' De kat was ontspannen en voegde zich spinnend naar haar omhelzing. Hij tilde zijn kopje op, met gesloten ogen om haar aan te moedigen hem onder zijn kinnetje te kriebelen.

'Je bent me er een,' prevelde zij terwijl zij zijn lievelingsplekje achter zijn oren opzocht en glimlachte toen zijn gespin luider werd. 'Heb je nog veel ratten gevonden?' Zij verschikte hem naar een evenwichtiger positie en hervatte haar heen en weer geloop. 'Hoe kun je hier tegen, Oisivite? Word je niet helemaal gek van het water?'

Vanuit haar kleedkamer riep Madelaines dienstbode: 'Madame, bent u alleen?'

'Afgezien van de kat, ja,' riep Madelaine terug, en zij voegde eraan toe: 'Hemeltjelief, Lasca, ga naar bed. Er is geen enkele reden waarom jij op zou moeten blijven. Ik red mij wel.'

'Dat zou niet aangaan, Madame, niet in dit huishouden.' Lasca klaagde al sinds haar aankomst in Egypte begin juni over de beperkingen van het mohammedaanse leven. Haar verachting werd slechts geëvenaard door de enorme zorg waarmee zij voldeed aan alle eisen die aan haar gesteld werden. 'U bent hier de vrouw des huizes en het is mijn taak u te dienen maar ik moet u bewaken anders wordt er gepraat. U kunt zich niet veroorloven dat er gepraat wordt, Madame.'

'Er wordt toch wel gepraat,' zei Madelaine terwijl zij de kat zo verlegde dat zijn koppetje tegen haar schouder lag. 'Dat is onontkoombaar.'

'Desalniettemin heb ik mijn plichten en ik weet wat mij te doen staat,' hield Lasca vol. Zij kwam uit Madelaines kleedkamer te voorschijn en liep naar de rand van de veranda. 'U moet ze niet nog meer reden geven om u af te keuren, Madame. Toen mijn echtgenoot zo vlak na ons trouwen overleed, werd beweerd dat ik *strega* was. Ik had nooit iets gedaan om wie dan ook dat idee te geven maar toen mijn echtgenoot een luttele vijf weken na ons trouwen stierf, kwam er geen eind aan het gefluister. U moet goed oppassen, Madame, anders wordt er nog over u gefluisterd.'

'Waarom zou ik?' vroeg Madelaine en voordat Lasca antwoord kon geven, vervolgde zij: 'Omdat ik werk te doen heb en ik toestemming wil krijgen om dat te verrichten. Ja, daarvan ben ik mij bewust. Maar ik heb een Koptische monnik in mijn huishouden. Zelfs voor de mohammedanen is hij boven elke blaam verheven. Legt dat dan geen gewicht in de schaal?' Zij had ervoor gezorgd dat iedereen wist dat Erai Gurzin haar onderwees maar niet haar spirituele leermeester was, opdat haar Franse collega's geen reden zouden hebben zich van haar te distantiëren omdat zij het katholicisme zou hebben opgegeven. 'Ik heb jou en Keila als chaperonnes als dat nodig zou zijn. De monnik heeft een eerzame, hoogstaande reputatie. Ik heb negen bedienden, waaronder Renenet, in het huishouden die kunnen zweren dat mijn gedrag blaamloos is. Wat is er verder nog nodig?'

Lasca tuurde naar beneden, naar haar voeten. 'U bent een jonge vrouw en een schoonheid. Niemand betwijfelt dat mannen van u dromen. U heeft mooie ogen en mannen lezen dingen in die ogen die zij daarin willen lezen.' Zij tilde haar hoofd op. 'In een oord als dit moet u voorzichtig zijn.'

'Nu goed,' zei Madelaine inschikkelijk. 'Maar dat wil niet zeggen dat jij op moet blijven tot ik naar bed ga. Ik ben niet van plan om... in de vloed te springen en weg te peddelen.' Er lag een uitdrukking op haar gezicht die Lasca in het duister amper kon zien en die zij niet kon begrijpen. 'Wil je dan hier blijven tot ik in bed lig? Wat zou mij ervan weerhouden om mijn nachtgewaad aan te trekken en vervolgens hier terug te keren en dan nog eens een uurtje te gaan ijsberen? Zou je mij dan ook moeten bewaken?'

'Het is mijn plicht,' zei Lasca vastberaden. 'U heeft mij hierheen gebracht omdat u zichzelf niet aan vreemdelingen wilde overleveren. Uitstekend, maar dan moet u mij ook toestaan de taak te volbrengen waarvoor u mij betaalt.' Zij keek naar het westen, waar de rivier buiten zijn oevers trad. 'Bent u naar de rivier toe geweest, Madame?'

De tocht in de ondiepe open boot was buitengewoon oncomfortabel geweest, met de zon boven en het water beneden en alleen de aarde in de zolen van haar schoenen om die twee te compenseren, maar het had grote voldoening geschonken rond de voeten van de beelden te punteren en naar de ingangen van de tempels te varen; Madelaine was bereid erger te verduren om kennis te verwerven. 'Gisteren. Sindsdien niet meer. Ik hoop nog eens te gaan voordat de vloed zich terugtrekt. De tempelbeelden op de westoever zijn indrukwekkend zoals ze uit de vloed verrijzen. Ik wilde vandaag weer teruggaan maar niemand van de expeditie was bereid nog een dag te nemen om op onderzoek uit te gaan.' Zij streelde de kat. 'Er waren daar beelden van katten aan de voeten van de goden. En katten die goden zijn, althans wij gaan ervan uit dat het goden zijn. En wat zou een kat anders zijn?' Zij krabde hem opnieuw achter zijn oren. 'Brave kat, brave kat,' kirde zij.

'Ik blijf op tot u naar behoren in bed ligt,' zei Lasca, die zich niet liet afleiden door Madelaines gebabbel tegen de kat. 'En als ik bij het krieken van de dag moet opstaan omdat u hebt besloten dat te doen, dan doe ik dat ook.' Zij was nog net niet krijgslustig maar er lag een zweempje rebellie in haar stem.

'Komende ochtend niet,' zei Madelaine, in de hoop dat zij in staat zou zijn te rusten wanneer zij naar bed ging. Haar matras was gevuld met haar geboortegrond, hetgeen de enerverende invloed van de Overstroming doorgaans wel vermocht te temperen. 'Mij is verteld dat het vloedwater dit jaar laat is gekomen, meer dan drie weken laat. Als de vloed zich te snel terugtrekt zal het hele land in angst leven voor een hongerjaar.'

'Zoals in de bijbel werd beschreven,' zei Lasca voldaan.

'Dat waren zeven magere jaren, niet een Overstroming die te laat kwam,' verbeterde Madelaine haar op haar meest pragmatische toon. 'Welaan, we hopen dat het niet zal gebeuren. De rivier zakt, maar mij is verteld dat het waterpeil slechts langzaam daalt, hetgeen zij een goed teken achten.' In haar armen worstelde de kat. Met een gelaten zucht liet zij hem los en keek toe hoe hij op de reling van de veranda balanceerde. 'Als je van gedachten verandert, Oisivite, is er aan het voeteneinde van het bed nog plaats voor je.'

'Hij gaat ratten doden,' zei Lasca, die haar best deed niet te gapen.

'Ja,' beaamde Madelaine, toen de kat naar beneden sprong naar een uitbouwsel achter de keuken. 'Ik zou hem dankbaar moeten zijn.' Zij draaide zich om en liep naar de rand van de veranda, leunde met haar armen op de reling en keek uit over het donkere, glanzende water. 'Het lijkt wel of ik op een eiland ben, een onbewoond eiland.'

'Het is al heel laat, Madame,' drong Lasca aan.

Madelaine gaf niet meteen antwoord. Zij dacht terug aan alle waarschuwingen die Saint-Germain haar over eenzaamheid had gegeven. Deze avond nam die bezit van haar als een lichte, opkomende koorts die haar wezen zelve doordrong, erger dan het water dat rondom haar huis stroomde. Toen zij zich omdraaide, lag er een verre blik in haar ogen alsof zij een grote afstand had afgelegd. 'Nu goed dan. Ligt mijn nachtjapon klaar?' Zij sprak op afstandelijke toon en bewoog zich alsof haar lichaam in de greep van een andere wil dan de hare was. De rivier fluisterde en zong terwijl hij langs de villa stroomde en de aantrekkingskracht van het water was sterk. Zij sloot dit buiten en stelde zichzelf voor op een andere plaats in een andere tijd. Zij was achttien, in Parijs, en Saint-Germain was met haar naar een brug gereden.

'Alles is in gereedheid,' zei Lasca. 'Ik borstel uw haar nog even als u dat wilt.'

'Nee,' zei Madelaine zacht, 'dat doe ik zelf wel. Ik zal je als ik morgenochtend opsta vragen het op te steken. Ik beloof je,' zei zij iets minder afstandelijk, 'dat ik niet al te vroeg zal opstaan.'

Lasca maakte een buiging. 'Ik leg uw kleren weg terwijl u zich ontkleedt,' zei zij terwijl zij achter Madelaine aan de slaapkamer inliep.

'Gooi ze maar liever op de stapel wasgoed,' zei Madelaine terwijl zij haar fichu van voile terzijde wierp.

Het was een groot vertrek, het op drie na grootste in de villa, na de salon, de zitkamer en de eetkamer. Aan twee wanden waren openslaande deuren naar de veranda. Aan een derde wand gaf een deur toegang tot een kleedkamer en een daarachter gelegen dienstbodekamer en in de vierde was een deur die toegang gaf tot de gang en de rest van de villa evenals tot een kleine nis waar Madelaine haar bad had laten plaatsen. Twee grote armoires stonden aan weerszijden van de deur naar de kleedkamer en het bed tussen de badnis en de openslaande deuren was groot en met gordijnen van bloemetjesmousseline omhangen. Een chaise longue stond tussen de twee openslaande deuren en was overdekt met een geborduurd kleed.

Madelaine bracht haar hand al achter haar nek om de tientallen knoopjes los te maken die het lijfje van haar jurk sloten. 'Deze jurk moet in de was, Lasca. Zorg vooral dat je de volants nakijkt en repareert waar ze gescheurd zijn. Al moet ik zeggen dat ik geen idee heb waarom ik in dit deel van de wereld een volant zou moeten dragen.'

'Het zou niet aangaan als u zich armetierig kleedde,' bracht Lasca haar in herinnering.

'Wie zou dat hier in Thebe iets kunnen schelen?' vroeg zij terwijl zij Lasca toestond de rest van de knoopjes los te maken. 'Hoe zou ik hier uit moeten komen als jij er niet was om me te helpen?'

'Het zou ook niet aangaan voor u om zich te ontkleden,' zei Lasca op ferme toon. 'Hooggeboren dames horen altijd een dienstbode bij zich te hebben.'

'Natuurlijk,' zei Madelaine terwijl zij de knoopjes aan haar polsen losmaakte. 'Ik kan anders goed begrijpen waarom sommige van de oudheidkundigen zich als de inboorlingen beginnen te kleden.'

'Met inbegrip van de sluier?' vroeg Lasca scherp.

Madelaine schudde haar hoofd. 'Nee, daar heb je me te pakken.' Zij hielp haar bediende de jurk over haar schouders te trekken. 'Ik weet niet hoe dat zand overal inkomt, maar dat doet het. Mijn korset is helemaal korrelig. Laat het zeer zorgvuldig wassen zodat al het zand eruit is. Het begint mijn huid af te schuren.'

'Ik doe het zelf wel,' zei Lasca terwijl zij de jurk weglegde. 'Laat mij uw peignoir halen.'

'Laat maar,' zei Madelaine. 'Alleen een nachtjapon. Meer heb ik niet nodig.' Zij stak haar hand uit naar haar onderrug om de veters van haar korset los te knopen. 'Wie heeft in vredesnaam verzonnen dat wij deze rariteiten moeten dragen?'

Lasca aarzelde en legde toen uit: 'Het gaat niet aan dat een vrouw zich zonder keurige baleinen laat zien. Alleen losgeslagen vrouwen gaan zonder korset de deur uit. Waarom moet u zich toch altijd afzetten tegen fatsoenlijk gedrag?'

'Dat doe ik niet,' zei Madelaine terwijl zij het laatste haakje losmaakte. 'Ik zet er alleen maar vraagtekens bij.' Zij had nu haar korset uit. 'Maar het is wel gek hoor, dat wij ons zo insnoeren.' Zij strekte haar hand uit naar haar nachtjapon en trok die aan. 'Dit zit een stuk lekkerder.'

'Volgens mij, Madame, vindt u het prettig om schandalige dingen te zeggen, om te zien of ik reageer op uw gekke opmerkingen, terwijl u zich toch altijd onberispelijk gedraagt.' Zij pakte Madelaines japon en onderkleding bijeen. 'Morgen zorg ik voor deze dingen en ik zie erop toe dat de kleren die voor u klaar liggen dan netjes gereinigd zijn.'

'Dank je wel,' zei Madelaine terwijl zij het gordijn van haar bed opzij trok. 'Je hebt bijzonder veel geduld met mij, Lasca. Ik hoop dat je daar nooit spijt van zult krijgen.' Terwijl zij de lakens optilde, voelde zij de kalmerende aantrekkingskracht van haar geboortegrond. 'Wek me morgenochtend maar niet. Ik wil uitslapen.'

Lasca bleef in de deuropening staan. 'En als u bezoek krijgt? Zou het niet kunnen zijn dat Professor Baundilet of Paille iets met u zou willen bespreken?'

'Misschien wel, maar niet zo vroeg. Zij hebben hun eerste bijeenkomst bij het ontbijt en zullen heus pas later aan mij denken.' Zij trok het laken over zich heen en leunde achterover tegen de stapel kussens. 'Geef je door dat ik morgenochtend in bad wil?'

'Jazeker,' zei Lasca, en zij deed de deur naar de kleedkamer dicht en vervolgens die naar haar eigen kamer.

Madelaine lag op haar rug en bezag met haar op de nacht afgestemde ogen de kamer en de daarachter liggende veranda. Deze avond voelde Egypte vreemd aan. Een oord waar zij nooit zou wennen: zij verlangde naar een volgende brief van Saint-Germain, iets dat haar inzicht zou vergroten in de mensen die hier zo lang geleden hadden geleefd. Die leken zover weg, dacht zij, dat zelfs hun stenen standbeelden geen weerklank meer van hen bevatten. Het Huis des Levens: die plaats liet haar niet los, temeer omdat zij het nog niet had gevonden. Deze god Imhotep was ongrijpbaar voor haar en met hem zijn priesters en zijn tempels. Er moest een manier zijn om het Huis des Levens te vinden, het uit het zand en de tijd op te roepen. Zij keek zuchtend op naar de hemel boven haar bed. De Engelsman had haar gevoed maar zij was niet... gesterkt. Daarvoor was, zo wist zij, meer vereist en niemand trok haar dermate aan dat zij het risico zou nemen voor meer dan droomvisitaties. Er waren natuurlijk de mannen van de expeditie maar zij had geen enkele behoefte om een toch al moeilijke situatie te compliceren. Als zij voor enige man in Baundilets expeditie voorkeur liet blijken, zouden er moeilijkheden komen en zou de tolerantie die haar betoond werd, verdwijnen. Het was waarschijnlijk maar goed ook, hield zij zichzelf voor, dat geen van hen haar, anders dan als oudheidkundigen, interesseerde en dat alleen Baundilet zelf enige toenaderingspoging tot haar had gedaan. Wat dat aanging, was zij vastbesloten Baundilet op afstand te houden. Zij had geen illusies over de leider van de expeditie: als Madelaine zijn maîtresse zou worden, zou zij haar werkzaamheden als oudheidkundige niet kunnen voortzetten, daarvan was zij vast overtuigd.

Wat was de nacht lang. Wat was zij eenzaam.

Tegen de ochtend had Madelaine zichzelf een opgewekter stemming aangepraat. Zij stond kort na tienen op en bracht het volgende halfuur door in een lauwwarm bad en waste haar donkerbruine haar. Na afloop ging zij op de veranda zitten en stond Lasca toe haar haar te borstelen terwijl het opdroogde.

'Denkt u er weleens over naar huis terug te gaan?' vroeg Lasca, terwijl zij Madelaines haar begon op te maken tot een keurige glanzende knot boven op haar hoofd.

'Heel vaak,' zei Madelaine. Zij was *en déshabillé* en probeerde te beslissen welk van haar japonnen zij met de minste weerzin zou dragen.

'Wilt u terug naar huis?' Lasca, die druk in de weer was met spelden en een Spaans kammetje, wachtte een antwoord af.

'Soms. Ik mis Montalia – daar ben ik geboren.' In een pijnlijke flits verscheen het château voor haar geestesoog. Zij schudde de herinnering van zich af. 'Maar het is erg afgelegen. Niemand komt er, althans niet vaak.'

Lasca deed een stapje achteruit om haar werk te bezien. 'U heeft prachtig haar, Madame. Donker haar met een gouden gloed zie je maar zelden.'

'Dat zal wel,' zei Madelaine, die het zelf in meer dan tachtig jaar niet gezien had. Zij was er nog steeds niet helemaal aan gewend dat zij geen spiegelbeeld had.

Een geluid op de binnenplaats beneden trok de aandacht van de beide vrouwen en Madelaine hief haar hoofd teneinde over de balustrade van de veranda te kijken. Ze vroeg zich af wie was aangekomen. Zij aarzelde even toen zij noch het paard noch de man herkende en besefte toen dat het haar Duitse buurman was, de geneesheer Falke. Verrast deed zij een stapje terug. Waarom kwam hij haar nu opzoeken? Hij had geen contact met haar gezocht sinds de avond dat zij elkaar hadden leren kennen en Madelaine had reeds lang besloten dat hij haar aanbod hem informatie te verstrekken als louter gebabbel had afgedaan. 'Breng me mijn kleren maar,' zei zij, terwijl zij de haren van de voorkant van haar robe de chambre wegplukte. 'Als Herr Doktor Falke mij wil spreken, wil ik hem niet al te lang laten wachten.' Waarom was hij in vredesnaam gekomen? Zij liep gehaast haar kamer weer in, trok haar robe de chambre uit en strekte haar hand uit naar het korset dat Lasca op de chaise had klaargelegd. 'Wil jij de veters voor me aansnoeren? Dat gaat sneller.'

Lasca haastte zich te gehoorzamen en terwijl zij werkte, zei zij: 'U zou deze taak altijd aan mij moeten overlaten.'

'Maar jij snoert het korset zo strak aan,' zei Madelaine. 'In een klimaat als dit is het beter om niet ingesnoerd te zijn.' Zij keek om zich heen op zoek naar haar japon. 'Waar is hij?' vroeg zij toen zij er geen klaar zag liggen.

'Wilt u dan niet liever zelf kiezen?' vroeg Lasca verbaasd.

'Ja, maar ik weet niet welke jurken beschikbaar zijn. Is die van roze mousseline gestreken?'

'Het spijt me, nee, Madame,' zei Lasca.

'En die van blauw voile met de rijen plooitjes?' Zij was niet echt op die jurk gesteld maar wist dat deze geschikt was voor bezoek overdag.

'Die hangt in uw kleedkamer,' zei Lasca, wier gezicht opklaarde. 'Dat is een bijzonder nette jurk.'

'Ja,' zei Madelaine weinig enthousiast.

Lasca snelde de kleedkamer in en kwam net terug met de jurk over haar arm, toen er aan de deur werd geklopt.

'Renenet?' riep Madelaine als antwoord.

'Madame,' zei haar huisbediende. 'Er is bezoek.'

'Ja, Doktor Falke. Ik zag hem al aankomen.' Zij gebaarde naar Lasca dat zij moest opschieten. 'Zorg alsjeblieft dat hij iets te eten en te drinken krijgt, in de ochtendkamer lijkt me, en zeg hem dat ik eraan kom.' Dit laatste klonk gedempt toen Lasca de jurk over haar hoofd trok.

'Zoals u wenst, Madame,' zei Renenet van de andere kant van de deur. 'Zal ik de monnik laten komen?'

'Laat hem weten dat Doktor Falke hier is en vraag hem of hij hem wenst te spreken,' zei Madelaine, terwijl zij de jurk rechttrok en de sjerp, die hoog in de taille zat, gladstreek. 'Lasca, waar zijn mijn oorbellen van lapis?'

'Die heb ik hier, Madame,' zei Lasca, en zij reikte haar het paar aan voordat zij de jurk op de rug begon dicht te knopen. Terwijl zij de sjerp tot een strik bond, zei zij: 'Is dat de geneesheer van wie de villa hiernaast is?'

'Ja. Ik heb hem een paar weken geleden ontmoet op die merkwaardige receptie die Monsieur Omat heeft gehouden. Ik kijk ervan op dat hij op bezoek komt.' Het was, zo besefte zij, een aangename verrassing. Zij deed haar oorbellen in en bracht toen haar hand naar haar hals. 'Ik hoef niets om mijn hals, of wel?'

'Het zou beter zijn van wel,' zei Lasca voorzichtig, terwijl zij de achterkant van de jurk verder dichtknoopte.

'Maar niet noodzakelijk,' besloot Madelaine. 'Des te beter.' Zij aarzelde. 'Is mijn haar in de war geraakt?'

'Een beetje,' zei Lasca. 'Maar ik heb het zo weer in orde.'

'Schiet dan maar op,' zei Madelaine, terwijl zij om zich heen keek waar haar wandelschoenen stonden. 'Heb jij mijn zwart glacé...'

'Die heb ik hier,' zei Lasca terwijl zij de dichtstbijzijnde kast opende. 'U bent zo nerveus als een meisje voor haar eerste bal.'

'Nonsens,' zei Madelaine, hoewel zij inderdaad iets bespeurde dat deed denken aan de opwinding toen zij voor de eerste keer haar intrede deed in de society, al die jaren geleden.

Terwijl Lasca neerknielde om haar schoenen aan te trekken en die dicht te knopen, merkte zij op: 'U bent in deze man geïnteresseerd, Madame?'

'Ik ben beslist nieuwsgierig naar hem,' antwoordde Madelaine net iets te stijfjes om volledig overtuigend te zijn.

'Ziet hij er knap uit?' vroeg Lasca.

'Best knap, neem ik aan.' Nu pas herinnerde zij zich zijn glimlach en de groeven die deze in zijn gezicht trok. 'Vraag me liever of hij een fatsoenlijk man is, een goed mens, dan of hij er knap uitziet.'

'En is hij dat?' vroeg Lasca met geveinsde onschuld.

'Dat weet ik niet,' antwoordde Madelaine op vernietigende toon en volstrekt trouw aan de waarheid. 'Ik heb hem maar één keer ontmoet, op die receptie waar ik het net over had. We hebben heel even met elkaar gepraat, over Rossini.'

'Dus u herinnert zich het gesprek nog?' zei Lasca plagerig.

'Niemand anders besteedde veel aandacht aan de muziek behalve bij het dansen. Niemand anders heeft er iets over gezegd dus natuurlijk herinner ik me dat,' zei Madelaine scherp. 'Met de anderen heb ik alleen over oudheden gesproken.' Zij bleef stilstaan terwijl Lasca een haarlok in het gareel bracht. 'Let maar niet op mij, Lasca,' zei zij, terwijl zij haar gevoelens weer beteugelde. 'Ik heb al zo lang slechts zo weinig maatschappelijke omgang geproefd, dat ik geloof dat ik blij zou zijn om Danton zelf te zien omwille van de afwisseling.' Met die woorden deed zij de andere kast open, haalde een lange zijden sjaal te voorschijn en sloeg die om haar schouders. 'Ik schik hem wel op weg naar beneden,' beloofde zij terwijl zij haar slaapkamer en haar nieuwsgierige bediende achterliet.

Onder aan de trap trof zij Renenet, die haar stond op te wachten. 'Ik heb de bezoeker naar de ochtendkamer gebracht. Hij zit nu koffie te drinken. Hij heeft geen reden voor zijn bezoek gegeven.'

'Dank je,' zei Madelaine.

'Ik kondig u aan,' zei Renenet op een toon die geen tegenspraak duldde.

'Als je dat noodzakelijk acht,' zei Madelaine terwijl zij haar huisbediende naar de deur van de ochtendkamer volgde.

'Madame de Montalia,' zei Renenet, en hij trok zich op gepaste afstand in de gang terug.

'Goedemorgen, Madame,' zei Egidius Maximillian Falke terwijl hij opstond en zijn vingers aan zijn zakdoek afveegde. Hij keek Madelaine recht in de ogen en glimlachte. De rimpeltjes rond zijn ogen waren precies zoals zij zich die herinnerde.

'Goedemorgen, Herr Doktor,' zei zij terwijl zij haar hand uitstrekte. 'Het is een onverwacht genoegen u dan eindelijk in mijn huis te mogen begroeten.' Zij ging op een van de drie stoelen zitten en liet hem de ruimte op het bankje.

'Hoe goedertieren van u,' zei Falke ietwat afwezig terwijl zijn glimlach verflauwde. Hij ging weer zitten. 'Uw huisbediende heeft mij hier een bijzonder goed onthaal gegeven. Ik moet u mijn complimenten maken over uw gastvrijheid.' Hij gebaarde naar het dienblad met een keur aan broodjes en fruit, evenals koffie.

'Dank u,' zei Madelaine, die zich afvroeg wat hij wilde. Zij vouwde haar handen op haar schoot en wachtte.

'Eet u met mij mee?' vroeg Falke.

'Dank u, nee,' zei Madelaine. 'Ik heb al wat eerder ontbeten.'

'Uiteraard,' zei Falke. 'Staat u mij toe?' Hij pakte zijn kopje op en dronk het laatste slokje koffie. 'Dit is een netelige kwestie,' zei hij toen hij het lege kopje neerzette. 'Ik ben ervan overtuigd dat u het zult begrijpen, al moet ik zeggen dat ik bijna niet gekomen was.'

'Ik ben bijzonder blij dat u dat toch heeft gedaan,' zei Madelaine.

Falke maakte een ongeduldig gebaar als om beleefdheden weg te wuiven. 'Ik weet niet geheel hoe ik deze vraag moet aanroeren.'

'Stelt u hem dan maar rechtstreeks,' opperde Madelaine. 'Is er iets wat u graag zou hebben dat ik voor u doe?'

'Ik geloof van wel,' zei Falke onzeker. 'Zo het op enigerlei wijze mogelijk is. Het zou niet zo'n probleem zijn als u geen vrouw was, maar u bent het enige lid van Baundilets expeditie die zich interesseert in geneeskunde en zodoende moet u begrijpen dat ik wel bij u moet aankloppen. Niemand van de Engelse expeditie is bereid mij bij te staan.' Hij strekte zijn handen uit met de palmen omhoog. 'Als u niet bereid bent mij te helpen, weet ik niet wat ik dan moet.'

'Als ik wist waar het om gaat, dan zou ik u misschien kunnen antwoorden,' zei Madelaine.

'Ja, daar heeft u helemaal gelijk in.' Hij schonk een tweede kopje koffie in en roerde er suiker door alvorens het half op te drinken. 'Weet u, het is belangrijk, anders zou ik u niet op deze wijze lastig vallen.'

'Aangezien u het mij nog steeds moet vertellen,' zei Madelaine geprikkeld, 'weet ik niet of het wel een last inhoudt. Ik neem aan dat uw probleem te maken heeft met uw medische praktijk. Klopt dat?' Zij zweeg en toen hij niets zei, vervolgde zij: 'Ik vrees dat ik weinig van geneeskunde weet, althans als u het over de geneeskunde van vandaag de dag heeft.'

Falke knikte tweemaal. 'Ja, daar gaat het om,' zei hij tegen haar. 'Het gaat erom wat de oude Egyptenaren wisten, begrijpt u wel? Ik ben hier gestuit op omstandigheden die ik nooit had kunnen voorzien.' Hij keek haar aan en zijn blik ontmoette de hare onomwonden. 'U heeft mij toen ik u ontmoette een bijzonder genereus aanbod gedaan. Misschien weet u het al niet eens meer.'

Zij beantwoordde zijn blik. 'Ik weet het nog wel degelijk.'

'Ah.' Hij wist een snelle, grillige glimlach op te brengen. 'Dat maakt mijn taak iets minder pijnlijk.'

'Wilt u meer weten over hoe de oude Egyptenaren kwalen behandelden? Doktor Falke, ja, daar hebben wij het bij onze kennismaking over gehad.' Zij was tegelijk geamuseerd en gepikeerd. 'Het was mij absolute ernst: ik heb aangeboden u vertalingen te geven van enig medisch materiaal dat wij zouden vinden en u zei dat u mij zou laten weten of u dat kon aannemen. Tot nog toe heeft u niets gezegd. Kan ik ervan uitgaan dat u heeft besloten dat u wel degelijk informatie van nut wenst te vernemen die ik eventueel zal aantreffen?'

Hij was zichtbaar opgelucht. 'Ik had niet aan u moeten twijfelen,' zei hij, en hij ontspande zich zichtbaar. 'Ja, ik zou het zeer op prijs stellen als u bereid zou zijn mij op deze wijze te helpen.'

'Ik heb u reeds gezegd dat ik dat ben,' zei Madelaine, geërgerd over zijn houding. 'Wat een grillig schepsel zou ik zijn als ik mij niet aan mijn woord zou kunnen houden.'

'Ik ben een lomperik, Madame, en u bent juist de billijkheid zelve.' Hij stond op en pakte haar hand, die hij slechts zeer licht met zijn lippen beroerde. 'Ik kan niet verwoorden hoe dankbaar ik u ben.' Opnieuw glimlachte hij die fatale glimlach.

Tekst van een brief van Madelaine de Montalia in Thebe aan le Comte de Saint-Germain in Zwitserland.

Saint-Germain, mijn lief,

Wat heb ik je hier gemist, hier in dit land waar jij zo lang geleden leefde. Ik kijk naar de pilaren en standbeelden en denk bij mezelf dat jij hier was toen die hun plaats kregen. In deze zuilengang heb jij beschutting gezocht. Niet dat het zeker is dat jij dat deed, want te oordelen naar wat je hebt geschreven, heb je maar zelden het terrein van de Tempel van Imhotep verlaten, waar die ook was.

Op andere tijden kijk ik naar deze monumenten en denk ik aan Frankrijk. Egypte, wat het verder ook was, moet wel een land van vrede zijn geweest, want er is niets te zien dat duidt op geweld, niet van het soort dat Frankrijk in de Revolutie heeft overspoeld, niet van het soort dat zowel gebouwen als heersers neerhaalt. Jaren en jaren en jaren lang hebben de Farao's geen veldslagen geleverd, althans niet hier in Thebe. Klopt dat, of geef ik me nu over aan romantische veronderstellingen?

Zo ik hier niet zo eenzaam zou zijn, zou ik tevreden zijn, want ik ben in staat geweest dat te doen waarnaar ik zo lang heb verlangd: herontdekken wat verloren was gegaan. Ik ben gelukkig met het opgraven van ruïnes en mijn tijd doorbrengen op zoek naar het verdwenen verleden. Het vervult mij van geluk dat ik in de gelegenheid ben om tempels te onderzoeken die gedurende de helft van jouw levensspanne niet meer door de zon zijn beroerd. Dat is één ding waaraan ik sinds mijn komst hier veel gedachten heb gewijd, mijn liefste. Ik heb erbij stilgestaan hoe lang jij al op aarde rondloopt. Ik geloof niet dat ik echt de betekenis van jouw leeftijd heb beseft voordat ik hier kwam. Het is moeilijk om al die jaren als een leeftijd te zien, tenminste als de tijd die één enkele man heeft geleefd. Ik ben des te dieper doordrongen van het besef welk een kleinood jouw liefde is, want deze heeft monumenten van steen en een menselijke natie – ongetwijfeld vele volkeren –

overleefd. *Tegen die achtergrond is jouw liefde voor mij van onschatbare waarde. Ik wil meer weten van hoe jij hier hebt geleefd, welke veranderingen je hebt doorgemaakt toen je een slaaf in het Huis des Levens was.*

Ik wil het Huis des Levens zelf vinden maar nu ik de ontzagwekkende hoeveelheid werk zie, besef ik dat het enige tijd zal duren voordat dat mogelijk is.

Dank je dat je Gurzin naar mij toe hebt gestuurd. Hij is een grote hulp bij het ontcijferen van de inscripties op de tempels, hoewel sommige voor hem evenals voor Claude-Michel Hiver, onze taalkundige, ondoorgrondelijk blijven. Wij hebben nog geen betrouwbaar verslag kunnen samenstellen, maar voor het grootste deel ben ik inderdaad gelukkig met zijn kennis en bekwame hulp.

Professor Baundilet is tevreden met de vooruitgang die wij hebben geboekt, dat zegt hij tenminste. Hij heeft verscheidene verslagen voor de universiteiten en ter publicatie geschreven, hetgeen hem grote voldoening schenkt. Ik verdenk hem ervan dat hij zich een deel van het werk van de andere oudheidkundigen heeft toegeëigend en het als zijn eigen verdienste heeft gepresenteerd, maar dat is een vrij gebruikelijke gang van zaken, zo is mij althans verzekerd. Ik bezie deze minder welwillend dan sommige anderen. Bovendien krijg ik de indruk dat Baundilets ambities toenemen en dat verontrust mij, want dat zou slecht voor de expeditie kunnen aflopen. Hij en Jean-Marc Paille brengen veel tijd samen door, Paille als trouwe luitenant, Baundilet als kapitein. Aanvankelijk dacht ik dat ik op afstand van die ontmoetingen werd gehouden omdat ik een vrouw ben, maar drie van de anderen hebben er eveneens over geklaagd, dus zou het weleens meer kunnen zijn dan minachting voor vrouwelijke wetenschappers.

Wat is er met dit oord dat mij zo naar jou doet verlangen? Of heeft het wel iets met deze plek te maken? In elk geval kan ik niet naar de Nijl kijken zonder aan jou te denken. Ik kan geen inscriptie kopiëren zonder te wensen dat jij bij me was. Het is misschien het gewicht van de tijd; het is misschien niets meer dan de eenzaamheid waarvoor jij mij had gewaarschuwd. Ik zou willen dat je me zeer vaak schreef maar als je dat zou doen, zou

dat ervoor zorgen dat ik jou nog meer miste dan reeds het geval is. Hoe heb jij dit probleem voor jezelf opgelost? Of, als je dat niet is gelukt, vertel mij dat dan, opdat ik mij, zelfs in verslagenheid, dichter bij je zal voelen.
Zoals ik was in mijn leven en blijf in het jouwe,

Voor altijd
jouw Madelaine
28 september 1825, te Thebe

Deel Twee

Senhgerin

Slaaf

Tekst van een brief van le Comte de Saint-Germain in Zwitserland aan Madelaine de Montalia in Egypte, gedateerd 4 oktober 1825.

Madelaine, mijn dierbaarste hart,

Je zult nu wel het ergste van de Overstroming achter de rug hebben. Hapi keert terug naar zijn grot bij de hoofdstroom van de Nijl, atur en atur-nir geheten in de tijd dat ik daar vertoefde en ik bekend was onder de namen Senh en Senhgerin en Sanh-kheran. Wat is het lang geleden dat die namen zijn uitgesproken.

Je meldde dat je naar Thebe zou gaan dus daarheen stuur ik deze brief. Je zult ontdekken dat Thebe rijker is dan je je had kunnen voorstellen, mits het niet geheel geplunderd en geruïneerd is. In Thebe zijn immense rijkdommen te vinden, sommige van goud, sommige van de geest en de ziel.

Om je vragen te beantwoorden, zoals ik heb beloofd: ik ben, toen ik iets meer dan een eeuw in het Zwarte Land had verwijld, van Memphis naar de Tempel van Imhotep te Thebe gezonden. Amenhotep III was toen Farao en Thebe was zijn hoofdstad. Hij was een bekwaam man, energiek en ambitieus, en hij had een indrukwekkende hofhouding om zich heen verzameld. Hij zocht diegenen uit die de glorie van zijn bewind zouden kunnen vermeerderen, onder wie de Hogepriester van Imhotep, een man met scherpe trekken, die een schare aan personeel meebracht om zijn gewicht te doen gelden.

Als slaaf van het Huis des Levens kreeg ik de taak om diegenen met de ernstigste ziektes en kwetsuren te verzorgen; dit werd beschouwd als een verbetering ten opzichte van mijn eerdere werk met de stervenden, wat uitzonderlijk was voor een slaaf die nog wel een vreemdeling was; gelukkigerwijs waren de priesters niet

op de hoogte van al wat mijn aard inhield, anders zou men mij
gestenigd hebben tot de dood erop volgde.

'Farao voelt zich onwel,' zei Bak, Meresebs persoonlijke slaaf, tegen Senhgerin tijdens hun wekelijkse scheerbeurt.

'Farao is niet jong meer,' zei Senhgerin, die weinig acht sloeg op de roddelpraat die Bak ten beste gaf.

'Hij is al meer dan dertig jaar aan het bewind en het Zwarte Land gedijt welig,' sprak Bak vol ontzag. 'De goden zijn hem zeker gunstig gezind.' Hij keek om zich heen en wierp toen een onderzoekende blik op Senhgerin. 'En hoe zijn de goden u gezind, vreemdeling?'

'Ik tracht niet de goden te doorgronden, Bak,' zei Senhgerin op een toon die niet tot een verder gesprek noodde.

'Mijn meester is bij Farao geroepen teneinde de oorzaak van zijn ziekte te ontdekken.' Bak was bijzonder trots op Meresebs status aan het hof en vond regelmatig een aanleiding om iedereen in het Huis des Levens de belangrijke positie van zijn meester onder de aandacht te brengen. Hij bezag Senhgerin argwanend. 'Hij zal Farao verlossen van al zijn kwalen.'

'Dat hij daarin moge slagen,' zei Senhgerin, in de wetenschap dat Mereseb niets zou kunnen veranderen aan de onverbiddelijke tol die ouderdom eist. Hij wendde zich tot de jonge slaaf die het scheermes hanteerde en zei: 'Ik scheer mijn borst zelf.'

De jongen liet zijn hoofd hangen. 'Ik zou het wel doen, vreemdeling, maar de littekens...'

Met een afwezig gebaar legde Senhgerin zijn hand op de strakgespannen witte huid die zijn romp bedekte vanaf de onderste rib tot zijn schaamstreek en iets in zijn geest huiverde toen hij terugdacht aan de messen en haken die de littekens hadden veroorzaakt. 'Oude wonden,' zei hij.

'En nog ernstige wonden ook,' zei Bak, die van mening was dat hij uitstekend de staat van iemands medische gesteldheid kon beoordelen.

'Ooit, toen zij vers waren; nu niet meer.' Senhgerin pakte het scheermes aan en voltooide de taak voor de jongen. Toen hij het teruggaf, zag hij de kleine slaaf ineenkrimpen.

Toen Amenhotep III overleed, liet hij welvaart na en een zoon die
hunkerde naar een plaats tussen de goden of opname in de

gelederen van de netjer – *die het best omschreven kunnen*
worden als natuurkrachten. Hij verlangde eveneens bevrijd te
zijn van de konkelarijen van de priesters, die genoeg macht
hadden veroverd om te kunnen wedijveren met Farao; hij schafte
alle goden, behalve Aten, af en riep zichzelf uit tot Hogepriester,
evenals tot Farao; hij veranderde zijn naam in Achnaton en
vestigde een nieuwe hoofdstad op de plaats die nu Amarna heet.
Aangezien Imhotep geen bedreiging vormde voor Aten, kreeg
Mereseb toestemming om met zijn priesters naar het Huis des
Levens in de nieuwe hoofdstad te komen; hij was een van de
weinigen die zijn aanbidding mocht voortzetten en velen namen
aanstoot aan de begunstiging die Imhoteps priesters betoond
werd.

'Ik haat dit oord,' fluisterde Mereseb, toen hij over het terrein buiten het Huis des Levens liep voor zijn dagelijkse inspectie van de stervenden. 'Zij drijven de spot met mij.'

Senhgerin, die naast Mereseb liep, keek hem verbaasd aan. 'Drijven de spot met u? Hoe dan?'

'Ieder vormt het bewijs dat Imhotep heeft gefaald,' zei Mereseb terwijl hij met half dichtgeknepen ogen naar de hemel tuurde. 'Velen verheugen zich als wij de priesters van Anubis moeten ontbieden. Het wordt gezien als een teken tegen Farao. Men zegt dat de goden die wij aanstoot hebben gegeven, ons zwak maken.'

'Er is nu alleen nog maar de god Aten,' bracht Senhgerin hem in herinnering.

Het gelach van Mereseb klonk onaangenaam. 'Omdat Farao dat afkondigt; omdat hij...' Hij zweeg toen hij Bak naar voren zag komen. 'Vertel hetgeen ik heb gezegd niet verder.'

Senhgerin zuchtte. 'U bent meester hier, ik ben een slaaf.'

Ondanks de pijn in zijn oude botten, rechtte de vierenvijftig jaar oude Mereseb zijn rug. 'Ja. Ja.' Hij dempte opnieuw zijn stem. 'Het is die koningin van hem, die Hettitische. Zij heeft hem behekst. Farao wordt verblind door haar schoonheid; hij is er zo van in de ban dat hij de schaduwen der goden niet meer kan onderscheiden en de goden zullen hem geen genade tonen.' Met een handgebaar zond hij Senhgerin weg. 'Ga. Er zijn er die je bijstand behoeven.'

'Tot uw dienst,' zei Senhgerin, en hij betoonde hiermee zijn eerbied voor de oude man. Hij bleef niet talmen om nog meer klaagzang aan te horen; hij wist maar al te goed dat het gevaarlijk was te veel kennis van priesterlijke aangelegenheden te hebben.

Hoe kan ik je duidelijk maken wat er door mij heen ging toen Hesentaton naar het Huis des Levens werd gebracht? De priesters van Imhotep ondernamen zelfs geen enkele poging haar te behandelen – zij konden niets doen.

Zij was de dochter van een steenhouwer en had geweigerd met de man die voor haar betaald had, in het huwelijk te treden, omdat zij een ander boven hem verkoos. Haar vader probeerde de bruidsprijs terug te betalen, doch werd afgewezen. Zij op haar beurt was weggelopen met de man van haar keuze.

Ongelukkigerwijs had haar ongewenste pretendent hen achtervolgd en toen hij hen had ingehaald, liet hij zijn rivaal doden; hij beval echter om haar naar de top van de hoge klippen te brengen om haar daar aan touwen op te hangen totdat zij van hitte en dorst zou sterven. Had haar vader haar niet gevonden, dan zou zij voor zonsondergang zijn overleden, hetgeen wellicht barmhartiger zou zijn geweest. Nu was zij ongeneeslijk verbrand en blind geworden, dus werd zij aan mij toevertrouwd.

Haar huid was dusdanig opengebarsten en zwartgeblakerd, dat het onmogelijk was om er verzachtende kompressen op te leggen zonder haar pijn tienvoudig te doen toenemen. Aanvankelijk wilde zij met alle geweld blijven staan, omdat elke aanraking ondraaglijk was.

Senhgerin liep op haar toe, ervoor zorgend niet te dichtbij te komen. 'Ik heb water voor je; drink maar.'

'Dat... dat kan ik niet,' prevelde zij met een stem die even gebarsten was als haar huid.

'Ik sta recht voor je,' zei Senhgerin. 'Steek je hand uit, dan reik ik het je aan.'

Zij was niet eens in staat met haar blinde ogen te knipperen. 'Ik kan het niet,' zei zij nadrukkelijk, en zij zwaaide onvast op haar benen, door haar kracht in de steek gelaten.

'Als je het niet doet, zul je licht in het hoofd worden en vallen,' zei Senhgerin. 'Dat zou meer pijn veroorzaken dan het aannemen van de beker.' Hij wachtte, geduldig en rustig.

'Waar bent u?' vroeg zij even later; de woorden klonken schor.

'Nog altijd recht voor je,' antwoordde hij. 'Til je arm op en dan geef ik je de beker aan.'

Zij kromp ineen. 'Nee. Als ik mijn arm buig...' Onmogelijke tranen welden op in haar ogen, maar konden niet vallen.

'Laat mij je helpen,' zei Senhgerin, zonder erbij stil te staan dat hij nooit eerder een dergelijke dienst had aangeboden. Hij deed een stap naar voren en hield haar de beker voor, voorzichtig, opdat hij niet haar verschroeide mond zou beroeren. 'Drink,' zei hij terwijl hij de beker schuin voor haar mond hield.

Toen zij slikte, wankelde zij en bezweek bijna.

Het volgende moment had Senhgerin zijn arm om haar heengeslagen, ervoor wakend haar niet meer pijn te bezorgen dan nodig was. 'Ik hou je vast,' zei hij, toen zij van hem weg probeerde te kronkelen. 'Hou op. Ik hou je vast.'

Er voer een rilling door haar heen toen zij zichzelf dwong om stil te blijven staan en een snik van ellende ontsnapte haar. 'Nee,' kreunde zij.

Senhgerin ondersteunde haar met zijn uitgestrekte arm; dit kostte hem geen zichtbare inspanning, alhoewel Hesentaton een volwassen vrouw was. 'Rustig maar,' sprak hij tot haar.

Zij begon zachtjes te jammeren, ondanks haar poging om geen geluid te maken. Haar gezicht was te zeer verbrand om er iets aan af te kunnen lezen, maar er lag iets in die verwoeste ogen van haar dat hem raakte. 'Laat mij sterven,' fluisterde zij uiteindelijk.

De schok die haar woorden veroorzaakte, doorvoer hem als de hete woestijnwind, hoewel hij ze ontelbare malen eerder had gehoord. Hij hield haar de beker nogmaals voor. 'Drink,' zei hij, zijn geest in verwarring gebracht.

Ditmaal was zij in staat iets meer te drinken alvorens zij begon te hoesten. 'Ik wil sterven,' drong zij aan, toen zij weer kon spreken.

Voor hij zich ervan kon weerhouden, vroeg hij: 'Waarom?'

'Hoe kan ik nog verder leven?' was haar wedervraag.

Hij had geen antwoord voor haar en de enige troost die hij haar kon bieden lag in zijn enorme kracht en uithoudingsvermogen, die hem in staat zouden stellen haar de gehele nacht met gestrekte armen te ondersteunen; dat was het enige dat hij voor haar kon doen. Hij keek rond in de kleine nis in de muur van het Huis des Levens en trachtte zich voor de geest te halen hoe vele malen hij hier het hoofd had moeten bieden aan een zo uitzichtloze opdracht als de onderhavige. 'Ik heb nog wat water.'

Het geluid dat zij voortbracht had misschien ooit voor een lach kunnen doorgaan, maar de zon had die weggebrand, evenals al het andere. Zij liet haar hoofd hangen, haar wang streek langs zijn arm en zij rechtte haar rug terwijl zij een plotse, gruwelijke kreet slaakte: 'Nee!'

'Hier, pak aan,' zei Senhgerin. Hij probeerde haar de beker aan de lippen te houden, maar zij sloeg van zich af; de beker vloog weg en het water spatte over haar heen, hetgeen haar pijn verergerde. Hij had moeite haar in bedwang te houden doordat zij schopte en kronkelde. 'Hou op,' herhaalde hij keer op keer terwijl hij haar bleef vasthouden.

Eindelijk verslapte zij in zijn armen, haar wanhoop nu oneindig veel sterker dan haar helse pijn. Zij jammerde bij elke ademtocht. Toen zei zij zeer duidelijk: 'Laat mij los.'

'Nee,' zei hij.

'U kunt mij zo niet blijven vasthouden. Laat mij los.'

'Nee,' herhaalde hij. 'Vraag mij dat niet nog eens.'

Zij zette haar voeten steviger op de vloer. 'Ik kan staan. Kijk maar.' Haar gehele lichaam beefde door de inspanning om overeind te blijven.

'Uitstekend,' zei Senhgerin, en hij nam een besluit. 'Ik zal je naar de wand begeleiden waar je jezelf kunt ondersteunen. Ik zal je iets te drinken brengen; als je het opdrinkt, zal dat je pijn verzachten.'

Haar blinde ogen richtten zich op hem. 'Ik zal het opdrinken.'

Hij leidde haar de paar stappen die noodzakelijk waren om de deur te bereiken en hielp haar om de lijst vast te pakken. 'Ik ben zo terug; houd je goed vast. Als je om mij roept, kom ik terug.' Hij deed een stap terug en bespeurde de vastberadenheid onder haar geblakerde gelaatstrekken. 'Houd moed.' Het was een dwaze woordkeus, dat wist hij, maar hij kon niets anders bedenken. Terwijl hij zich naar het Huis des Levens spoedde, hoopte hij dat zij voldoende kracht had om te blijven staan, en zo verstandig zou zijn om hulp te roepen als zij die nodig had. Toen hij de Tempel van Imhotep betrad, klapte hij in zijn handen om een andere slaaf te ontbieden, en zei tegen de eerste die reageerde: 'Het kruidenvertrek. Ik moet iets...'

De slaaf ging hem voor en riep dat Senhgerin zich binnen de muren bevond.

Een jonge priester, pas ingewijd in de dienst van Imhotep, zat te dommelen voor de deur van het kruidenvertrek, zijn gezicht getekend door uitputting. Toen Senhgerin naderbij kwam, dwong hij zichzelf te ontwaken en te luisteren naar hetgeen de slaaf van buiten het Huis des Levens verlangde. 'Het is ongebruikelijk,' zei hij toen Senhgerin uitgesproken was.

'De gehele situatie is ongebruikelijk,' antwoordde Senhgerin. 'Het is niet mogelijk haar te redden, haar lijden kan evenwel verzacht worden. Indien u mij de betreffende tinctuur wilt geven, zal het haar vergemakkelijken dit leven te verlaten.'

De jonge priester schudde zijn hoofd. 'Misschien wordt het dan al te gemakkelijk?' opperde hij, de vreemdeling argwanend opnemend.

Senhgerins lach had een hardvochtige klank. 'Het zou haar verscheiden misschien een halve dag of zo kunnen bespoedigen; wat doet dat ertoe als zij door niets meer te redden is? Waaraan geeft u de voorkeur: een brullende krankzinnige of een rustige vrouw die zich in haar slaap overgeeft aan de zorg van Anubis, zonder...'

'Die beslissing is niet aan mij,' zei de jonge priester, om zich heen speurend alsof hij verwachtte door andere priesters vanuit hun schuilplaatsen gadegeslagen te worden.

'Zeg dan dat het mijn beslissing was,' zei Senhgerin. 'Of kom mee om haar zelf te verzorgen.'

'Ik...' De jonge priester deinsde terug. 'Als er een klacht wordt ingediend...'

'Dan neem ik de verantwoording op mij,' zei Senhgerin. 'Dan onderga ik de kastijding.' Gedurende al zijn jaren in de Tempel van Imhotep had Senhgerin slechts tweemaal een afstraffing te verduren gehad; de jonge priester was zich hiervan bewust.

Bij deze woorden gaf de jonge priester zich gewonnen. 'Ik zal de tinctuur halen, uw vasthoudendheid in aanmerking nemend. Mocht de Hogepriester het gebruik ervan in twijfel trekken, dan zal ik hem naar u verwijzen.'

'Ja,' zei Senhgerin, en hij bleef wachten terwijl de jonge priester de kruik haalde die de vloeistof bevatte, bereid met de wortels en bladeren van de Hettitische dwergappels, die bekend stonden als uiterst dodelijk vergif.

Voor zover ik mij kan herinneren, bestond de tinctuur voor het
grootste deel uit belladonna en een ander bestanddeel, dat
waarschijnlijk afkomstig was van paddestoelen. De priesters
getroostten zich veel moeite hun brouwsels geheim te houden en
alleen diegenen die de tweede inwijding hadden volbracht, was
het toegestaan bij de bereiding ervan te assisteren; in die tijd was
ik niet zo bevoorrecht kennis te mogen nemen van de bereiding
van hun medicijnen, noch van de ingrediënten, en tegen de tijd
dat ik in hun gelederen was opgenomen, was de receptuur
gewijzigd. De jonge priester overigens, had twintig jaar later de
positie van Hogepriester van Imhotep weten te bereiken. Hij was
de laatste die mij liet afranselen; ik vermoed dat hij zich wilde
wreken voor de verlegenheid waarin ik hem die bewuste nacht
had gebracht. Hij bracht mij vaak in herinnering hoezeer ik mijn
bevoegdheid te buiten was gegaan en zei dat als het aan hem had
gelegen, hij mij de volgende dag had laten afranselen. Hij kreeg
die kans pas drieëntwintig jaar later.
Dat was de eerste maal dat ik het waagde mijn grenzen te
overtreden en iets te eisen waarop ik geen recht had. Nu ik
daaraan terugdenk, kan ik je niet uitleggen wat het was dat mij
zo deed handelen, waarom Hesentaton meer dan anderen mijn
mededogen wist op te wekken. Of wellicht is dat het antwoord: ik
voelde geen mededogen voor Hesentaton, wat ik voelde was iets
veel ingewikkelders. Toentertijd begreep ik het niet, en nu
scheiden veel te veel jaren mij van wat ik toen was om er zeker
van te zijn dat ik weet wat die verandering inhield, of waarom
deze plaatsgreep.

Zij stierf vlak voor zonsopgang, toen de lucht begon op te lichten.
Haar deerniswekkende, verwoeste gelaat was rustig en zij lag op haar
strobed zonder pijn of kwelling. Zij had wat liggen neuriën – het geluid was afschuwelijk, maar het leek haar te plezieren – toen de tinctuur met zijn verzachtende toverkracht op haar geteisterde vlees begon in te werken. Er klonken enkele flarden van woorden, toen tilde
zij haar hoofd op, riep een naam en liet zich weer achterover zakken,
terwijl het laatste sprankje helderheid in haar ogen doofde, alsof zij
eindelijk de slaap kon vatten.
    Senhgerin knielde naast haar strobed, zo zachtjes dat hij zich met

haar leek te verenigen in de dood. Hij dacht aan de gruwelijke kort-
stondigheid van haar leven en de teloorgang ervan, en iets in zijn ziel
werd geraakt door het verlies van Hesentaton. 'Arm, droevig kind,' zei
hij in de taal van zijn uitgestorven volk.

*Haar vader bezocht mij toen zij was gereedgemaakt voor de
begrafenis en vroeg mij wat hij mij kon schenken voor de
verzorging van zijn dochter. Het was de eerste maal dat iemand
mij ooit iets als dank voor mijn werk aanbood en ik wist niet wat
ik hem moest vragen. Uiteindelijk droeg ik hem op een portret te
vervaardigen van Nefertite, Farao's Hettitische Koningin en dit
haar aan te bieden ter nagedachtenis aan Hesentaton. Mij is
verteld dat Achnaton verheugd was met het borstbeeld; ik mag
hopen dat dit het verdriet van Hesentatons vader verzacht heeft.
Nadien was ik er niet langer mee tevreden om erop toe te zien
hoe zij stierven. Hun vertwijfeling kwelde mij, vrat aan mij. Ik
veranderde niet onmiddellijk. Gedurende de daaropvolgende
jaren echter heb ik veel tijd besteed aan het leren hoe diegenen te
behandelen die uit het Huis des Levens waren heengezonden, en
van tijd tot tijd herstelde een enkele van diegenen die ik
verzorgde. Was ik geen vreemdeling geweest en een slaaf
bovendien, wie zal zeggen hoe het zou zijn gegaan indien ik
toestemming zou hebben gekregen om de geschriften van Imhotep
te bestuderen?
Niet dat ik verbitterd was, want daarvoor was ik mij nog
onvoldoende van mijn eigen menselijkheid bewust. Ik was als een
klein kind dat voor het eerst een paar stappen wegliep van zijn
moeders huis. Als ik over meer middelen had beschikt, zou ik mij
waarschijnlijk verward en bevreesd hebben afgewend.
Oordeel niet te streng over mij, mijn hart. Ik heb je zeer vaak
verteld dat wat ik nu ben met moeite is bereikt. En ik mag dan
wensen dat het anders was, maar dat is de wens van wat ik ben
geworden, niet van een slaaf die de stervenden uit het Huis des
Levens verzorgde. Egypte is een aambeeld waarop je wordt
gehard of gebroken.
Ik wacht vol ongeduld op je brief. Het is bijzonder vreemd: ik ben
verheugd dat jij daar bent, dat je nu het werk doet waarnaar je
al zo lang hebt verlangd, en toch wil ik je bij mij hebben, al zou*

dat niet verstandig zijn. Jouw moed en vastberadenheid vervullen mij met trots en tegelijkertijd wil ik je beschermen, je leiden en een schuilplaats bieden. Hoe ijdel en tegenstrijdig. Als ik je niet zo volledig liefhad, zou het wellicht anders zijn en zouden wij beiden meer de betrekkelijkheid der dingen inzien; maar jou niet liefhebben zou mij in een wanhoop storten, zwarter dan die ik heb gekend in Babylon.

Jij bent het licht dat ik in de duisternis laat schijnen, Madelaine; jij bent het vuur van mijn ziel.

Saint-Germain
(zijn zegel, de eclips)

November 1825 tot en met oktober 1826

Tekst van een brief van Professor Alain Baundilet in Thebe aan Yamut Omat in Caïro.

Mijn zeer waarde Monsieur Omat,

*Sta mij toe u nogmaals mijn dank over te brengen voor uw
gastvrijheid van verleden week. Ik had zo gemakkelijk het gevoel
kunnen hebben dat ik mij aan u opdrong, zo dikwijls heb ik van
uw gezelschap gebruik gemaakt. Slechts uw aanhoudende
verzekering dat ik geen inbreuk pleeg, heeft het mij mogelijk
gemaakt mij in toenemende mate in de door u geboden
gastvrijheid te verheugen. Uw villa is verreweg het schitterendste
bouwwerk in de gehele omgeving (de monumenten van de
Farao's uitgezonderd) en uw stijlvolle onthaal kan wedijveren
met dat van enig gastheer in Europa. Ik heb zelden dergelijke
luxe en smaak in zulk een evenwichtig samenspel ondervonden
als u mij hebt geboden, en ik spreek hiervoor mijn grenzeloze
waardering uit. Uw meest recente feestelijkheden hebben
bijgedragen tot mijn hoge dunk van u, uw dochter en de vreugde
van uw gezelschap.*
*Ik heb uw aanbeveling van enkele avonden geleden in overweging
genomen en moet bekennen dat ik uw standpunt ten volle deel;
uw argumenten zijn zeer krachtig en ik heb er veel over
nagedacht; ik ben geneigd het met u eens te zijn. U, als
Egyptenaar, beseft vanzelfsprekend dat de opbrengst van
expedities zoals die van mij, eerder u toekomt dan de
universiteiten die door mij en mijn collega's vertegenwoordigd
worden. Ik geloof dat het verstandig zou zijn om uw aanbod
serieus te nemen en na uw terugkeer met u te bespreken in welke
vorm onze overeenkomst het beste gegoten zou kunnen worden.
Ik ben bereid u, zoveel als in mijn vermogen ligt, tegemoet te*

komen, evenwel niet voorbij het punt dat ik de positie van de expeditie in opspraak zou brengen ten opzichte van de autoriteiten of enig deelnemer aan deze expeditie in gevaar zou brengen.

Ter verduidelijking diene dat de plaatselijke Magistraat, ene Kareef Numair, zich moeite heeft getroost om de activiteiten van mijn expeditie te onderzoeken en aan een spervuur van vragen te onderwerpen, en ik vrees dat wij rekening zullen moeten houden met zijn oplettendheid als wij willen komen tot een schikking onder ons. Deze Magistraat laat geregeld onderzoek instellen en eveneens neemt hij de veldaantekeningen van de expeditie onder de loep, hetgeen enigermate problematisch is, zoals u zult begrijpen. Ik weet niet hoe het best verder te gaan in het onderhavige geval. U zult hier uw ideeën over hebben en het zou mij zeer verheugen deze te vernemen zodra het u schikt, want ik ben ervan overtuigd dat het een dwaasheid zou betekenen om uw plan ten uitvoer te brengen zonder voorafgaand van gedachten te wisselen over deze bepaalde Magistraat. Onze zaken kunnen niet veilig plaatshebben als Numair in staat zou blijken deze te onderkennen en na te trekken, hetgeen zowel u als mij in verlegenheid zou brengen, om nog maar te zwijgen van de smet die het zou werpen op eventuele ontdekkingen door mijn expeditie gedaan.

Een kundig en ervaren man zoals u zal zeker bekend zijn met een manier om deze hindernissen te omzeilen. Ik zou uw suggesties en bijstand bijzonder op prijs stellen, aangezien u in een veel wendbaarder positie verkeert dan ik. Het komt mij voor dat onze zaken veel aan succes zullen winnen door enige voorzorg en strategische afspraken.

Nu de overstroming voorbij is, zullen wij harder aan het werk kunnen dan voorheen, want het weer is zo zacht als het in dit land maar kan zijn. Nu de ergste hitte voor een paar maanden verdwenen is, zullen wij in staat zijn onze inspanningen bij de tempel-lokatie te verdubbelen, en terwijl wij daar zijn, sneller te werken. Daar de hitte van de zon niet zo extreem is als in de zomer, zullen wij minder behoefte hebben deze te mijden. Ook het zand is handelbaarder, want het is nog niet tot korrelige stof verworden en zo zal het ook blijven tot het over ongeveer een

maand volledig is uitgedroogd. Onze huidige plannen zullen ons
werk en daarmee onze vorderingen bespoedigen. U kunt erop
vertrouwen dat ik u op de hoogte zal houden van onze voortgang
bij de studie van uw eeuwenoude land. Ik heb reden te hopen dat
onze ontdekkingen voor ons allen zeer de moeite waard zullen
blijken te zijn. Ik ben ervan overtuigd dat uw nieuwsgierigheid
bevredigd zal worden naarmate wij vorderen met het wegruimen
van het zand bij de tempel, want met elke meter muur, elk stukje
plaveisel dat wij blootleggen, worden de verwachtingen van de
opgraving bevestigd.

Het zal voor mij een eer betekenen na uw terugkeer mijn
opwachting bij u te maken, teneinde van uw raadgevingen kennis
te kunnen nemen, en de voorwaarden van onze transacties vast
te stellen. Ik kan u niet genoeg dankzeggen voor de door u
getoonde interesse in mijn expeditie en ons werk in de ruïnes van
Thebe, en ik spreek de hoop uit dat mijn werk te uwer bate, uw
steun en interesse zeker zal rechtvaardigen.

Met mijn warmste persoonlijke groeten, vergezeld van de
overtuiging dat wij spoedig de vruchten van onze inspanningen
zullen plukken, verblijf ik

Uw dienstwillige dienaar,
Alain Hugues Baundilet
22 november 1825, te Thebe

Een

'Wie zijn deze Farao's die Saint-Germain beschrijft?' vroeg Madelaine aan de brief die zij vasthield, alsof haar woorden Saint-Germain zelf zouden kunnen bereiken via de inkt op het papier, en wendde zich toen tot Erai Gurzin. 'Wat weet u van hen?'

'Bijzonder weinig,' zei de Koptische monnik, opkijkend van de transcripties die hij bestudeerde. 'Ramses is mij bekend, evenals enkele anderen. De meeste namen komen mij niet bekend voor. Ik herken er slechts een stuk of vijf.' Hij zat in de salon voor een standaard met een hoge steun en probeerde een deel van de inscriptie te ontcijferen. 'Uit de eerste helft kan ik wel wijs worden, maar dit laatste gedeelte hier' – hij tikte met zijn vinger op de getekende kopie van de verraderlijke inscriptie – 'stelt mij voor een raadsel.'

'In welk opzicht?' vroeg Madelaine, die nog steeds de brief in haar hand hield. 'Waarom deze meer dan de andere?'

'Tja, het heeft met de stijl te maken. Deze figuur lijkt niet op een van de andere die ik heb gezien. Het zou er een kunnen zijn die wij nog niet hebben vertaald, of wellicht een andere versie van een tekening die wij al kennen. Maar welke?' Hij schoof zijn stoel naar achteren en keek naar de brede raampartij, alsof het antwoord ergens in de verte zou kunnen liggen.

In de afgelopen maand was de salon tot een studeerkamer geworden: de sofa's waren naar de ontvangkamer en naar een van de logeerkamers verplaatst; de twee elegante tafels stonden in de eetzaal, samen met twee met beeldsnijwerk versierde kisten. De salon werd nu gedomineerd door de standaard en een brede tafel op schragen, alsmede twee hoge secretaires, die dienst deden als bewaarplaats voor de verslagen en het schrijfgerei. Madelaine, gezeten op een hoge stoel bij de tafel, spreidde de brief voor zich uit.

'Achnaton,' zei zij, nadat zij de brief nogmaals had gelezen. 'Er zitten aanwijzingen in die Farao. Indien wat Saint-Germain beweert waar is, kunnen wij door hem zeer veel te weten komen. Hij verplaatste de hoofdstad; dat zou ergens in al die inscripties opgetekend moeten zijn.'

'Of wellicht is alles waarin hij genoemd werd verwijderd,' zei Gurzin. 'Dat deden zij wel vaker.'

'Dat zei u al,' zei Madelaine. 'En toch, als ik maar één aantekening over hem zou vinden, één enkele bevestiging, dan zouden wij zoveel kunnen leren. Het zou van nut zijn bij de vaststelling van de chronologie, nietwaar?' Haar paarsblauwe ogen begonnen te schitteren terwijl zij sprak. 'O, wat zou ik deze brief graag gebruiken. Hetgeen hij mij vertelt, is allemaal zo fascinerend en belangrijk voor onze studie. Maar hoe zou ik hem kunnen verklaren? Hoe zou ik van deze brief en de inhoud ervan gewag kunnen maken zonder... zonder Saint-Germain in moeilijkheden te brengen?'

'En waarom zou iemand u geloven... of hem? Zij zouden waarschijnlijk denken dat hij last had van hersenschimmen. Dat zou aannemelijker zijn dan de kennis die hij werkelijk heeft.' Hij ging even door met het maken van aantekeningen op de grote schets die voor hem lag uitgespreid. 'Niet dat Saint-Germain mij ooit in vertrouwen heeft genomen, tenminste niet in die mate,' zei hij ten slotte bespiegelend, 'maar ik ben tot de conclusie gekomen dat zijn ervaringen aangaande het verleden uit de eerste hand zijn verkregen. Deze brief lijkt mijn overtuiging te staven.'

'Ja,' zei Madelaine langzaam, op haar hoede nu. 'Daar heeft het alle schijn van.'

Gurzin respecteerde haar terughoudendheid en terwijl hij zijn studie van de schets voortzette, zei hij tot haar: 'Mijn kind, al wat u mij in vertrouwen vertelt, blijft onder ons, alsof u met God had gesproken. Ik zou niets prijsgeven wat u of Saint-Germain schade zou kunnen berokkenen. Ik ben mij ervan bewust dat er iets met u is, evenals met hem, dat verschilt van andere mensen.'

Madelaine vouwde de brief op en liet hem in het tasje glijden dat zij bij zich droeg. 'Ik denk dat dat een redelijke veronderstelling is,' zei zij, zich nog omzichtiger dan voorheen uitdrukkend.

'Ik was vijftien jaar geleden Saint-Germains leerling, ziet u. Hij kwam hier in 1803, in uw jaartelling. Hij verbleef hier tot 1819 en in al die tijd heb ik geen enkele verandering in hem waargenomen. Ik bedoel dit niet in die zin dat wij geen veranderingen waarnemen in de gezichten die ons vertrouwd zijn vanwege hun vertrouwdheid, maar dat hij opmerkelijk was omdat er zich geen veranderingen voordeden. Toen ik hem voor het eerst ontmoette, schatte ik zijn leeftijd op ongeveer vijfenveertig; toen hij wegging zou die schatting niet anders zijn geweest.' Gurzin schoof zijn stoel weg van de standaard. 'Hij heeft niets uitgelegd, en ik heb niets gevraagd.'

'Hij is ouder dan u denkt. Dat ben ik trouwens ook.' Zij sprak op neutrale toon en hoopte dat geen van de bedienden hen afluisterde.

'Niklos Aulirios vertelde mij, voordat Napoleons soldaten hem neerschoten, dat hij al leefde sinds de tijd van de Romeinse Keizer Diocletianus. Hij beweerde dat hij zijn lange leven aan Saint-Germain te danken had.' Hij zegende zichzelf op de wijze van de Kopten. 'Hij had geen reden om daarover onwaarheid te spreken en reden te over om het te verhullen.'

'Ik heb Niklos Aulirios nooit gekend,' zei Madelaine. 'Ik heb zo nu en dan over hem horen spreken.' Toen zij haar gedachten richtte op Niklos Aulirios, bedacht zij dat het vreemd was dat Saint-Germain Olivia Clemens van een bondgenoot had voorzien, maar dat hij haar nooit een dergelijk aanbod had gedaan. Op zekere dag, beloofde zij zichzelf, zoals zij tijdens de laatste halve eeuw vaker had gedaan, zou zij genoeg moed hebben verzameld om hem naar het waarom te vragen.

'Saint-Germain had een bediende bij zich, mager en licht van huid en haar,' zei Gurzin op dezelfde neutrale toon. 'Ik zou hem op vijftig jaar hebben geschat, elk jaar dat hij hier verbleef.'

'Roger,' zei Madelaine, met een hoofdknikje van herkenning.

'Aulirios vertelde mij dat Roger ouder was dan hij, en Saint-Germain ouder dan zij beiden.' Hij wreef zich in de ogen. 'Ik heb wat tijd nodig om te rusten, Madame. Staat u mij toe?'

'Maar natuurlijk,' zei Madelaine, nieuwsgierig nu om te vernemen hoeveel meer Erai Gurzin wist of had geraden. 'Zal ik wat koffie of een andere verfrissing voor u laten brengen?'

'Drinkt u iets met mij?' vroeg Gurzin en juist door zijn wellevendheid werd zijn verzoek een uitdaging.

'Nee, maar ik dank u voor het aanbod.' Zij reikte naar het schellekoord. 'Welnu? Wat wenst u?'

Gurzin gaf zich gewonnen. 'Koffie zou mij welkom zijn.' Hij stond op uit zijn stoel en rekte zich uit; zijn schouders en polsen kraakten door de inspanning. 'Toen ik hedenmorgen mijn gebeden zei, had ik het idee dat mijn gewrichten genoeg lawaai maakten om het hele huishouden te wekken.'

Madelaine hoorde dit bezorgd aan en vroeg: 'Heeft u behoefte aan thee van wilgenbast? Ik heb wat wilgenbast in de huishoudvoorraden, en viooltjes ook, meen ik.' Zij had de bedienden reeds ontboden. 'Vertel Renenet wat het is dat u wenst, en mits het voorradig is, kunt u erover beschikken. Dat geldt ook voor de wilgenbastthee. Versmaad die niet, Broeder Gurzin.' Het laatste zei zij met gedecideerd medegevoel.

'Later op de dag zal ik daar wellicht wat van gebruiken,' zei Gurzin, omdat hij haar tegemoet wilde komen.

'Zoals u wenst,' zei Madelaine. Zij strekte haar hand uit en pakte een rol aan elkaar geplakte schetsen, die een hele fries van de tempelmuur weergaven. Terwijl zij deze ontrolde, stopte zij bij een van de afbeeldingen in een kolom van hiëroglifen. 'Deze twee vogeltjes, die op een soort zangvogeltjes lijken.' Zij liet haar armen op het aan elkaar geplakte blad rusten, zodat dit open bleef liggen. 'Zij lijken altijd samen voor te komen.' Zij fronste geconcentreerd haar voorhoofd. 'Ik zou willen dat wij die jonge Engelsman konden overhalen om ons een tijdje te assisteren.' Zij bedoelde niet diegene die zij van tijd tot tijd in zijn dromen bezocht, maar een van zijn collega's, een jonge student met een heldere geest, die al zijn tijd ijverig en doelgericht doorbracht met het kopiëren van friezen en inscripties.

'Bedoelt u Wilkinson?' vroeg Gurzin.

'Ik geloof dat hij zo heet. Ik heb begrepen dat hij al ongeveer vier jaar hier is.' Zij wees naar een gedeelte van de schets dat uit afbeeldingen met onderschriften leek te bestaan. 'Zie hier, deze mannen vergaren rietstengels; eronder staan twee regels met hiëroglifen. Daarnaast staan deze drie mannen, die de rietstengels fijnstampen, en weer twee regels met commentaar eronder.'

'Zij maken papyrus van het riet,' zei Gurzin.

Renenet verscheen in de deuropening en maakte een buiging voor Madelaine. 'Wat wenst u, Madame?' vroeg hij, op een eerbiedige toon, die evenwel van onderdanigheid verstoken was.

'Mijn wens is dat je datgene zult doen wat Broeder Gurzin van je verlangt.' Zij strekte haar hand uit naar de met zand gevulde leren buideltjes die als gewichtjes dienstdeden voor de lange opgerolde schetsen. Zij plaatste ze zorgvuldig, zodat de geplakte verbindingen niet verbroken zouden worden.

'Koffie, graag, en wat wijn. Koeken, maar geen fruit of honing.' Hij maakte een zegenend gebaar naar Renenet en zei: 'Het is geen belediging voor Allah als een volger van de Profeet u zegent.'

'U hoort bij het volk van de Bijbel,' zei Renenet, en hij maakte voor de tweede maal een buiging. 'Uw opdracht zal onmiddellijk uitgevoerd worden.' Hij wendde zich af en liet hen alleen.

Gurzin staarde afwezig naar de tegenoverliggende muur. 'Hij zou het anders niet op prijs hebben gesteld als wij hier verleden week Kerstmis hadden gevierd, volk van de Bijbel of niet.'

Madelaine haalde haar schouders op. 'Alsof hij daarop zou letten. Is het niet voldoende dat ik een vreemdeling ben?'

'Meer dan dat. Zonder twijfel is dat de reden dat hij u zo in de gaten houdt. U doet er zeer verstandig aan hem geen reden tot aanmerkingen op u te geven.' Gurzin schonk haar wederom zijn aandacht. 'U gedraagt zich uiterst wijs, Madame.' Hij zweeg opnieuw.

'Denkt u dat hij ons afluistert wanneer wij met elkaar spreken?' vroeg Madelaine, toen zij weer enkele minuten alleen waren.

'Ik denk dat wij veiligheidshalve moeten aannemen dat er *iemand* meeluistert,' antwoordde hij. 'Zo niet Renenet, dan wel een ander. U bent een vreemdelinge in Egypte. Natuurlijk luisteren zij ons af.' Hij liep de salon door naar een van de secretaires. 'Hoeveel heeft u hierin opgeborgen?'

'Mijn veldaantekeningen, de vertalingen die wij hebben gemaakt,' zei zij, haar aandacht bij de schetsen die voor haar lagen.

'Bent u er zeker van dat uw sloten veilig zijn?' vroeg Gurzin, met zijn blik strak op de secretaire gevestigd.

'Ik draag de sleutel bij mij,' zei zij, en zij keek toen snel op. 'Waarom? Denkt u dat zij onvoldoende veiligheid bieden?'

Gurzin bestudeerde korte tijd beide secretaires. 'Ik denk dat iemand die in staat is de graftombe van een Farao te betreden en leeg te roven, geen moeite zal hebben met deze sloten. Ik denk dat, als dit mijn secretaires waren, ik de meest waardevolle zaken op een veiliger plaats zou bewaren.' Hij keek naar haar om. 'Maar ik denk dat ik de veldaantekeningen en een paar verslagen hier zou laten liggen, zodat anderen niet geneigd zouden zijn op andere plaatsen te zoeken naar die zaken waarvan u liever niet zou zien dat zij gevonden worden.'

'Als lokaas of afleidingsmanoeuvre?' vroeg Madelaine met een ondeugende blik in haar ogen.

'Waarschijnlijk als beide,' zei Gurzin. 'Heeft u ooit enig bewijs gezien dat er met de sloten is geknoeid?'

'Niet dat ik weet,' zei Madelaine, om meteen daarna terug te komen
op haar antwoord. 'Ongeveer een week geleden, toen ik de secretaire
wilde ontsluiten, had ik het idee dat een van de sloten losser zat dan
gewoonlijk.' Zij hield haar hoofd scheef. 'Denkt u dat iemand in de
huishouding heeft geprobeerd deze open te maken?'

'Zeer waarschijnlijk,' zei Gurzin, en hij ademde diep in. 'Wanneer
ik bewezen zie dat bedienden zich dusdanig laten gaan, verdriet mij
dat zeer.' Hij vouwde zijn handen. 'Zij zullen mij natuurlijk niets vertellen.'

'Omdat u geen mohammedaan bent, maar een Kopt?' raadde
Madelaine. 'Is dat voldoende reden voor hen om u als een buitenstaander te behandelen?'

'Voor sommigen van hen, ja. Voor anderen is het eerder een kwestie van gemak dan van geloof.' Hij sloot even zijn ogen en toen hij ze
weer opendeed, zei hij: 'Is er kortgeleden iemand van de expeditie hier
geweest?'

'Ja, Professor Paille en Professor Hiver. Vijf avonden geleden, weet
u nog? Zij waren voorheen naar de mis geweest voor Kerstmis.' Zij
omvatte de salon met een handgebaar. 'Wij hebben hier waarschijnlijk tot na tienen gewerkt. De grootmoedersklok in de entreehal had
juist tien uur geslagen toen zij vertrokken.'

'Ik bedoelde een minder formele aangelegenheid. Heeft een van hen
u een privébezoek gebracht?' Hij liep naar het raam en keek naar buiten. 'U maakte er gewag van dat Professor Baundilet bij tijd en wijle
moeite heeft gedaan een verhouding met u aan te knopen.'

'Ja, maar hij is niet zo dom om hierheen te komen. Het is niet gemakkelijk om een vrouw te verleiden in haar eigen villa. Hij zou liever zien dat ik naar hem toe ging, zodat zijn bedienden in plaats van
de mijne hiervan getuige zouden zijn.' Zij glimlachte zeer ongemeend
'Hij mist het gerief van zijn echtgenote en ik ben de enige Europese
vrouw, met uitzondering van Lasca, die voorhanden is.'

'Baart u dit zorgen?' vroeg Gurzin, zichzelf onderbrekend toen Renenet met een dienblad de salon weer betrad.

'Waar zal ik het neerzetten, Madame?' vroeg Renenet.

Madelaine keek om zich heen. 'Doe daar maar. Op die vierkante
kist. De bovenkant is breed genoeg en hij is niet te laag.' Zij gebaarde

naar Gurzin om plaats te nemen. 'Dank je wel, Renenet,' zei zij, toen haar bediende het dienblad had neergezet.

'Madame,' zei Renenet, en hij maakte een buiging alvorens zich terug te trekken.

Toen Gurzin een stoel aanschoof, zei hij tegen haar: 'Ik maak mij zorgen over Professor Baundilet. Hij eigent zich uw werk toe als was dat het zijne en hij probeert u tot zijn maîtresse te maken. Hij heeft het niet goed met u voor.'

'Noch slecht,' zei Madelaine. Zij richtte haar aandacht op de schetsen die voor haar uitgespreid lagen. 'Hij denkt mij te kennen, maar gelukkig is zijn voorstellingsvermogen beperkt.'

Gurzin ging hier niet op in, maar later op de dag, toen de zon lager stond en de lange, scherpe schaduwen zich vanuit de verafgelegen zuilengalerij uitstrekten, gaf hij haar een laatste waarschuwing. 'Indien u genegenheid voor een ander zou gaan koesteren, zou Baundilet daar niet gelukkig mee zijn. Hij zou geen rivalen dulden.'

Madelaine lachte, maar het geluid klonk droevig. 'Het enige dat hij verlangt is een vrouw om te gebruiken, voor zijn gerief; hoe zou hij een andere man daarvoor als rivaal kunnen beschouwen?'

'Denk niet te gemakkelijk over hem,' drong Gurzin aan. 'Hij is een inhalig man en dat maakt hem gevaarlijk.'

'Goed dan,' zei zij, 'als blijkt dat iemand mij het hof maakt, zal ik voorzichtig zijn.' Zij stond op van haar hoge stoel en streek de voorkant van haar gekreukelde jurk glad. 'Intussen zal ik mij moeite getroosten de Professor op afstand te houden.' Zij dacht aan de confrontatie in de kleine kamer en kromp ineen; zij wilde niet nogmaals een dergelijk incident doormaken.

'Ik bid dat dat zal volstaan,' zei Gurzin, zijn standaard opzij schuivend. 'Het is tijd voor mijn avondgebed.'

'Ik weet het,' zei Madelaine. 'En ik wil even alleen zijn; misschien zouden wij na uw maaltijd...' Zij maakte haar zin niet af.

'Wat is er?' vroeg Gurzin, op weg naar de deur.

'Ik was vergeten dat dit de avond is dat Doktor Falke voor een uurtje langs zou komen. Hij is nieuwsgierig naar onze vertalingen.' Zij liep naar de hoogste secretaire en staarde naar de voorkant. Was iemand werkelijk tot haar aantekeningen doorgedrongen? En waarom? 'Ik heb hem een brief gestuurd waarin ik mijn twijfel uitspreek of er stukken tussen zitten die betrekking hebben op de geneeskunst, maar hij volhardt in zijn nieuwsgierigheid. Ik verwacht hem omstreeks acht uur, nadat hij de dagelijkse zorg voor zijn patiënten heeft voltooid.'

'Doktor Falke,' herhaalde Gurzin. 'Heeft u hem onlangs nog gezien?'

'Ongeveer twee weken geleden,' antwoordde Madelaine; zij hoopte dat de toon van haar stem niets prijsgaf van haar toenemende belangstelling voor de Duitse geneesheer.

'Is Baundilet op de hoogte van deze bezoeken?' Gurzin had de deur bereikt en draaide zich om teneinde haar zijn zegening te geven. Hij wachtte op haar antwoord.

'Dat weet ik niet. Ik vermoed van wel.' Zij keek de kamer rond, alsof haar antwoord deel uitmaakte van de inrichting. 'In een kleine Europese gemeenschap als deze wordt er altijd geroddeld; het meeste is bekend en het is geen geheim dat Doktor Falke mij bij gelegenheid een bezoek brengt.'

'Dat spreekt vanzelf,' zei Gurzin, alvorens haar alleen te laten.

Madelaine liep terug naar de schragen tafel en keek neer op de schetsen, maar haar aandacht was er niet bij. Het idee dat zij bespioneerd werd, en nog wel in haar eigen huis, stond haar tegen. Zij had er een afkeer van dat zij voorzichtig moest zijn, dat zij elk woord dat zij sprak, elk gebaar, moest overwegen. Dat had zij genoeg meegemaakt in de afschuwelijke dagen aan het begin van de Revolutie, voordat Saint-Germain naar Montalia was gekomen en haar had weggetoverd naar zijn huis in Verona, waar zij veilig was. Zij waren gedurende die vijf rampspoedige dagen tweemaal bijna gevangengenomen en beide keren door de verraderlijkheid van bedienden. Hoewel dat meer dan dertig jaar geleden was, deed de herinnering aan het gevaar gedurende haar ontsnapping nog steeds een koude vuist in haar binnenste ballen.

'Madame?' zei Renenet vanuit de deuropening.

Madelaine draaide zich om en besefte dat de avond was gevallen.

'Zal ik de lampen voor u aansteken?' vroeg Renenet, alsof het niet vreemd was dat zijn werkgeefster alleen in een donkere kamer zat.

'O. Ja. Alsjeblieft.' Zij simuleerde een geeuw. 'Ik was kennelijk ingedommeld,' zei zij bij wijze van verklaring.

'Madame werkt veel te hard,' zei Renenet, terwijl hij vuurslag uit zijn mouw te voorschijn haalde; Madelaine had het opgegeven hem te vragen in plaats daarvan lucifers te gebruiken, hoewel dat veel sneller en handiger was. Terwijl Renenet zich van zijn taak kweet, zei hij: 'Doktor Falke is zojuist aangekomen. Hij zal spoedig binnenkomen uit de stal. Waar zal ik hem heen brengen?'

De vraag verraste haar. Falke was reeds gearriveerd. Zij nam niet de moeite haar antwoord te overwegen. 'Breng hem hier, als je wilt, en zorg ervoor dat hij een hartversterking krijgt.' Zij beroerde haar haar en hoopte dat het niet al te zeer in de war was geraakt. Dat was de moeilijkheid als men geen spiegelbeeld had, berispte zij zichzelf. Zij was afhankelijk van haar tastzin en de bekwaamheid van anderen om haar uiterlijk bij te houden. Zij kwam in de verleiding om Renenet te vragen haar te vertellen of zij toonbaar was, maar zij wist dat haar huisbediende aanstoot zou nemen aan een dergelijk verzoek. Er was niet genoeg tijd om Lasca te laten komen. Toen de laatste lamp op-vlamde, berustte zij erin om Falke zoals zij was onder ogen te komen.

Het geluid van zijn voetstappen weerklonk in de hal en Renenet vertrok teneinde Madelaines bezoeker naar de salon te begeleiden.

'Kom ik ongelegen?' vroeg Falke, nadat Renenet hem had aange-kondigd.

'In het geheel niet,' zei Madelaine, die eindelijk haar kalmte had herwonnen. 'Ik had toch een excuus nodig om er voor vandaag mee op te houden.' Zij liep weg van de schragen tafel. 'Ik bedacht dat u misschien liever hier ontvangen wilde worden, opdat ik u de ver-schillende inscripties kan tonen die wij ontdekt hebben.' Zij wendde zich tot Renenet. 'Een hartversterking voor mijn gast, alsjeblieft.' Ver-volgens keek zij Falke weer aan. 'Bent u het daarmee eens?'

'Volkomen,' zei Falke glimlachend.

Waarom doet hij dat? Madelaine vroeg het zich af, terwijl zij zijn glimlach beantwoordde. De lachrimpels bij zijn ogen en in zijn wan-gen deden zijn gezicht veranderen op een manier die haar betoverde.

'Zorg er alsjeblieft voor, Renenet.'

'Zoals Madame wenst,' zei haar huisbediende, en hij trok zich te-rug, vervuld van afkeuring.

'Hij is Europeanen niet gewoon,' zei Madelaine. 'Hij zou liever zien dat ik u niet alleen ontving.' In sommige delen van Europa, dat wist zij, zouden haar handelingen met dezelfde afkeuring bejegend wor-den als Renenet nu aan de dag legde.

'Wilt u liever iemand laten komen....' begon hij, maar zij viel hem in de rede.

'Nee, dank u. U bent heer genoeg om u te gedragen zoals betame-lijk is,' zei zij met een vleugje spijt in haar stem. 'Dit is mijn huis en wanneer zich iets vervelends zou voordoen, zou mijn personeel met u afrekenen.'

'Stellig,' zei Falke, terwijl hij naderbij kwam. 'Wat bestudeert u momenteel?'

'Een schets van een fries, een kopie.' Zij bracht een van de lampen dichterbij. 'Hij komt van de binnenmuur van de tempel die wij uitgraven.'

Het lamplicht veroorzaakte een flauwe beweging toen het de schets bescheen. De afbeeldingen namen de zachte gloed van het licht en de fijne vlammendans aan, zodat zij tot leven leken te komen. Falke staarde ernaar in verbijsterde betovering. 'Hoe verklaart u dit, Madame? Wat vertelt het u?'

Madelaine schudde haar hoofd. 'Niet genoeg,' antwoordde zij, na een korte aarzeling. 'Het vertelt mij wellicht hoe men van papyrus papier maakte. En dit vertelt mij hoe gevogelte werd bereid, de tekening doet mij dat tenminste veronderstellen. Dit hier' – zij wees naar een ander deel van de schets – 'zou iets te maken kunnen hebben met de verzorging van wonden, want op de afbeelding is te zien dat een van de mannen een bloedende arm heeft en de ander een gebroken been, en in de volgende twee beelden is de arm verbonden en het been gespalkt.'

'Goed, uitstekend,' zei Falke, die nu blijk gaf van oprechte belangstelling. 'Ja, ik begrijp hoe u tot die slotsom bent gekomen.' Hij leunde over de tafel, waarbij zijn arm langs de hare streek. Hij trok hem niet terug en bood ook zijn verontschuldiging niet aan. 'Denkt u meer van dit soort zaken te zullen vinden?'

'Wie zal het zeggen?' zei Madelaine, genietend van zijn nabijheid. Het was zo lang geleden! Zij had in de afgelopen twintig jaar geen minnaar genomen, met uitzondering van diegenen die zij in hun dromen had bezocht. Falke, met zijn glimlach en zijn moed, boeide haar. Zij besefte dat hij wachtte tot zij verder sprak. 'In deze tempel zijn zoveel inscripties en friezen te vinden, dat ik er zeker van ben dat wij in de komende maanden nog veel meer zullen ontdekken. De expeditie blijft hier nog zeker twee jaar. In die tijd zullen wij wellicht meer schatten vinden dan u of wie dan ook zich kunt voorstellen.'

'Schatten?' zei hij terugdeinzend, zijn gezicht plotseling streng. 'Is dat uw doel, Madame?'

'Ja,' zei Madelaine kortaf, 'maar niet uitgedrukt in goud. Dit' – zij legde haar hand op de schetsen – 'dit zijn schatten waardevoller dan goud, indien wij de betekenis kunnen achterhalen.'

Zijn uitdrukking werd milder. 'Dat begrijp ik,' zei hij. 'Ja. Dit is een schat. Een schat,' herhaalde hij op een andere toon. Zijn blik gleed van de schetsen naar haar en hij stond op het punt er iets aan toe te voegen.

'Hier is de hartversterking,' zei Renenet, die met een klein zilveren dienblad de kamer binnentrad. Een zilveren kopje, ongeveer tweemaal zo groot als een vingerhoed, stond naast een zilveren karaf. Renenet hield het dienblad vast alsof hij verwachtte dat de karaf zou kunnen ontploffen.

'Zet maar neer,' zei Madelaine, haar toon afgemetener dan haar bedoeling was geweest. 'Dank je wel, Renenet. Ik ben mij ervan bewust dat een goede mohammedaan geen spiritualiën tot zich neemt en dat het je tegenstaat deze op te dienen.'

Renenet knikte stijfjes en zette het dienblad op de hoek van de schragen tafel. 'Kan ik u nog ergens mee van dienst zijn, Madame?'

'Op het moment niet. Ik bel anders wel.' Met een handgebaar zond zij hem weg en reikte vervolgens naar de karaf. 'Mag ik zo vrij zijn?' bood zij aan, alvorens in te schenken.

'Doet u niet mee?' vroeg Falke, toen hij het kopje van haar aannam.

'Helaas niet,' zei Madelaine.

'Omdat u geen wijn drinkt,' zei hij. 'Dat is waar ook.' Hij hief het kopje in een stille heildronk en toen hij een slokje had genomen, zei hij: 'Voortreffelijk.' Er smeulde iets in zijn helderblauwe ogen.

'Dat is mij verteld, ja,' zei Madelaine en haar woorden klonken amper luider dan een fluistering.

De grootmoedersklok in de aankomsthal sloeg het halve uur.

'Ik kan maar beter gaan,' zei Falke, zijn stem gedempt door een emotie die hij nog niet herkende als hartstocht.

'Nee,' zei Madelaine, haar hand op zijn arm leggend. 'Blijf.'

Uiterst langzaam zette Egidius Maximillian Falke zijn kopje neer. Uiterst langzaam strekte hij zijn armen en omsloot haar gezicht met zijn handen. Uiterst langzaam kuste hij haar.

Tekst van een briefje van Rida Omat aan Madelaine de Montalia, beiden in Thebe.

*De dochter van Yamut Omat, Rida Omat, verzoekt om het
genoegen van het gezelschap van Madelaine de Montalia, voor
een uitstapje naar de westelijke oever van de Nijl, op de middag
van woensdag aanstaande, teneinde de eeuwenoude
monumenten daar in ogenschouw te nemen. Voor een lunch zal
gezorgd worden, evenals voor een buffet, 's avonds na onze
terugkeer.*

*Mademoiselle Omat verzekert Madame de Montalia ervan dat
het voorgestelde uitstapje met inachtneming van alle
fatsoensnormen zal plaatshebben, daar Monsieur Omat aanwezig
zal zijn, evenals de leden van de expeditie van Professor
Baundilet en andere Europeanen die momenteel in Thebe
verblijven. Indien Madame de Montalia zo verkiest, kan zij zich
laten vergezellen door haar kamenier of anders de Koptische
monnik die in haar villa verblijf houdt, teneinde de gepaste
welvoeglijkheid te waarborgen, of een ander daartoe geëigend
persoon aanwijzen om die rol te vervullen.*

*Indien het u schikt, verzoekt Rida Omat aan Madame de
Montalia om haar antwoord, alsmede een verwijzing naar
diegene die haar zal vergezellen, mee te geven aan de drager van
deze uitnodiging en van Mademoiselle Omats hartelijkste
groeten.*

Thebe, 16 februari 1826, volgens de Europese kalender

Twee

Die middag was de dhow aangekomen, met aan boord Ursin Guibert, die de benodigde voorraden uit Caïro meebracht. 's Avonds had Professor Baundilet de mannelijke leden van zijn expeditie uitgenodigd voor een avondje Europees vermaak. De enige Egyptenaar in het gezelschap was Yamut Omat, die verscheen in zijn fraaiste Egyptische kledij, geheel geborduurd met goud- en zilverdraad.

'Een waar feestmaal,' gaf Merlin de la Noye te kennen, na afloop van de maaltijd. 'Ik heb in maanden geen behoorlijk stuk rundvlees gegeten. En de met appels en rozijnen gevulde kapoen was een waarachtig kunstwerk.' Hij hief zijn glas port en de anderen volgden zijn voorbeeld.

'Inderdaad,' zei Omat, met de rest meedrinkend. 'In mijn land dineren wij niet op een dergelijk grootse wijze. Het is mij een eer om bij deze gelegenheid aanwezig te mogen zijn.' Hij kwam overeind, minder onvast dan de anderen waarschijnlijk hadden gekund. 'Sta mij toe u geluk te wensen bij deze feestelijke aangelegenheid, Professor Baundilet. Ik heb vandaag vernomen dat uw verzoek voor meer gravers is ingewilligd.'

'Hoe speelt u het toch klaar om als eerste alle nieuwtjes aan de weet te komen?' vroeg Jean-Marc Paille verbaasd. Zijn hoofd was niet zo helder meer, maar hij was vervuld van een gevoel van kameraadschap dat hem gewoonlijk vreemd was.

'Dit is mijn land,' zei Omat, uiterst hoffelijk.

De opmerking van Omat werd met hilariteit begroet, deels overdreven, de kwaliteit van de kwinkslag in aanmerking genomen; Omat leek het zich echter niet aan te trekken.

'Het uwe en dat van de Farao's,' zei Claude-Michel, in zijn glas turend en zich afvragend hoe het kwam dat er niets meer in zat. Hij keerde het om teneinde zich ervan te vergewissen dat het echt leeg was en zette het toen weer rechtop.

'Tja,' zei Omat. 'Maar ik leef nog.'

LaPlatte sloeg met zijn harde, vierkante hand op de tafel en verklaarde dat Omat zich met elke Fransman kon meten.

'Je bent dronken, Justin,' zei Baundilet.

'Wat u zegt, en blij toe,' antwoordde LaPlatte giechelend. 'Laten wij nog wat van deze voortreffelijke port nemen.' Hij hief zijn glas, ietwat onvast. 'Op de geheimen van de ouden en het profijt van onze expeditie. Morgen heb ik hier spijt van, maar vanavond ben ik keizer van de wereld.'

Baundilet gaf een teken aan de bedienden die hen van spijs en drank hadden voorzien. 'Je kunt net zo goed de tweede fles openmaken en hem hier laten staan, samen met de muskaatwijn.' Hij overhandigde drie zilveren muntstukken aan degene die het dichtst bij hem stond. 'Voor jullie diensten.'

De man maakte een buiging namens alledrie de bedienden. 'Moge Allah u gunstig gezind zijn.'

'En jullie ook,' zei Baundilet, alvorens hen met een handgebaar de hut uit te sturen.

'Wij zullen nu voor onszelf moeten zorgen,' zei Jean-Marc, met een zekere mate van voldoening. 'Het is niet goed om te praten met dat stel in de buurt. Wellicht wordt alles wat wij hier bespreken opgetekend.'

'De meesten van hen verstaan niet meer dan één woord uit elke tien,' zei Ursin Guibert, terwijl hij het laatste restje Côtes Sauvages in zijn glas opdronk. 'Zij die dat wel kunnen, zullen dat gewoonlijk niet toegeven.' Hij keek om zich heen in de hut. 'De kapitein blijft nog wel een uur aan wal. Hij bezoekt drie van zijn vrouwen.'

'Drie vrouwen! Verdomd stel heidenen,' zei Thierry Enjeu met genegenheid, alsof hij het over een speels huisdier had. 'Je zou net zo goed een stel apen kunnen houden, meestal tenminste.'

'En toch hebben wij ze nodig,' zei Baundilet, toen de hoofdkelner terugkeerde met de tweede fles port en de muskaatwijn. 'Zonder hen zouden wij hier niet zijn, en ons werk zou niet gereed komen zonder hun hulp. Die extra gravers zijn volstrekt noodzakelijk, vind je niet?'

LaPlatte knikte nadrukkelijk. 'Wij hebben hen nodig en wij hebben tevens meer mandendragers nodig. Zoals het er nu uitziet, zullen wij nog tien ton puin vinden om uit te kammen. Het is nu de tijd om vaart achter het graafwerk te zetten. Wij kunnen er niet op rekenen dat het weer nog veel langer zo clement blijft. Het wordt met de dag heter en droger en weldra...' Zijn uitdrukking werd nors. 'Wij worden nu belemmerd doordat wij niet voldoende hulp hebben. Als de zomer eenmaal heeft doorgezet, zullen wij nog minder gedaan krijgen.' Omat gaf blijk van zijn medegevoel. 'Ik zal zien of daar iets aan te doen is. Er bestaat geen enkele reden waardoor u gedurende de zomer minder vooruitgang zou boeken.'

'Ik sta voor eeuwig bij u in het krijt, Monsieur Omat,' zei Baundilet, met een blik die meer zei dan zijn woorden.

'Het is gewoon een vriendendienst,' zei Omat, die eindelijk weer plaatsnam. 'U en ik, Baundilet, wij hebben veel gemeen, althans ik vlei mijzelf met die gedachte. Wij weten wat het betekent om compromissen te sluiten. Neem deze wijn bijvoorbeeld.' Hij schonk een weinig muskaatwijn in zijn glas. 'Ik ben mohammedaan en ik weet dat Allah God is, maar om nou te zeggen dat ik om die reden niet mag drinken, wat een onzin! Allah begrijpt dat mannen plooibaar moeten zijn en ik loof Zijn Wijsheid.' Hij dronk zijn glas voor de helft leeg. 'Men beweert dat zoete wijn een grotere valstrik zou zijn dan droge. Wat denkt u?'

'Ik denk dat ik champagne zou verkiezen,' zei Baundilet, 'maar die was niet voorhanden en dus hebben we maar muskaatwijn genomen, tegen verderfelijke prijzen en dankzij aanzienlijk smeergeld, mag ik er wel bij vermelden. Niet al uw landgenoten delen uw verdraagzaamheid aangaande alcohol.' Hij schonk wat in en hief zijn glas naar Omat. 'Op onze wederzijdse verstandhouding.'

'Zeer zeker,' zei Omat.

De portfles was nadat hij de tafel rond was geweest bijna leeg. Claude-Michel hield hem tegen het licht en bezag hem met een norse blik. 'Ik begrijp niet hoe de wijn kan verdwijnen,' zei hij met dikke tong.

'Hij verdwijnt omdat jij hem opdrinkt,' zei LaPlatte, en hij pakte de fles van Claude-Michel af. 'Geef hier, zatlap.'

Claude-Michel wierp een bokkige blik op LaPlatte. 'Het staat je netjes, mij voor een zatlap uit te maken,' klaagde hij pruilend.

'Welnu, je bent een zatlap,' zei LaPlatte. 'Vanavond zijn wij allemaal zatlappen.' Hij lachte nogmaals en hield de fles port omhoog. 'Nog twee glaasjes. Twee neuten voor de teuten. Wie wil ze hebben?' Hij schonk de glazen vol die hem werden voorgehouden. 'Ursin, de laatste is voor jou.'

'God zij geloofd en geprezen,' zei Ursin Guibert, en hij proefde de port.

Jean-Marc keek Baundilet met plotselinge bezorgdheid aan. 'U denkt toch niet dat zij ons kwaad zullen doen, is het wel?'

'Wie?' vroeg Baundilet, die de vraag niet begreep.

'De kelners,' zei Jean-Marc. 'Zij zouden ertoe in staat zijn, nietwaar?'

Omat antwoordde voor Baundilet. 'Daar hoeft u niet bang voor te zijn, Professor Paille. Het zijn bedienden. In een mohammedaans land kennen bedienden hun plaats en daar houden zij zich aan. Wij gedragen ons niet zoals in Frankrijk, waar het gespuis gezalfde koningen ten val kan brengen.'

Enjeu schudde zijn hoofd. 'Dat zie je verkeerd, Omat,' zei hij ernstig. 'Het oude bestel was corrupt en zedeloos, en ware het niet voor de Revolutie, wie weet wat er dan van het Franse volk was geworden.' Hij dronk zijn wijn uit. 'Het was noodzakelijk.'

'Corruptie?' zei Omat. 'Dat is een modeverschijnsel, vindt u niet?'

'Het was een bloedbad,' mompelde Claude-Michel, Omats opmerking negerend. 'De Revolutionairen waren erger dan de aristocratie.'

'Geen sprake van. Kijk naar de eeuwen toen de aristo's aan het bewind waren en op welke manier. De Revolutie moest wel in een bloedbad ontaarden. Dat was de schuld van de aristo's en diegenen die achter hen stonden,' verklaarde LaPlatte. 'Zij hebben de Revolutionairen ertoe gedwongen zo hard op te treden. De Revolutionairen waren in eerste instantie voor rede vatbaar, dat was evenwel niet voldoende voor die hooggeboren duivels. Als de aristo's zich niet als dienstkloppers hadden gedragen, zou het volk niet een dergelijke hoge prijs hebben geëist voor hun vrijheid.'

'Vrijheid?' schimpte Jean-Marc. 'Er zit een Koning op de troon in Parijs vandaag de dag. Wat voor vrijheid?'

'De Koning is niet meer dan een marionet. Geen Koning zou meer dan dat durven zijn, niet na de les van de Revolutie,' hield Enjeu vol. 'Wat er ook wordt beweerd, het volk voert het bewind over Frankrijk en een Koning wordt slechts geduld omwille van de rest van de wereld.'

Baundilet tikte met zijn vork tegen zijn wijnglas. 'Heren, heren,' riep hij hen tot de orde. 'Laten wij niet nogmaals de Revolutie uitvechten. Wat ons standpunt ook moge zijn, de Revolutie is verleden tijd.' Hij knikte naar Yamut Omat. 'Het is niet gepast om in tegenwoordigheid van onze gast onze politiek te bespreken.'

'U heeft gelijk,' zei Jean-Marc. 'Hoogst ongepast.' Een onverhoedse, enorme geeuw ontsnapte hem. 'Excuseert u mij.'

'Het is al laat,' zei LaPlatte. Hij nam het horloge uit zijn vestzakje en wierp er een blik op. 'Ik heb het al na elven.'

'Ik ook,' beaamde De la Noye. 'Geen wonder dat wij half slapen. Het ligt niet aan de wijn. Of niet alleen aan de wijn.' Hij dronk zijn glas leeg en keek de anderen glunderend aan. 'Het wordt tijd om mij aan wal te begeven. Het is weer vroeg dag.' Hij lachte hinnikend om zijn eigen geestigheid en herhaalde deze zachtjes voor zijn eigen genoegen. Hij schoof zijn stoel naar achteren en het lukte hem bij de tweede poging overeind te komen. 'Een fantastische avond, Baundilet. Ik zal u waarschijnlijk bij de dageraad vervloeken, maar dat is een ander verhaal.' Hij strompelde naar de deur, vermande zich en slenterde het dek op. Een paar stappen later riep hij om zijn huisbediende. 'Het is tijd om te gaan, Habib.'

Thierry Enjeu volgde het voorbeeld van De la Noye en kwam moeizaam overeind. 'Ik geloof dat Merlin gelijk heeft,' zei hij op nagenoeg heldere toon. 'Een uitstekende maaltijd, Baundilet. Verrukkelijke spijzen. Fantastische wijn.' Hij zette een buiging in maar bedacht zich toen. 'Morgen.'

'Laat uw bediende goed op u passen,' stelde Guibert voor, toen Enjeu zeer voorzichtig de hut uit liep. 'En neem wat thee met Spaanse peper als je thuiskomt. Dan zal je hoofdpijn bij het ontwaken minder erg zijn.'

Op het moment dat Jean-Marc aanstalten maakte om overeind te komen, voelde hij Baundilets hand op zijn pols. 'Ik heb je hier nog even nodig,' zei Baundilet zachtjes, als antwoord op Jean-Marcs verbaasde blik.

'Zoals u wenst,' zei Jean-Marc, en hij ging weer zitten, nieuwsgierig naar Baundilets bedoeling.

Claude-Michel en LaPlatte hielpen elkaar de hut uit en, terwijl zij onzeker hun weg over het dek vervolgden, brachten zij elk hun eigen versie van 'Le Berger et la Nubile' ten gehore, in onverenigbare harmonie. Uiteindelijk ontboden zij hun huisbedienden teneinde zich door hen de loopplank af te laten helpen.

'Dat was het eerste verstandige woord dat een van beiden het laatste uur heeft uitgebracht,' zei Baundilet. 'Guibert, wil jij erop toezien dat Paille, Omat en ik niet gestoord worden?'

Ursin Guibert stond op, elk spoortje beschonkenheid opeens verdwenen. Zijn stem klonk vast en zijn woorden helder. 'Zoals u wenst, Professor.' Hij maakte een lichte buiging en liep naar de deur, die hij met zorg achter zich sloot.

'Welnu,' zei Omat, toen de laatste geluiden van hoefgetrappel en wielen waren weggestorven. 'Deze kans komt zeer gelegen.' Hij keek Baundilet recht in het gezicht. 'U gaat handig met uw mensen om, Baundilet. Dat is goed voor een man in uw positie.'

Baundilet deed zijn best om bescheiden te kijken maar slaagde hier niet in. 'Het verheugt mij dat u er zo over denkt,' zei hij. 'Teneinde uw plan kans van slagen te bieden, moet ik die invloed zien te behouden, nietwaar?'

'Zonder twijfel,' zei Omat, die in zijn stoel achterover leunde en zich bediende van een sigaar uit de humidor die midden op tafel stond. Hij nam een lucifer uit het doosje en streek deze af, waarna hij de sigaar met geoefende zorg aanstak. 'Het is niet waarschijnlijk dat zulk een geschikte gelegenheid zich in de nabije toekomst weer zal voordoen. Wij moeten deze aangrijpen.'

'Dat is een van de redenen dat wij deze bespreking vanavond moeten voeren,' zei Baundilet, meer tegen Jean-Marc nu dan tegen Omat. 'Er zijn zeer veel beslissingen te nemen en er is bijzonder weinig tijd om tot overeenstemming te komen.'

'Zeer waar,' zei Omat. 'Het gaat hier niet om zaken die wij wereldkundig zouden willen maken.' Hij glimlachte als wilde hij zijn tanden ergens in zetten.

'Ik... wat bedoelt u?' vroeg Jean-Marc, die niet goed wist waar hij aan toe was. 'Wat voor zaken spelen hier?'

'Iets tot ons wederzijds voordeel,' zei Baundilet gladjes. 'Iets wat ons zeer goed uitkomt en een gunst inhoudt voor Monsieur Omat.' Hij schonk het laatste restje muskaatwijn in zijn glas. 'Ik kan mij niet voorstellen dat jij er bezwaar tegen zult hebben.' Dit laatste zei hij op vriendelijke toon, doch van zijn kaaklijn kon Jean-Marc de waarschuwing aflezen dat tegenwerking niet geduld zou worden.

'Het zit zo,' zei Omat, het gesprek overnemend. 'Ik koester een grote liefde voor zeldzame en mooie voorwerpen. Wat ik van uw mensen heb geleerd, brengt mij in verrukking en ik sta bij u in het krijt voor alles wat u voor mijn land doet. Ik zie evenwel dat sommige van uw mensen zich weinig aan Egypte gelegen laten en al hun verplaatsbare vondsten willen doen verdwijnen. Dit baart mij zorgen.'

'Er zijn er die beslist de piramides van Gizeh zouden meenemen als zij daartoe in staat waren,' schertste Baundilet. 'Je kunt het ontwikkelde Egyptenaren niet kwalijk nemen dat zij zich zorgen maken.'

'Niet iedereen maakt zich evenveel zorgen.' Omat vouwde zijn handen voor zich samen, en het gouden borduurwerk van zijn gewaden glinsterde in het lamplicht. 'Er zijn er die beweren dat deze eeuwenoude volkeren de Profeet en de wet van Allah niet erkenden en daarom van geen betekenis voor ons zijn. Ik trek het gewicht van de Profeet – moge Allah allen die hem volgen begunstigen – niet in twijfel, maar ik ben niet van mening dat dit afbreuk doet aan de waarde van deze monumenten.'

'Veel geleerden zouden het met u eens zijn. Voor ons geldt dat zeker,' zei Baundilet, alsof hij hiermee Omats verklaring kracht bij wilde zetten.

'Ik meen dat wij het daarover eens zijn,' zei Jean-Marc voorzichtig.

'Goed. Uitstekend,' zei Omat goedkeurend. 'Dan zult u er begrip voor hebben dat Professor Baundilet en ik tot een overeenkomst zijn gekomen.' Hij leunde naar voren. 'Ongetwijfeld zult u ons willen bijstaan.'

Jean-Marc keek Baundilet aan en zag niets dan milde geamuseerdheid in zijn ogen. 'U helpen?'

'Monsieur Omat heeft zijn steun en wat extra fondsen toegezegd als wij hem van dienst zijn.' Baundilet nam een slokje wijn. 'Ik kan een dergelijke onderneming niet alleen klaarspelen.'

'U bent zeer edelmoedig,' zei Jean-Marc tegen Omat, niet zeker wat er van hem werd verwacht.

'Hij heeft natuurlijk recht op een vergoeding,' vervolgde Baundilet op gedempte toon. 'Dat moeten wij vanavond regelen.'

Aan de overkant van de Nijl was plotseling geplons te horen, luid en heftig in de door de rivier verzachte stilte.

'Wat bedoelt u met vergoeding?' vroeg Jean-Marc, achterdochtig nu. Hij friemelde aan zijn horlogeketting en trok hem hierbij bijna uit zijn vestzakje. 'Wat moeten wij regelen?'

'Een gunst,' zei Omat. 'Een vriendendienst van een Fransman voor een Egyptenaar.'

Jean-Marc keek met een angstig voorgevoel om zich heen. 'Bedoelt u dat u van ons verwacht dat wij met u persoonlijk onderhandelen over onze ontdekkingen?'

'Niet allemaal,' zei Omat. 'Degene die betrekking hebben op uw werk zijn zeker belangrijk genoeg om gedeeld te worden. Maar er zijn veel ontdekkingen, zeer kleine, die niets meer vragen dan een aantekening in uw werk, maar waar ik prijs op zou stellen. Ik bezit bijvoorbeeld drie stel kruiken versierd met godenhoofden die lang geleden zijn weggenomen uit de graftombes. Ik heb ze van iemand gekocht die ze had gestolen van iemand die ze op zijn beurt had gestolen van een andere dief.' Hij stiet een blaffende lach uit. 'Ik verwacht niet dit soort zaken ten geschenke te krijgen. Ik zal u helpen toestemming te verkrijgen om langer en op meer lokaties dan andere expedities te werken en ik zal helpen de kosten te dekken van hetgeen u doet.'

'Dit is verbijsterend,' zei Jean-Marc, op wiens gezicht afkeuring te lezen stond.

Baundilet schudde zijn hoofd. 'Jean-Marc, beste jongen, denk er eens goed over na. Je beseft nog niet wat dit voor ons zou kunnen betekenen. Voor jou.' Dit laatste was zo direct dat Jean-Marc zich omdraaide en Baundilet aanstaarde. 'Jij bent een man die graag zou trouwen en wie de hand van de vrouw die hij liefheeft is geweigerd, omdat hij niet voldoende rijkdommen bezit om haar vader tevreden te stellen. Ik heb het toch bij het rechte eind, nietwaar? Dat heb jij mij toch zelf verteld?'

'Ja,' zei Jean-Marc, met stijgende opwinding.

'Ik verwacht niet dat jij mij helpt zonder in de opbrengsten te delen. Ik ben heus niet zo zeer van scrupules verstoken. Je zou je toekomst zeker kunnen stellen door hieraan mee te werken.' Baundilet liet een cynische glimlach zien. 'Denk na, jongen. De Egyptenaren zouden zonder aarzeling de zaken die wij vinden aan jou verkopen, als zij deze zelf hadden opgegraven...'

'En hebben dat ook vaak gedaan,' riep Omat uit.

'... dus waarom je iets ontzeggen, als de gelegenheid zo vrijelijk wordt geboden?' Hij steunde met zijn ellebogen op tafel en leunde naar voren. 'Denk even na, Jean-Marc. In een luttele twee jaar is het mogelijk om je zakken dusdanig te vullen dat je nooit meer zult hoeven werken, behalve wanneer je dat zelf verkiest, dat je niet zult hoeven lesgeven om in je onderhoud te voorzien.' Hij dronk het laatste restje wijn en vervolgde: 'Je bent geschokt omdat je denkt als een academicus, een leraar die nog nooit het klaslokaal heeft verlaten. Welnu, jij en ik zijn dan misschien academici, wij zijn hier echter niet in een klaslokaal. Wij hebben geen leerlingen, want wij zijn zelf leerlingen. Wij hebben de goedkeuring van mannen zoals Monsieur Omat nodig als wij onze opdrachten, zoals door onze universiteiten van ons verwacht, tot een goed einde willen brengen. Wij hebben een verplichting aan de universiteiten om elke gelegenheid die ons gedurende ons verblijf hier geboden wordt, volledig te benutten. Als wij een dergelijk voordeel van Monsieur Omat verlangen, waarom vind jij het dan onredelijk als wij de overeenkomst met een paar stappen uitbreiden?'

'Maar u stelt diefstal voor,' zei Jean-Marc, wie geen minder vernietigende woorden te binnen schoten om uiting te geven aan zijn verontwaardiging.

'Van wie?' vroeg Yamut Omat op zijn redelijkste toon. 'Welke Farao of Hogepriester zou u daarvan kunnen beschuldigen? Zij zijn stof en hun mummies zijn gebroken en over de woestijn verspreid.' Met een gebaar wimpelde hij ze af. 'Nu bestaat er geen verschil tussen het vinden van een steen op het strand en het meenemen van een kruik of een zegel of een halssnoer uit deze ruïnes.'

'En hoe zit het dan met de gedragscode van onze studie? Zijn wij niet verplicht alles wat wij ontdekken aan te geven?' vroeg Jean-Marc aan Baundilet. 'Hoe kunt u deze ideeën in overweging nemen in de wetenschap dat zij ertoe zouden kunnen leiden dat ons werk in diskrediet wordt gebracht?'

'En, vertel eens, hoe zou dat kunnen gebeuren?' vroeg Baundilet met valse vriendelijkheid. 'Als jij of ik zouden onthullen wat wij hadden gedaan, dan zou dat zich kunnen voordoen, maar ik zal niets zeggen, en mocht jij spreken, dan zal ik alles ontkennen.' Hij leunde naar achteren en wipte op de achterste poten van zijn stoel. 'Ik dacht dat jij degene zou zijn die het gretigst zou toehappen om van deze onverwachte wending te kunnen profiteren. Jij bent degene die, van alle leden van de expeditie, er de grootste behoefte aan heeft, en degene die het best zou moeten begrijpen waarom het zo is dat Monsieur Omat wenst dat een deel van onze vondsten hun weg naar hem vinden, terwille van de integriteit van deze streek. Jij hebt mij verteld dat je van mening bent dat wij Europeanen Egypte leegplunderen. Welnu, hier is een manier om dat deels goed te maken en er tegelijkertijd beter van te worden.'

'Ik... het is nooit in mij opgekomen,' zei Jean-Marc. 'Maar zouden onze vondsten niet naar een bepaalde afdeling van de regering moeten gaan?'

'Elke ambtenaar zou waarschijnlijk dergelijke vondsten aan de hoogste bieder verkopen,' zei Omat. 'En er zijn er velen die de hoogste prijs willen betalen.' Hij keek Jean-Marc onderzoekend aan, hem aanstarend met een directheid die weinig Europeanen tentoon zouden spreiden. 'U kunt ervan verzekerd zijn dat al wat aan mijn verzameling wordt toegevoegd, met zorg behandeld en door mijn familie gekoesterd zal worden. Wie weet, te gelegener tijd zullen mijn erfgenamen wellicht een museum oprichten voor al die schitterende objecten die ik heb verkregen.'

'Een prijzenswaardig idee, Monsieur Omat,' zei Baundilet. 'Die gedachte getuigt van een vooruitziende blik.'

Omat maakte een gebaar van berusting. 'Het is de wil van Allah.'

'Natuurlijk,' zei Baundilet. 'Toch komt de lof voor het idee u toe, of het nu zijn oorsprong vindt bij u of bij uw God.' Hij richtte zijn aandacht op Jean-Marc. 'Zie je wel? Onze ontdekkingen zijn beter af in handen van Monsieur Omat dan bij een stel ambtenaren.'

'Hoe zit het met de plaatselijke Magistraat?' vroeg Jean-Marc, en hij dacht hierbij aan de strenge Numair, die meerdere waarschuwingen had uitgevaardigd met betrekking tot het meenemen van antiquiteiten zonder de gepaste aangifte bij de autoriteiten.

'Daar zorg ik wel voor,' verzekerde Omat hem. 'Hij is niet bijzonder begripvol, maar hij is geen volslagen dwaas.'

'Weer een gunst?' zei Jean-Marc beschuldigend. 'Wat verwacht u dat wij zullen vinden?'

'Daar heb ik geen idee van,' zei Omat, ditmaal met onschuldige uitgelatenheid. 'Dat maakt het juist zo fantastisch. Niemand weet wat men bij deze expedities zou kunnen vinden. Ieder van ons zou graag een tombe aantreffen die nog niet leeggeroofd is, of een verborgen tempel gevuld met nog niet geplunderde rijkdommen. Als die zich al ergens bevinden, zijn wij daarvan niet op de hoogte. Omdat wij van hun bestaan niet op de hoogte zijn, zal de vondst des te belangrijker zijn, juist omdat zij onbekend waren. Denkt u ook niet dat iets ontdekken dat zo zeldzaam is dat niemand er iets van weet, de grootste voldoening schenkt?'

Zonder de opzet te hebben zijn instemming te betuigen, ontdekte Jean-Marc dat hij knikte. 'Ja. Er bestaat geen grotere voldoening.'

'Welnu,' zei Baundilet, met joviale welwillendheid, 'daar heb je het. Wij zullen die kans krijgen als jij en ik, Jean-Marc, van een klein beetje pragmatisch gezond verstand blijk geven om het gelukkige toeval een handje te helpen.' Hij wreef zich over zijn kin. 'Nu, belangrijke objecten moeten worden overgedragen aan de autoriteiten en onze universiteiten, maar er zijn, zoals u reeds zei, veel kleine dingen die niet op dezelfde wijze verantwoord hoeven te worden. Het is dus alleszins verstandig om aan deze onderneming deel te nemen.'

'Zeg mij niet dat u het niet kunt,' pleitte Omat. 'U heeft er nog geen weet van wat u zult vinden. Als u het niet weet, hoe kunt u dan uw standpunt verdedigen? Hoe kunt u mij afwijzen? Veronderstel dat u drie zakken fruit vindt, de inhoud inmiddels veranderd in kiezelsteentjes, en verzegeld met het teken van een Farao wiens naam ons onbekend is? Is dat van belang voor uw universiteiten of de Egyptische autoriteiten? Hoe zou het dat kunnen zijn? Zelfs de grafrovers waren niet nieuwsgierig naar deze zakken. Ik zou evenwel een dergelijke vondst koesteren omdat ik er wel degelijk waarde aan hecht.'

'Ik wil niet toezien hoe ons werk wordt... tenietgedaan,' zei Jean-Marc, met minder overtuiging echter dan enkele minuten eerder. 'Mijn reputatie zal niets meer waard zijn als ooit bekend wordt dat ik mij hiermee heb ingelaten.'

'Het enige dat je behoeft te zeggen is dat de beschuldiging vals is. Ik zal achter je staan als het zover mocht komen,' verzuchtte Baundilet. 'En jij zult mij natuurlijk steunen. Als geen van ons beiden de ander afvalt, wie zou ons dan in opspraak kunnen brengen?'

'Luister naar Professor Baundilet,' adviseerde Omat. 'Hij is een verstandig man en meer ervaren dan jij. Hij verblijft hier langer en kent de Egyptische gebruiken.' Geen van beide Europeanen hoorde de licht minachtende toon in Omats stem. 'Laat u door hem leiden, jongeman, zoals hij zich door mij heeft laten leiden.'

'En als ik zou zwijgen, maar niet mee zou doen?' opperde Jean-Marc, alsof hij plotseling een uitweg uit dit lastige parket had gevonden.

Omat schudde vermoeid zijn hoofd. 'Weet u hoeveel Europeanen iets is overkomen in dit land? Weet u hoeveel van hen invalide geworden of overleden zijn, omdat zij niet begrepen hoe gevaarlijk Egypte kan zijn? Wie weet wanneer een schorpioen zijn weg vindt naar uw verblijf? Hoe beschermt men zich tegen een aanvallende adder? En in de ruïnes, wie is in staat zichzelf te beschermen tegen de

146

instorting van eeuwenoude funderingen?' Zijn glimlach was engelachtig, maar in zijn ogen was geen spoortje van vermaak te zien.

Jean-Marc deed onwillekeurig een stap terug. 'U zou het niet wagen,' zei hij, zonder overtuiging.

'Ik?' riep Omat uit. 'Zeer zeker zou ik dat niet. Dat heb ik ook niet gesuggereerd, Professor Paille. Maar dat wil niet zeggen dat dergelijke dingen niet gebeuren of dat zij u niet zouden kunnen overkomen.' Hij keek naar Baundilet. 'Uw leider kent deze gevaren en neemt zijn voorzorgsmaatregelen. U zult hetzelfde moeten doen.'

'Monsieur Omat heeft zeker gelijk, Jean-Marc,' zei Baundilet. 'Ik deel zijn zienswijze op dit punt.'

Nu voelde Jean-Marc de eerste overweldigende huivering van angst. 'U zou hem inderdaad steunen?'

'Ik meen dat dat duidelijk is,' zei Baundilet. 'Evenals ik jouw beweringen later zou steunen ingeval iemand jou zou aanvallen.' Hij maakte een handgebaar naar Omat. 'Wij beiden wensen je slechts het beste toe, Jean-Marc, maar wij verlangen jouw woord dat je ons vertrouwen in jou zult bevestigen.'

'Het is een bijzonder gunstige regeling,' vertelde Omat hem. 'Voor ons allen.'

Jean-Marc knikte meerdere malen en kon moeilijk ophouden. Hij hoopte dat hij beschonken was en dat dit een verwarde droom zou blijven, waarvan de volgende morgen niets over zou zijn dan hoofdpijn en een gevoel van misselijkheid. 'U bent beiden bijzonder goed voor mij,' zei hij, met het angstige voorgevoel dat de ochtend hem geen absolutie zou schenken.

'Schitterend!' riep Omat uit.

'Je blijkt de verstandige knaap te zijn waar ik je al voor hield,' zei Baundilet, en hij stak zijn hand naar Jean-Marc uit als teken van hun verbond.

Tekst van een brief van Erai Gurzin in Thebe aan le Comte de Saint-Germain aan het Lago di Como in Italië.

Aan mijn vereerde Leermeester Saint-Germain in de naam van God en de Eucharistie,

Ik hoop dat deze brief u zal bereiken nog voor uw terugkeer naar

Zwitserland. Mocht dit evenwel niet het geval zijn, maakt u zich dan geen zorgen als hij u niet zo snel als u zou wensen, bereikt. Al lijkt het wellicht vreemd, ik ben u dankbaar dat u mij naar Madame de Montalia heeft gezonden. Tot mijn verwondering is zij een even bekwaam en deskundig leerling als enig ander die ik ooit ben tegengekomen en ik beken dat ik inmiddels uw mening over haar geheel deel, alhoewel ik, toen ik haar pas had ontmoet, betwijfelde of dat ooit zou gebeuren. Ik heb dit opgebiecht aan God en zal het te gelegener tijd bij mijn terugkeer in het klooster ook opbiechten aan mijn Broeders. Intussen heb ik een manier gezocht om mij bij haar te verontschuldigen voor de vooroordelen die ik jegens haar koesterde, die zo onterecht bleken te zijn.

Wij hebben deelgenomen aan de navorsingen van de expeditie van Professor Baundilet hier in Thebe. Voor het grootste deel hebben wij ons beziggehouden met de uitgraving van de ruïnes, die volgelopen zijn met zand, en met het kopiëren van alle inscripties die wij tot dusverre hebben gevonden. Dit was zeer tot genoegen van Madame de Montalia en zij heeft mij verteld dat zij meer dan tevreden is met de inscripties. Toch geeft zij zo nu en dan toe dat zij ernaar verlangt meer te begrijpen. Hoewel er geen verrassende ontdekkingen zijn gedaan, is er zeker vooruitgang geboekt bij het verzamelen van de vertalingen van de hiërogliefen in de tempel, die wellicht uiteindelijk tot indrukwekkender vondsten zullen leiden.

Professor Baundilet heeft voor Madame de Montalia zeer veel interesse aan de dag gelegd, die niets te maken heeft met collegiale belangstelling van een academicus, maar alles met die van een jaloerse man. Zij heeft mij verzekerd dat dit haar niet raakt, maar ik maak mij zorgen om haar; hij is er niet de man naar om een vrouw te vergeven die niet buigt voor zijn wil. Ik heb een poging gedaan haar te waarschuwen, maar zij wil niet naar mij luisteren, en als zij dat al doet is het uit beleefdheid. Zij is van mening dat Professor Baundilets verlangen niets meer is dan een voorbijgaande gril. Ik ben niet zo optimistisch als zij, want ik vrees dat, wanneer Professor Baundilet ontdekt dat haar genegenheid een ander geldt, hij zich niet hoffelijk zal terugtrekken of haar besluit zonder tegenwerpingen zal aanvaarden.

Om hier dieper op in te gaan: Madame de Montalia heeft belangstelling opgevat voor een Duitse arts die zijn intrek heeft genomen in de villa een stukje verderop gelegen aan dezelfde weg als de hare. Deze arts is niet aan de oudheidkundige expeditie verbonden, doch verkeert regelmatig in hun gezelschap, aangezien hij deel uitmaakt van de kleine Europese gemeenschap in dit gebied. Het is, naar ik meen, een man met een standvastig karakter en iemand die trouw is aan zijn gevoelens; hij denkt niet licht over Madame de Montalia, want hij brengt haar niet in verlegenheid, noch pronkt hij op enigerlei wijze met haar hoogachting.

Ik heb de indruk dat deze arts, Falke genaamd, eerbare bedoelingen heeft, maar toen ik opperde dat Falke wellicht met haar in het huwelijk wenste te treden, heeft Madame de Montalia mij medegedeeld dat zij niet wenst te huwen, dat zij vreest dat de eisen gesteld aan een echtgenote het haar onmogelijk zouden maken om haar beroep uit te oefenen. Ik heb haar nog niet van het tegendeel weten te overtuigen en ik vrees dat zij vastbesloten is om alleen te blijven, want zij is onwillig om haar studie op te geven, voor welke reden dan ook. Zij houdt vol dat zij haar onderzoek en oudheidkundige expedities niet zou kunnen voortzetten als zij een getrouwde vrouw zou zijn, en niets van hetgeen ik heb aangedragen heeft haar van mening doen veranderen. Ik heb haar in herinnering gebracht dat, als zij niet een leven als non wenst, zij als christen verplicht is om te huwen en kinderen voort te brengen, want dit is de nalatenschap van Eva en de heerlijkheid der vrouwen, maar zij laat zich niet overtuigen. Ik heb mij ingespannen om haar de geestelijke gevolgen van haar daden te doen inzien, maar zij vertelt mij dat geestelijkheid haar weinig zegt. Zij is er tevreden mee een minnaar te nemen, maar zij zal niet in het huwelijk treden, hoewel zij mij verzekert dat Falke haar nog geen aanzoek heeft gedaan. Ik ben ervan overtuigd dat hij dat zal doen, want hij is een heer, maar als hij het doet, vrees ik dat zij hem zal afwijzen. Wat wilt u dat ik doe in deze situatie? Ik zal uw raad ter harte nemen, hoe die ook moge luiden, en zal uw wensen aan haar overbrengen. Tot die tijd zal ik aangaande deze kwestie te goeder trouw het stilzwijgen bewaren.

Madame de Montalia liet mij drie dagen geleden weten dat zij nagenoeg klaar is met het kopiëren van de inscripties in een kleine kamer van de tempel; wanneer zij deze heeft voltooid, zal zij zich wijden aan de vertaling van wat daar geschreven staat en haar waarnemingen gereedmaken voor publicatie. Zij heeft mij gevraagd de monografie voor haar naar Caïro te brengen, daar zij er geen vertrouwen in heeft dat Baundilet haar zal toestaan te publiceren zonder zich de verdienste toe te eigenen, hetgeen zij niet kan of wil dulden, hoewel zij zich ervan bewust is dat het de normale gang van zaken is in het oudheidkundige wereldje. Baundilet, laat zij mij weten, heeft zich al meer dan genoeg toegeëigend van datgene wat bereikt is door de expeditie en zij zegt dat zij vastbesloten is een klein deel van haar eigen werk voor zichzelf te redden. Ik heb haar beloofd te doen wat zij van mij verlangt, daar ik haar mening deel dat er onrecht schuilt in Baundilets handelwijze, en zij heeft hierover haar tevredenheid geuit. Ik zal over ongeveer een maand naar Caïro vertrekken en ervoor zorgen dat Madame de Montalia's werk een van de reeds door haar aangewezen functionarissen ter hand wordt gesteld, ik zal de benodigde ontvangstbewijzen bemachtigen en met de grootst mogelijke spoed naar Thebe terugkeren.

Ons komt van tijd tot tijd nieuws ter ore aangaande de oorlog tussen de Grieken en de Turken. Er wordt beweerd dat een Britse dichter verleden jaar of het jaar daarvoor is gestorven toen hij meestreed met de Grieken, maar iemand vertelde mij dat dit op fantasie berust, een aardig verhaal om de Grieken moed in te spreken en meeleven in Europa op te wekken voor hun doel. Mocht het u bekend zijn of dit verhaal waar is, dan zou ik dat graag van u vernemen; mijn ervaring met Britten, dichters of anderszins, doet mij vermoeden dat zij niet geneigd zijn om met de Grieken tegen de Turken te strijden. Als het dus niet waar is wat deze Britse dichter betreft, zou ik het eveneens willen vernemen, opdat ik het kan ontkennen als het herhaald wordt. Ik voel mij bijwijlen van vrees vervuld over dat conflict, want er zou maar weinig voor nodig zijn dat het zich zou verbreiden en indien Egypte bij een dergelijke oorlog betrokken zou raken, zou de verwoesting groter zijn dan iemand zich kan indenken.

Ik bid voor u, mijn leermeester. Ik bid dat God u zal beschermen en u in uw studies zal begeleiden, en u uiteindelijk tot zaligheid zal brengen. Ik bid eveneens voor de bescherming van Madame de Montalia, die mij dierbaar is geworden door haar toewijding aan de wetenschap, want een dergelijke toewijding straalt een soort wereldse vorm van gezegendheid uit, die elke non zou sieren. Als zij een zelfde passie voor het geloof zou bezitten, zou heiligheid binnen haar bereik liggen.

In de Naam van God
Erai Gurzin, monnik
Volgens de Europese kalender, 9 april 1826, te Thebe

Drie

An de voet van de pilaar zat Suti, de hoofdgraver van Baundilets expeditie, op stukjes geroosterde kip bereid met citroen en rozemarijn te knabbelen. Hij was nagenoeg uitgegeten en klaar voor zijn middagdutje, toen hij vier Europeanen te paard naderbij zag komen. Hen vervloekend als dwazen en trouwelozen, kwam hij overeind, maakte een buiging en zei in het Frans: 'Welkom bij Professor Baundilets oudheidkundige expeditie.'

'Allemachtig, wat een afschuwelijk accent,' zei een van de vier ruiters in het Engels. 'Hoe kunnen zij hem verstaan?'

'Ik vermoed dat dat niet nodig zal zijn, niet vaak tenminste,' zei de langste van de vier. Hij steeg af en leidde zijn paard naar de tempel. Hij richtte zich tot Suti in een redelijke versie van het plaatselijke dialect: 'Wij zouden graag met de leider spreken.'

'Van de gravers of van het geheel?' pareerde Suti. 'Daar zit verschil in.'

'Ongetwijfeld,' zei de langste vreemdeling, terwijl de andere drie afstegen. 'De leider van de expeditie, zo je wilt.'

Suti wees en deed geen moeite zich van zijn ontoereikende Frans te bedienen. 'Daar. Daar staan drie mannen. Degene die zijn jas en hoed heeft afgelegd is de man die u zoekt.' Hij maakte nogmaals een buiging, bijna onbeschaamd, en bleef aan de voet van de pilaar staan wachten tot de bezoekers zich verwijderden, zodat hij zijn maaltijd kon voortzetten.

'Moge Allah je beschermen voor je diensten,' zei de lange Engelsman, een blos op zijn blanke gelaat. 'Kom,' zei hij tegen de andere drie. 'Laten wij ons melden.'

'Laat Masters het woord maar doen; zijn Frans is beter dan dat van ons,' stelde de enige gezette van de vier voor, een vrolijke, welgedane jongeman van amper twintig jaar. Hij steeg af en gaf een paar klopjes op de glanzende hals van het paard. 'Zij is een braaf meisje,' zei hij, alsof de anderen daarin geïnteresseerd waren, 'hoewel ik meestal weinig op heb met roodschimmels.'

'Trowbridge, houd nu eens op over de paarden,' klaagde de laatste, die tot dan had gezwegen. 'Je bent nog erger dan een landjonker, zoals je erover door kunt zeuren.'

'Dat jij de handen van een os hebt, Halliday, is nog geen reden om degenen van ons die zich thuisvoelen in het zadel, te belasteren. Jandorie, hoe kun je niet in de ban raken van een dergelijk wezen?' Hij gaf de merrie nog een klopje. 'Let maar niet op hem, meisje.'

Halliday klauterde van zijn paard af; de blos op zijn gezicht verdiepte zich door de inspanning. 'Bedankt voor je hulp, hoor,' mopperde hij.

De langste onder hen gebaarde naar de andere twee. 'Houd op met dat gekibbel jullie, anders vertrekken we weer.'

'En Wilkinson moeten aanhoren over de schilderingen die hij heeft gevonden?' protesteerde Halliday. 'Nee, dank je. Liever Fransozen dan Wilkinson. Zij hebben een vrouw bij zich. Praktische lui, die Fransen.'

'Houd toch je mond, Halliday,' zei Masters, die als laatste afsteeg; hij liep naar de langste toe. 'Wat wil je dat ik tegen ze zeg, Castermere?'

'Ik zou het niet weten,' antwoordde deze na een korte overweging. 'Dat wij graag wat rond willen kijken, denk ik, om te zien wat zij uitvoeren.'

Baundilet was zich reeds van hun aanwezigheid bewust en stond hen met zijn armen over elkaar op te wachten. LaPlatte bleef naast hem staan, maar Jean-Marc had zich, op een teken van Baundilet, verwijderd. 'Goedemiddag,' zei hij, toen de vier pas aangekomenen op korte afstand van hem bleven staan. Het was geen veelbelovend begin.

'Goedemiddag,' zei Masters in foutloos Frans. 'Ik hoop dat wij niet ongelegen komen, maar wij zijn hier, zoals u weet, met een kleine Britse oudheidkundige expeditie, en we zijn benieuwd te weten hoe uw werk vordert.' Hij glimlachte vriendelijk. 'Mijn metgezellen en ik zijn nieuwkomers in dit oudheidkundige wereldje en wij zijn het spoor een beetje bijster, vrees ik.'

'Dat zijn wij allemaal,' zei Baundilet, nog ontmoedigender dan voorheen.

'Ja, dat zal wel zo zijn,' hield Masters aan. 'Ik had evenwel de hoop dat u enig licht op deze monumenten zou kunnen werpen. Wij zijn allemaal nogal verbijsterd. Onze groep telt nog meer leden, maar het enige waar die zich de hele dag mee bezighouden is het kopiëren van inscripties en schilderingen. Dat ligt niet in onze lijn, als u begrijpt wat ik bedoel.' Ditmaal liet hij een snelle, veelbetekenende grijns zien. 'Sinds we elkaar hebben ontmoet ten huize van Monsieur Omat, hebben wij de hoop gekoesterd dat u zo vriendelijk zou willen zijn ons als het ware een beetje wegwijs te maken.'

'Dat is redelijk,' zei Castermere, alsof zijn mening bij Baundilet gewicht in de schaal zou leggen.

'U Britten hebt uw eigen werk te doen. Wij hebben het onze,' zei Baundilet.

'Wij komen u hier niet bespioneren, als dat het is wat u zorgen baart,' zei Masters ronduit, hetgeen niet zijn bedoeling was geweest. 'Wij zouden niet weten hoe.'

Baundilet leunde naar achteren en stak zijn kin in de lucht. 'Nu u daarover begint, ja, ik zou redelijkerwijs kunnen aannemen dat u hier bent om uw expeditie te bevoordelen, mogelijk ten koste van de mijne. Dat zou niet de eerste keer zijn, is het wel?'

Masters lachte geforceerd, maar hij vond het niet overtuigend klinken. 'Wij zouden meer moeten weten om als spion te kunnen optreden.'

'Dat beweert u,' antwoordde Baundilet. 'Bestaat er een betere dekmantel dan de bewering dat u van niets weet?' Hij stond op het punt om zich van hen af te keren, toen Masters met meer klem het woord tot hem richtte.

'Goed dan, wij zouden de anderen van de expeditie hetzelfde verteld hebben als zij ons ernaar gevraagd hadden; zij wilden ons echter uit de weg hebben. Wij zijn nutteloos voor hen. Geen van ons weet meer dan elke willekeurige Europeaan. Wij zijn hierheen gekomen omdat wij wat meer van de wereld wilden zien en Egypte is niet alledaags, is het wel? Wij hebben de *Grand Tour* afgewerkt en Rusland lijkt een te vreemde plaats om veilig heen te gaan, evenals China. En India is een hoofdstuk apart. Wij zijn allemaal oudste zonen en er wordt om die reden niet van ons verwacht dat wij India bezoeken.' Hij keek vluchtig naar Castermere, zag hem goedkeurend knikken en vervolgde vastbesloten: 'Egypte is een schitterend land, dat is zeker. Nergens iets vergelijkbaars te vinden. Maar ik herhaal, wij zijn geen geleerden, weet u, en wij lopen hun die het wel zijn in de weg.'

'Dus heeft u bedacht om zich door de Fransen te laten amuseren?' vroeg Baundilet gepikeerd.

'Welnu, wij dachten dat u ons bezoek op prijs zou stellen. Aangezien het toch tijd is voor de middagpauze hoopten wij dat u ander gezelschap dan dat van uzelf zou toejuichen.' Het laatste werd geuit met naïeve openhartigheid. 'Zou het u niet welkom zijn eens met een ander dan de leden van uw expeditie van gedachten te wisselen?'

Baundilet maakte een geluid dat het midden hield tussen hoesten en grinniken. 'Welnu, daar zit iets in,' gaf hij toe. Hij bekeek de vier jonge Engelsen met een mengeling van nieuwsgierigheid en afkeer.

'Het is niet zo dat u ons nog nooit heeft ontmoet,' drukte Masters door, 'en bij Monsieur Omat thuis was u zeer coulant.'

'Partijtjes zijn niet hetzelfde als ons werk,' zei Baundilet, wederom streng. 'Maar als u belooft uit de buurt te blijven van de plek waar wij met nieuwe opgravingen bezig zijn, zal een van mijn expeditieleden u wellicht willen rondleiden over die delen van de ruïnes die enige tijd geleden zijn blootgelegd.' Het was een compromis en tegelijkertijd een test. 'Is dat aanvaardbaar?'

'Mooi,' zei Masters, en hij voegde er in het Engels voor de anderen aan toe: 'We mogen blijven.'

'Uitstekend,' zei Trowbridge. 'Ik kan wel zeggen dat ik er niet aan moet denken om in deze hitte terug te rijden naar ons kamp. En het is denkbaar dat de merrie het ook niet zou waarderen.' Hij zette zijn hoed af en gebruikte die als waaier. 'Hoe de inlanders het kunnen verdragen, gaat mijn verstand te boven.'

'Zij zijn hier geboren, zij zijn eraan gewend,' zei Halliday. 'Kijk maar hoe zij leven. Wat verwacht je dan?'

Masters negeerde dit en vervolgde in het Frans tegen Baundilet: 'Het verheugt mij dat u dit voor ons wilt doen. Het getuigt van bijzonder slechte manieren om u op deze wijze, onaangekondigd, te bezoeken, maar ziet u, onze situatie is zo ongelukkig, met Wilkinson en zo.'

'U wilt niet bij Wilkinson blijven?' vroeg Baundilet, wederom op zijn hoede. 'Die jongeman is niet de eerste de beste.'

'Dat is hij zeker niet,' zei Masters, 'maar anderzijds is hij in de ban van zijn obsessie voor de muurschilderingen en heeft nergens anders tijd voor. Wanneer wij in zijn gezelschap verkeren, wordt ons niets meer vergund dan een gemeenzaam knikje, als dat er al af kan. Een uitmuntend wetenschapper, die Wilkinson, maar hij houdt het bij zichzelf en bij zijn studie. Ik heb al verteld dat wij niet veel voor hem kunnen doen – geen van ons kan goed schetsen, en wij vervelen ons – en dus heeft hij zijn handen van ons afgetrokken. Geen kwaad bloed, begrijpt u, maar hij heeft geen tijd voor ons.'

'Ik begrijp het,' zei Baundilet, en hij knikte. 'Welnu, dan zal ik maar een van mijn expeditieleden aanwijzen om u te begeleiden. Sommige delen van deze tempel zullen u waarschijnlijk intrigeren.' Hij wist dat hier weinig te vinden zou zijn dat de ontdekkingen van zijn expeditie in gevaar zou brengen.

'Zelfs als dit niet het geval blijkt te zijn, is het nog altijd beter dan achter Wilkinson aanlopen,' zei Masters, en Castermere voegde hieraan toe, in amper verstaanbaar Frans: 'Ja, wij zijn aan iets nieuws toe.'

'Het gaat hier om iets ouds,' wees Baundilet hem terecht, en vervolgens riep hij: 'De la Noye! Heb je even tijd?'

Vanaf de andere kant van de zuilengalerij antwoordde Merlin de la Noye: 'Ik wil dit graag even afmaken voor de middagrust, Professor. Kan ik u daarna van dienst zijn?'

'Maar natuurlijk,' riep Baundilet terug. Hij wilde net Jean-Marc roepen, doch glimlachte toen, in zijn schik met zijn nieuwe inval. 'Madame de Montalia. Zij zou u zeer goed van dienst kunnen zijn.' Het zou bijzonder in zijn kraam te pas komen om Madelaine te vragen haar eigen werk te onderbreken teneinde deze Engelsen bezig te houden. 'Guibert, ga Madame de Montalia halen, wil je? Zij bevindt zich waarschijnlijk aan de andere kant van deze zuilen.'

Ursin Guibert maakte een buiging op Egyptische wijze, mompelde een paar woorden en snelde heen om aan Baundilets verzoek te voldoen.

'Ik neem aan dat u ervan op de hoogte bent dat wij een vrouwelijke oudheidkundige in onze gelederen koesteren?' vervolgde Baundilet tegen Masters. 'Bekwaam op haar manier, natuurlijk, maar haar gedachten zijn, zoals bij veel vrouwen het geval is, ietwat verward. Zij heeft het in haar hoofd gezet een tempel voor de geneeskunst te vinden en niets kan haar hiervan afbrengen.'

'Waren de Egyptenaren aanbidders van Apollo?' vroeg Castermere, verrast door deze onthulling.

'Er is geen enkele reden om dat te veronderstellen. Madame de Montalia evenwel is van mening dat daarvan wel degelijk sprake was, of althans van enige variant hiervan. Zij is vastbesloten dit te onderzoeken. Zij heeft het idee opgevat dat zieken naar de bewuste tempel van de geneesheer gingen teneinde behandeld te worden. Volgens hetgeen zij mij vertelde, voerden deze priesters nooit strijd met andere priesters van hogere goden. Zij beweert dat zij informatie heeft gevonden aangaande dit geschiedverhaal maar die heeft zij nog nooit overgelegd, behalve dan haar bewering dat zij een man heeft gekend die jarenlang in Egypte heeft gewoond en die geloofde dat dit het geval was. Je weet hoe vrouwen zijn in dergelijke aangelegenheden.'

Hoewel geen van de jonge Engelsmannen kon bogen op voldoende ervaring met vrouwen om hierover te kunnen oordelen, beaamden zij dit allen. Castermere nam namens hen allen het woord. 'Verrukkelijke schepsels, vrouwen, maar niet bijzonder betrouwbaar.'

Baundilet lachte harder dan de opmerking verdiende. 'Precies. Dat bedoel ik nou. Houd dat dus in gedachten terwijl zij u rondleidt. U zult even willen uitrusten als de dag op zijn heetst is, maar voor het komende halfuur zal Madame de Montalia zeker uw vragen kunnen beantwoorden, mits deze niet te moeilijk zijn.'

Masters maakte een lichte buiging en keek vluchtig naar de drie anderen. 'De vrouw zal ons tot gids dienen,' deelde hij ze in het Engels mede.

'Schitterend,' zei Trowbridge. 'Bijzonder mooie vrouw, deze Française. Ik heb geprobeerd een gesprek met haar aan te knopen bij Omat, maar zij hield haar afstand.'

'Ik kan het haar niet kwalijk nemen,' zei Castermere. 'Zij heeft een reputatie op te houden.'

'Wat kan dat voor een reputatie zijn, gezien het feit dat zij hier op expeditie is?' vroeg Halliday. 'Een vrouw die met een groep Franse Professoren graafwerk uitvoert in de ruïnes van Egypte? Ik zou denken dat haar reputatie reeds gevestigd is.'

'Wees redelijk,' riep Trowbridge hem tot de orde. 'Wij willen niet dat zij zich genoodzaakt voelt ons een klap in het gezicht te geven, terwijl zij ons de stenen laat zien.'

Masters stond op het punt iets te zeggen, toen Madelaine van achter een pilaar te voorschijn kwam; hij gebaarde naar zijn metgezellen dat zij er verder het zwijgen toe moesten doen en maakte een keurige buiging voor haar, alsof hij zich in zijn salon in Londen bevond in plaats van tussen de ruïnes van een tempel in Thebe. 'Goedemiddag, Madame.'

'En u ook, u allen,' zei zij, ietwat onzeker, doch niet onvriendelijk. 'Is er iets aan de hand?'

Baundilet beantwoordde haar vraag. 'Dat niet precies. Deze jongelieden zijn nieuwsgierig naar deze tempel; ik heb gezegd dat u ze graag alles dat tot nu toe is onderzocht, wilt laten zien. U kent de opgraving, dus u zult in staat zijn ze te vertellen wat de laatste tijd is gevonden en wat niet.'

'Maar ik ben bezig met...' protesteerde Madelaine.

'Dat loopt niet weg,' zei Baundilet gedecideerd. 'Wij zijn deze bezoekers hoffelijkheid verschuldigd. Vindt u niet?'

Madelaine sprak geen van de vinnige antwoorden die haar in gedachten kwamen, uit. 'Dat vind ik niet, maar dat doet kennelijk niet ter zake.'

'Zeer amusant,' zei Baundilet, op een toon die duidelijk zijn ongenoegen weergaf. 'Het zou niet gepast zijn als u zou weigeren met deze jongelieden, die van zo ver zijn gekomen om in onze informatie te delen, te spreken. Ik hoop dat u mij begrijpt, Madame?'

'O, zeer zeker wel,' zei Madelaine, met geveinsde onderdanigheid. 'En wat zou belangrijker voor mij kunnen zijn dan aan uw wensen tegemoet te komen?' Zij deed een paar stappen in de richting van de Engelsen. 'Goedemiddag,' zei zij, en door haar Franse accent klonk de bekende groet de vier bezoekers exotisch in de oren. 'Het doet mij genoegen u weer te zien.' Zij wierp een snelle blik op Baundilet, maar kreeg geen hulp van hem. 'Het spijt mij, maar ik vrees dat uw namen mij niet te binnen schieten na onze korte ontmoeting op Monsieur Omats receptie. Ik ben Madelaine de Montalia.' Zij stak haar hand uit en hoopte dat een van de Engelsen deze zou aannemen.

Masters deed dit. Hij gaf haar zijn beste hoffelijke handkus. 'Het is mij een waar genoegen, Madame de Montalia. Ik ben de Hooggeboren Arthur Hillary St. Ives Masters.' Hij noemde zelden zijn naam en titel, doch ditmaal gaf de wetenschap dat hij aanspraak kon maken op adeldom hem zeer veel voldoening. 'Dit is Horace Theodotius Peltham Castermere.'

De rijzige Mister Castermere maakte een buiging, doch ondernam geen poging Madelaines hand te kussen. 'Tot uw dienst, Madame.'

'U bent bijzonder hoffelijk, Mister Castermere,' zei Madelaine, en zij keek nu naar Halliday. 'U bent de Baron in het gezelschap, nietwaar?'

'Baronet eigenlijk,' zei Halliday, die voor het eerst geen klacht liet horen. 'Bijzonder vleiend dat u zich dat herinnert, Madame.' 'Dat spreekt voor zich,' zei Madelaine. 'En u? Wie bent u?' Trowbridge pakte haar hand en ondanks zijn omvang boog hij zich hierover met een elegantie die de anderen hem benijdden. 'Staat u mij toe mij aan u voor te stellen, Madame. Ik ben Ferdinand Charles Montrose Algernon Trowbridge. Mijn oom is de Graaf van Wyncaster; uw dienaar.'

'Zeer fraai,' sprak Madelaine goedkeurend, en zij maakte een kleine revérence voor Trowbridge. Zij keek over haar schouder naar Baundilet. 'Professor, hoe wilt u dat ik deze Engelse bezoekers voorlicht?'

'Neemt u hen mee naar het oude materiaal. Leg ze uit wat de betekenis ervan is, voor zover wij de betekenis al kennen, en beantwoordt u, indien mogelijk, hun vragen.' Hij gebaarde ongeduldig met zijn handen. 'Er moet hier nog gewerkt worden. Neem jullie taak weer op. Binnen niet al te lange tijd zal ik te kennen geven dat de middagrust is aangebroken.' Vervolgens wendde hij zich af en sloot hen buiten, definitief alsof hij een deur achter zich had dichtgedaan.

Madelaine verborg haar ergernis achter een zwakke glimlach. 'Goed dan, heren,' zei zij in haar heel behoorlijke Engels, zij het met een accent, 'laten wij aan gene zijde van deze zuilengalerij beginnen.' Met een elegant gebaar ging ze hun voor tussen de pilaren door. 'Het is niet alleen de ornamentering die deze pilaren onderscheidt van de Romeinse en Griekse; ze zijn anders gerangschikt en verschillen in hoogte en afmeting. De kapitelen hebben de vorm van plantenmotieven, die gebaseerd kunnen zijn op bladeren en bloesems van papyrus of lotus. Dat weet niemand nog met zekerheid. Ik geef de voorkeur aan de papyrustheorie, omdat papyrus zo belangrijk was in het leven van de oude Egyptenaren.' Zij bleef aan de voet van een van de pilaren staan. 'Deze tekens hier' – zij legde haar hand op een cartouche dat even hoog was als zij lang – 'vormen de naam van een van de Farao's. Wij geloven dat deze wordt uitgesproken als Baenre-hotephirmaaht, of iets van die strekking. Het is de regentennaam van de Farao, maar sommigen van ons, en daarvan ben ik er een, geloven dat de meeste Farao's twee namen hadden, een als hun persoonlijke naam en een naam die zij gebruikten als zij eenmaal Farao waren.' Zij gaf een paar klopjes op de cartouche. 'Ik zou graag willen weten wat voor soort man die oude was. Volgens sommige inscripties die wij hebben gevonden, heeft hij ongeveer tien jaar geregeerd.'

'Hoe herkent u daar die woorden in?' vroeg Halliday, met duidelijk ongeloof.

'Elk van deze symbolen stelt een lettergreep voor, of soms slechts een geluid. Deze veer-vorm is *i* of *yi*. Als u er prijs op stelt, kan ik ervoor zorgen dat u een van Jean-François Champollions werken krijgt toegezonden, opdat u hier meer over kunt lezen. Het is dezelfde tekst waarvan wij gebruikmaken.' Haar ogen ontmoetten die van Trowbridge en zij zag grote geamuseerdheid in zijn blik. 'Of lijkt dat te veel op werk?'

'Nu,' zei Trowbridge, 'het lijkt sterk op mijn dagen in Oxford. Ik heb mijn portie met de repetitors daar wel gehad. Nu heb ik liever een vleugje avontuur.' Hij stootte Masters aan. 'Vind je niet?'

Masters glimlachte schaapachtig. 'Dat zou mij ook liever zijn, Madame.'

Madelaine draaide zich om en keek de vier jongemannen aan. 'Wat voert u dan hierheen? Wij zijn oudheidkundigen, niet veel anders dan uw Mister Wilkinson. Ik denk niet dat iemand hier u kan voorzien van de opwinding waarnaar u hunkert.' Zij stond op het punt zich te excuseren, toen Castermere sprak.

'Eigenlijk hoopten wij iets te vinden... een klein aandenken aan onze reizen. U weet hoe dat gaat. Men kan stof kopen op de markt en een stuk of zes manden, maar het is niet hetzelfde, toch? Dat heeft eigenlijk niets met Egypte te maken, niet zoals deze stenen.' Hij kuchte discreet. 'Begrijpt u wat ik bedoel?'

'Maar al te goed,' antwoordde Madelaine met een koele klank in haar stem. 'U wenst de doden te bestelen.'

'O, zo bont willen we het niet maken, hoor,' protesteerde Trowbridge. 'Nee, nee, beste dame. Wij geven niets om deze tombes. Maar een stukje van een inscriptie, of een kruik, of een klein sieraad, weet u wel, dat zou al volstaan.'

'U wenst de doden te bestelen,' herhaalde Madelaine.

Masters deed opnieuw een poging te glimlachen. 'Maar al zo lang dood,' zei hij tegen haar. 'Wie van hen zou er bezwaar tegen hebben na al die eeuwen?'

Het kostte Madelaine moeite om daar niet rechtstreeks op te reageren, doch zij dwong zichzelf tot zwijgen. 'Heren, ik kan u niet helpen.'

Castermere ging met haar in discussie. 'Waarom niet? Wij zijn niet van zins iets mee te nemen dat voor u wetenschappers van belang is. En u kunt niet voorwenden dat elke oudheidkundige alles wat hij vindt, overdraagt aan de beschermheren en universiteiten die deze expedities steunen. Welnu, drie jaar geleden nog ging die Italiaan ervandoor met honderden kilo's aan sieraden.'

'Dat was een verachtelijke daad,' zei Madelaine, die haar best deed haar woede te beteugelen.

'Om welke reden had hij ze niet mogen meenemen?' vroeg Halliday, weinig diplomatiek. 'U kunt mij niet wijsmaken dat deze Egyptenaren die dingen niet zelf zouden stelen en doorverkopen aan de eerste de beste Europeaan die met baar geld zwaait.' Hij keek op naar de zuil. 'Als iemand een manier kon bedenken om zoiets te verplaatsen, zou die allang in Parijs of Rome of Londen staan en de Egyptenaren zouden blij zijn met het goud.'

'Dat maakt de daad niet minder verachtelijk.' Opnieuw stond Madelaine op het punt hen te verlaten.

'Wij hebben toestemming van de plaatselijke Magistraat om iets mee te nemen,' zei Trowbridge. 'U kunt het navragen en het bevestigd krijgen. De man heet Kareef Num...'

'Numair.' Madelaine maakte het woord voor hem af. 'Ik heb hem ontmoet.'

'Welnu, dan weet u het. Hij staat ons toe kleine objecten te kopen, zolang zij niet reeds zijn opgeëist door leden van oudheidkundige expedities. U weet welke van uw vondsten u wenst te behouden. Daar hebben wij niets op tegen. Wij willen alleen de kleine dingen die overblijven.' Trowbridge legde zijn hand op zijn hart. 'Madame, wij zijn geen eerloze smokkelaars die zich met de goederen uit de voeten willen maken, zoals zovelen. Wij hebben toestemming.'

Madelaine sloot haar ogen. Zij had hen willen uitfoeteren, hen willen beschimpen wegens hun onervarenheid en hun onnozele roofzucht. 'Hoeveel heeft u Magistraat Numair moeten betalen?'

Masters schraapte zijn keel. 'Zijn prijs is hoog voor mannen zoals wij. Wij hebben elk twaalf guineas neergeteld. Uw Professor Baundilet heeft minder dan honderd guineas betaald en hij heeft het recht om veel meer weg te nemen dan wij.'

'Je reinste diefstal als je het mij vraagt,' zei Halliday.

'Wat bedoelt u daarmee, dat Professor Baundilet minder dan honderd guineas heeft betaald?' vroeg Madelaine op kalme toon. 'Was dat het honorarium voor het recht van de opgraving?'

Trowbridge lachte. 'Natuurlijk niet. De universiteit heeft dat betaald, aan Numair, vanzelfsprekend.'

'Numair houdt van Fransozen,' zei Castermere. 'Neemt u mij niet kwalijk, Madame,' herstelde hij zich snel.

Maar de lichte kleinering betekende niets voor Madelaine. 'Begrijp ik u goed? U denkt dat Professor Baundilet de Magistraat heeft omgekocht opdat hij antiquiteiten kan verzamelen voor zijn eigen doeleinden?'

'Natuurlijk,' zei Halliday. 'Dat doen wij allemaal.'

Madelaine negeerde dit. 'Welk bewijs heeft u hiervoor?'

'Bestaat er ooit bewijs van dergelijke zaken?' vroeg Masters met verrassend veel cynisme voor zulk een jonge man. 'U weet hoe deze zaken afgehandeld worden – stilletjes, zonder ophef. Zij hebben afspraken gemaakt en dat is dat.'

'Dat veronderstelt u,' zei Madelaine snel, vervuld van afgrijzen over wat haar ter ore was gekomen, en haar blik gleed van Masters naar Trowbridge.

'Dat veronderstellen wij allemaal,' zei Trowbridge zachtaardig. 'Het is even gebruikelijk als een gastvrouw toestemming vragen om met een ongehuwd meisje te mogen walsen.'

'Numair heeft hier in de loop der jaren een aardige duit aan overgehouden,' zei Halliday. 'Mijn oom was hier twintig jaar geleden en hij vertelde dat alle Magistraten en plaatselijke autoriteiten hun hand ophielden. Het is nu niet anders. Hooguit is het nog erger geworden omdat er hier nu zoveel meer Europeanen zijn.'

'Dat geldt voor fortuinzoekers, niet voor oudheidkundigen,' zei Madelaine, haar houding onzeker nu zij de Engelsen had aangehoord. 'Geen enkele oudheidkundige is eropuit een expeditie in opspraak te brengen.'

'Hoe zou dit een expeditie in opspraak kunnen brengen?' vroeg Castermere beleefd. 'Uw Professor is ervan verzekerd dat hij iets zal bezitten, anders dan monografieën en enkele objecten in een universiteitsmuseum, dat blijk geeft van zijn inspanningen. Hij doet er verstandig aan de middelen te vinden die hem in staat stellen zijn werk voort te zetten, en welke betere weg dan deze, want zijn reputatie zal er wel bij varen.' Hij leunde tegen de pilaar, waardoor zijn rijzige lichaam de cartouche van Baenre-hotephirma-aht aan het oog onttrok. 'Waarom bent u gechoqueerd, Madame? Professor Baundilet gebruikt louter zijn gezonde verstand. Hij is een verstandig man, niet zoals sommige oudheidkundigen die slechts geven om dat wat de Ouden hebben achtergelaten en aan niets anders kunnen denken.'

'Is dat hoe het u voorkomt? Pragmatisch?' vroeg Madelaine uitdagend, en zij schudde vervolgens haar hoofd. 'Het is niet mijn bedoeling uw daden in twijfel te trekken, heren.' Zij liep met grote passen bij hen vandaan en bedacht met spijt dat zij Broeder Gurzin juist nu stroomafwaarts naar Caïro had gezonden; zij kreeg zichzelf weer onder controle en keerde op haar schreden terug. 'Als u van uw recht om iets mee te nemen gebruik wilt maken, doet u natuurlijk zoals u goeddunkt. Ik waarschuw u echter, waag het niet wanneer ik in de buurt ben, want ik zal u hiervan weerhouden, ondanks de belofte van de Magistraat of hetgeen Professor Baundilet heeft gedaan.' Zij wist dat zij te snel sprak en te veel van haar woede liet blijken. Haar paarsblauwe ogen schitterden nog van kwaadheid maar zij dwong zichzelf tot kalmte. 'U moet mij verontschuldigen. Ik stam uit een oud geslacht en wij hechten veel waarde aan antieke zaken.'

'Mijn familie gaat eveneens tamelijk ver terug,' zei Trowbridge. 'Mijn grootvader zei vroeger dat wij meegekomen zijn met de Veroveraar, al is daar geen bewijs voor. Bovendien, van wat ik ervan weet, is dat niet het soort verwantschap om zich op te beroemen. Het huis, evenwel, stond er al toen Stephen en Mathilde elkaar door het land achterna zaten. Ik denk dat ik het niet bijzonder op prijs zou stellen als iemand het zou wagen stukjes van onze oudheden mee te nemen.' Hij maakte een buiging voor Madelaine.

Haar glimlach betoverde hem. 'Dank u, Mister Trowbridge.' Zij begon te geloven dat zij een vergissing had begaan door te kiezen voor de slanke, dichterlijke, jonge Engelsman die achter Wilkinson aanliep; Ferdinand Charles Montrose Algernon Trowbridge, met zijn onderzoekende ogen en zijn innemende glimlach, leek nu een veel interessantere dromer te zijn dan Magnus Oberon Daedalus Hearne, Lord Mailliard.

'Het genoegen is geheel aan mij,' verzekerde Trowbridge haar met een glinstering in zijn ogen. 'Ik zal er persoonlijk voor zorgen dat wij er niet vandoor gaan met welke antiquiteiten dan ook. U behoeft niet te vrezen dat wij hierop zullen terugkomen. Maar wat u kunt doen aan Professor Baundilet is een moeilijker opgave, nietwaar?'

'Ja, ik ben bang van wel,' zei zij langzaam, zich nu pas realiserend dat Suti niet ver uit de buurt was en meeluisterde. Voor het eerst vroeg zij zich af of de hoofdgraver Engels verstond.

Masters lachte, zijn stem weergalmde tussen de pilaren. 'Een bijzonder leerzame discussie, Madame. Wij zullen uiterst voorzichtig te werk gaan met wat wij meenemen. Wij kunnen Trowbridge tenslotte niet voor leugenaar laten staan.' Hij gebaarde naar de andere drie. 'Laten wij een koele plek opzoeken. Het is toch al bijna tijd om met het werk op te houden.' Hij tikte tegen de rand van zijn hoed. 'Ik moet u succes wensen met uw streven, Madame, hoewel ik niet denk dat u anderen zo gemakkelijk zult kunnen overtuigen als u ons hebt weten over te halen; wij hebben zo weinig te verliezen vergeleken met uw Professor Baundilet.' Met die woorden slenterde hij weg in de richting van de paarden. Hij talmde niet om zich ervan te vergewissen of de anderen zijn voorbeeld volgden.

Trowbridge vertrok als laatste. Hij maakte een diepe buiging voor Madelaine. 'Ik denk niet dat u erin zult slagen om Professor Baundilet van gedachten te doen veranderen, maar ik bid, om uwentwil, dat hij zich niet tegen u zal keren.' Hij keek haar recht in het gezicht. 'Als ik u ooit ergens mee van dienst kan zijn?' Toen draaide hij zich om en dribbelde achter de anderen aan.

Terwijl zij hem nakeek, kon Madelaine de koude die ondanks de onverbiddelijke hitte door haar heen trok, niet tegenhouden.

Tekst van een brief van Yamut Omat, momenteel te San el-Hagar in de Delta, aan de Magistraat Kareef Numair in Thebe.

Moge Allah u gunst en bevordering betonen, moge hij u met zegeningen en met gezonde zonen overspoelen, moge hij u vervullen met wijsheid en het verlangen om de geheimen van het innerlijk van de mens te leren kennen, moge hij uw lofbetuigingen verwelkomen van nu tot aan het einde der eeuwigheid.

Welk een ongeluk dat ik niet aanwezig ben op het tijdstip dat u mij zoekt. Ik kan mijn spijt niet genoeg tot uitdrukking brengen om aan te tonen hoe groot deze is. Allah weet – hij is almachtig – dat ik dankbaar ben dat u, met uw grote verantwoordelijkheid en hoge positie, mij hebt willen opzoeken en een dergelijke hulp van mij verlangt. Het is een eer die ik zeker niet waardig ben, maar een die ik evenzo verwelkom als ik de geboorte van knappe tweelingzonen zou begroeten.

Het verbaast mij dat u niet passend ontvangen bent bij Professor Baundilet, want ik veronderstelde toen u elkaar ontmoette in mijn villa, dat ondanks het feit dat hij en zijn groep Ongelovigen zijn, er niettemin een hartelijke verstandhouding is ontstaan, die ongetwijfeld tot uw beider voordeel had kunnen strekken. Nu komt mij echter ter ore dat Professor Baundilet u heeft afgewimpeld en op zulk een wijze dat hij u ondraaglijk heeft beledigd. Ik kan slechts zeggen dat ik niet veronderstel dat Professor Baundilet zich ervan bewust is zulk een grove overtreding te hebben begaan. In zijn wereld, dat is mij tenminste door hem en anderen verteld, heeft de aanwezigheid van een vrouw, hoewel niet gebruikelijk, niet de bedoeling hen die aan bijeenkomsten deelnemen, te beledigen. Door sommigen wordt Madame de Montalia, als afstammelinge van een oude, machtige familie en titel, wellicht gezien als een aanwinst.

Het is niet aanvaardbaar dat mannen zaken zouden moeten bespreken in aanwezigheid van ongesluierde vrouwen. Dat is zeker. Zij hebben hiermee een vreselijke fout begaan, zij het door onwetendheid. Ik zweer op de zwaarden van mijn voorouders dat ik mijn uiterste best zal doen om Professor Baundilet duidelijk te maken wat de reden is van uw ongenoegen en de omvang van de belediging die zijn onnadenkende daad heeft veroorzaakt. Ik kan niet met zekerheid stellen dat hij dit volledig zal begrijpen, noch kan ik beloven dat hij het zal goedmaken, zoals hij dat zou moeten, maar als hij dit niet doet, zal dat niet zijn omdat hij het niet begrijpt. Ik verzoek u, omwille van ons beiden, hem toe te staan boete te doen voor zijn dwaling op een aanvaardbare wijze, zodat wij niet genoodzaakt zullen zijn de onderhavige onderhandelingen af te breken. Ik moet u dringend verzoeken te denken aan de eigenzinnigheid van kinderen en de onwetendheid van Professor Baundilet, die verstoken is van de troost van de Islam en de wijsheid van de Koran om hem te leiden in alles wat hij doet.

Tijdens mijn verblijf hier, op de plaats die eens Tanis en

Djianhnet werd genoemd, zal ik zoveel mogelijk te weten zien te komen van de autoriteiten hier ter plaatse aangaande de wijze waarop zij tot een vergelijk zijn gekomen met de Europeanen, en het zal mij verheugen u een volledig verslag uit te brengen van hetgeen zij mij te vertellen hebben. Deze plaats is net als Thebe het onderwerp van onderzoek en speculatie en de Europeanen zwermen uit over het land als sprinkhanen op zoek naar iets eetbaars. Het gaat niet aan te hopen dat wat zij eten een dodelijk vergif zal blijken te zijn, want dat zou ons allen ongeluk brengen; laat ons liever hopen dat het aan ons zal zijn te beslissen waar zij zich mee mogen verzadigen.

Zeer zeker zult u een grotere kennis hebben verworven van deze vreemdelingen dan de meesten van ons, en Allah – moge alles in de schepping hem prijzen! – heeft u de manier getoond om met hen om te gaan, zodat zij niet langer in het voordeel zijn. Het was een droevige tijd toen Napoleon zijn mannen meebracht en voorwaar hebben veel trouwe volgelingen van de Profeet toen geleden; nu zijn wij evenwel van blaam gezuiverd en is het gepast dat wij onze kennis van de Europeanen tegen hen en in ons voordeel gebruiken. U bevindt zich nu in de voorhoede van het geloof, en wie zal in twijfel trekken dat u degene zal zijn die anderen de weg wijst om deze heiligschennende vreemdelingen te slim af te zijn, zonder wat zij ons te bieden hebben op te offeren: wapens, marktplaatsen en goud. Bedenk hoe geschikt uw positie is voor dat doel en mocht u het idee opvatten u te ontdoen van de Ongelovigen, bedenk dan dat wij een beter gebruik van hun goud zullen maken dan zij ooit zouden kunnen.

Het verheugt mij dat u deze bezorgdheid met mij heeft gedeeld en dat u mij de eer heeft vergund om u mijn gedachten voor te leggen. Het is waarachtig een grote eer om gevraagd te worden een zo eminent Magistraat als uzelf te leiden in de aanpak van de Europeanen. Als Allah – glorierijk is zijn naam! – zo wenst, zullen wij zegevierend en sterk uit deze tijd te voorschijn komen, en bij onze onderhandelingen zullen de Europeanen bereid zijn zich naar ons te schikken. In de komende maanden zal ik u volgaarne aantonen hoe gemakkelijk deze Fransen zich laten leiden. Daarna zal ik hetzelfde doen wat betreft de Engelsen. U zult ontdekken dat zij niet ondoorgrondelijk of onredelijk zijn; zij

hebben slechts een deel van de waarheid aanvaard en zich
afgewend van de wijsheid van Allah – niets is grootser dan hij! –
en de Profeet Jesu omarmd, die de komst van Mohammed heeft
voorspeld. Als u dat kunt accepteren, alsmede hun ideeën van de
wet, dan is de rest bijzonder eenvoudig.
Uw bezorgdheid ten aanzien van de Duitse arts is een andere
kwestie die wij uitgebreid zouden moeten bespreken. Ik geloof
niet dat zijn aanwezigheid moeilijkheden zal veroorzaken, want
hij is bereid onze landslieden te behandelen die gebukt gaan
onder ziektes waarvoor wij nog geen geneeswijze hebben
gevonden. Als Allah – de eeuwigheid weergalmt van lofzangen te
zijner ere! – zo wil, zou deze Ongelovige een instrument kunnen
zijn, hoe onwaardig ook, van het volk van Egypte, dat zulke
zware lasten draagt, sinds de tijd van de Farao's tot de dag van
vandaag. Ik zou hem niet meer beperkingen opleggen dan strikt
noodzakelijk, want zijn vakkundigheid is op een bepaalde manier
zeer waardevol. Men kan bedenken dat hij in staat is ons een deel
terug te bezorgen van hetgeen de andere Europeanen zo
hardvochtig hebben weggenomen. Als dit u niet zint, laat ons dan
overwegen hoe hem het best te benaderen, alvorens u hem het
recht ontzegt om ons volk te behandelen; want wij willen niet dat
diegenen die door hem verzorgd worden, door enig misverstand
meer pijn te verduren krijgen.
Als laatste verzoek ik met deze brief toestemming om met
Madame de Montalia te spreken. Er bestaat geen reden dat u
zich aan verdere beledigingen zou moeten blootstellen door haar
te ontbieden. Ik zal haar persoonlijk, bij mijn terugkeer in Thebe,
bezoeken en haar duidelijk maken waarom zij zich nooit meer
ongesluierd in uw aanwezigheid mag vertonen. Ik ben er niet
zeker van dat ik haar zal weten te overtuigen u nooit meer te
benaderen, daar zij gewend is aan een mate van
onafhankelijkheid die, naar ik heb vernomen, zeer ongebruikelijk
is voor Europese vrouwen, en ware het niet dat zij uit een
voornaam geslacht stamt en zeer rijk is, dan zou haar gedrag net
zomin getolereerd worden door de Fransen als door ons.
Wat kan ik hier nog aan toevoegen, Magistraat, om u gerust te
stellen in deze moeilijke tijden? Als er enige taak is die ik voor u
zou kunnen uitvoeren, u behoeft het maar te vragen en u zou er

volledig op kunnen vertrouwen dat deze wordt volbracht. Ik ben
uw willige dienaar en de dienaar van Allah – die verheven is
boven alle dingen – en de gehoorzame zoon van Egypte.
Moge Allah u leiden en begunstigen, moge u honderd zonen
bekomen, moge elke vrouw in uw huishouden uitdijen door uw
zaad, moge uw kracht u nimmer tekortschieten.

Yamut Omat

Vier

Toen Erai Gurzin na zijn gebeden overeind kwam, zag hij de scheepstimmerman naderbij komen, met in zijn ene hand een els en in de andere een lantaarn die niet brandde. Met een laatste geprevelde vrome spreuk balde hij zijn hand tot een vuist en hield zich gereed om toe te slaan.

De aanval kwam nog geen seconde later. Het ene moment maakte de timmerman een onverschillige indruk doch het volgende zwaaide hij zijn lantaarn met volle kracht naar Gurzins hoofd; een gefluisterde vloek vergezelde de klap en werd gevolgd door een plotse kreet, toen Gurzin zijn arm zo hard hij kon tegen het onderlijf van de timmerman sloeg.

Terwijl de timmerman wankelend terugdeinsde, kwam Gurzin overeind en wierp zich op zijn aanvaller, met zijn handen omhoog uitgestrekt teneinde de man bij de keel te grijpen. Hij slaakte een kreet terwijl hij op de timmerman af vloog.

Een halve minuut lang worstelden zij, waarbij de timmerman steeds verder achteruit werd gedreven en zich met zijn armen trachtte te beschermen tegen Gurzins toorn. Ten slotte, bij het achterdek aangekomen, viel de timmerman tegen de reling en slaakte een kreet, waarna hij zijn evenwicht verloor en overboord stortte in het kielzog van de dhow. Hij sloeg nog even wild om zich heen en verdween toen.

Gurzin zette zich hijgend schrap tegen de reling. Hij staarde in het kielzog en mompelde een zegening voor de man die hem had aangevallen. Toen hij rechtop ging staan, hoorde hij achter zich het geluid van stemmen; hij kroop weg achter een aantal op het achterdek vastgesjorde vaten. Hij haalde adem met zijn mond wijd open om zo weinig mogelijk geluid te maken, en luisterde ingespannen.

'Men zegt dat het peil van de rivier dit jaar vroeg stijgt,' merkte de oudste zoon van de kapitein op.

'Gunstiger dan verleden jaar; toen steeg het laat.' De man die hem vergezelde, sprak met een accent dat Gurzin onbekend was. 'Men zegt dat er in het zuiden veel regen is gevallen, hetgeen een goede Overstroming zal betekenen.'

'Het is Allah die het water brengt,' zei de oudste zoon van de kapitein.

De andere man lachte even. 'En vroeger was het Osiris of een ander. Men zegt dat een van de oude goden een nijlpaard was. Een nijlpaard.' Hij aarzelde even en vervolgde bespiegelend: 'Welnu, of de goden nu wel of niet de regen brachten, het is de regen die de vloed veroorzaakt. Zolang het in het zuiden, waar de Nijl zijn oorsprong vindt, droog is, is het in heel Egypte droog.' Hij aarzelde. 'Hij zou weleens zwaarder kunnen zijn nu die eerder begint.'

Gurzin snoof, hij ontwaarde de lucht van brandende bladeren, hetgeen hem bijna deed niezen. Hij kneep in zijn neus en wachtte.

'Een zegen voor Egypte, want dan zal er meer graan zijn,' zei de jongeman.

'Laten wij daarop hopen,' antwoordde de vreemdeling. Hij en de oudste zoon van de kapitein hadden de reling op het achterschip bereikt en stonden daar in het restje tanende daglicht. 'Een schitterende aanblik, de Nijl.'

'Dat is het zeker, Excellentie,' zei de oudste zoon van de kapitein.

'Niets van dat alles. Ik ben slechts een bescheiden handelaar op weg naar de Eerste Cataract. Ik ben op zoek naar sieraden en stoffen om te handelen.' Zijn lach klonk diep en tevreden, als luid kattengespin.

'Jawel, Excel... mijnheer.'

'Beter, veel beter,' zei het hooggeplaatste heerschap. 'Maar wees voorzichtig. Ik wil niet dat bekend wordt dat ik mij in dit deel van het land ophoud.' Hij aarzelde en liep toen terug naar de voorzijde van de dhow. 'Ik wil dat je goed begrijpt dat ik niet ontdekt mag worden. Als dat wel gebeurt, zal het ons allen slecht vergaan.'

'Ik zal voorzichtig zijn, mijnheer. Dat zal ik,' zei de jongeman, en snelde achter de vreemdeling aan.

Gurzin wachtte tot hij er zeker van was dat zij weg waren, totdat hij niets meer hoorde dan het klepperen van de zeilen en het eindeloze gezang van de Nijl; het laatste restje zonsondergang was verbleekt tot een matte lijn boven de heuvels in het westen. Ietwat beverig kwam hij uit zijn schuilplaats te voorschijn, in de hoop dat niemand van de bemanning had bemerkt wat hij had gedaan. Hij streek de voorkant van zijn habijt glad en wreef over zijn haar waar het in zijn nek bij elkaar was gebonden. Wat had dat in hemelsnaam te betekenen? vroeg hij zich af, toen hij hetgeen hij had gehoord nogmaals de revue liet passeren. De man met de titel was hem onbekend, dat stond vast. Hetgeen betekende dat hij heimelijk aan boord was gekomen en waarschijnlijk ondergedoken zou blijven terwijl de dhow zuidwaarts zeilde, stroomopwaarts in de richting van de halfbedolven monumenten van Abu Simbel. Gurzin fluisterde een gebed voor zijn eigen veiligheid en verzocht God hem in zijn gedachten te leiden. Het was een tamelijk vluchtige smeekbede, maar deze volstond, toen hij zich twee uur later ter ruste begaf, om hem de hoop te geven dat hij tegen de morgen een plan zou hebben uitgedacht.

De volgende dag bracht hem echter evenmin als de daaropvolgende wijsheid, hoewel hij de mensen aan boord nauwgezet gadesloeg. Hij luisterde naar de gesprekken van de bemanning, en behalve zo nu en dan een duistere zinspeling, ving hij niets van belang op. Wie was die man, en waar was hij op uit? Korte tijd speelde Gurzin met de gedachte aan boord te blijven tot het schip zijn klooster in Edfoe zou bereiken, doch hij zag hier alras van af, in de wetenschap dat zijn gemeenschap hem wellicht niet een tweede maal zou toestaan te vertrekken.

Uiteindelijk bereikte de dhow Thebe, waar Erai Gurzin schoorvoetend van boord ging, even onwetend omtrent de identiteit van de man die hij slechts kende als 'Excellentie' als toen hij hem had horen spreken. Hij hield toezicht op het lossen van de verschillende zaken die Madelaine had besteld, en reed met de twee volgeladen karren naar haar villa.

Hoewel de zon nog niet was ondergegaan, was Madelaines villa reeds helder verlicht en de bedienden waren druk in de weer. Nu de Overstroming was begonnen, werden de muren van de binnenplaats geschraagd en bracht men de voedingsmiddelen, die voor het grootste deel van het jaar in kelders lagen opgeslagen, naar waterdicht gemaakte ruimten bij de stallen. Gurzin betrad de binnenplaats en werd begroet door de helft van de bedienden, van wie elk zijn eigen verhaal had. Hij luisterde korte tijd, betrad toen de villa door de zij-ingang en ging op zoek naar Renenet.

'Madame wenst u te spreken,' zei Renenet op zijn eigen strenge wijze. 'Heeft u een veilige overtocht gehad?' Hij liet duidelijk blijken dat deze vraag achteraf er eigenlijk niets toe deed, aangezien Gurzin een Ongelovige was.

'Voor het grootste deel,' antwoordde Gurzin terwijl hij achter Renenet aanliep naar de salon, waar Madelaine alweer aandachtig een grote schets van wandfriezen bestudeerde. Hij wachtte tot zij opkeek en schonk haar een zegening toen hij de kamer betrad.

'Kijk eens aan,' zei Madelaine, toen zij een revérence had gemaakt en zijn monniksring had gekust. 'Ik begon mij reeds af te vragen of u de weg naar huis kwijt was.'

'Er is slechts één rivier,' zei Gurzin, om zich heen kijkend naar alle grote vellen papier die door de kamer verspreid lagen. 'U bent gedurende mijn afwezigheid druk bezig geweest, zie ik.'

'Geen berisping, alstublieft,' zei zij meteen. 'Ik heb mijn best gedaan zoveel mogelijk op papier te krijgen, maar dat is geen gemakkelijke opgave. Hetgeen van ons wordt verlangd drukt zwaar op alle leden van Professor Baundilets expeditie en daarnaar gedragen wij ons allen. Het peil van de Nijl stijgt drie weken eerder dan normaal en wij zijn geen van allen voorbereid.' Zij gebaarde naar de chaos. 'Er zal genoeg tijd zijn om dat op te ruimen als de vloed op zijn hoogtepunt is. Voor het ogenblik wil ik er vooral voor zorgen dat ik voldoende heb om mij mee bezig te houden tot het water weer zakt.' Zij wees naar een van de twee stoelen die niet bedolven waren onder stapels boeken en schetsen. 'Daar. Neemt u plaats en vertel mij alles over Caïro. Heeft u, zoals ik u had verzocht, mijn monografie aan Monsieur Sauvin overhandigd?'

'Ja,' zei Gurzin, onwillig om haar te veel te vertellen, aangezien de kans bestond dat zij afgeluisterd werden. 'Ik heb uw aanbevelingsbrief aangeboden en kreeg twee dagen later toestemming voor een onderhoud.' Dat was veel minder oponthoud geweest dan hij had verwacht en het had hem overtuigd van de positie die Madelaines familie in Frankrijk bekleedde. 'Hij stelde mij zeer veel vragen over u en verzekerde zich er terdege van dat het u goed gaat en dat u hier in goede handen bent, en toen ons onderhoud voorbij was, verzocht hij mij zijn complimenten aan u over te brengen. Er zit een brief in de koffer die ik bij mij heb.' Hij zag dat zij knikte. 'Een bijzonder voortreffelijk man, deze Monsieur Sauvin.'

Madelaine grinnikte. 'Een man met een echtgenote en zes kinderen, Broeder Gurzin, haalt u zich dus geen verbintenis in het hoofd. Hij is, op zijn manier, een alleraardigste man, en het is nuttig te weten dat hij in Caïro is, maar veronderstel niets meer.'

'Ik heb mij niets van dien aard in het hoofd gehaald,' zei Gurzin, net iets te gehaast.

'Natuurlijk niet,' zei Madelaine leugenachtig, en zij verklaarde toen: 'U krijgt altijd een verwachtingsvolle blik zodra een geschikte man ter sprake komt. U kunt er niets aan doen dat u liever had dat ik het soort leven leidde dat u gepast acht. Helaas kan ik u hierbij niet van dienst zijn.'

'Omdat u dat niet wilt,' zei Gurzin, blij met hun vertrouwde gekibbel, zodat hij nog even niets behoefde te zeggen over de vreemdeling op de dhow. 'U heeft gezegd nooit te zullen trouwen, en zodra iemand die mogelijkheid oppert, houdt u zich daar verre van, zoals u zich verre van de Antichrist zou houden.'

'Dat is mogelijk,' zei Madelaine beleefd, evenwel met een houding die verdere discussie uitsloot. 'Trek aan de bel en vraag Renenet u iets te brengen. Dat had u moeten doen zodra u aankwam.' Zij leunde achterover in haar hoge stoel. 'Er zouden drie grote kisten aarde bij moeten zijn?' vroeg zij op een toon als was de vraag onbelangrijk.

'In de stallen, boven de boxen,' antwoordde Gurzin. 'Het zegel geeft Frankrijk als land van oorsprong aan en zij zijn in Marseille verscheept. Ik heb persoonlijk toezicht gehouden op het laden en lossen, en er is niets mee gebeurd.' Hij strekte net zijn hand uit naar het schellekoord toen Renenet in de deuropening verscheen.

'Wat wenst u als welkomstversnapering?' vroeg hij, even weinig toeschietelijk als ooit.

'Wat u maar zonder al te veel moeite kunt missen, zolang als er wat wijn en honing bij is.' Terwijl hij sprak, besefte Gurzin plotseling dat hij uitgehongerd was. 'En wat van die broodjes.'

'Maar natuurlijk,' zei Renenet, en hij liet hen alleen.

'Hoe is het hier gegaan?' vroeg Gurzin, toen hij er zeker van was dat Renenet zich in een ander deel van de villa bevond.

Madelaine schudde haar hoofd. De beweging was amper merkbaar maar was voor Gurzin een even duidelijke waarschuwing als had zij een hand over zijn mond gelegd. 'Het is voor de expeditie een drukke tijd geweest, vanwege het vroege begin van de vloed en het feit dat de gravers zich allen om hun familie willen bekommeren en zich voorbereiden op het zaaien zodra de Nijl zich heeft teruggetrokken.' Haar frons verdiepte zich maar haar stem klonk kalm en opgewekt. 'Wij hebben enige aandacht getrokken – enkele leden van de Engelse expeditie en een stuk of zes Italianen zijn een kijkje komen nemen om te zien hoeveel vooruitgang wij geboekt hebben. Ik geloof dat sommigen van hen ons voor dwazen verslijten omdat wij onze tijd wijden aan de tempels hier op de oostelijke oever, terwijl de mogelijkheden op de westelijke oever, waar elke schep zand nog steeds een schat prijsgeeft, veel groter zijn.'

'Maar u bent het niet met hen eens,' zei Gurzin.

'Natuurlijk niet. Evenmin als Professor Baundilet. Hij is vastbesloten te bewijzen dat de tempel die wij nu opgraven, even opmerkelijk is als om het even welke in die... die grote begraafplaats aan de overkant van de rivier. Zoveel van wat er zich op de westelijke oever bevond, was voor de doden; deze oever was voor de levenden, tenminste hier in Thebe; zonsopgang voor het leven, zonsondergang voor de dood.' Madelaines blik flitste naar de deur en een ogenblik later verscheen Renenet met een groot dienblad volgeladen met bijna alle lievelingshapjes van Gurzin: dadels, rozijnen, vijgen in siroop, drie soorten brood, honing in de raat, wijn, een schaaltje gesuikerde amandelen en een grote pot zoete muntthee.

'Verrukkelijk,' zei Gurzin geestdriftig, terwijl hij de overvloed op het blad in ogenschouw nam. 'Ik had de hoop op goed eten al bijna laten varen, doch hier heeft u mij bewezen dat mijn angst ongegrond was.' Hij pakte de zware kop, de enige op het blad, en schonk hem vol met stomende muntthee. 'God zegene u, Renenet.'

'Er is geen andere God dan Allah,' zei de huisbediende weloverwogen.

'Zoals u wilt.' Gurzin proefde de thee. 'Als nectar,' zei hij, hoewel hij in zijn ongeduld zijn tong brandde. 'Ik bel wel als ik klaar ben,' voegde hij eraan toe, toen Madelaine niets zei.

'Zoals u wilt,' zei Renenet, hem opzettelijk nabauwend; vervolgens maakte hij een diepe buiging en vertrok.

Toen de hal leeg was, sprak Gurzin een zegening over zijn maal uit en wierp een snelle blik op Madelaine. 'Nog meer spionnen, Madame?'

'Tot onze spijt lijkt dat het geval te zijn,' antwoordde zij terwijl zij het uiterst nauwkeurige kopieerwerk van de symbolen op haar schets onderbrak. 'Ik weet niet voor wie zij werken of wat zij denken te ontdekken, maar Lasca vertelt mij dat ieder personeelslid haar en mij met achterdocht beschouwt.'

'Dat is uitermate onaangenaam,' zei Gurzin terwijl hij at. 'Toen ik vertrok, had ik niet het idee dat de zaak zo zeer uit de hand was gelopen.'

'Dat was toen ook nog niet het geval,' zei Madelaine. 'Maar... er zijn incidenten voorgevallen. Professor Baundilets hoofdgraver, een magere kerel genaamd Suti, hoewel ik heb begrepen dat hij nog een andere naam heeft, is gedurende de laatste paar weken verschillende malen in de buurt van mijn villa gesignaleerd. Toen ik Baundilet hiernaar vroeg, beweerde die dat hij van niets wist, maar ik geloof hem niet.' Zij leunde met haar ellebogen op tafel en staarde naar de ramen. 'Hij houdt iets verborgen, Baundilet bedoel ik.'

'Ook voor de anderen?' vroeg Gurzin terwijl hij een van de broodjes in drieën brak.

'Nu, hij heeft Claude-Michel uitgesloten van zijn ochtendbijeenkomst en De la Noye vertelde dat Baundilet hen niet langer zoals voorheen om advies vraagt. Het kan te wijten zijn aan de vorderingen van de expeditie maar ik ben bang dat dat er niets mee te maken heeft.' Zij onderbrak zichzelf om een lok donker haar van haar voorhoofd naar achteren te strijken. 'Ik geloof dat hij gelukkiger zou zijn als de helft van ons zou vertrekken.'

'En bent u dat van plan?' vroeg Gurzin, terwijl hij bedacht dat een vrouw als Madame de Montalia niet thuishoorde tussen ruïnes en overstromingen.

'Natuurlijk niet,' zei zij verontwaardigd. 'Voor wat voor een armzalig schepsel ziet u mij aan. Waarom zou ik vertrekken op het moment dat wij net een begin hebben gemaakt de geheimen van deze plek te ontsluieren?'

'Omdat het hier niet veilig is, Madame,' zei Gurzin met klem. 'Het kan zijn dat er tegenover het oplossen van deze raadsels een al te hoge prijs staat.'

Een snelle, geheimzinnige glimlach trok over haar gezicht. 'Ik heb reeds de oplossing voor één groot raadsel gevonden: Saint-Germain kan dat bevestigen.' Zij huiverde, alsof de nacht heel even koud was geworden. 'Er is hier niets dat mij zoveel angst inboezemt dat ik mij gedwongen voel te vertrekken.'

'Het is zeer gevaarlijk, vrees ik,' zei Gurzin zachtjes.

'Ademhalen is gevaarlijk als je het op de verkeerde plaats doet,' gaf Madelaine te kennen. 'Ik heb al de wens hiernaartoe te komen sinds'

– zij had bijna gezegd 'sinds voor de komst van Napoleon' maar dat was een kwart eeuw geleden – 'sinds ik over deze plaats heb gelezen.' Dat klopte tenminste; zij had al over Egypte gelezen vijftig jaar voordat Napoleon erheen trok.

'Dan kunt u meer lezen en tot de ontdekking komen dat...' begon Gurzin, doch hij werd onderbroken.

'Excuseert u mij, Broeder Gurzin, dat ik u in de rede val, maar ik weet dat u niets zou willen zeggen dat ik als een belediging zou kunnen opvatten. En ik wil dat u begrijpt dat datgene wat u voorstelt, dat is. Ik zou u net zo goed kunnen aanraden om uw studie van het geloof te beperken tot het lezen van commentaar, geschreven door mensen zoals Voltaire, die twijfel prediken.' Gurzin was verbaasd te moeten constateren dat een zo mooie vrouw plotseling zo imponerend kon zijn en hij zag ervan af te protesteren; zij bespeurde dit en haar gezicht verzachtte zich. 'Heeft u eraan gedacht te vragen hoeveel van mijn briefpakjes in Caïro zijn aangekomen en hoeveel er zijn doorgestuurd?'

'De monografie en brieven die ik bij mij droeg, waren de eerste die zij in de laatste zes maanden hebben ontvangen, zo is mij verteld. Professor Baundilet of...'

'... Magistraat Numair, of een van de andere oudheidkundigen, Engels of Frans, of een bediende in het huis van Baundilet, of iemand op een van de boten, of een van de mannen in Caïro, of een van Monsieur Sauvins personeelsleden, echter waarschijnlijk niet Monsieur Sauvin persoonlijk,' somde Madelaine verbitterd op. 'Bondgenoten of vijanden. Hoe komen wij daar achter zonder het gevaar dat wij lopen te vergroten?'

Gurzin schudde zijn hoofd. 'Weer een bewijs dat dit geen veilig oord is.'

'Wellicht.' Zij legde haar vinger tegen haar lippen en hield zich zo stil dat het niet natuurlijk leek voor zulk een levendige vrouw. 'Hoorde ik daar iets?'

'Op de binnenplaats,' zei Gurzin, na een korte stilte. 'De karren worden uitgeladen.'

Zij hield haar hoofd schuin. 'Inderdaad. Uw gehoor is opmerkelijk, Broeder Gurzin.' Haar uitdrukking was iets minder voorzichtig toen zij vervolgde: 'Dat is het vervelende als je je steeds moet afvragen of je wordt bespioneerd; het is onmogelijk het idee geheel van je af te zetten. Iets zo onbelangrijk als het lossen van een kar wordt een vreselijk geluid, een bewijs van verraad.'

'Zeer betreurenswaardig, Madame,' zei Gurzin, nog steeds op gedempte toon.

Madelaine schoof haar pennen opzij en legde haar gekopieerde inscripties dusdanig neer dat zij ze niet zou bevuilen. 'Wat zit u dwars?' Zij klakte afkeurend met haar tong toen hij wilde protesteren. 'U bent gespannen vanaf uw terugkomst, waarschijnlijk vanaf dat u nog aan boord was. Hoe komt dat, Broeder Gurzin? Waarover maakt u zich zorgen?'

Gurzin likte zijn vingers af en slaakte een zucht. 'Dit is niet het geschikte moment, Madame. Morgen wellicht, als wij ons kunnen afzonderen, zal ik...'

'Nu,' zei Madelaine, op vriendelijk bevelende toon.

'Het is niet veilig,' protesteerde Gurzin, minder fel nu.

'Reden temeer om het mij te vertellen,' zei Madelaine, zijn blik met haar paarsblauwe ogen vasthoudend. 'Kleed het in zoals u wenst, doch vertel mij wat ik moet weten.'

Langzaam, met veel uitweidingen en omwegen, begon Gurzin Madelaine te vertellen over zijn reis langs de Nijl, de aanval van de scheepstimmerman en de vreemdeling met het onherkenbare accent. Onder het praten werd hij vrijer en tegen de tijd dat hij beschreef hoe drie leden van de bemanning toen hij van boord ging het teken tegen het Boze Oog hadden gemaakt, was hij lang niet meer zo voorzichtig als hij had gezworen te zullen zijn. 'Dus,' eindigde hij ten slotte, 'ik heb de mannen met de karren betaald met een royaal... hoe noemt u dat?'

'*Doucement*,' gaf Madelaine aan.

'Ja, zij kregen nogmaals half zoveel als zij berekenden om uw lading hierheen te vervoeren. Ietwat overdadig, doch niet zoveel dat zij het opzienbarend zouden vinden. Ten tijde van het stijgende rivierwater berekenen de vervoerders altijd meer en verwachten daarenboven iets voor hun diensten.' Gurzin at nog wat maar het voedsel had nu zijn smaak verloren. Hij likte zijn vingers voor de laatste maal af en zei: 'Monsieur Sauvin zei dat hij immer te uwer dienste staat om u van Thebe naar Caïro te brengen, als dat noodzakelijk mocht blijken. Hij heeft schepen – een felucca en een dhow – tot zijn beschikking en die kunnen op zeer korte termijn hierheen gezonden worden.'

'Broeder Gurzin, ik weet wat u wenst dat ik zou doen, maar ik zal niet vertrekken. Ik heb zojuist enkele opwindende en nieuwe dingen ontdekt. Er bevindt zich nog een klein vertrek in de tempel die wij gevonden hebben, en ik ben er zeker van dat de schilderingen in het inwendige een triomf voor de oudheidkundige wetenschap zullen blijken te zijn.' Zij glimlachte zwakjes om zijn ontmoedigde uitdrukking. 'Waar ziet u mij voor aan, een nukkig kind wiens komst hierheen als een gril beschouwd moet worden?'

'Nu niet meer,' zei Gurzin. 'In het begin was ik bang dat u niet de juiste instelling bezat voor dit werk, maar ik weet nu beter.'

'Bijzonder tactvol,' zei Madelaine, met een niet te onderdrukken grijns. 'U weet heel goed dat u mij veel liever zou zien vertrekken, omdat u niet gelooft dat ik ben opgewassen tegen het harde leven hier.' Zij deed een paar stappen. 'En het is waar dat de zon mij geen goed doet maar ik ben niet de enige met dergelijke problemen, is het wel?' Zij was de kamer door gelopen naar waar de monnik zat en zeeg in de stoel tegenover hem neer. 'Dit is belangrijk voor mij.'

'Belangrijk genoeg om uw leven voor te wagen?' vroeg hij ernstig. 'Dat zou weleens de inzet kunnen zijn.'

Een vreemde, ondoorgrondelijke emotie gleed over haar gezicht; haar paarsblauwe ogen werden erdoor vertroebeld. Toen schudde zij die van zich af. 'Mijn leven te wagen,' mijmerde zij. 'Welnu, dat heb ik eerder gedaan.'

'Dit is geen jachtpartij of een andere sport,' zei Gurzin ongeduldig, plotseling onzeker hoe hij met haar verder moest.

'Een jachtpartij.' Zij dacht terug aan die herfst van 1743, toen zij op jacht was gegaan op Sans Désespoir en tot prooi was geworden voor Saint Sebastien en zijn bende. 'Er valt tijdens de jacht meer te verliezen dan lijf en leden, Broeder Gurzin. Vraag maar aan Saint-Germain.'

'Ik maak mij momenteel meer zorgen om uw welzijn,' zei Gurzin op zeer formele toon. 'Mij is verzocht u bij te staan en over u te waken. Tot nu toe heeft u slechts weinig van mijn hulp aangenomen en niets van mijn bescherming.' Hij vouwde zijn armen over elkaar. 'Hoe kan ik onze leermeester onder ogen komen als u mij niet toestaat datgene te doen wat van mij verwacht wordt?'

Madelaine leunde achterover in haar stoel. 'Ach, Broeder Gurzin, het spijt mij dat ik zulk een beproeving voor u ben, en nog immoreel op de koop toe. Als het een te grote belasting voor u en uw roeping betekent, dan moet u terugkeren naar uw klooster en mij aan mijn lot overlaten. Ik ben er zeker van dat Saint-Germain u hetzelfde zou aanraden. Hij zou zelfs kunnen aanvoeren dat u reeds eerder had moeten vertrekken.' Zij keek hem recht in de ogen. 'Ik zou graag zien dat u blijft, doch ik zal dezelfde zijn. Ik ga geen compromissen met u sluiten. Ik bied niet aan om te veranderen als tegenprestatie voor uw aanwezigheid, maar wel zou ik het op prijs stellen als u niet vertrekt.' Haar ogen stonden nu koel, zij het niet boos of gevoelloos zoals hij had verwacht.

'Ik zal vanavond bidden,' zei Gurzin. 'Morgenochtend zal ik u mijn besluit mededelen.' Hij keek neer op het voedsel dat nog op het blad lag.

'Waarom neemt u het niet mee naar uw vertrekken,' stelde Madelaine voor. 'Wellicht heeft u vannacht nog ergens trek in en Renenet zal zich niet gekwetst voelen.'

Gurzin knikte. 'Dat zal ik doen.' Hij maakte aanstalten om overeind te komen en zei toen: 'Het ligt niet in mijn bedoeling u te dwingen Egypte te verlaten, Madame de Montalia. Ik voel mij verplicht u tegen het kwaad in bescherming te nemen en u maakt dat geen eenvoudige taak.'

'Dat verlang ik niet van u,' zei Madelaine, die overeind kwam en terugliep naar de tafel waarop de schetsen lagen. 'Mijn leven lang heb ik dit gewild, Broeder Gurzin. Alles wat ik heb geleerd, vanaf dat ik een kind was, heeft mij in deze richting gestuurd. Hoe kan ik mij hiervan afkeren op het moment dat ik iets begin te bereiken?'

'Het is niet verstandig, Madame.' Hij veegde zijn mond af met het bijgevoegde Franse servet en stond op. 'Trekt u zich nu terug, Madame?'

Madelaine trok een van de schetsen naar zich toe. 'Nu nog niet, nee,' antwoordde zij. 'Neem uw blad mee en gaat heen, Broeder. Welterusten.' Zij keek niet op van de tafel toen hij naar de deur liep. 'Ik heb morgen uw hulp nodig als u mocht besluiten te blijven.'

'Ja?' Gurzin bleef in de deuropening staan, het blad hachelijk op één hand balancerend.

'Ik moet deze schilderingen die ik heb gevonden, kopiëren voordat de vloed ze bereikt. Als de Nijl te hoog stijgt, zouden de schilderingen aangetast kunnen worden. Zoals het er nu voorstaat, zouden zij kunnen schimmelen of gaan vlekken of vervagen.' Zij legde een van de schetsen boven op de andere. 'Ik zou uw hulp bijzonder op prijs stellen.'

Gurzin keek bedachtzaam naar de schetsen, kwam haar echter niet tegemoet. 'Ik zal bidden om wijsheid,' verzekerde hij haar ten slotte.

'Voor ons allemaal, zo u wilt,' zei Madelaine, half in scherts en half in ernst. Zij hoorde Gurzins voetstappen door de gang maar haar gedachten waren niet meer bij hem. De schetsen hielden haar aandacht gevangen zoals niets anders dat gedurende twee decennia vergund was geweest en zij greep de kans om er tot diep in de nacht aan te werken. Ondanks alles, zei zij tot zichzelf, toen zij het precieze kopieerwerk van de inscripties weer opnam, ben ik hier. Ik ben hier.

Tekst van een brief van Honorine Magasin in Parijs aan Jean-Marc Paille in Thebe.

Mijn teerbeminde Jean-Marc,

Zoals je ziet, heeft mijn vader mij wederom toestemming gegeven zijn huis te verlaten, en hoewel hij mij het recht ontzegt te trouwen met de man van mijn keuze, stond hij toe dat ik hierheen kwam, zolang ik onder de door mijn tante geboden bescherming en maatschappelijke vleugels vertoef, en dus ben ik teruggekeerd naar mijn tante Clémence, die mij bijzonder hartelijk heeft ontvangen. Zij is waarlijk een bijzonder achtenswaardige dame en mijn vader ziet in haar een uitstekend voorbeeld voor mij.

Tante Clémence heeft gezegd dat zij tijdens mijn verblijf hier mijn correspondentie zal controleren, maar zij is de liefste schat en maakt geen bezwaar tegen enigerlei brieven die Georges mij brengt, en dus is onze communicatie de eenvoud zelve geworden. Georges is bereid als bemiddelaar te blijven optreden en zolang hij dat doet, zal tante Clémence er niet op aandringen dat ik mijn post eerst door haar laat lezen.

Mijn neef Georges heeft mij vergezeld van Poitiers naar Parijs en bracht jouw meest recente brieven mee toen hij naar Poitiers kwam. Hij vertelde mij dat het niet verstandig was ze mee te nemen naar Poitiers, hoewel hij het wel deed, daar hij weet dat mijn vader een bijzonder onverdraagzame naarling is en onze voortdurende briefwisseling niet goedkeurt, alsof het kwaad zou kunnen over zulk een grote afstand. Mijn vader heeft mij berispt voor mijn heimelijke interesses en heeft mijn tante gezegd dat ik niet te vertrouwen ben, en dat ik geen permissie heb om vreemden te ontvangen zonder zijn voorafgaande goedkeuring. Gelukkig zijn zowel mijn tante Clémence als neef Georges – zij is tevens zijn tante – het erover eens dat mijn vader zich gedraagt als leefden wij nog in de tijd van het monarchistische despotisme, en dat is een geluk voor ons.

Ik kan je niet vertellen hoe heerlijk het is wederom in Parijs te zijn. Dat moet toch wel de meest verrukkelijke stad ter wereld zijn. De kastanjebomen staan er prachtig bij, en overal ziet men de elegantste rijtuigen over de door Napoleon aangelegde boulevards rijden. Het moet voorheen wel vreselijk zijn geweest met die krappe, nauwe straten. Mijn tante Clémence heeft een schitterend berliner rijtuig voor speciale gelegenheden, en gisteren heeft zij haar bij elkaar passende kastanjebruine paarden laten inspannen om ons te brengen naar ons eerste gezamenlijke sociale evenement, een bijzonder interessant concert, alwaar ik een groot aantal personen heb teruggezien die ik tijdens mijn eerste verblijf heb ontmoet, en die zich mij nog zeer goed herinnerden. Het was tijdens de pauze een gedrang van jewelste in de loge van mijn tante en na afloop werden wij door maar liefst vijf heren naar haar rijtuig begeleid. Mijn tante merkte op dat dit een veelbelovend begin was. De muziek was iets Duits: Beethoven of Schubert misschien, of een van die andere sombere componisten. Ik heb er niet zo op gelet, aangezien zoveel andere dingen mij bezighielden.

Wanneer je terugkeert (en daar verlang ik elk uur naar, mijn liefste Jean-Marc), zul je verbaasd staan als je ziet hoe de mode is veranderd. Ik was zeer nieuwsgierig naar de nieuwe japonnen, want zij lijken in het geheel niet op die van twee jaar geleden. Niemand die wil worden aangezien voor iemand met smaak, durft zich nog te vertonen in een japon die niet een deel van de schouders onbedekt laat. Met kant afgezette pofmouwen zijn het nieuwste van het nieuwste. Tante Clémence heeft precies zo'n japon voor mij besteld in de meest verrukkelijke tint zacht roze, die men 'gefluisterde zucht' noemt, en ik weet zeker dat je hem

prachtig zult vinden. Men zegt dat de taillelijn gaat zakken,
hetgeen zeker betoverend zal zijn, hoewel de taille tevens net iets
meer wordt ingesnoerd, en soms van een ceintuur wordt voorzien.
Je kunt je voorstellen hoe geboeid ik was bij het lezen van je
brieven. Hoe houd je het uit op een dergelijke plek, mijn liefste?
Elke avond in mijn gebeden doe ik mijn best niet te veel uit te
wijden over mijn angst om jou, maar ik kan die niet geheel van
mij af zetten, want het is een feit dat iedereen die ook maar iets
weet van die plaats, klaarstaat met akelige verhalen. Ik houd
mijzelf voor, zoals jij mij hebt aangeraden, dat het hersenspinsels
zijn en mijn neef Georges heeft mij gewaarschuwd dat ik mij niet
moet bezighouden met zulke sombere gedachten. Hij zei dat ik
zulke beschouwingen diende over te laten aan Italiaanse en
Engelse romanschrijvers, wier temperament daartoe geneigd is. Je
kunt je bedenken hoe wij allen om zijn grap hebben gelachen,
maar later was ik wederom terneergeslagen toen ik bedacht dat
jij je in zulk een verre en gevaarlijke plaats bevindt.
Men vertelde mij een dag of drie geleden dat kamelen
slechtgehumeurde beesten zijn, die trappen en spugen en worden
gekweld door winderigheid. Het lijkt mij niet mogelijk een
dergelijk onaangenaam dier te berijden en jij vertelde mij dat zij
doorgaans niet gewend zijn om een rijtuig te trekken. Krokodillen
in het water en kamelen op het land, en bovendien nog allerlei
soorten dodelijk ongedierte. O, Jean-Marc, wees alsjeblieft
voorzichtig, want ik verdraag het niet als je iets overkomt terwijl
je weg bent.
Er kwam gisteren bericht van mijn vader dat mijn zuster Solange
wellicht in gezegende omstandigheden verkeert. Het is te vroeg
om zekerheid te hebben, maar de aanwijzingen zijn er en mijn
vader heeft tegen haar echtgenoot gezegd, dat hij hem duizend
gouden Louis van voor de Revolutie zal betalen als hij erin
toestemt om via het gerechtshof 'Magasin' aan zijn naam toe te
laten voegen, opdat de naam niet uitsterft. Dat is natuurlijk
afhankelijk van de geboorte van een zoon. Ik vrees dat mijn
zwager niet van het aanbod gediend was en mijn vader is
bedroefd dat Solange de gevoelens van haar echtgenoot deelt;
mocht zij evenwel in gezegende omstandigheden verkeren, dan is
haar gedrag te verklaren.

Mijn tante Clémence vertelt mij dat Georges is gearriveerd. Hij begeleidt ons vanavond naar een bal. Ik moet mijn dienstmeisje mijn haar nog verder laten opmaken. Ik draag een rooskleurige japon met juwelen op het lijfje en hoewel de mouwen niet helemaal zo bol zijn als de mode voorschrijft, kunnen zij ermee door. En het mooiste van alles zijn mijn kousen. Ik weet dat ik je dit eigenlijk niet zou mogen vertellen, maar ze zijn zo mooi, mat lichtgele zijde geborduurd met rozen, doorvlochten met ranken, dat ik het niet kon weerstaan er melding van te maken. Mijn schoenen zijn van satijn; een geschenk van mijn tante. Ik heb mijn parelsnoer omgedaan en arme Violet raakt bijna overspannen omdat ik zoveel tijd heb genomen om jou te schrijven. Ik moet nu afsluiten, mijn liefste. Ik mis je ieder uur van elke dag en je bent steeds in mijn gedachten. Wanneer wij eindelijk herenigd zijn, zal al het door ons geleden leed verzoet worden door onze triomf.
Moge God je behoeden en je beschermen tegen het kwaad.

Met oneindige liefde,
Honorine
13 augustus 1826, te Parijs

Vijf

De eerste paar seconden nadat hij het heiligdom was binnen gegaan, was Claude-Michel verblind door de duisternis. Toen zijn ogen zich hadden aangepast, was hij in staat de schitterende figuren op de wanden en het plafond van het stenen vertrek te onderscheiden.

'Het heeft iets van een grafgewelf,' zei hij, zenuwachtig giechelend. 'God, het is hier zo donker, hoe houdt u het uit?'

'Dat valt wel mee,' zei Madelaine. Zij stond verderop met de lantaarn, ervoor zorgend dat de rook die ervan afkwam niet naar de witgekalkte en beschilderde delen van de muur dreef. 'Je raakt na verloop van tijd aan de duisternis gewend.'

Claude-Michel maakte een geluid dat aangaf dat hij het niet met haar eens was; hij kneep zijn ogen samen in een poging de figuren op het plafond te onderscheiden. 'Nacht en dag?' waagde hij, nadat hij ze enige tijd had bestudeerd.

'Dat maakt er deel van uit, geloof ik,' zei Madelaine. Zij gebruikte het stompe eind van haar potlood om stukjes van het plafond aan te wijzen. 'Dat deel, waar de goden zo vreemd staan opgesteld, is, naar ik vermoed, hun zodiak. Zie je waar de figuren met grote stippen zijn gemerkt? Ik denk dat die de sterren voorstellen. Ik wil een volledige kopie van dit plafond, zodat ik de merktekens met de sterren kan vergelijken.' Haar stem klonk gesmoord van opwinding en zij kon het niet laten te glimlachen terwijl zij sprak. 'Deze figuur schijnt de scheiding te zijn tussen de dag- en nachtgedeeltes,' vervolgde zij, terwijl zij haar potlood als aanwijzer gebruikte, hoewel de schaduw ervan vervormde en vervaagde naarmate zij verder weg van haar lantaarn kwam. 'Zie je wel, hier in het daggedeelte zijn verschillende stadia van activiteit te zien. Dat zou hetgeen gedaan werd voor de god, kunnen voorstellen, of de seizoenen,' zei zij. 'Daar zie je de Overstroming, daar het zaaien, en daar de oogst.'

'Dat zijn slechts drie seizoenen,' zei Claude-Michel, wiens aanvankelijke vrees voor de hen omringende duisternis plaats maakte voor een gevoel van ontzag. 'Is dit een grafkamer?'

'Ik denk het niet,' zei Madelaine. 'Geen mummie en geen plaats voor een mummie. Er zijn geen grafoffers en niets duidt erop dat die hier ooit geweest zijn.' Zij wees op het zand dat nog weggeruimd moest worden. 'Daar zou wellicht nog iets onder kunnen liggen, maar het lijkt mij niet waarschijnlijk.'

'Zou hij geplunderd kunnen zijn?' vroeg Claude-Michel, in het duister om zich heen turend.

'Waarschijnlijk wel, naar ik vermoed al geruime tijd geleden.' Zij keek naar haar schetsblok, plotseling bijna verlegen. 'Wilt u mij helpen? Als ik probeer het plafond te kopiëren, wilt u dan de inscripties voor uw rekening nemen? We zullen deze plek spoedig moeten verlaten, zodra de Overstroming hem bereikt, en ik wil niets van dit alles verloren laten gaan.'

'Nee, dat begrijp ik,' zei Claude-Michel. 'Goed dan.' Hij trok zonder excuses zijn jasje uit en nam een leren notitieboekje uit zijn zak. 'Ik heb pen en potlood; wat beveelt u aan?'

'Waar u het best mee overweg kunt,' zei Madelaine, met een brede glimlach. 'Dank u, dank u zeer, Claude-Michel.'

In het donker was slecht te zien of hij bloosde of dat er slechts sprake was van een schuchtere aarzeling toen hij antwoordde. 'Wij maken deel uit van dezelfde expeditie. Wij worden geacht samen te werken.' Hij haalde zijn potlood te voorschijn. 'Waarschijnlijk betrouwbaarder. Ik heb een mes in mijn zak voor het geval de punt afbreekt.' Hij vond een plek om te zitten, vanwaar hij het grootste deel van de inscriptie onder de nachtfries kon zien. Omhoogturend zei hij: 'Op momenten zoals deze zou ik willen dat die Engelse knaap, Wilkinson, hier was. Hij kan beter tekenen en kopiëren dan ik.'

'Ik denk beter dan de meesten van ons,' zei Madelaine, ietwat afwezig doordat zij zich op het plafond concentreerde. 'Welk sterrenbeeld is dat, denkt u?' vroeg zij, terwijl zij de afbeelding begon te schetsen die haar het meest onwaarschijnlijk voor kwam: een krokodil die op de rug van een nijlpaard klom.

'Als het een sterrenbeeld is, hoeft het niet een deel te zijn van een die wij kennen. Het zou een stukje van de Stier kunnen zijn en een klein stukje van... O, ik weet het niet, de Draak misschien.' Hij sprak om de stilte te verdrijven, want de duisternis was nog steeds te dicht naar zijn smaak. 'Kijk eens naar deze inscriptie, de hiërogliefen zijn zowel beschilderd als gehouwen.'

'Dat komen wij steeds vaker tegen,' zei Madelaine, zich bewust van Claude-Michels onbehagen. 'Professor Baundilet heeft dat stukje muur ontdekt, weet u nog wel, met verfvlekjes op de opstaande rand van het reliëf.'

'Waarom zouden ze ermee zijn begonnen de inscripties te beschilderen?' vroeg Claude-Michel aan het vertrek, terwijl hij met het werk doorging.

'En waarom zouden zij ermee zijn opgehouden?' zei Madelaine. Een seconde later slikte ze een verwensing in toen inkt zich over haar hand uitspreidde.

'Wat is er loos?' vroeg Claude-Michel, terwijl hij zich overeind worstelde.

Zij schudde haar hoofd. 'Ik heb geloof ik mijn inktpot gebroken,' zei zij. 'Ik kan het maar beter bij houtskool houden, hoe smerig dat ook is.' Zij bewoog zich voorzichtig om niet nog meer inkt te morsen dan zij al had gedaan. 'Ah, hier heb ik het.' Zij wendde zich tot Claude-Michel. 'Mijn benodigdheden staan hier vlakbij. Het zal mij hooguit tien minuten kosten om dit op te ruimen en terug te komen. Vindt u dat goed?'

Claude-Michel bloosde nogmaals, dit keer echter uit schaamte. 'U kunt zo lang wegblijven als u wilt, Madame,' zei hij, vastbesloten zichzelf niet verder bespottelijk te maken. 'Het is waar dat ik niet van de duisternis houd, maar dit is Egypte, het land van de graftombes, en ik ben oudheidkundige.'

'U bent taalkundige,' zei Madelaine vriendelijk. 'Als u mij soms liever vergezelt?' Zij liet de vraag in de lucht hangen. 'Weet u het echt zeker?'

'Gaat u maar. Ik heb mij als een kind aangesteld en op mijn leeftijd wordt het tijd dat ik dergelijke angsten overwin.' Hij geloofde zichzelf niet helemaal en wist dat Madelaine al evenmin overtuigd was.

'Goed dan,' zei zij zonder verder aan te dringen. 'Maar mocht u van gedachten veranderen, dan zal ik u daarom niet minder hoogachten.' Met deze woorden bukte zij zich om de deur uit te gaan en liep in de richting van de witte ezel die aan de rand van de opgraving stond. Haar schildersezels en schetsbenodigdheden waren verpakt in zeildoek en vastgesnoerd aan het pakzadel. Madelaine keek neer op het donkergroen van haar rok en schudde haar hoofd toen zij de enorme inktvlek zag die het grootste deel van de rechter voorkant besloeg.

'Ach, wat zonde,' zuchtte zij. Dit was iets waarmee zij geen rekening had gehouden toen zij naar Egypte kwam; de tol die de woestijn en haar onderzoekingen van haar kleding zouden eisen. Hoe weinig het haar ook aanstond, zij zou Lasca moeten verzoeken om meer japonnen te laten maken, aangezien zij voor het werk nu nog maar de beschikking had over vier dagjaponnen die niet vol vlekken zaten of tot op de draad versleten waren. Zij opende de mand op het pakzadel en vond nog een inktpot, die zij liet liggen. In een kleine koker zaten haar pijpjes houtskool; zij trok de koker te voorschijn en maakte nog een groot schetsboek los, alvorens de ezel een paar klopjes te geven en de terugweg naar het binnenste van de tempel te aanvaarden.

Zij was minder dan tien passen verwijderd toen zij Claude-Michel hoorde schreeuwen; zij liet al wat zij droeg vallen, tilde haar met inkt bevlekte rokken op en rende naar het heiligdom. Terwijl zij naar binnen dook, meende zij uit haar ooghoek de zoom van een arbeidersgewaad te zien. Er was geen tijd om zich daar het hoofd over te breken. Madelaine aarzelde in de duisternis, want de lantaarn was uitgegaan en zij hoorde gekreun. 'Claude-Michel?' riep zij, blij dat haar stem vast klonk.

Het antwoord was een zacht geluid dat het midden hield tussen kuchen en kreunen. 'Zit je nog op dezelfde plaats?' Haar nachtziende ogen hadden zich nu aangepast en zij liet haar blik door het vertrek gaan, waar zij hem ten slotte uitgestrekt met zijn gezicht naar beneden op het achtergebleven heuveltje zand zag liggen. Zij slaakte een zucht en liep naar hem toe.

'Blijf uit de buurt,' mompelde Claude-Michel, zijn adem even iel als zijn stem. 'Schorpioen.'

Zij aarzelde niet en bleef op hem af lopen. 'Waar ben je gestoken?'

'Dijbeen,' zei hij, zo zwak dat zij hem amper kon verstaan. 'Links.'

Madelaine legde haar vingers tegen zijn hals en voelde de hartslag; er was niet voldoende tijd om hulp te roepen, om Doktor Falke te laten komen. Zij pakte de omslag van zijn broekspijp en gaf er een ruk aan, tevreden toen de stof helemaal tot aan de riem doorscheurde. 'Ik heb een mes,' loog zij, niet alleen als uitleg voor de vernieling van zijn broek, maar tevens als verklaring voor het volgende dat haar te doen stond.

'Kijk uit voor... schorpioen.' Hij was nu amper tot fluisteren in staat, doch Madelaine dwong zichzelf haar aandacht op zijn verwonding te richten.

'Ik heb hem doodgetrapt,' zei zij, in de wetenschap dat, hoewel het vergif van de schorpioen haar een poosje ziek zou maken, het haar geen blijvend letsel zou kunnen toebrengen. 'Ik ga het gif eruit zuigen,' vertelde zij Claude-Michel, toen zij de gezwollen plek net boven zijn knie had gevonden. 'Blijf stil liggen.'

'Niet doen,' protesteerde hij, met een stem zo flauw dat deze minder leek dan een verre echo. Zwakjes probeerde hij zich los te trekken.

Madelaine liet zich op haar knieën zakken, sloeg een arm om zijn been heen en trok het naar zich toe. Toen zij haar mond op de wond wilde zetten, besefte zij opeens de ironie van het feit dat uitgerekend zij Claude-Michel hielp. Toen zij de eerste mondvol vergif en bloed op het zand uitspuugde, dacht zij aan de mannen die zij in hun dromen bezocht. Zij schonk hun genot met hetgeen zij deed, met woorden en kussen; Claude-Michel evenwel kon zij iets anders schenken: zij gaf hem het leven. Tenminste voor de tijdspanne die hem was toebedeeld.

Zij had mondenvol bloed uit Claude-Michel gezogen, toen er een schaduw in de deuropening verscheen. 'Is hier iemand?'

'Jean-Marc,' zei Madelaine, die aan de smaak van Claude-Michels bloed kon proeven dat zij voor hem had gedaan wat zij kon. 'Ga hulp halen.'

Jean-Marc staarde en de kleur trok uit zijn gezicht, waardoor zijn ogen plotseling donker leken. Na een paar diepe ademteugen bracht hij uit: 'Wat is er gebeurd?'

'Schorpioen,' zei Madelaine. 'Ik heb geprobeerd het vergif te verwijderen.'

'*Jésu et Mère Marie*,' fluisterde Jean-Marc, van schrik niet in staat zich te verroeren.

Madelaine bracht hem welbewust tot zijn positieven. 'Wil je dan blijven toezien hoe hij sterft? Vlug wat.'

Claude-Michel kreunde en zijn gevlekte gezicht werd beschenen door het streepje licht dat door de deur viel. Hij probeerde te spreken, dun schuim om de lippen, en gleed toen weg in een toestand van halfbewustzijn.

Jean-Marc ging er haastig vandoor.

Madelaine zat in het donker met Claude-Michels hand in de hare en legde af en toe haar vingers op de slagader in zijn hals. Zij wist dat het erom zou spannen, hoe het ook zou aflopen. 'Hou vol, Claude-Michel, het duurt niet lang meer. Je krijgt spoedig hulp, hou vol,' sprak zij tegen hem, zachtjes en vastberaden. '*Courage, mon brave.*'

Er klonk wat gestommel bij de ingang tot het heiligdom en Alain Baundilet stoof naar binnen.

'Wat voor de duivel is hier gebeurd?' In zijn toon lag nagenoeg de beschuldiging opgesloten dat Madelaine de oorzaak wel zou zijn van het probleem, wat dat ook mocht zijn.

Zij protesteerde niet, doch gaf antwoord alsof Baundilet beleefd was geweest. 'Claude-Michel hielp mij een kopie van dit plafond te maken' – zij wees naar de dag- en nachtfriezen die in de duisternis amper te zien waren – 'en terwijl ik even weg was om wat houtskool en papier te halen, is hij door een schorpioen gestoken.'

'Hier binnen?!' barstte Baundilet uit.

'Blijkbaar.' Haar mond stond strak.

'Maar waar?' commandeerde hij, alsof de schorpioen naar voren zou treden om zijn straf in ontvangst te nemen.

'Ik weet het niet. Ik heb hem niet kunnen ontdekken.' Zij wees naar Claude-Michel. 'Laat een draagbaar komen. Breng hem naar Doktor Falke. Hij heeft nu hulp nodig. We kunnen de schorpioen later bespreken.'

'Maar natuurlijk,' zei Baundilet, nog meer kortaf dan gewoonlijk. 'Hier, Suti. Kom hier met je mensen.' Hij repte zich naar buiten en bleef bevelen uitdelen. 'Een draagbaar! Onmiddellijk!' Hij herhaalde zijn orders in het plaatselijke dialect dat hij nauwelijks beheerste, en voegde eraan toe: 'Breng Magistraat Numair op de hoogte. Vertel hem dat een van mijn expeditieleden door een schorpioen is gestoken. Jij, De la Noye, zorg jij daarvoor.'

Van enige afstand riep Merlin de la Noye terug: 'De Magistraat kan niets tegen een schorpioen doen, Professor.' Zijn stem weergalmde tussen de pilaren en ebde toen spookachtig weg.

'Vooruit!' schreeuwde Baundilet. 'En vlug wat!'

Claude-Michel sloeg plotseling wild om zich heen, maaide Madelaine bijna met de kracht van zijn uithaal opzij en gleed toen terug in gevoelloosheid.

'Wat was dat?' vroeg Baundilet, die de deuropening versperde, alsof hij verwachtte dat Claude-Michel of Madelaine zouden kunnen ontsnappen.

'Hij gaat achteruit,' zei Madelaine rustig, die zichzelf tegelijkertijd beloofde dat zij, als alles voorbij was, aardewerk stuk zou smijten of een lap stof aan flarden zou scheuren, aangezien zij niet langer in staat was te huilen.

Op dat ogenblik arriveerde Suti met een stuk of vijf mannen, met tussen hen in een geïmproviseerde draagbaar. Baundilet stapte opzij om ruimte te maken, opdat zij Claude-Michel naar buiten konden dragen.

'Christus en de Duivel, moet je hem zien,' fluisterde Baundilet, en hij sloeg huiverend een kruisteken. 'Arme drommel.' Hij maakte een beweging om Claude-Michel aan te raken, maar trok zijn hand toen terug. 'Jij, Suti! Hij moet naar de Duitse dokter, de geneesheer.' Zijn stem werd hoger en luider. 'Nu. Begrepen?!'

Madelaine legde haar hand op Baundilets arm. 'Ik ga wel met ze mee. Ik mag dan slechts een vrouw zijn, maar ik weet waar de Duitse arts te vinden is,' zei zij met een schouderophalen in de richting van de gravers. 'Of u moet liever een van de anderen met mij mee sturen? Of met Claude-Michel?'

'Nee. Uitstekend. Gaat u maar mee.' Baundilet leek zichzelf weer meester te worden. 'Suti. Doe wat Madame de Montalia zegt. Zij is mijn afgevaardigde, aangezien zij de buurvrouw is van deze geneesheer.'

Suti spuugde. 'Een ongesluierde vrouw is een schande.'

'Dat zal wel,' zei Baundilet droogjes. 'Maar je zult haar gehoorzamen of voor de Magistraat worden gebracht. Ik persoonlijk zal je aanklagen. Je bezit niet genoeg om hem om te kopen in vergelijking met hetgeen ik kan betalen, dus zul je gestraft worden.' Dit maakte indruk op Suti en hij zei snel iets op gedempte toon tegen zijn mannen.

'Wij zullen ons haasten, Excellentie,' zei hij tegen Baundilet. Hij maakte een buiging alvorens op weg te gaan en gaf zijn mannen het sein om te vertrekken.

'Dat vertrek is een uitstekende plek voor schorpioenen, donker en beschut. Wij mogen ons gelukkig prijzen dat het nooit eerder is gebeurd.' Madelaine maakte aanstalten om achter Suti en zijn mannen aan te lopen en liep toen terug naar Baundilet. 'Laat iemand mijn ezel naar mijn villa brengen, als u wilt.'

Baundilet keek haar nijdig aan. 'Goed dan,' zei hij, en hij liep terug naar het heiligdom, voorzichtig stappend, alsof hij bij elke pas nog meer schorpioenen verwachtte tegen te komen. Hij bleef staan om met zijn zakdoek zijn voorhoofd af te vegen, maar of dit vanwege de hitte of zijn eigen nervositeit was, viel met geen mogelijkheid te zeggen.

De zon scheen niet-aflatend en kende genade noch respijt. In de meer dan drie mijlen tussen de tempelruïnes en Falkes villa, besefte Madelaine dat haar met aarde gevoerde laarsjes niet afdoende waren tegen de overweldigende zon. Na het eerste kwart mijl voelde Madelaine zich licht in het hoofd; haar desoriëntatie nam toe terwijl zij de mannen volgde die de draagbaar droegen. Zij probeerde zich te concentreren op Claude-Michel, vestigde haar aandacht op zijn gevlekte en plakkerige gezicht, maar vond het steeds moeilijker haar gedachten bij hem te houden. Eenmaal dacht zij dat zij struikelde; Suti vervloekte haar en zij dwong zichzelf sneller te lopen, hoewel beweging een marteling betekende. Zij moest de neiging onderdrukken om haar hoed af te gooien, want die leek nu een om haar hoofd knellende ijzeren band. Een gevoel dat bij leven misselijkheid had kunnen zijn, overviel haar en haar ogen leken zo droog als oud leer.

Zij werden door twee bedienden opgewacht bij het toegangshek naar Doktor Falkes villa. Bij hen was een verpleegster, een kloeke Hollandse van middelbare leeftijd. 'Professor de Montalia,' zei zij, Madelaines eeuwige dankbaarheid verdienend door haar met Professor aan te spreken.

'Jantje,' antwoordde Madelaine, terwijl ze haar arm uitstrekte om steun te zoeken bij het hek, opdat zij niet zou vallen. 'Professor Hiver' – zij knikte naar Claude-Michel – 'is door een schorpioen gestoken. Ik heb er zoveel mogelijk vergif uitgezogen, maar zoals je ziet...'

'Ja, zeg dat wel,' zei Jantje, zeer zakelijk. Zij sprak op scherpe toon tegen de bedienden, riep om assistentie en wendde zich toen tot een van de Egyptische jongens die in de villa herstelden van koorts. 'Jij, Gameel. Ga onmiddellijk Doktor Falke halen.' Zij beheerste het plaatselijke dialect bijzonder goed en haar manier van doen liet geen ruimte voor tegenspraak; zij wendde zich tot Suti en vervolgde: 'Leg hem neer. Wij nemen de zorg verder over. Er staat eten in de villa. Vraag aan een van de bedienden jullie te begeleiden, zij zorgen wel dat jullie wat te eten krijgen.'

Suti mompelde iets, maakte een zweem van een buiging en gaf zijn metgezellen een teken.

'Niets daarvan,' zei Jantje, er enkele kernachtige opmerkingen aan toevoegend om haar standpunt duidelijk te maken. 'Uw Allah zal u niet in dank afnemen dat u degenen belastert die voor anderen zorgen, vrouwen of niet.' Zij liet zich op haar knieën naast de draagbaar zakken. 'Welnu, u bent behoorlijk gestoken, nietwaar?' zei zij in het Frans tegen Claude-Michel. 'Hoe lang geleden?'

De zon deed de tijd eindeloos lijken. 'Minder dan een uur,' zei Madelaine, hoewel haar dat belachelijk voorkwam. Zij leunde tegen de muur en keek toe, bedenkend dat Claude-Michel beter had verdiend dan dit. Zij was zich half bewust van alles wat Jantje deed, maar uitputting deed haar aandacht afdwalen en dus wist zij niet precies wanneer Egidius Maximillian Falke met grote stappen aan kwam lopen.

'Madame!' zei Falke, na zich ervan overtuigd te hebben dat Claude-Michel nog in leven was. Hij stond op en kwam naast haar staan. 'Hemeltjelief! U ziet doodsbleek. Wat is er aan de hand?'

'De zon,' zei Madelaine.

Falke vloekte. 'U zou binnen moeten zijn. Europeanen verdragen de zon niet zoals Egyptenaren,' zei hij. Hij legde zijn hand tegen haar gezicht. 'U voelt koud aan, Madame.'

Zij zocht naar een snedig antwoord, maar er viel haar niets in. 'Professor Hiver. Gaat het goed met hem?'

'Nog niet, maar dat komt wel,' zei Falke, met zijn doordringende, blauwe ogen haar gezicht aftastend. 'Ik maak mij momenteel meer zorgen om u.'

'Zij vertelde mij dat zij het vergif heeft weggezogen,' bracht Jantje de arts op de hoogte, terwijl zij Claude-Michel gereedmaakte om nogmaals verplaatst te worden. 'Had zij dat niet gedaan, dan zou hij waarschijnlijk al een halfuur dood zijn.'

'Het vergif weggezogen!' Falke nam haar handen in de zijne. 'Bent u krankzinnig?'

'Ik heb het uitgespuugd,' zei zij. 'Vergif en bloed, allebei.'

'Maar...' Hij legde zijn hand op haar voorhoofd. 'Heeft het u kwaad gedaan?'

Hoe kon zij het uitleggen, vroeg zij zich af. Wat kon zij hem vertellen? Wat kon zij hem vertellen dat hij zou geloven? Moest zij hem in zijn felle blauwe ogen kijken en hem vertellen dat zij een vampier was, en reeds eenmaal was gestorven? De gedachte alleen deed haar bijna in lachen uitbarsten. 'Ik denk niet... dat dat mogelijk is.'

'Als u iets van het vergif heeft doorgeslikt... Het gif van schorpioenen is even krachtig als dat van adders. Wat heb je gedaan, Madelaine?' Hij pakte haar bij de schouders, alsof hij haar door elkaar wilde schudden, maar trok haar toen dicht tegen zich aan. Hij was zich er niet van bewust dat hij haar bij haar voornaam had genoemd. 'Alsjeblieft. Vertel mij in godsnaam dat je er niets van hebt doorgeslikt.'

'Ik geloof het niet,' zei Madelaine. 'Het is niet het vergif, Falke, het is de zon. Die heeft mijn kracht uit mij weggezogen, zoals ik het vergif uit Claude-Michel heb weggezogen.' Zij had dit nonchalant willen laten klinken, maar toen zij zag dat Falkes blik nog indringender werd, besefte zij dat zij iets verkeerds had gezegd. 'Ik ben uitgeput. Mag ik alstublieft even gaan liggen? Zorgt u nu maar voor Claude-Michel, en maakt u zich over mij niet ongerust.'

'Ja, natuurlijk,' zei Falke. 'Jantje, laten wij van plaats wisselen. Zoek jij een kamer voor Madame de Montalia waar zij kan uitrusten – de kleine zitkamer achter mijn kantoor is het meest geschikt – en help mij dan met deze arme knaap.' Hij hield zijn arm om Madelaine totdat de verpleegster overeind was gekomen. 'En laat haar je er niet van proberen te overtuigen dat zij niets mankeert.'

'Daar hoeft u niet bang voor te zijn, Doktor,' zei Jantje, terwijl zij Madelaines arm ter ondersteuning over haar schouder legde. 'Wat voor verpleegster zou ik zijn als ik elk verhaaltje voor waarheid aannam?'

Terwijl Dokter Falke zich over Claude-Michel boog en zij wegliepen, zei Madelaine: 'Ik zal niet proberen je op andere gedachten te brengen, Jantje. Ik heb rust nodig.'

'Welnu, dat is iedereen met een beetje verstand wel duidelijk,' zei Jantje, terwijl zij voorbij de stallen liepen die nu dienst deden als ziekenzaal. 'En ik weet, wat Dokter Falke ook mag zeggen, dat hij trots op u is vanwege uw zorg voor Professor...'

'Hiver,' vulde Madelaine aan.

'Hiver,' herhaalde Jantje, en zij voegde eraan toe: 'Hoe zou het toch komen dat mannen met namen als Hiver en Neige en Glace zich aangetrokken voelen tot oorden zoals dit?'

'Ik weet niet of dat zo is,' zei Madelaine, die zich door Jantje het huis liet binnenleiden. 'Wellicht vallen zij in dergelijke oorden alleen meer op, omdat winter en sneeuw en ijs zo ver weg zijn.'

'Dat zal de verklaring wel zijn,' zei Jantje, tevreden met Madelaines antwoord. 'Nu de trap op. Doe maar kalm aan.'

'Ik red het wel.' Nu zij uit de zon was, voelde Madelaine zich minder zwak dan zojuist. 'U bent bijzonder vriendelijk.' Zodra zij de woorden had geuit, wenste zij dat zij dat niet had gezegd.

'Wat verwachtte u dan?' vroeg Jantje grinnikend. 'Doktor Falke zou iedereen die u kwaad zou willen doen, levend gevild hebben. En ik vind dat hij gelijk heeft om er zo over te denken. Ik wil u niet voor het hoofd stoten, maar het viel mij op dat hij uw voornaam gebruikte, Madame.' Zij wees naar een deur een stukje verder de gang in. 'Daar is de zitkamer. Er staat een chaise waarop u kunt uitrusten. Ik kan water of koffie of thee laten brengen, als u dat wilt.'

Vanuit de deuropening keek Madelaine Jantje glimlachend aan. 'Nee, dank u. U zorgt heel goed voor mij, of het nu omwille van Doktor Falke is of niet.'

Ditmaal glimlachte Jantje breeduit. 'Welnu, het valt me met u gemakkelijker dan met sommige anderen. Als dat zwijn van een Numair hier komt, voel ik na zijn vertrek de behoefte mijn huid eraf te schuren om mij van hem te reinigen. Men moet beleefd zijn tegen de Magistraat maar zijn blik laat een smerig overblijfsel achter, zoals etter op een wond.'

Madelaine, die Magistraat Numair slechts tweemaal had ontmoet, knikte somber. 'Hij doet mij denken aan... een man, die ik ooit heb gekend.' Het was vreemd om dezelfde verworden en meedogenloze dreiging in de pafferige, dikke Magistraat Numair te voelen als zij had gekend in de elegante, corrupte Baron Clotaire Saint Sebastien. 'Een bijzonder kwaadaardige man die mijn vader heeft vermoord.'

Jantje stond stil en stak haar kin in de lucht. 'Wat afschuwelijk. Ik hoop dat hij daarvoor gestraft is.'

'Ja,' zei Madelaine, zich de zware brand bij Hôtel Transylvania voor de geest halend.

Het bleef even stil en toen zei Jantje: 'Ga nu maar rusten, Professor, en als Doktor Falke klaar is met uw collega, stuur ik iemand om u te halen. Het kan wel even duren; met schorpioensteken weet je het nooit. Het zal wel enige tijd in beslag nemen voor wij weten of u voldoende vergif heeft verwijderd, en of hij de rest te boven komt.'

Madelaine knikte en betrad toen de kleine zitkamer. Het vertrek was eenvoudig en fraai ingericht, met een chaise, twee stoelen, een schrijftafel en twee grote kasten. Zij liep naar de ramen en sloot de luiken, het zonlicht dat haar verzwakte buiten sluitend. Terwijl zij zich uitstrekte op de chaise, besloot zij dat zij zich met Baundilet zou moeten onderhouden over de schorpioen, want, hoewel het waar was dat dergelijke beesten zich schuilhielden op donkere plaatsen, zij kon de verdenking niet van zich af zetten dat de schorpioen daar niet bij toeval was terechtgekomen. Terwijl zij wegdoezelde, vroeg Madelaine zich af wie Baundilets expeditie een kwaad hart toedroeg en haar gevolgtrekkingen brachten haar geen troost.

Toen Falke tegen zonsondergang de zitkamer betrad, zag hij er uitgeput uit. Op de drempel aarzelde hij, alsof hij Madelaines rust niet wilde verstoren; toen vatte hij een besluit, stapte naar binnen en sloot de deur. Hij nam plaats op de stoel het dichtst bij de chaise. 'Hij overleeft het wel,' zei hij, toen Madelaine haar ogen opendeed. 'Hij zal naar Frankrijk moeten terugkeren, hij heeft veel verzorging nodig en zijn herstel zal langzaam gaan, maar hij blijft in leven.'

'Hoe snel zal hij moeten vertrekken?' vroeg Madelaine.

'Over een week, misschien twee, als hij genoeg op krachten is gekomen om de reis te maken. Hij zal tevens enige hulp nodig hebben. Hij is niet in staat alleen te reizen.' Hij leunde achterover en drukte zijn vingertoppen tegen zijn ogen. 'Jij hebt hem gered, Madelaine. Zonder jou zou hij dood zijn.'

Madelaine schudde haar hoofd. 'Ik was er toevallig. Ieder ander zou hetzelfde hebben geprobeerd.'

'Is dat wel zo?' Hij haalde diep en langzaam adem. 'Ik ben niet zo optimistisch als jij. Ik denk dat het een zegen voor hem betekende dat jij er was.'

In eerste instantie zei Madelaine niets, maar toen sprak zij en onthulde datgene wat haar middagmijmering haar had doen inzien. 'Of het moet zijn dat de schorpioen voor mij was bedoeld, in welk geval hij om mijnentwille moet lijden, en dan sta ik bij hem in de schuld en niet andersom.'

Falke liet zijn handen zakken en staarde haar aan. 'Wat bedoel je?' vroeg hij, hoewel begrip zijn blauwe ogen reeds deed oplichten.

'Er zijn er velen die mij niet... graag zien bij deze expeditie,' zei zij voorzichtig. 'Sommigen zijn meer verstoord over mijn aanwezigheid dan anderen.' Zij keek hem niet aan. 'Het is niet onmogelijk dat iemand mij uit de weg wil hebben en wat komt dan meer gelegen dan de steek van een schorpioen, iets dat iedereen zou kunnen overkomen?' Zij strekte haar handen naar hem uit. 'Falke, begrijp je het niet? Ik werd verondersteld alleen in het heiligdom aan het werk te zijn. Geen ander was bijzonder geïnteresseerd. Ik heb Claude-Michel net voordat hij gestoken werd, ertoe overgehaald. Voor zover alle anderen wisten, had ik niemand bij me.'

'Dat is onzinnig. Je oppert iets onvoorstelbaar monsterlijks.' Maar terwijl hij verontwaardigd haar beschuldigingen verwierp, nam hij haar handen in de zijne en hield ze stevig vast. 'Niemand zou jou kwaad willen doen. Niemand.'

'Omdat jij dat niet wilt?' vroeg zij zachtjes, terwijl zij nu wenste dat zij zijn bloed had geproefd terwijl hij wakker was, in plaats van slechts kussen uitgewisseld te hebben.

'Het is meer dan dat,' zei Falke, terwijl hij zich op zijn knieën naast haar liet zakken. 'Jij lijkt in niets op andere vrouwen.' Hij sloeg zijn armen om haar heen en keek naar haar op. 'Madelaine, stel je niet bloot aan risico's. Ik smeek het je.'

'Risico's?' kaatste zij terug, met ietwat onvaste stem. 'Falke, je bent een mooie om dat voor te stellen, jij die hier bent gekomen om zeldzame ziektes te behandelen. Het gevaar dat ik loop is niets vergeleken bij het jouwe.'

'Maar ik ben erop voorbereid: het is waar elke andere arts in mijn plaats zich aan zou blootstellen. Wat jij suggereert is echter niet iets dat alle oudheidkundigen kunnen verwachten, is het wel?' Hij gaf haar geen kans om te reageren; met plotselinge hartstocht trok hij haar naar zich toe, hun kus was onstuimig en baande de weg naar meer, hun lippen ontmoetten elkaar keer op keer, als was het een strijd op leven en dood. 'Ik houd van je; ik aanbid je,' fluisterde hij, toen hij wat op adem was gekomen. Hij legde zijn handen op het lijfje van haar japon om eindelijk haar borsten te kunnen beroeren, maar trok zijn handen toen terug, verbijsterd over de vrijheid die hij zich permitteerde. Hij dwong zich haar wang te kussen in plaats van haar mond.

Ten slotte bevrijdde Madelaine zich voldoende uit zijn armen om hem recht in het gezicht te kunnen kijken. Ditmaal deed zij geen moeite haar ergernis te verbergen. 'Falke, hoe kun je ons dit aandoen? Waarom volhard je in...'

Hij liet haar onmiddellijk los. 'Het... het spijt me. God, het was niet mijn bedoeling je te compromitteren op zo...'

'Dat heb je niet,' zei Madelaine kortaf. 'Ik heb het je al eerder gezegd: niets wat jij doet zou mij kunnen compromitteren, niets. Dat zou je ook nooit doen, is het wel? Hoeveel ik ook naar je zou verlangen, of je nodig zou hebben.' Zij leunde welbewust naar voren en kuste hem nogmaals.

'Nee,' fluisterde hij, haar bij de schouders vattend en terugduwend. 'Als je eens wist hoe ik van je droom, dan zou je ervan schrikken. Ik wil mij niet opdringen...'

'Je dringt je niet op.' Zij keek naar hem. 'Ook ik heb dromen, Falke. Laat mij jou vertellen waarvan ik droom.'

'Zij kunnen niet op de mijne lijken,' hield hij vol.

'Ik droom ervan dat ik jou bemin. Dat jij mij bemint,' vervolgde zij, en zij zag hem ineenkrimpen.

'Je bent geen slet die het bed deelt met een man met wie zij niet eerbaar getrouwd is,' zei hij haar, de afstand tussen hen vergrotend. 'En ik ben niet in een positie om te trouwen, en jij wilt niet trouwen, dus wat blijft ons in alle eer over?'

'Falke!' Haar uitbarsting was er een van zowel woede als droefenis. 'Ik ben een vrouw die van je houdt en die naar je verlangt. Hoe vaak moet ik je dat nog zeggen? Jouw eer heeft daar niets mee te maken, niet op de manier die jij denkt. Ik zou niet naar je verlangen als ik je niet hoogachtte. Mijn eerbaarheid staat niet ter discussie.' Zij liet zich terugvallen op de chaise en wenste dat zij hem kon overtuigen van haar verlangen. 'Besef je niet dat ik grote waarde hecht aan jouw liefde? Waarom laat je mij niet naar je toekomen? Kun je zowel mijn verlangen als het jouwe niet aanvaarden? Begrijp je niet dat ik geen kind meer ben, noch een dwaas?'

Hij vertrouwde zichzelf niet genoeg om haar te troosten, uit angst voor wat hij nog meer zou doen, dingen die hij in zijn dromen al lang had gedaan. 'Ik weet dat je zegt dat je naar mij verlangt maar je weet niet wat dat zou inhouden. Kussen zijn alles wat wij hebben en die betekenen... niets. Je zegt dat je mijn dromen kent, maar hoe zou je dat kunnen?'

Madelaine dacht aan de dromen – zoete, blije dromen – die zij bij hem teweegbracht wanneer zij hem in zijn slaap bezocht, en wist dat zij ze tot in detail zou kunnen beschrijven, wensend dat zij ze kon beleven als meer dan dromen; maar zij zweeg hierover en zei slechts: 'Je gelooft dat ik, omdat ik ongehuwd ben, onschuldig ben. Dat ben ik niet.'

'Je bent onschuldig,' zei Falke. 'Dat weet ik.'

Zij liet zich van de chaise glijden en begaf zich naar de plek waar hij, op de vloer gezeten, moeite deed zijn kleding weer in orde te brengen. 'Falke, luister naar mij. Ik weet wat je van mij wilt. Het maakt mij gelukkig dat je naar mijn liefde verlangt. Die wil ik je geven. Wil je die ter wille van ons beiden aanvaarden?'

Hij legde zijn handen over de hare, hoewel het hem leek of haar huid zo heet was als gesmolten staal. 'Wij zullen dit verder bespreken als wij beiden... bedaard zijn.'

'Ik wil niet tot bedaren komen,' zei zij zachtjes. 'Ik ben bang, Falke, en ik zoek troost in de liefde. Waarom ontzeg je mij dat?'

Hij kuste haar voorhoofd. 'Juist omdat je bang bent,' zei Falke, wiens hartstocht nu weer geluwd was. 'Wanneer je niet meer bang bent, zullen wij er opnieuw over praten en dan zal ik je niet houden aan hetgeen je nu hebt gezegd.'

Madelaine keek hem recht in de ogen. 'Ik zal niet veranderen, Falke.'

'Dat hoop ik,' antwoordde Falke, en zijn ogen waren nog even vurig.

Tekst van een brief van Karl Molter, geneesheer verbonden aan de Franse ambassade in Caïro, aan Professor Alain Baundilet in Thebe.

Mijn waarde Professor Baundilet,

Hierbij deel ik u mede dat uw collega, de jonge Professor Claude-Michel Hiver, vandaag is vertrokken naar Europa. Op uw verzoek heb ik hem persoonlijk onderzocht teneinde mij ervan te vergewissen dat hij voldoende was hersteld voor een dergelijke zeereis, en ik kan u verzekeren dat, hoewel hij nog niet sterk is, hij niet zo zwak is dat hij de overtocht niet zou doorstaan. Aldus is hij aan boord gebracht van Le Roi d'Est, *die op weg is naar Griekenland, Triëst en Venetië. Ik heb Professor Hivers toestand met de scheepsarts besproken en deze is het met mij eens dat*

Professor Hiver zo weinig mogelijk gestoord dient te worden. Ik heb hem tevens kopieën gegeven van de medische gegevens die u ons had bezorgd, met inbegrip van Doktor Falkes behandeling. Deze heeft bijgedragen tot het succes van mijn werk, daarvan ben ik zeker, en onze gezamenlijke rapporten zullen Dottore Togliero zeer tot nut kunnen zijn.

Professor Hiver vertelde mij dat hij het zonder het onmiddellijke ingrijpen van een van uw expeditieleden waarschijnlijk niet zou hebben overleefd. Hoe gelukkig dat iemand bereid was om zulk een gevaarlijke situatie het hoofd te bieden. Het moet u deugd doen dat een van uw mensen zo bekwaam blijkt te zijn in een dergelijk noodgeval. Hoewel ik de door deze Madame de Montalia gebruikte methode niet bepleit, aangezien er enorme risico's aan een dergelijke daad kleven, kan ik de tegenwoordigheid van geest die aan een dergelijke handelwijze ten grondslag ligt, niet anders dan toejuichen. Ik hoop dat u mijn gelukwensen voor haar tijdige reactie wilt doorgeven aan deze bijzonder bekwame vrouw.

Ik heb Dottore Togliero om een volledig rapport verzocht en na ontvangst hiervan, zal ik mij de vrijheid permitteren u eveneens van de inhoud in kennis te stellen. Ik heb er alle vertrouwen in dat deze jongeman in de loop der tijd zijn gezondheid zal herwinnen, maar ik besef tevens dat er enige tijd overheen zal gaan voordat het zover is. Ik hoop dat hij niet besluit het ziekbed te houden maar ik hoop tevens dat hij de benodigde tijd voor herstel niet zal trachten in te korten, want dat zou de volledigheid ervan benadelen. Toen ik hem onderzocht, heb ik de kans aangegrepen om hem te waarschuwen voor de verschillende complicaties die hij kan tegenkomen gedurende zijn herstel en ik ben ervan overtuigd dat Professor Hiver wat ik hem heb gezegd, ter harte heeft genomen.

Daar ik heb vernomen dat niet alle brieven die de rivier op- en afwaarts worden gezonden veilig hun doel bereiken, geef ik deze mee aan Dominee Jasper Ryerston uit Berkshire, die de Engelse oudheidkundigen bezoekt en die bekendstaat als volkomen betrouwbaar. Het is droevig dat men zijn toevlucht moet zoeken tot zulke tactieken, maar men moet zich aanpassen, vooral in den vreemde.

Met de wens dat ik u in de toekomst van dienst zal kunnen zijn,
in minder ernstige omstandigheden,

Karl Hector Molter
geneesheer
9 oktober 1826, te Caïro

Deel Drie

Sanh-kheran

Dienaar

Tekst van een brief van le Comte de Saint-Germain aan de Dalmatische kust aan Madelaine de Montalia in Egypte, gedateerd 4 januari 1827.

Dierbare Madelaine, mijn hart,

Ik begon mij al zorgen te maken toen ik zo lang niets van jou vernam. Toen je metgezel Claude-Michel arriveerde, legde hij me uit hoe moeilijk het voor je is geweest berichten uit Thebe te verzenden. Zo je omstandigheden nog hachelijker worden, hoop ik dat je zo verstandig zult zijn regelingen te treffen om onverwijld stroomafwaarts te reizen. Al is het moeilijk om Luxor te verlaten, nietwaar? Van alle steden waar het Huis des Levens werd opgericht, was Luxor de mooiste. Het is die stad die ik zelfs nu nog zeer helder voor ogen heb.

Wat absurd om jou dergelijke raad te geven: ik besef op het moment zelve dat ik deze woorden schrijf, dat ze niet aan de orde zijn. Jij hebt Saint Sebastien en heel zijn verschrikkelijke bende het hoofd geboden, jij hebt je een plaats verworven onder de geleerden en jij hebt mij van meet af aan volledig en zonder voorbehoud geaccepteerd. Waarom zou jij je zo volslagen vergeten?

Je vragen over de juiste uitspraak zijn niet eenvoudig te beantwoorden. Elke stad en elk district had een eigen dialect en de priesters spraken niet op dezelfde wijze als slaven, noch spraken ezeldrijvers in dezelfde trant als Farao. Bovendien veranderde de spraak van eeuw tot eeuw: het Frans van jouw jeugd is niet langer geheel en al het Frans dat men vandaag de dag in Parijs spreekt en datzelfde gold voor Egypte. En net zoals in Frankrijk, gold dat hoe verder mensen van de steden verwijderd leefden, hoe meer hun dialect afweek van de

gestandaardiseerde stadsspraak. Bedenk ook dat het de priesters
waren die de tempels verzorgden en die de inscripties op de
tempels lieten zetten. Wat je daar leest, is wat ze wilden dat je
leest. Er zijn bewust wijzigingen aangebracht in sommige van de
teksten en andere zijn door zand en de tijd aangetast. De
inscriptie die je me hebt gestuurd, is waarschijnlijk het beste te
vertalen met 'Ramses II, de eeuwiglevende en de gunsteling van
Ptah, heeft met een gelukkig hart zijn vaders tempel in Abydos
voltooid.' De getallen die volgen, geven de aantallen mannen
weer die gedurende de heerschappij van Ramses aan het project
hebben gewerkt. Om het exacte aantal te kennen, hoef je ze
alleen maar te tellen: daarin waren de Egyptenaren uiterst
nauwgezet.
Erai Gurzin kan je helpen als je het hem vraagt. Zijn taal is
verwant aan die van het faraonische Egypte; hij heeft enige studie
besteed aan de oude inscripties en heeft toegang tot vele die jullie
nog niet gezien hebben. Je schrijft in je brief dat je geen wijs
wordt uit zijn christelijkheid; de Kopten staan dichter bij de
oorspronkelijke leer van jullie Christus dan de katholieke kerk.
Luister naar wat hij zegt.
Ja, je hebt gelijk; voor het merendeel heerste er vrede gedurende
de heerschappij van Ramses II. Maar hij was lange tijd Farao en
niet elk jaar bracht geluk. Er waren tijdens zijn heerschappij
jaren van hongersnood en jaren waarin de pest woedde en hij
was niet in staat die dingen te veranderen.

Sanh-kheran zat in de gang die uit het Huis des Levens leidde. Zijn
armen steunden op de lage tafel voor hem. Zijn donkere ogen richtten zich op de binnenplaats, waar degenen die reddeloos uitgehongerd waren, wachtten op de bevrijding van de dood. De slaaf die hem
assisteerde, was zijn schrijver Kephnet, die in opdracht van de Hogepriester Hapthep-twu al wat Sanh-kheran zei optekende; de Hogepriester diende nu al zeventien jaar in het Huis des Levens en beschouwde Sanh-kheran als een groot en hem onwelgevallig raadsel.

'Ze zeggen dat de hongersnood in Memphis nog erger is,' merkte
Kephnet op toen Sanh-kheran er geruime tijd het zwijgen toedeed.
'Ik heb van een man in de haven gehoord dat er rellen zijn geweest.'

'Zeer wel mogelijk,' zei Sanh-kheran. 'Ik ben bang dat er hier rellen uitbreken als we geen graan voor brood kunnen vinden.' Hij leunde naar achteren, waarbij zijn linnen hoofdbedekking langs de muur streek. 'Het is eerder voorgekomen, zij het niet recentelijk.'

Kephnet keek bedremmeld, zoals zo vaak als een toespeling werd gemaakt op Sanh-kherans leeftijd. 'Daar zijn aantekeningen van in het Huis des Levens. Geen daarvan maakt gewag van een hongersnood die zo lang aanhield.'

'Drie jaar is niet het ergste in mijn herinnering,' zei Sanh-kheran. 'Vijf zou uiterst gevaarlijk zijn maar drie is niet al te ongebruikelijk.' Hij stond op, liep naar de open deur en staarde naar buiten uit het Huis des Levens. 'En als wij ze vandaag te eten geven, hoe moet het dan morgen? We hebben voor deze dag een beetje, maar voor morgen minder en dan zullen er meer van hen zijn en zullen onze voorraden nog sterker uitgeput zijn. Geven we ze nog een dag van valse hoop of sturen we ze weg omdat we ze niet kunnen helpen? En wat betekenen onze paar handjesvol graan als honger eenmaal het lichaam onherstelbaar heeft vernietigd?' Hij was hardop aan het denken. Toen hij zich omdraaide, zag hij tot zijn ontsteltenis dat Kephnet zijn woorden opschreef. 'Je hoeft werkelijk niet...'

'Het is mij opgedragen,' zei Kephnet, en hij schreef verder.

Sanh-kheran zuchtte. 'Staat Hapthep-twu er dan op elke lettergreep die ik spreek te ontvangen? Het is al goed,' vervolgde hij terwijl hij toekeek hoe Kephnets penseel bewoog. Het was niet meer dan een eeuw geleden dat hij zelf slaaf was geweest en hij herinnerde zich de last nog van het dienen van zijn meester. 'Doe maar wat je moet, Kephnet. Maar laat mij zien wat je hebt opgeschreven voordat je het aan Hapthep-twu geeft.'

'Dat is niet toegestaan,' zei Kephnet.

'Lees je me dan voor wat je hebt opgeschreven?' vroeg hij, hoewel hij het antwoord al wist.

De schrijver wendde zijn blik af. 'Dat is verboden.'

'Juist ja.' Sanh-kheran knikte met zijn hoofd.

Niet alleen ik was veranderd. De priesters van Imhotep waren niet langer de tovenaars van weleer, alhoewel zij evenmin geneesheren waren in de zin waarin jij dat woord zou opvatten. Zij die in het Huis des Levens dienden, hadden geleerd dat wonden en infecties en ziekte en tumoren en gebroken botten niet de wil van de goden waren of het werk van boze geesten of het resultaat van vervloekingen. Zij hadden zinnige behandelwijzen vastgelegd, chirurgische en tandheelkundige ingrepen gedaan en kenden betrouwbare kruidenpreparaten om vele aandoeningen te behandelen. Zeker, zij wijdden tevens gebeden en offers aan de goden maar datzelfde geldt voor elke rechtgeaarde Franse geneesheer vandaag de dag, zij het dat het gebed dan slechts een onzevader zal zijn en het branden van een kaarsje. In het Huis des Levens ontvingen zij die ter genezing kwamen, de beste zorg die beschikbaar was. Maar naarmate de kwaliteit van de behandeling toenam, gold hetzelfde voor de kosten. Tegen de tijd dat Ramses II aan de macht was, werd de Tempel van Imhotep, ooit een toevluchtsoord voor mensen in nood, een vrijplaats voor mensen met middelen.

'Wij hebben het recht niet hem af te wijzen,' zei Sanh-kheran ten tweeden male, ingaand tegen het besluit van de Hogepriester. Zijn uitdrukking en houding waren respectvol maar de toon van zijn woorden was afgemeten. 'Hij is in het volste vertrouwen bij ons gekomen.'

'Wellicht in het volste vertrouwen maar met lege beurs,' zei Hapthep-twu, met een heldere, harde blik in de ogen. 'Het is een gebrek aan respect jegens Imhotep om naar het Huis des Levens te komen met geen groter offer dan een geit en een lap linnen.'

'Dat is al wat hij heeft en zijn kinderen zijn ziek, zijn vrouw is reeds gestorven.' Sanh-kheran maakte een ongeduldig gebaar naar de door zuilen omgeven voorzijde van de Tempel van Imhotep, die recentelijk uitgebreid en versierd was. Voorbij de deur verrees Luxor in al zijn glorie rondom hen. 'Wat is het nut van deze vertoning als wij niet de voorschriften van de god kunnen volgen?'

Iets sluws gleed over Hapthep-twu's gelaatstrekken en verdween vrijwel onmiddellijk weer. Hij schonk Sanh-kheran zijn beste starre blik en zei afgemeten: 'Jij bent hier een dienaar; volgens de geschriften was je vroeger een slaaf.'

'Zeventig jaar geleden,' beaamde Sanh-kheran, en hij zag hoe de Hogepriester bij het getal ineenkromp.

'Je was een slaaf,' hield Hapthep-twu vol. 'Als vreemdeling kun je opnieuw een slaaf worden.'

'Zo het Farao behaagt,' zei Sanh-kheran allervriendelijkst, terwijl zijn donkere ogen recht in die van de Hogepriester keken, hoewel dit een belediging voor Hapthep-twu was. 'Wat heeft dat te maken met de leer van Imhotep? Hij heeft al zijn priesters opgedragen degenen te dienen die in de naam van het leven naar het Huis des Levens kwamen.'

Hapthep-twu wendde zich af om niet verder beïnvloed te worden door de ergerlijke dienaar uit den vreemde. 'Je hebt je taak te verrichten – jij beslist wie behandeld wordt en wie uit het Huis des Levens gestuurd zal worden. Je wordt niet geacht degenen te behandelen die niet in staat zijn voldoende offers aan de god te brengen. Is dat duidelijk?'

'Ik begrijp uw woorden,' zei Sanh-kheran onomwonden. 'Ik begrijp niet waarom u weigert te doen zoals Imhotep u heeft opgedragen.'

De Hogepriester pakte zijn ambtsstaf en zwaaide deze in Sanh-kherans richting, nog net geen dreigement maar niet zonder kracht. 'Het is niet aan jou de leer van Imhotep te interpreteren. Jij mag dan al vele jaren in het Huis des Levens vertoeven en er zijn er die zeggen dat je een handlanger van de god bent – alhoewel Imhotep nooit een vreemdeling voor die taak zou inzetten – en zij hechten waarde aan wat jij zegt.'

Dus daar ging het om, dacht Sanh-kheran. Hapthep-twu was jaloers op zijn reputatie en nam aanstoot aan het respect dat de dienaar genoot. Hij maakte een gebaar van gepaste onderdanigheid. 'Dergelijke geruchten zijn niet door mij in de wereld gekomen, Hogepriester. Zij die ziek zijn, zoeken de hulp en wijsheid van de god en zij grijpen naar elk instrument dat zij maar kunnen vinden. Het is omdat ik bij de deur uit het Huis des Levens werk, dat sommigen dergelijke dingen van mij denken.'

Het was niet afdoende maar Hapthep-twu leek gerustgesteld. 'Het is betreurenswaardig dat zulke belachelijke dingen geloofd worden.'

'Waarlijk,' zei Sanh-kheran vol overtuiging.

'Ik wens dat jij elke band met de god tegenspreekt.' Hij keek Sanh-kheran behoedzaam aan, met een flits van angst in zijn ogen.

'Zeker.' Hij besloot het risico te negeren en verder te spreken. 'Toen ik onder mijn eigen volk verkeerde, is mij een andere god gegeven: hoe zou ik één kunnen zijn met Imhotep?'

De angst maakte plaats voor verachting. 'En jullie god is zo machtig dat jij slaaf werd in het Zwarte Land en nu een dienaar bent.'

'Ja,' zei Sanh-kheran, en hij dacht aan de achthonderd jaar die waren verstreken sinds de god zijn bloed had geproefd in die donkere, gewijde bosschages.

Voldaan draaide Hapthep-twu zich op zijn hielen om en beende weg.

Toen de epidemie Thebe en Luxor vijf jaar na de hongersnood bereikte, was de Hogepriester een der eersten die eraan ten prooi viel. Hij verkeerde al meer dan een jaar in slechte gezondheid. Hij werd geplaagd door een niet-aflatende hoest en de epidemie – cholera – werd hem te machtig. Het Huis des Levens werd in chaos gedompeld, want veel van de geneesheren en priesters werden ziek en waren even hulpbehoevend als zij die naar het Huis des Levens kwamen voor verlichting.

Op het hoogtepunt van de epidemie, toen er meer lijken waren dan de priesters van Anubis konden verzorgen en de stank van de dood overal was, kwam er bericht van de Tempel van Thot dat alle priesters en schrijvers ten prooi waren gevallen aan de plaag en zouden omkomen. Er was vooralsnog geen nieuwe Hogepriester maar de hoogste onder de priesters en geneesheren werd geraadpleegd – een behoedzaam, angstig man genaamd Sehet-ptenh – en er werd besloten dat het het veiligst was en het verstandigst als ik naar de Tempel van Thot zou gaan om te zien hoe ernstig hun omstandigheden waren. Dat was uiteraard een drogreden want er was geen enkele hoop voor hen in de Tempel van Thot. Het werd als een uiterst slecht voorteken beschouwd en geen van de priesters wilde de twijfelachtige bescherming van het Huis des Levens verlaten voor wat met zekerheid een Huis des Doods was.

Toen hij over de drempel naar het binnenste van de tempel stapte, rook Sanh-kheran de zware lucht van de stervenden. Hij aarzelde en voor het eerst sinds hij uit de dood was ontwaakt, moest hij een huivering onderdrukken voor wat voorbij deze deur lag. Het vereiste een uiterste wilsinspanning om verder te gaan.

Binnen, aan gene zijde van de deur, lagen bijeengekropen in een alkoof drie tempelslaven als vuilnis op een hoopje, hun lichamen grijsgroen en opgezwollen. Sanh-kheran bleef naast hen staan en probeerde het afgrijzen dat in hem opsteeg, te onderdrukken. Hij leunde voorover en begon de lichamen netjes te leggen, op hun rug, met hun armen naast hun zijde, zodat de priesters van Anubis hen niet onteerd en onaanvaardbaar voor hun god zouden aantreffen. Toen hij het koude, wasachtige vlees beroerde, kneep zijn keel zich dicht en moest hij wachten om zich weer meester te worden. Het was absurd, zei hij streng tegen zichzelf. Hij had geen maag die zich kon omkeren maar toch trilde een gewaarwording als misselijkheid – iets dat hij sinds zijn dood niet meer had gevoeld – in zijn keel. Hij haalde eens diep adem. Hij mocht zich niet van zijn taak laten afleiden. Er zijn sinds je dood duizenden doden geweest en je hebt nooit een spier vertrokken – of althans niet vaak, hield hij zichzelf voor. Hij wilde zijn blik verharden en zijn hart afsluiten maar hoe meer hij dit nastreefde, hoe meer zijn ontreddering toenam.

In het buitenste heiligdom, waar de geschenken aan Thot ontvangen werden, bewaakten vier tempelslaven de deuren opdat geen smekelingen konden binnentreden. Een van hen was ernstig ziek; de geur die hem omringde was een voorbode van zijn naderende dood. Een andere, die jonger was, lag verloren in koortsdromen en prevelde tegen de fantomen van zijn geest. De derde, de langste van de drie, leunde tegen de muur en zijn huid vertoonde reeds de groenige tint die de dood aanzegde. Onder de blik van Sanh-kheran zakte de vierde ineen en gleed langs de muur naar beneden terwijl zijn speer uit zijn handen viel. Midden in het buitenste heiligdom zat een eenzame, pas geïnitieerde novice met een rol open op zijn schoot. Hij las met haperende stem de gewijde gebeden maar hield op toen hij Sanh-kheran zag.

'Wie bent u?' vroeg de novice. Zijn gezicht glom van het zweet en zijn ogen schitterden als glas.

'Sanh-kheran,' antwoordde hij. 'Ik ben gestuurd door het Huis des Levens.' Met behoedzame stappen kwam hij naderbij. 'Wij kregen te horen dat de epidemie hier heerst.'

'Zoals u ziet,' antwoordde de novice met zijn gezicht in de plooi. 'Ik ben nog niet in het binnenste heiligdom geweest – dat is niet toegestaan – maar alle priesters hebben zich daar verzameld.' Hij hoestte en gaf bloed op. 'De rest is weggestuurd.'

'Het heiligdom: waar is dat?' vroeg Sanh-kheran terwijl hij zich afvroeg hoelang de novice nog in leven zou blijven.

De novice keek verschrikt op. 'Nee. U kunt daar ook niet binnen-gaan. U bent niet van deze tempel, u dient Thot niet.'

'Ik heb de opdracht vast te stellen hoeveel zieken er zijn. Ik moet daarheen; de priesters van Imhotep vereisen het. Als u het mij niet vertelt, zal ik zelf moeten gaan kijken en dat zal tijd vergen.' Hij stond nu bij de schouder van de novice en wist zeker dat de koorts zijn klauwen diep in de man had geboord.

'Het is u verboden daar binnen te gaan,' hield de novice voet bij stuk. 'Ik zou mijn plicht verzaken als ik...' Ditmaal kwam zijn hoest-bui pas na geruime tijd tot bedaren en toen die voorbij was, zakte de man opzij als een zinkend schip.

Sanh-kheran deed een stap achteruit. 'Ik ben zo terug,' zei hij, want hij wilde de novice niet overlaten aan de steeds beknellender omhel-zing van de koorts. Hij liep uit het buitenste heiligdom weg en begaf zich naar het hart van de tempel, de plaats waar de priesters zich met hun god onderhielden. Hij wist dat het een van de drie of vier kamers in het hart van de tempel zou moeten zijn, net als bij de andere tem-pels.

De tweede deur die hij opende, leidde naar het vertrek dat hij zocht. Hij deinsde terug zodra hij de drempel over was en het duister had betreden, want zijn nachtziende ogen onderscheidden de lijken even duidelijk als hij de stank van hun dood inademde. Heel even bleef hij in de deuropening staan. Toen, zijn geest nadrukkelijk leeg makend, sloot hij opnieuw de deuren en liet de priesters alleen met hun meest gewijde mysteriën.

Nog een volgende van de wachtposten lag op de vloer toen Sanh-kheran naar het buitenste heiligdom terugkeerde. De novice zat nog steeds van zijn rol te lezen maar zijn stem haperde nu en de woorden kwamen betekenisloos naar buiten, louter klanken die uit gewoonte werden herhaald. Toen Sanh-kheran naderde, aarzelde hij maar las toen verder.

'U moet hier weg,' zei Sanh-kheran tegen de novice, verrast over zichzelf dat hij dit zei.

De novice staarde hem aan, zijn woorden uiteindelijk tot stilte ge-bracht. Ten slotte formuleerde hij een antwoord. 'Dit is mijn tempel. Hier ben ik geïnitieerd.'

'Hier bent u dood,' verbeterde Sanh-kheran hem. 'U moet weggaan of u zult even dood zijn als de anderen.'

'Ik heb een eed aan Thot gezworen.' Hij legde zijn hand op de rol alsof die hem kon beschermen.

'Thot heeft hier niet langer enige priesters,' zei Sanh-kheran zo bot als hij kon. 'Alleen Anubis en Osiris zijn nog hier.'

'Ik heb gezworen dat ik zou blijven,' hield de ander vol, zich koppig vastklampend aan het enige dat zijn gedachten vervulde.

'Dat is een eed die u de dood zal brengen,' zei Sanh-kheran, die zich afvroeg of hij in staat zou zijn de man weg te dragen zonder een al te grote veldslag te moeten leveren.

'Het is mensen beschoren te sterven en het Huis der Goden te betreden.' Zijn stem klonk zangerig en de woorden verloren hun betekenis terwijl hij ze uitsprak. De rol viel uit zijn handen.

Sanh-kheran liep naar de novice toe en ging naast hem staan. 'U zult op een goede dag het Huis der Goden betreden, maakt u zich maar geen zorgen, maar nu nog niet. Vooralsnog neem ik u mee naar het Huis des Levens.' Voordat de novice kon protesteren, strekte Sanh-kheran zijn armen naar beneden uit, tilde hem van de vloer zoals hij een halfvolgroeid kind zou optillen en wierp hem over zijn schouder.

'Ik ga overgeven,' prevelde de novice.

'Dat is beter dan sterven,' zei Sanh-kheran terwijl hij op weg ging naar het Huis des Levens en in zijn geest naar de woorden zocht om zijn handelwijze aan de priesters van Imhotep te verklaren.

Jij hebt Aumtehoutep natuurlijk nooit gekend. Hij was vóór Roger mijn lijfeigene en hij is voor de tweede maal in het Circus van Flavius gestorven; hij was de eerste die ik ooit opnieuw tot leven bracht en toentertijd wist ik niet of het me wel zou lukken. De levenden kon ik met mijn aard besmetten indien ons voldoende tijd en kennis en bloed vergund waren, maar voor degenen die al dood waren, kon mijn bloed geen verschil maken. Daarvoor had ik de hoogst ontwikkelde vaardigheden van het Zwarte Land nodig. Ik rekende erop dat de verwarring in het Huis des Levens mij de kans zou bieden de novice uit de Tempel van Thot te verplegen. Aangezien ik zeker was dat hij zou sterven, dacht ik dat het misschien mogelijk zou zijn te proberen hem tot leven te wekken zonder dat er ernstige bezwaren gemaakt zouden worden. In het licht van de epidemie hoopte ik dat zij misschien de procedure zouden verwelkomen als deze slaagde.

In feite keken de priesters gefascineerd toe als zagen zij hun eigen
herleving in wat ik voor Aumtehoutep deed.

Sehet-ptenh was minder dan een jaar Hogepriester van Imhotep en
vertoonde reeds de tekenen van slechte gezondheid; hij was sterk ver-
magerd en zijn huid leek veel te strak over zijn botten gespannen. Van
tijd tot tijd klaagde hij over een knagend gevoel in zijn buik, maar
over het algemeen droeg hij zijn bezoekingen met de waardigheid die
zijn hoge positie vereiste want het werd als een slecht voorteken gezien wanneer de Hogepriester van het Huis des Levens door ziekte
werd getekend.

'Vertel me, Sanh-kheran, hoe u...' Hij gebaarde naar de man aan de
andere kant van de kleine kamer.

'U was erbij, Hogepriester,' zei Sanh-kheran, die geen vreugde meer
beleefde aan de eindeloze herhalingen die Sehet-ptenh eiste. 'Ik heb
de leer in de oude geschriften gevolgd.'

'Uit de tijd van Zoser,' zei Sehet-ptenh, alsof hij vastbesloten was
zijn dienaar uit den vreemde op een leugen te betrappen.

'Dat wat er op de rol staat geschreven,' zei Sanh-kheran zacht. 'Misschien was het een ander, maar de cartouche was van Zoser en het geschrift was in de stijl van zijn tijd.'

'Moeilijk te lezen, die oude geschriften. Hoe kun je zeker weten dat
je het naar behoren hebt gedaan?' Hij leunde op zijn staf en zijn adem
was hijgeriger.

'Ik weet het ook niet zeker,' zei Sanh-kheran afgemeten. 'Maar
Aumtehoutep leeft nu en hij was dood tegen de tijd dat ik hem hier
bracht. U was degene die hem dood heeft verklaard.' Hij stond op
van achter de lage schrijftafel, waar hij zijn dagelijkse verslag had zitten schrijven over degenen die uit het Huis des Levens waren gestuurd.

'Als ik dood ben, zul jij mij, wanneer de priesters van Anubis met
mij klaar zijn, herstellen. Jij hebt de kennis.' Dit was de eerste keer dat
Sehet-ptenh een zo duidelijk bevel had gegeven.

'Ik weet niet zeker of het wel mogelijk is wanneer u eenmaal gebalsemd bent,' zei Sanh-kheran, wiens gezicht weinig gevoel prijsgaf
afgezien van nieuwsgierigheid. 'De organen moeten nog in het lichaam zitten en als de priesters van Anubis die eenmaal verwijderd
hebben weet ik niet of...'

'Het is heiligschennis om een priester niet te balsemen,' zei Schet-ptenh op een toon die geen wederwoord duldde.

Sehet-ptenh stierf drie jaar later, weggeteerd tot een huls van een man. Hij werd gebalsemd en in het fijnste linnen gewikkeld. Zijn hart werd in een albasten kruik gelegd en voor hem was geen wederopstanding mogelijk. Zijn opvolger was Imensris, een gezette, doortrapte intrigant met een hang naar macht en het eergevoel van een adder. Hij stond erop dat de tot levenwekking van Aumtehoutep geheim werd gehouden opdat hij naar eigen oordeel kon handelen en invloed kon winnen. Hij hunkerde ernaar de metgezel van Farao te worden. Hij ging ervan uit dat hij mijn vaardigheden voor zijn eigen voordeel kon aanwenden en maakte mij dat duidelijk.

'Wat bedoelt u, nee?' wilde Imensris weten toen Sanh-kheran weiger-de aan zijn verzoek te voldoen.

Sanh-kheran keek voor de tweede maal op van zijn rol. 'Ik bedoel dat ik niet kan garanderen wat er gebeurt als ik opnieuw een derge-lijk waagstuk uithaal,' zei hij geduldig. Het liep tegen zonsondergang en hij begon de langzaam verkoelende aanraking van de vallende avond te voelen.

'Ik ben degene die verantwoordelijk is,' zei Imensris, terwijl hij zijn hand op het enorme borstschild legde dat hij de laatste tijd droeg. 'Ik ben degene die Farao verantwoording schuldig is als jij niet slaagt.'

Deze verzekering werd zo gladjes gedaan dat Sanh-kheran nog ze-kerder was dan tevoren dat de Hogepriester van Imhotep niet van plan was om ook maar iets anders dan lof te aanvaarden voor het terug-halen naar het leven van Farao's dochter. 'Ik heb geen vrouw tot le-ven gewekt, alleen een man. Ik weet niet of de procedure bij een vrouw wel werkt,' zei hij tegen Imensris. 'U wilt toch zeker niet dat de eerste fout gemaakt wordt ten koste van een lid van Farao's familie.'

'Het kind is nog maar een halve dag dood. Als zij nu hier gebracht wordt voordat de priesters van Anubis haar in handen krijgen, zult u de gehele nacht de tijd hebben om aan haar te werken.' Zijn ogen schit-terden van gretigheid, de enige standvastige emotie die Sanh-kheran ooit bij hem had gezien.

'Het doet er niet toe hoelang zij dood is. Ik weet zeker dat het niet veilig is om te proberen haar opnieuw tot leven te wekken. De omstandigheden zijn nu geheel anders dan toen Aumtehoutep uit de dood ontwaakte.' Hij keek strak naar beneden naar zijn geschrift, naar het persoonlijke zegel dat zijn aandeel van de tempelverslagen markeerde. 'U streeft ernaar bij de Farao in het gevlij te komen door het leven van zijn dochter – hoe zou u verklaren wanneer zij voorgoed een kind van twaalf bleef?'

Voor de eerste keer was er twijfel op Imensris' gezicht te lezen. 'Hoe bedoelt u?'

'Kijk dan naar Aumtehoutep,' zei Sanh-kheran op zijn meest redelijke toon. 'Hij is dezelfde als de dag dat hij hier uit de Tempel van Thot kwam. Hij is qua verschijning geen dag ouder en er is geen verandering in zijn lichaam die ik kan zien waaruit zijn leeftijd zou blijken.' Hij legde zijn pen weg en dekte zijn inktplakkaat af. 'Het zou met Farao's dochter net zo zijn.'

'Hoe kan dat nu?' wilde Imensris weten terwijl hij over de lage schrijftafel leunde waaraan Sanh-kheran zat.

'Dat weet ik niet,' gaf de dienaar uit het Huis des Levens toe. 'Maar ik zie het en het wordt in de oude geschriften vermeld – leest u ze zelf maar, Hogepriester – dat diegenen die tot leven worden teruggebracht niet ouder worden.' Hij wachtte terwijl Imensris dit in overweging nam. 'Farao vervloekt u wellicht op een dag voor wat u heeft gedaan zoals sommige van de priesters hier mij hebben vervloekt.'

Imensris kreeg een hoogrode kleur. 'Zegt u soms dat ik tegen u heb gesproken?'

'Ik zeg dat iemand dat heeft gedaan,' antwoordde Sanh-kheran met elk blijk van respect.

Er viel een ongemakkelijke stilte tussen de Hogepriester en de dienaar uit den vreemde; toen wendde de Hogepriester zich af en zei geen woord meer tegen Sanh-kheran gedurende de rest van de avond, de volgende week en de negentien jaar die hem nog van het leven restten.

Vele decennia lang heb ik geen volgende tot leven wekking geprobeerd en mijn eerste poging daarna slaagde niet; de man kwam niet opnieuw tot leven. Toen wachtte ik drie eeuwen voordat ik het opnieuw trachtte.

Je zult een verslag hiervan vinden in het Huis des Levens te

Luxor, als het binnenste heiligdom tenminste nog intact is en niets het geschrift heeft doen vervagen. Ik weet niet meer hoe het precies verwoord was maar er is een verslag van die reanimatie, want tegen die tijd was ik geneesheer en de priesters hielden alles bij wat in het Huis des Levens geschiedde. De inscriptie van rechts naar links gelezen doet kond van de reanimatie, van links naar rechts gelezen is het een invocatie aan de goden voor de bescherming van de bevolking van Luxor.

Kort na de dood van Ramses II vielen Libiërs Egypte binnen. Merenptah, Ramses' zoon, versloeg hen maar het was een krappe overwinning; de prijs was hoog en de troonopvolging was niet langer verzekerd. Na zijn dood volgde twintig jaar van gekrakeel om de troon van het Zwarte Land.

Om je vragen over de Sfinx te beantwoorden; het is een standbeeld voor Hapi, de god van de Nijl, de enige hermafrodiete god in het gehele Egyptische pantheon; de Grote Sfinx is, zoals je zult ontdekken, zowel mannelijk als vrouwelijk. Geruime tijd was het gebruik het gezicht van Farao op de jaarlijkse Sfinx aan te brengen maar na Ahmozes, die heerste voordat ik naar het Zwarte Land kwam, nam deze gewoonte een einde, hoewel de Sfinx bleef. Ieder jaar werd er een vervaardigd op het hoogwaterpunt van de Overstroming met een regenwaterreservoir eronder tegen de droogte. De meeste van deze beelden hielden niet lang stand en werden binnen enkele eeuwen door de Nijl zelf van hun vorm beroofd. Niet dat de huidige loop van de Nijl overeenkomt met die in de tijd van de Farao's; elk jaar slijt hij na de Overstroming een lichtelijk nieuwe loop. Vandaag de dag zou het onmogelijk zijn de meeste van de Sfinxen die zo lang geleden gebouwd zijn, terug te vinden en te identificeren. Naar ik heb begrepen is de Grote Sfinx gemaakt om langer stand te houden, als een eerbetoon aan Hapi dat niet aan erosie ten prooi mocht vallen. Er is een enorm regenwaterreservoir onder de figuur bij de piramiden net zoals onder alle Sfinxen.

Bedenk, mijn hart, dat Egypte een aloud land is. Je weet hoe lang ik heb geleefd. Een kwart van mijn leven heb ik in Egypte in het Huis des Levens doorgebracht en die tijd besloeg niet het geheel van de geschiedenis van het Zwarte Land, dat al oud was toen ik er arriveerde. Jij ziet de monumenten en bent van verwondering

vervuld, maar zij zijn niet meer dan inscripties en steen –
schatten, zeker, ze bevatten een weelde aan goud en kennis. Het
bestaan van Egypte zelve was zijn grootste verworvenheid; alleen
China heeft langer standgehouden.

Ik vraag me af of er een vertigo van tijd bestaat, want zo deze
bestaat dan heb ik die ervaren terwijl ik jou dit schrijf. Ik heb
eveneens het gevaar rondom jou bespeurd en vraag je opnieuw
voorzichtig te zijn. Jij bent voor mij mijn levensvreugde,
Madelaine; zonder jou is er geen genot of waarde of schoonheid.
Vroeger geloofde ik niet dat het mogelijk was te hebben wat wij
samen bezitten. Ik hunkerde ernaar in al wat ik ben gekend te
zijn en bemind voor al wat ik ben. Ik wist niet dat ik jou
evenzeer zou liefhebben als jij mij, maar zo is het, en ik ben nog
steeds in de ban van dit wonder. Ik zou de wetenschap niet
kunnen verdragen dat jij uit het Huis des Levens was.

Saint-Germain
(zijn zegel, de eclips)

Februari tot en met september 1827

Tekst van een brief van Ferdinand Charles Montrose Algernon Trowbridge aan Madelaine de Montalia, beiden in Thebe.

Mijn waarde Madame,

U kunt zich ongetwijfeld nog het gesprek herinneren dat wij vorige maand hadden tijdens die vreselijke avond in Omats villa. Ik heb gedaan wat u mij vroeg en heb mij de moeite getroost erachter te komen of er in onze expeditie enige handel in oudheden plaatsvindt. Eerlijk gezegd heb ik niet veel gevonden afgezien van een enkel gerucht, hetgeen niets wil zeggen. Toch had ik laatst de gelegenheid om met Halliday naar de westelijke zijde van de Nijl te gaan, waar Wilkinson en zijn ploeg aan het werk zijn, en toevallig zag ik Sevenage achter een van die enorme muren met een van de plaatselijke voormannen – een ware boef met één oog, die aan zijn linkerhand de eerste vinger mist; hij is de broer of neef van uw eerste graver. Sevenage overhandigde hem een mandje en dat trok mijn aandacht. De voorman is zelf ook graver en als hij iets wilde ontvreemden, zou hij Sevenage daarvoor niet nodig hebben. Derhalve meende ik dat hieruit blijkt dat er iets verdachts aan deze transactie is. Sevenage heeft een aantal van die albasten kruikjes gevonden waarop de goden staan afgebeeld. Die hebben iets te maken met de begrafenis, althans zo is mij verteld. In dat mandje had gemakkelijk een stel van die kruikjes kunnen zitten. Let wel, ik zeg niet dat het zo is omdat ik niet weet wat er in het mandje zat, maar de mogelijkheid bestaat. Ik weet zelf niet wat ik ervan moet denken maar misschien kunt u enig inzicht hierin verkrijgen. Het is een lichtelijk verontrustende gedachte dat een van mijn eigen metgezellen in dergelijke zaken verstrikt zou zijn. Ik heb van Castermere gehoord dat wij weer geld zullen moeten betalen, anders zal Magistraat Numair ervoor zorgen dat wij uit Thebe gezet worden. Dit is de derde maal dat hij sinds onze aankomst geld heeft geëist en dat is boven op wat de expeditie al geeft. Wie weet wat de universiteit betaalt? Hij is een inhalig man, dat lijdt geen twijfel, en zijn hebzucht neemt toe naarmate hier meer expedities arriveren. Het is buitengewoon ergerlijk. Ik heb Pater geschreven met een verzoek om deze som en om een extra honderd, maar ik heb geen idee of hij het geld stuurt. Mater is erop gebrand dat ik op zoek ga naar een bruid en wil dat ik thuiskom opdat ik niet tijdens mijn verblijf hier door een plaatselijke schone gestrikt word. Ik heb ze verzekerd dat de enige vrouw in Egypte die ik heb ontmoet en die mijn hart zou kunnen veroveren, een Franse oudheidkundige is, een beeldschone jongedame met ogen als viooltjes en weelderig donker haar met gouden lokken. Ik heb melding gemaakt van het feit dat u in Frankrijk grond bezit en een titel wanneer de politiek dat toestaat. Dat zal Mater geruststellen, althans voor de komende zes maanden. Daarna moet ik misschien verdere excuses verzinnen. Wanneer men bedenkt dat ik nooit had gedroomd dat ik hier meer dan een halfjaar zou zijn en het er nu naar uitziet dat ik hier minstens twee jaar zal zijn, neem ik aan dat hun bezorgdheid niet onredelijk is gezien de omstandigheden.

Wat ik over u schreef is alleszins waar. Ik heb het recht niet dit tegen u te zeggen, maar het is beter om het op papier te zetten dan met mijn mond vol tanden te staan als ik het u van aangezicht tot aangezicht probeer te vertellen. U bent een uiterst betoverende vrouw en ik ben overweldigd door uw goedertierenheid jegens mij. Ik zal u niet in verlegenheid brengen door u te vertellen wat ik heb gedroomd maar ik wil graag dat u weet dat ik waarlijk vereerd ben door uw vriendschap. Zo af en toe ben ik ook ietwat bevreemd want ik weet dat ik niet de knapste man ben en hoewel ik redelijk welgesteld ben, ben ik ook niet zo steenrijk als sommige van ons. De naam is natuurlijk oud maar van een naam kan men niet leven.

Nu klinkt dit alsof ik ondankbaar ben en dat is in het geheel niet het geval. Ik wil graag dat u gelooft dat ik vrijelijk toegeef dat ik door u betoverd ben en dat die betovering mij grote deugd doet. Ik stel mij tevreden met uw gezelschap bij recepties in mijn

dromen en u kunt van mij op aan: ik zal u niet lastig vallen, nu niet en nooit. In tegenstelling tot sommige mannen die ik ken, ben ik niet iemand die een oprechte vriendschap met vrouwen verwerpt of die uw genegenheid als een gril of een nuk beschouwt. Ik draag u op handen, Madame. U bent met gemak de meest opmerkelijke vrouw van wie ik het voorrecht heb haar te leren kennen en ik kan niets voor u hopen dan wat het beste en meest vreugdevolle is. Ik kan het zelfs in mijn hart vinden te wensen dat die merkwaardige monnik weer voor u komt werken. Het baart mij zorgen dat u daar in uw villa woont zonder enige bescherming, afgezien van de bedienden, en hoewel een monnik misschien niet veel voorstelt, is hij altijd beter dan helemaal niets. Ik verontschuldig mij voor enige ontstentenis die dit bij u zou kunnen veroorzaken. Om het goed te maken, bied ik u een uitnodiging om John Gardner Wilkinson te leren kennen, die benieuwd is naar dat heiligdom waar u zoveel werk heeft gespendeerd aan het opgraven en documenteren. Ik heb hem die lange inscriptie getoond die u mij heeft gegeven en hij zei dat hij uiterst benieuwd is naar de rest. Hij zou graag hebben dat u woensdag aanstaande om halfvijf langskomt bij de villa waar de Engelse expeditie verblijft. Ik moet hem uw antwoord geven, als u zo goed wilt zijn dat met de bode mee te geven die dit aan u brengt. Als het u toegestaan is meer van uw schetsen mee te brengen, zou Wilkinson die eveneens graag onderzoeken.
Komt u naar de receptie die Magistraat Numair geeft of nodigt hij geen vrouwen uit? Bij hem weet je het maar nooit, weet u, of hij op enig tijdstip nu Egyptisch of Europees zal doen. Als u er bent, hoop ik de vreugde van uw gezelschap te smaken wanneer u niet met de Duitse geneesheer spreekt. Een patente kerel op zijn eigen wijze, maar bij dergelijke gelegenheden vind ik hem lichtelijk de trop. Ik hoop dat u mij dit niet euvel duidt.

Uw uiterst gehoorzame dienaar,
F.C.M.A. Trowbridge
19 februari 1827, te Thebe

Een

Madelaine stond op van haar plaats aan de tafel in haar salon en strekte haar hand uit, niet verrast toen hij deze weigerde. 'Monsieur Omat,' zei zij tegen haar onverwachte gast. 'Wat een genoegen dat u mij dan eindelijk komt opzoeken. Komt u binnen.' Zij maakte een revérence en gebaarde naar Renenet. 'Een versnapering voor mijn gast.'

'Onverwijld,' zei Renenet, die sneller dan gebruikelijk vertrok.

Yamut Omat keek in de salon om zich heen en knikte even. Hij leek alles te meten wat zij bezat. Uiteindelijk wendde hij zich opnieuw tot haar en schonk haar een spectaculaire glimlach, die des te interessanter was door zijn onechtheid. 'Het is vreemd voor een man van mijn geloof om op deze wijze een vrouw te bezoeken. Ik vertrouw erop dat u zich toegeeflijk zult betonen. Ik heb begrepen dat in de Franse hogere kringen middagvisites usance zijn. Het was niet mijn bedoeling u voor het hoofd te stoten door een dergelijk bezoek tot nog toe na te laten.' Hoewel hij in keurige, Europese kledij was uitgedost, met een uiterst fraai blauw jasje dat mooi genoeg was om in Parijs gezien te worden, zijn pantalon van volmaakte snit, zijn schoenen zo glanzend als de mode vereiste, verrieden zijn tulband en zijn optreden zijn afkomst; hij maakte een buiging voor haar alsof hij een Egyptisch gewaad droeg.

'Ik weet dat het u zwaar valt hier te zijn,' zei Madelaine zo hartelijk als zij kon, terwijl zij zich afvroeg wat Omat nu eigenlijk had bewogen te komen. 'Maar ik hoop dat mijn personeel u het onthaal zal bieden dat u... toekomt.'

'Uiterst goedertieren,' zei Omat, die ongemakkelijk midden in het vertrek bleef staan. 'Ja, uiterst goedertieren.'

Madelaine besefte hoe opgelaten hij zich voelde. 'Gaat u zitten, Monsieur Omat, alstublieft.' Zij gebaarde naar een van de stoelen. 'Ik denk dat u deze comfortabel zal vinden. Als u het mij niet euvel duidt, blijf ik hier aan tafel. Wij kunnen gemakkelijk spreken zonder dat ik het werk hoef te laten liggen waar ik net aan begonnen ben.' Zij hoopte bovendien dat het feit dat de tafel tussen hen in stond ervoor zou zorgen dat Omat minder uit zijn doen zou zijn.

'Het was niet mijn bedoeling u te storen,' zei Omat op een toon die op zijn best achteloos was. 'Ik dacht dat u op dit late uur van de dag niet nog zou werken of...'

'Ik ben blij dat ik de kans heb om even te pauzeren.' Zij steunde haar ellebogen op de tafel en keek hem recht in de ogen. 'Is er een of ander probleem of misverstand? Heeft u mijn hulp nodig? Is er iets wat ik voor u kan doen, Monsieur Omat?'

Hij staarde naar zijn handen. 'Ik hoopte in wezen dat u bereid zou zijn om... met mijn dochter te spreken.'

'Ik?' vroeg Madelaine geheel onvoorbereid. 'Uw dochter? Monsieur Omat, waarom zou u dit van mij vragen? Uw dochter heeft toch zeker een moeder of...' Zij slikte 'een van uw andere vrouwen' in en zei in plaats daarvan, '... grootmoeder, die geschikter zou zijn om...'

'Niet in dit geval,' onderbrak Omat haar. 'In dit geval zijn alle vrouwen in mijn huishouden tegen mijn handelwijze gekant en niets wat ik heb gedaan, heeft hen vooralsnog van gedachten doen veranderen. Kortom, als Rida wijzer wil worden zal ze dat niet van een van hen worden.' Hij pakte een fraai linnen zakdoek uit zijn zak en depte zijn voorhoofd, waarbij hij er zorg voor droeg dat hij deze zo terug stopte dat de elegante schikking van plooi en vouwwerk niet verstoord zou worden.

Wat is hij een absurde dandy, dacht Madelaine, die haar best deed niet om zijn pietepeuterigheid te glimlachen. 'Wat is het waartegen uw vrouwelijke familieleden zo fel gekant zijn?' vroeg zij wellevend, en zij keek op toen Renenet het vertrek betrad, met op een koperen dienblad een volledige maaltijd alsof Yamut Omat een gast voor het diner was en niet een onverwachte bezoeker in de middag. 'Uw dochter is allercharmantst.'

'Het met kruiden en uien geroosterde lam is bijzonder smakelijk,' zei Renenet tegen Omat, terwijl hij het blad neerzette, waarbij hij een diepe buiging maakte. 'De sorbet is met bijzondere druiven bereid.' Dit was Renenets wijze om Omat te laten weten dat er wijn aan te pas was gekomen, hetgeen de koran verbood.

'Dank,' zei Omat. 'Moge Allah – immer glorierijk! – u fortuin en vele zonen schenken.'

Opnieuw boog Renenet met meer respect dan Madelaine hem ooit had zien vertonen en trok zich terug.

'Eet u smakelijk,' zei Madelaine, blij dat de mohammedaanse wet mannen en vrouwen doorgaans niet toestond samen te eten, zodat haar onthouding Omat niet zou bevreemden. 'Ik heb voortreffelijk keukenpersoneel.'

'Uiterst goedertieren, Madame,' zei Omat terwijl hij een van de geurige broodjes doormidden brak en zijn hand uitstak naar het geroosterde lam. Hij at snel en rumoerig, waarbij hij zich, zoals de goede manieren geboden, van alles op het dienblad bediende. Pas toen hij was uitgegeten, hervatten zij hun gesprek. 'Een voortreffelijk maal,' zei hij tegen haar toen hij zijn handen had afgeveegd aan de vochtige handdoek die klaar lag. 'Uw kok is een juweel.'

'Zo vertelt men mij,' zei Madelaine. 'Ik zal uw complimenten overbrengen.'

'Duizendmaal dank,' zei Omat, en hij keerde toen eindelijk terug naar de reden van zijn bezoek. 'Maar om u mijn aanwezigheid te verklaren: mijn dochter... zij kan niet gewoon het zoveelste Egyptische meisje zijn, weet u.'

'Nu, zij is niet als enig ander Egyptisch meisje dat ik ooit heb ontmoet, maar ik heb niet de gelegenheid gehad velen van hen te ontmoeten,' zei Madelaine, op haar hoede maar vriendelijk. 'Zij zei toen wij elkaar leerden kennen al dat er Egyptenaren zijn die haar Europese kledij en houding niet zouden goedkeuren.' In feite wist zij zich te herinneren dat Rida Omat haar angst had uitgesproken dat Egyptenaren haar zouden stenigen voor het feit dat zij haar gezicht onbedekt liet.

'Helaas is haar vrees gegrond. Dit is een bijzonder oud land en wij zijn halsstarrig in onze tradities. Tegelijkertijd hebben wij een impulsieve aard. Wij zijn een opvliegend volk, Madame. Sommigen onzer nemen sneller aanstoot dan anderen. Een meisje zoals mijn Rida, niet velen begrijpen waarom ik wil dat zij zich in de Europese wereld beweegt. In velerlei opzichten heeft zij sympathie opgevat voor de Europeanen die zij heeft leren kennen, maar de rest van de familie is vaak geschokt. Toen u laatst bij ons was, moest ik haar wel met u vergelijken en zag ik dat zij meer te leren heeft dan ik had verondersteld.' Hij schudde traag zijn hoofd.

'En waarom wilt u precies dat zij zich in de Europese wereld begeeft?' vroeg Madelaine, die de rechtstreekse vraag verzachtte met haar glimlach.

'Omdat de Europese wereld hierheen in aantocht is en wij niet voorbereid zijn. Omdat de zaken nu Europees zijn en als wij niet weinig meer dan slaven willen zijn, zullen wij kennis moeten verwerven van de manier waarop het er in de Europese wereld aan toegaat, en onze kinderen moeten bijbrengen hoe zij verder moeten.' Hij schoof het blad terzijde en verzette zijn stoel, zodat hij recht tegenover Madelaine zat. 'Dat kunt u toch begrijpen, nietwaar? Wij Egyptenaren worden in de vaart der volkeren geworpen zoals Europa dertig jaar geleden. Als wij willen ontkomen aan het geweld dan zijn er dingen die wij moeten leren en die wij snel zullen moeten leren, want het tij valt niet te keren als het eenmaal heeft ingezet. U ziet hoeveel Europeanen hier zijn voor het voorrecht om zand uit de ruïnes te scheppen. Er zijn anderen die katoen en graan en hennep wensen, en nog veel meer.' Hij wuifde met zijn handen om aan te geven hoe gecompliceerd het lag.

'Europeanen doen zelden zaken met meisjes, hoe lieftallig ook,' zei Madelaine, indachtig hoe vaak zij zelf dergelijke barrières in haar leven had aangetroffen.

'Maar zij zullen eerder luisteren naar een jonge vrouw die een leuke japon aanheeft en thee drinkt en naar het theater en naar concerten gaat, dan naar een gesluierd meisje dat met geen enkele man dan haar echtgenoot, haar vader en haar zoons spreekt.' Hij zag in haar ogen dat zij het met hem eens was. 'Alle vier mijn zonen stierven voor hun twaalfde jaar. Mijn dochter is het enige kind dat langer in leven is gebleven. Haar zusters zijn nog geen vijf en dus is het aan Rida om onze belangen te vertegenwoordigen. De eerste trouw van een dochter dient haar familie te gelden. Zij weet dat reeds van jongsaf aan. U weet dit zelf ook.'

'Ja,' zei Madelaine na een korte stilte. 'Ik ken dat gezegde.'

'Dus, u moet Rida komen vertellen hoe het in Europese kringen toegaat. Hoe zij dient te spreken. Haar Frans is goed en haar Engels kan ermee door, maar dat wil nog niet zeggen dat zij een gesprek kan voeren. Hoe zij zich tegenover anderen dient op te stellen. Hoe zij zich in het theater dient te gedragen. Met wie zij mag dansen en wie zij dient te mijden. Zij moet leren hoe vrouwen met waaiers omgaan – gebruikt men nog steeds waaiers?'

'Sommige vrouwen wel,' zei Madelaine terwijl zij met ontsteltenis en fascinatie Omat gadesloeg.

'Jonge vrouwen of oude?' drong Omat verder aan. 'Zou zij een waaier moeten gebruiken?'

Madelaine opende haar handen. 'Monsieur Omat, ik ben in geen drie jaar in Parijs geweest.' Dat was niet geheel waarheidsgetrouw want zij was al meer dan twee decennia niet in Parijs geweest. 'Ik weet niet wat vandaag de dag mode is. Toen ik vertrok, zou een meisje zoals uw dochter met een waaier naar een bal kunnen gaan maar zij zou er waarschijnlijk niet eentje naar het theater meenemen. Gebruiken veranderen evenwel zo snel dat het wellicht vandaag de dag precies andersom is.'

Omat knikte ernstig. 'De grillige aard der Europeanen,' zei hij. 'Wij bevatten deze niet. Ik heb geleerd er plezier aan te beleven maar dat is niet hetzelfde als deze te begrijpen. De kleren die de Egyptenaren vandaag de dag dragen,' – hij keek naar zijn eigen fraaie uitdossing – 'die zich aan de oude gebruiken houden, niet lieden zoals ikzelf, zijn bijna dezelfde als de kledij die een eeuw geleden gedragen werd of twee eeuwen geleden. Dat komt door de woestijn. Die stelt zijn eigen eisen.'

'Datzelfde geldt voor de winter in Zwitserland,' zei Madelaine vriendelijk. 'Maar u begrijpt dat ik niet zeker kan zijn dat de raad die ik uw dochter eventueel zou geven ook correct zou zijn, zo zij al bereid is deze te aanvaarden.'

'Zij zal daartoe bereid zijn,' zei Omat. 'Zo zij dat niet is, dan zal ik haar slaag geven totdat zij dat wel is.'

Madelaine richtte zich op. 'Ik zou liever hebben dat u haar niet slaat. Zij zal geen willige leerling zijn als u haar slaat.'

Omat lachte. 'Ik ben een man met een familie. De wet vereist van mij dat ik mijn familie kort houd. Als ook maar iemand van hen zich niet naar behoren gedraagt, is het mijn plicht diegene te kastijden.' Hij keek Madelaine recht in de ogen. 'Europese wetgeving geeft vaders rechten over hun kinderen.'

'Dat is zo,' zei Madelaine. 'Maar ik heb niets op met stuurse kinderen en kinderen die slaag krijgen zijn dat dikwijls.' Zij dacht terug aan de keren dat haar vader haar met een stok had geslagen of haar moeder haar een draai om de oren had gegeven, en hoe halsstarrig zij was geweest in haar haat tot zij te weten kwam wat haar vader vreesde en hoezeer hij ernaar streefde om haar te beschermen. 'Hoe langer ik leef, des te vaster mijn overtuiging wordt dat niemand beter wordt van slaag.'

'Weer zo'n radicaal denkbeeld. Wacht maar tot u zelf kinderen heeft, dan zult u het begrijpen. Hoe kan iemand zich beteren als hij geen slaag krijgt? De pijn is een geheugensteun, een leermeester die meer overredingskracht heeft dan welke andere leraar ook. Laat een kind weten dat op wangedrag onherroepelijk pijn volgt en dat kind zal zich niet misdragen. Wat gebeurt er als er geen pijn is om autoriteit te verlenen? Dan krijgt u anarchie. Europa is daaraan tegenwoordig ten prooi.' Omat stond op. 'Zegt u mij dat u dit zult doen, en dan geef ik u mijn woord dat ik mijn dochter geen slaag zal geven tenzij zij bijzonder halsstarrig is. Ik zal haar zelfs vertellen waarom zij geen slaag zal krijgen tenzij dat noodzakelijk is. Is dat voor u aanvaardbaar?'

'Dat zou het moeten zijn,' zei Madelaine, terwijl zij opnieuw haar hand uitstrekte en ditmaal versteld stond toen Yamut Omat deze schudde.

'Dan ga ik ervan uit dat wij een overeenkomst hebben. Ik zal mijn bediende bij u langssturen... zullen wij zeggen overmorgen?'

'Overmorgen?' vroeg Madelaine, nieuwsgierig waarom Omat zo'n spoedig begin met de lessen vereiste. 'Over drie dagen komt mij beter uit.' De dag maakte haar in wezen weinig uit maar zij wilde weten in hoeverre Omat bereid was rekening met haar te houden.

'Nu goed, over drie dagen.' Hij knikte eenmaal. 'Voortreffelijk, Madame de Montalia. Ik zal Rida vertellen dat zij bereid moet zijn u te ontvangen om...'

'Ik denk dat het een goed idee zou zijn,' zei Madelaine, in de wetenschap dat het Omat zou irriteren dat zij hem in de rede viel, 'als Rida in plaats daarvan hierheen kwam. Hier zou zij, denk ik, minder geremd zijn. Uw villa met al zijn kostbaarheden en uw Europese meubels is en blijft een Egyptisch huishouden. Hier heb ik een Europees huishouden. In wezen,' vervolgde zij, opeens geïnspireerd, 'zal ik mijn dienstbode opdragen ons thee te serveren en Rida de patroonboeken laten zien die zij uit Parijs en Rome heeft meegebracht.'

Omat luisterde aandachtig. 'Een zeer wezenlijk detail. Goed dan, over drie dagen komt mijn dochter hierheen... hoe laat?'

'Drie uur 's middags,' opperde Madelaine, die een tijdstip koos meteen na haar middagrust. 'Dan zal ik mijn salon voor haar klaar hebben net als in Europa, dat beloof ik u.' Zij wachtte tot Omat instemde. 'Al moet ik bekennen dat ik niet weet hoeveel ik haar zal kunnen helpen.'

'Dat u haar zult onderrichten is meer dan genoeg om mij aan u te verplichten. Ik kan u niet vertellen hoeveel dit voor mij betekent, Madame,' antwoordde Omat met een weelderige buiging. 'Ook mijn dochter zal u op den duur dankbaar zijn.'

Madelaine ving de nijdige toon in zijn stem op maar verkoos deze te negeren. Zij schonk hem een vriendelijke glimlach. 'Ik hoop dat zij baat zal hebben bij onze bijeenkomst,' zei zij, en zij voegde eraan toe: 'En vertelt u haar dat ik hoop dat zij vele vragen zal hebben.'

'Ach, zij is een vrouwspersoon en als er één ding is wat vrouwen zijn, is dat toch wel nieuwsgierig.' Hij zweeg even, alsof hij de stemming aftastte voor hij vervolgde: 'Ik weet zeker dat u dat met mij eens bent, Madame, aangezien u meer dan voldoende nieuwsgierigheid hebt voor tien vrouwen.' Zijn glimlach was breed, stralend en nietszeggend en Madelaine schonk hem een van hetzelfde allooi terug.

Toen Yamut Omat vertrokken was, ging Madelaine naar haar eigen vertrekken en onderweg riep zij Lasca bij zich. 'Ik geloof dat wij een probleem hebben,' zei zij toen haar dienstbode uit Madelaines kleedkamer opdook, waar zij de mouw van Madelaines een na beste rijjasje had zitten repareren. 'Het is mij duidelijk dat Monsieur Omat eerzuchtiger plannen voor zijn dochter heeft dan zijzelf. Hij is bereid haar met slaag te onderwerpen teneinde zijn zin door te drijven. Ik wens part noch deel aan een dergelijke leergang.'

'Maar waarom stemt u dan toch in?' vroeg Lasca redelijk.

'Omdat het niet veilig is Omats gram te wekken. Hij is een van de machtigste mannen hier en hij is niet te goed om zijn positie en rijkdom tegen mij aan te wenden.' Zij aarzelde. 'En ik heb medelijden met het meisje. Zij wordt tot iets gemaakt dat Egyptisch noch Europees is en zij zal nooit meer geheel en al deel van ook maar een van beide werelden zijn.' Zij liep naar de armoire waarin haar japonnen en formele kledij hingen. 'Ik geloof dat het maar het beste is als wij haar allereerst deze laten zien. Zij heeft genoeg Europese vrouwen in die afgrijselijke reiskledij gezien dat ik niet meer denk dat nog eentje haar belangstelling zou wekken, denk je wel?'

Lasca tuitte de lippen. 'Wie zal het zeggen,' zei zij toen zij erover had nagedacht.

'Zij heeft naar ik heb gezien drie baljaponnen,' vervolgde Madelaine alsof Lasca niets had gezegd. 'Een is van schitterend zeegroen satijn met een onderrok van Belgisch kant dat een fortuin moet hebben gekost. De taille is hoog, de sjerp is een zeer smalle reep van satijn goud vlechtwerk. Het lijfje is afgezet met kant en geheel met toermalijnen bezet, zo ongeveer een dozijn. Het is een uiterst fraai toilette.' Zij staarde naar haar eigen kleding. 'Die daar. De wijnrode japon van fluweel. Ik betwijfel of ik hem ooit in dit klimaat zal dragen, maar hij is voor dit doel uitstekend: zij zal niets van dien aard hebben gezien.'

'Rood fluweel is te ouwelijk voor u, Madame,' zei Lasca terwijl zij de japon in kwestie kritisch bezag.

'Denk je heus?' vroeg Madelaine, haar stem plotseling weemoedig. 'Welaan, ik zal erover nadenken maar stal hem hoe dan ook uit voor Mademoiselle Omat.'

'Zeker.' Zij stond op het punt de deur te sluiten toen een zacht gemiauw haar aandacht trok.

'Oisivite,' riep Madelaine zacht, en zij bukte zich om de kat op te tillen. 'Waar was je nou toch?' De kat verwaardigde zich niet te antwoorden maar begon te spinnen toen Madelaine het juiste plekje vond om hem te krabbelen.

'Ik hoorde dat hij in de stallen is geweest,' zei Lasca in een poging streng te klinken. 'Hij gaat daar op rattenjacht maar het keukenpersoneel is bang voor hem.'

'Wat doet het keukenpersoneel in de stallen?' vroeg Madelaine, terwijl zij de kat verschikte, die probeerde zich in evenwicht te houden door zijn klauw in haar bovenarm te boren. 'Houd op,' berispte zij hem vriendelijk.

'Ze bewaren een deel van de voorraden in de kamer tussen de tuin en de stallen. Ze zeggen dat hij krijst als een demon.' Lasca strekte haar hand uit en gaf de kat een aai.

'Dat zal best,' zei Madelaine terwijl zij erover nadacht. 'De meeste katten kunnen klinken als baby's die over een laag vuurtje geroosterd worden.' Toen Oisivite er opeens genoeg van had, liet zij hem los. 'Als hij te veel last veroorzaakt zal ik, naar ik aanneem, een manier moeten verzinnen om hem uit de stal weg te houden al zou ik niet weten hoe ik een kat weg zou moeten houden van waar hij wil zijn.' Het werd steeds moeilijker huisdieren te houden, bedacht zij terwijl zij toekeek hoe de kat door de kamer rende. Toen zij net haar intrede deed in haar nieuwe leven, het leven dat Saint-Germain haar met zijn bloed had gegeven, had zij zich met katten en honden omringd, in de wetenschap dat die haar zouden accepteren zoals mensen dat niet zouden doen: zij zouden er niet op letten dat zij niet at of geen spiegelbeeld had. Zij zouden niets bijzonders zien aan haar nachtelijke excursies, maar hun levens waren zo kort en niets in haar vermogen kon daar verandering in brengen.

'Scheelt er iets aan, Madame?' vroeg Lasca, hun stilte verbrekend.

'Ik... hoe zeg je dat ook alweer: er liep iemand over mijn graf.' Zij kon niet echt de lach laten horen waar zij naar streefde maar haar glimlach was voldoende.

Lasca schudde haar hoofd. 'Dat was het niet echt, hè?' Zij wijdde zich aan het aansteken van de lampen in het vertrek. 'Denkt u dat u vannacht hier zult zijn?'

'Het grootste deel van de nacht,' zei zij afwezig.

'Ik bedoel het niet oneerbiedig, Madame,' zei Lasca, 'maar ik slaap licht en ik heb soms gemerkt dat u vertrekt, soms een uur lang, soms langer. U bent altijd terug voor de zon opkomt.' Zij keek Madelaine recht in de ogen. 'Als u een minnaar hebt: ik kan discreet zijn.'

Madelaine wist niet hoe zij hier het beste antwoord op kon geven. 'Ik heb geen minnaar, niet op de manier waarop je bedoelt, en ik ben geen losbandige vrouw. Maar rusteloos ben ik wel en soms kan ik de slaap niet vatten.' Zij besloot Lasca niet van vrijpostigheid te beschuldigen hoewel zij haar op die manier misschien van het onderwerp had kunnen afbrengen. Maar dan zouden de vragen blijven hangen, dat wist ze, en de volgende keer zou haar dienstbode niet de moeite nemen een vraag te stellen maar zelf op onderzoek uitgaan.

'Waar gaat u heen?' vroeg Lasca op zorgelijke toon.

'Meestal ga ik naar de ruïnes. Soms kun je diep in de nacht dingen bespeuren die je gedurende de dag ontgaan. Soms zijn diep in de nacht de geesten van het verleden aanwezig en is er weinig van het heden dat kan storen.' Zij keek haar dienstbode aan. 'En soms ga ik daarheen omdat ik mij minder eenzaam voel wanneer ik door die aloude dingen omringd ben.'

'Ach, Madame,' zei Lasca met een meelevend knikje.

'Er is een weerklank in oorden zoals Thebe. Heel het verleden zucht als de wind door die oorden. Die geluiden wil ik horen.' Zij beroerde het ouderwetse halscollier met parels met de ene peervormige granaat die Saint-Germain haar meer dan tachtig jaar tevoren had gegeven. 'Het is alsof je terugdenkt aan de stemmen van oude vrienden.'

Ditmaal sloeg Lasca de ogen neer. 'Het spijt me, Madame. Ik wist niet dat het u hier zo zwaar viel. Ik dacht dat u... dat u Dokter Falke ontmoette. Gurzin dacht dat in elk geval.'

'Dokter Falke... nee,' zei Madelaine triest. 'Hij is een eerzaam man. O, hij is in staat tot een innige omhelzing maar hij is niet bereid ook maar iets te doen dat...'

'U zou onteren,' maakte Lasca de zin voor haar af. 'Ik ben blij dat te horen. Ik heb Broeder Gurzin verteld dat hij het bij het verkeerde eind had, dat u in Dokter Falke geen clandestiene minnaar had.'

'Alleen dromen,' zei Madelaine, in de wetenschap dat Lasca dit verkeerd zou begrijpen. Twee nachten tevoren had zij Falke opgezocht en had zij terwijl hij sliep al zijn hartstocht opgeroepen, al het vuur in zijn ziel. Voor hem was het niets geweest dan de droom en een paar druppels bloed: voor haar het leven zelf.

Lasca was klaar met de lampen. 'Kunt u hem laten weten dat u meer verlangt?'

Dit was meer dan Madelaine bereid was aan haar dienstbode toe te vertrouwen. 'Lasca, hoe ik met Dokter Falke omga, is niet jouw zaak, tenzij je meent dat mijn gedrag jou in opspraak heeft gebracht. Als je daar niet bang voor bent, houd je er dan buiten.' De woorden waren scherp maar ze sprak deze op vriendelijke toon uit, zonder enige toorn.

'Het was niet mijn bedoeling mij in uw aangelegenheden te mengen,' zei Lasca stijfjes.

'Dat weet ik, maar het is verleidelijk, nietwaar, zo ver van de wereld die wij kennen?' Zij had geen antwoord nodig en hief haar hand naar haar glanzende opgestoken donkere haar. Terwijl zij de spelden lostrok, zei zij: 'Kom, breng de borstels en shampoo. Ik heb het gevoel of ik een schepel zand op mijn hoofdhuid heb zitten.'

'Geen wonder,' zei Lasca, die Madelaines standje met amper meer dan een schouderophalen aanvaardde. Het ging niet aan dat zij dergelijke vragen stelde, dat wist zij. Er was een scheidslijn tussen bediende en meesteres en het was onverstandig die te overschrijden, zelfs hier in den vreemde. Zo nieuwsgierig als zij was, Lasca wist dat de vertrouwelijkheid van haar werkgeefster begrensd was; die grenzen overschrijden kon tot spijt leiden. Zij deed de deur naar de kleedkamer open. 'Wilt u dat ik het teiltje hier breng of...'

'Op de veranda, dacht ik maar,' zei Madelaine terwijl zij door de ragfijne gordijnen naar buiten keek. 'Het is een mooie avond.'

'Een mooie avond.' Zij was druk in de weer de borstels en de grote lampetkan met teil te pakken. 'Een avond waarop u misschien niet thuis zult willen blijven.'

'Nee, misschien niet,' zei Madelaine sereen. Zij was niet van plan zich verdere strenge woorden te laten ontlokken. 'Kom, nu ik heb gemerkt dat mijn haar gewassen moet worden, wil ik het ook schoon hebben.' Zij opende de deuren naar de veranda en liep naar buiten. 'Er zijn dagen dat ik denk dat de woestijn uiterst schoon is maar dan voel ik het zand langs me schuren en weet ik dat hij steriel is, niet schoon.' Zij keek over haar schouder. 'Ik wil dat wolvetpreparaat in mijn haar. Het wordt in de hitte veel te droog.'

'Wolvet is wat boeren gebruiken,' zei Lasca, die dat stukje informatie als een kleine rebellie in de strijd wierp.

'Wolvet is wat verstandige mensen gebruiken,' verbeterde Madelaine haar. 'En de olie van viooltjes, die wil ik ook.'

'Die is bijna op,' zei Lasca terwijl ze de teilstandaard naar de veranda droeg. De borstels en het stuk haarzeep lagen erin. 'Ik ga water halen. Ik moet meer uit de keuken laten komen.'

'Doe dat maar,' zei Madelaine, met haar aandacht bij de verre, flauwe vormen van de ruïnes. Terwijl zij naar de tempels keek, bracht zij haar hand omhoog en maakte haar halscollier los waarbij zij de parels in haar hand liet vallen zodat de peervormige granaat in het midden lag. Pas toen keek zij naar beneden en haar glimlach was versluierd door een pijn die zij niet kon ontkennen. Zij dacht aan Saint-Germain en wenste dat hij niet zo ver weg was. Hoe groot de pijn ook was die zij voelde als zij bij hem was zonder dat zij, in weerwil van hun grote liefde voor elkaar, zijn geliefde kon zijn, zij voelde grotere pijn wanneer zij van elkaar gescheiden waren. Toch was zij degene geweest die erop had gestaan dat zij afscheid namen, want zij kon zichzelf er niet toe brengen meer dan kortstondige bevrediging te zoeken in de dromen die zij mannen bezorgde zolang hij in haar nabijheid was. Zij was tevreden dat zij hier was, maar zij miste hem meer dan zij mogelijk had geacht en hunkerde naar een aanraking van iets meer dan dromen.

'Madame,' zei Lasca. Zij was teruggekomen met twee lampetkan-
nen. 'Zal ik een stoel halen?'

Madelaine sloot haar gedachten buiten terwijl zij het collier in haar
reticule liet glijden. 'Ja, graag,' zei zij, en zij ging haar peignoir halen.

'Komt Broeder Gurzin binnenkort terug?' vroeg Lasca, terwijl zij de
stoel uit de kleedkamer naar de veranda bracht.

'Naar ik heb begrepen wel,' zei Madelaine, terwijl zij voor het teiltje plaatsnam en aanstalten maakte haar haar te laten wassen. Haar
geest was nu vastberaden gericht op praktische aangelegenheden, zij
was erin geslaagd haar hunkeringen weg te sluiten.

Tekst van een brief van Erai Gurzin in Thebe aan de Broeders van het
klooster van Saint Pontius Pilate te Edfoe.

*Aan mijn geliefde Broeders in de Naam van Christus, mijn gebed
is met u,*

*Ik heb uw raad in overweging genomen en ben bereid te
vertrekken als het uw finale oordeel is dat ik hier mijn ziel in
gevaar breng, zowel omwille van mezelf als voor de eer van het
klooster. Maar ik wenste te zeggen dat ik geen duidelijke reden zie
om te veronderstellen dat ik gevaar loop. Hoe zou dat kunnen?
Zij is deugdzaam en ik ben aan God gezworen. Het is waar dat
de vrouw geen weduwe is en ook niet getrouwd maar dat wist u
van meet af aan. U was bereid te aanvaarden wat Saint-
Germain van haar zei, maar nu trekt u zijn aanbeveling in
twijfel en dat verontrust mij.*

*De veiligheid van deze vrouw is door Saint-Germain aan mij
toevertrouwd en haar onderricht in onze taal en geschiedenis is
aan mij opgedragen. Ik heb gezworen als Saint-Germains
afgevaardigde dienst te doen, zoals wij zoveel jaren geleden
hebben gezworen zijn leerlingen te zullen zijn. Zoals wij baat
hadden bij zijn onderricht, zo zal zij baat hebben bij het mijne.
Hoe dan ook, u betoont zich niet de trouwe vrienden die u Saint-
Germain heeft gezworen te zullen zijn. Meer dan tien jaar lang
heeft hij u onderricht gegeven en u was destijds blij dat te
ontvangen. U heeft hem toegestaan u te onderwijzen en u te
helpen uw kennis te vergroten. U hebt zijn weldaden zonder*

vragen aanvaard hoewel hij niemand onzer ooit heeft verteld dat
hij nooit iets van ons zou vragen: hij heeft vaak genoeg gezegd
dat de dag zou komen wanneer hij op zijn beurt onze hulp zou
inroepen. Hij heeft tot nog toe niets van ons gevraagd en wat hij
wenst is minder dan velen hadden verwacht. Er wordt geen offer
verlangd, er wordt het klooster geen last opgelegd. Zijn verzoek
was aan mij, niet aan het gehele klooster, en u was bereid mijn
beslissing te aanvaarden. Ik heb nooit getwijfeld en na twee
maanden retraite ben ik nog steeds zeker dat ik als mentor voor
deze jonge vrouw wens te dienen. Zij heeft mij geen kwaad
berokkend en ik ben een zeer armzalige christen als ik ervan
uitga dat zij dat zal doen. Als er lieden zijn die schande spreken,
zal het niet de eerste keer zijn dat deugd in twijfel wordt
getrokken en bezoedeld.

Ik heb in mijn gebeden naar antwoorden gezocht. Ik heb mijn
ziel afgespeurd naar zonde, naar bedrog en leugens maar die ik
heb gevonden zijn niet de leugens van Madame de Montalia,
aangezien zij evenzeer vrij was van arglist als Saint-Germain
steeds jegens ons allen. Zij heeft mij laten weten dat het maar
beter was als ik sommige van haar activiteiten niet bevroeg,
maar verder heeft zij mij haar woord gegeven dat zij kuis en
eerzaam is en ik geloof haar. Zij heeft niets gedaan op enig
moment dat ook maar in de verste verte haar eer in twijfel zou
kunnen trekken. Deze belasteringen zijn des te schandaliger
omdat ik heb gezien hoeveel moeite zij doet om boven alle twijfel
verheven te zijn.

Het is waar dat zij een aanbidder heeft. Het zou uiterst
opmerkelijk zijn als een ongetrouwde vrouw van haar fortuin en
uiterlijk geen aanbidders had. Zo het haar verlangen was om met
mannen te spotten of pleziertjes van ze te eisen, zou zij dat met
gemak kunnen. Maar zij staat niemand toe haar het hof te
maken en behoudt te allen tijde haar onbesproken gedrag. Zij
verklaart dat zij geen plannen heeft om te trouwen en heeft zich
naar behoren overeenkomstig die plannen gedragen. De
aanbidder is een eerzaam man, die Madame de Montalia nooit
zou bedriegen.

Haar huispersoneel zal wat ik zei beamen zo u iemand wenst te
sturen om hen te ondervragen, al zou een dergelijke ondervraging

mijzelf en Madame de Montalia beslist aanstoot geven. Desalniettemin, zo u dat vereist teneinde zeker te zijn dat de principes van onze eed gehandhaafd worden, doet u dat dan, komt u het personeel ondervragen en die leden van haar expeditie die bereid zijn met u te spreken. Het denkbeeld dat ons klooster laster zal brengen over mensen die deugdzaam leven stuit mij tegen de borst. Uw klacht is dat zij in de wereld is en derhalve ten prooi is aan de verleidingen en arglist van die wereld, en ik kan alleen maar antwoorden met de mededeling dat voor Madame de Montalia een oudheidkundige expeditie haar even ver van het wereldse leven brengt als een non in haar eigen land zou kunnen zijn.

Ik wacht uw antwoord af en bid dat de wijsheid die wij hebben verworven nog immer in uw harten en uw geloof vertoeft en dat, nu de aarde zich vernieuwt, uw ziel evenzeer opnieuw moge bloeien in de liefde van Christus, die het erfgoed van Zijn Bloed is.

In de Naam Gods,
Erai Gurzin, monnik
De vooravond van de Glorierijke Wederopstanding van Onze Heer, te Thebe

Twee

'Wat denkt u ervan?' vroeg Jean-Marc Paille terwijl hij het beeld-je omhooghield opdat Madelaine het kon bekijken. Hij zette zijn hoed af en wiste met zijn zakdoek zijn gezicht af. 'Ik heb zweet in mijn ogen.'

Zij draaide naar het licht dat door de deur naar binnen viel en nam zijn vondst met zorg aan. 'Waar heeft u dit ontdekt?' De kleine albasten havik met de faraonische kroon op zijn kop glom in het zonlicht.

'Hier,' zei Jean-Marc terwijl hij nog wat zand wegveegde. Zij bevonden zich in het achterste deel van het heiligdom, waar twee raampjes schitterende rechthoekjes licht binnenlieten. Hij kroop een eindje verder. 'Hier. Kijk maar. Daar is een soort kuiltje. Zo te zien moet daar iets ingepast hebben.'

Madelaine boog zich dichter naar hem toe. 'Wat het ook was, het is nu weg,' zei zij triest.

'Waarschijnlijk al eeuwen,' zei Jean-Marc, wiens schouders zich spanden. 'Maar hieronder' – hij gebruikte de handgreep van zijn borstel om een op het oog losse vloertegel op te lichten en tegen de muur te zetten – 'daar is iets anders, ik geloof een verbergplaats. Dit zat er in. Ik kon hem niet hoog genoeg optillen om erachter te komen of er nog iets was.'

'Het is een verstandige voorzorgsmaatregel om er hulp bij te roepen, Jean-Marc, gezien wat Claude-Michel is overkomen,' zei Madelaine.

In weerwil van de hitte huiverde Jean-Marc. 'Schorpioenen, slangen, nee, ik heb niets met dat al op. Zeg maar niets tegen Baundilet. Hij trekt zich niets aan van dat soort ongedierte maar ik word naar van hun gekrioel.'

'U zult zich beslist naar voelen als u gestoken wordt,' zei Madelaine zacht. 'Maar goed, we zouden moeten kijken wat daar in zit.'

'Ik haal Suti wel,' zei Jean-Marc, en hij maakte aanstalten overeind te komen.

Madelaine legde haar hand op zijn schouder voor hij kon opstaan. 'Nee. Nee. Laten we eerst even zien wat we zelf te weten kunnen komen. Laat dit onze vondst zijn, iets wat wij voor onszelf kunnen opeisen.'

Jean-Marc aarzelde. 'Voor onszelf?'

Madelaine lachte. 'Niet als buit, Jean-Marc. Ik bedoelde niet dat we deze dingen zouden houden. Ik bedoelde alleen maar dat als we nu de gravers erbij halen het de vondst van de hele expeditie is, dat wil zeggen die van Professor Alain Baundilet; op deze manier kunnen wij aanspraak maken op enige erkenning.' Zij keek hem aan terwijl hij haar woorden in overweging nam. 'Ik weet heel goed waarom u ook uw eigen reputatie en niet alleen de zijne zou willen verhogen.' Zij zei het welbewust, in de hoop dat ze voor hen beiden wat tijd kon winnen.

'Nu,' zei Jean-Marc uiteindelijk, 'aangezien het hier waarschijnlijk om een enkel voorwerp gaat en er misschien niets in dat gat zit dan... ongedierte, kunnen we dat net zo goed eerst zelf vaststellen om de anderen niet zonder rede hoop te geven.' Hij liet zich weer op zijn knieën zakken. 'De steen is zwaar.'

'Ik ben geen zwakkeling,' zei Madelaine, terwijl zij zich afvroeg hoeveel zij van haar enorme vampierkracht kon aanwenden zonder Jean-Marc reden te geven haar vragen te stellen. 'Kom, ik haal mijn koevoet, misschien kunnen we dan samen de steen lichten.' Zij liep naar haar tas en haalde de korte stalen staaf met het geplette uiteinde te voorschijn. 'Als ik dit onder de ene kant kan brengen en jij de steel van je borstel onder de andere, kunnen we proberen hem te lichten.' Zij hield hem een wig van haar ezel voor. 'We kunnen dit gebruiken om hem open te houden.'

Het was bijzonder heet in de kleine stenen kamer en de lucht was zwaar. Boven hen trokken de hemelen van het oude Egypte langs het plafond aan hen voorbij. Madelaine knielde neer en pakte de koevoet, terwijl zij zich afvroeg of het Jean-Marc zou opvallen dat zij niet zweette. Zorgvuldig volgde zij de rand van de steen en vond toen een afwijking in de steen ernaast die haar in staat stelde om hem in beweging te brengen. 'Ik geloof dat het zo wel lukt,' zei zij tegen Jean-Marc, terwijl zij de koevoet probeerde.

'Ik ben zover,' zei Jean-Marc. Hij pakte de steel stevig vast. 'In drie tellen?'

'Uitstekend,' zei Madelaine terwijl zij al haar aandacht op de vloertegel richtte.

'Een,' zei Jean-Marc ietwat ademloos. 'Twee. *Drie!*' Hij bracht met kracht zijn borstel naar beneden en hoorde het onheilspellende geluid van versplinterend hout. Maar tegelijkertijd voelde hij de steen bewegen. 'De wig!' riep Madelaine uit, alsof zij al haar kracht aanwendde om de staaf neer te drukken.

Met een werktuiglijk hoofdknikje strekte Jean-Marc zijn hand uit naar de wig in de hoop dat de steel van zijn borstel het lang genoeg zou houden om de wig op zijn plaats te brengen. Hij kreunde van inspanning.

Terwijl de steel van zijn borstel brak, gleed de wig op zijn plek. 'Gelukt,' zei Madelaine terwijl zij de koevoet weghaalde. 'Dat is het begin.'

Jean-Marc staarde naar de steen die zij verplaatst hadden met wijd opengesperde ogen, evenzeer van fascinatie als van angst. 'Komt er iets naar buiten?'

Zij hief de troffel die zij had gebruikt om het restje zand weg te halen. 'Als er iets komt, ben ik gewapend.'

'Maakt u maar geen grapjes,' sputterde Jean-Marc. '*Mère Marie,* stel dat er een cobra naar buiten zou kruipen?'

'Dat gebeurt heus niet,' zei Madelaine, die al aanvoelde dat zich niets gevaarlijkers dan torren in de schuilplaats ophield. Zij keek Jean-Marc aan en zag hoe bleek hij was. 'Scheelt er iets aan?' vroeg zij opeens.

Hij haalde zijn schouders op om te kennen te geven dat er niets aan de hand was of dat het hem niets kon schelen. 'Niets dat met ons werk van doen heeft.' Zijn toon gaf aan dat hij er niet over wilde praten.

'Maar iets zit u dwars,' hield Madelaine aan, die niet van zins was zijn ontreddering te negeren. Zij ging op haar hakken zitten. 'Ik moet even bijkomen voor ik opnieuw probeer de steen in beweging te brengen,' zei zij, hoewel dat gelogen was.

'*Bien sûr.*'

'In de tussentijd zou u...' begon zij en dat was voldoende.

'Het is een kleinigheid, Madame.' Hij staarde haar aan. 'Iets dat ik niet wens te bespreken.' Hij was zo kortaangebonden als hij met een vrouw kon zijn.

Madelaine schonk hem een snelle glimlach. 'Jean-Marc, ik ben oudheidkundige en we zijn allebei heel ver van onze geboortegrond. We zijn op elkaar aangewezen en ik kan dan ook niet doen alsof het me koud laat aangezien jouw welzijn de sleutel kan zijn tot het mijne.' Zij liep even weg om haar tas te halen. 'Vertel me nu maar wat u dwarszit terwijl ik probeer iets te vinden dat uw borstel kan vervangen. Met nog eens twee pogingen krijgen we die steen waarschijnlijk wel overeind.'

Terwijl zij in haar tas rommelde, leunde Jean-Marc achterover tegen de muur, met een mokkende trek om zijn mond. 'Ik maak me zorgen over mijn verloofde. Haar vader wenst onze verloving niet te erkennen, weet u, en hij is geloof ik op zoek naar manieren om haar te overreden. Zij vertelt mij dat hij daar niet in is geslaagd maar nu ze met haar tante in Parijs is, baart me dat toch zorgen.'

'Waarom?' vroeg Madelaine terwijl zij terugdacht aan haar eigen eerste dagen in Parijs met haar tante Claudia. Tante Claudia, die een echte vriendin voor haar was geweest, die haar als een dochter in haar huis had verwelkomd, die haar bij dat fête in oktober 1743 aan Saint-Germain had voorgesteld; tante Claudia, die haar had verzorgd tot zij stierf en die zelf veertien jaar later aan een longontsteking was overleden zonder te weten dat Madelaine die eerste dood had overleefd. Madelaines onverwachte mijmering had zo'n greep op haar dat zij het begin van Jean-Marcs uiteenzetting over zijn ongelukkige verloving niet eens hoorde.

'... en zelfs met de hulp van haar neef Georges kunnen we niet gemakkelijk corresponderen. Haar vader staat niet toe dat zij brieven van mij ontvangt en zij mag er geen sturen, en dat stuit mij tegen de borst want ik verafschuw alles wat niet met de eer strookt.' Hij wiste opnieuw zijn voorhoofd af. 'Dus ik moet alles op alles zetten om mijzelf als aanvaardbare schoonzoon te presenteren voor hij een plan kan smeden om haar te dwingen met iemand anders te trouwen. Hij heeft zijn jongste dochter Solange al gedwongen een weduwnaar met kinderen te trouwen terwijl ze zelf amper meer dan een kind is.'

'Maar neef Georges helpt jullie?' vroeg Madelaine. 'Waarom?'

'Hij ziet in hoe onbillijk het allemaal is. Hij en Honorine waren altijd al dikke vrienden en hij is er niet de man naar om een gebrek aan fortuin diegenen in de weg te laten staan die elkaar waarlijk liefhebben.' Hij raapte een steen op en wierp die door het kleine vertrek. 'Ik weet niet hoe we het zonder hem hadden moeten redden.'

'Werkelijk?' zei Madelaine terwijl zij haar stem neutraal hield.

'O, ja.' Hij slaakte een korte, felle zucht. 'Ik heb haar nu al in geen twee jaar gezien. In haar brieven zegt zij dat haar genegenheid onveranderd is maar hoe lang kan ze, omringd door de geneugten van Parijs en de vleierijen van gedistingeerde mannen, trouw blijven aan onze privégeloftes? Temeer daar haar vader vastberaden is te voorkomen dat wij huwen.'

'En u hoopt er, als u hier in Egypte succes vindt, in te slagen hem van gedachten te doen veranderen?' vroeg Madelaine.

'Ja. Ik wil hem laten zien dat hij ongelijk had met zijn veronderstelling dat een man die zijn positie in de wereld verovert door ruïnes te verkennen, niet een even waardige kandidaat is als een man met genoeg geld om een werkplaats in Arles te bezitten.' Zijn uitdrukking was zo stuurs dat hij meer weg had van een nijdig kind dan van een volwassen man. 'Haar vader is een rijkaard die zijn positie nog verder wil verbeteren. Hij noemt zichzelf een zoon van de Revolutie, hetgeen wil zeggen dat hij de dooddoeners oplepelt waarmee hij in het gevlij kan komen.'

'Frankrijk heeft maar al te veel van dat soort lieden,' zei Madelaine feller dan zij had bedoeld.

Jean-Marc keek haar scherp aan. 'U bent een aristo,' zei hij op een toon die tegelijk excuserend en beschuldigend klonk.

'Mijn familie kan inderdaad dergelijke aanspraken doen gelden,' zei Madelaine zorgvuldig. Zij haalde een kleinere koevoet uit haar tas. 'Hier. Deze zal beter dienst doen dan uw borstel.' Zij hield hem Jean-Marc voor. 'Het spijt me dat uw verloofde zich in een zo ongelukkige positie bevindt. Het is bijzonder moeilijk wanneer families op een huwelijk tegen zijn.'

'Dat is het zeker,' zei Jean-Marc met een star gezicht. Hij nam de koevoet aan en legde die naast de wig. 'Denkt u dat u het nog eens kunt proberen?'

'Zeker,' zei Madelaine, in de wetenschap dat zij in haar eentje gemakkelijk de steen met haar handen had kunnen optillen. 'Ik mag dan een aristo zijn, Jean-Marc, maar ik weet enigszins hoe te werken met mijn handen.'

Hij liet niet blijken dat hij haar antwoord had gehoord. 'Ik heb deze op zijn plek,' zei hij.

'Ik ben zover. Zullen we opnieuw tot drie tellen?'

Ditmaal kwam de steen gemakkelijker in beweging en was er bijna genoeg ruimte om een hand naar binnen te brengen. Zij brachten een tweede wig op zijn plaats.

'Als er daarbinnen iets belangrijks is,' zei Jean-Marc terwijl hij licht hijgend achterover leunde, 'zou dat mijn fortuin kunnen betekenen.'

Madelaine draaide zich naar hem om. 'Hoe bedoelt u dat?'

Hij liep rood aan. 'Ik bedoel dat dat mij de reputatie zou schenken die ik nodig heb om me een goede positie te verwerven. Ik wil een bezoldigd onderzoeker aan een goede universiteit zijn en niet de zoveelste docent oudheidkunde die de ene keer wel behoorlijk werk heeft en de andere keer niet. Ik wil mijn eigen expedities leiden en...' Hij zweeg schuldbewust. 'Het is niet mijn bedoeling tegen Professor Baundilet te spreken.'

'Uiteraard niet,' zei Madelaine.

'Maar ik moet aan mijn toekomst denken. Professor Baundilet heeft zich al een plaats verworven en heeft geen reden zich zorgen te maken over waar hij mag doceren of wie een volgende expeditie zal bekostigen. En er zijn nog de andere regelingen voor het geval hij het verkiest helemaal niet meer te doceren.' Hij masseerde zijn onderarm. 'Dat blok is bijzonder zwaar.'

'Ja, dat is het zeker,' beaamde Madelaine, terwijl zij zich afvroeg op wat voor andere regelingen Jean-Marc duidde en wat die konden betekenen voor hun ontdekking. Want die had haar gegrepen. Wat daar op die verborgen plaats ook mocht liggen, al was het niets meer dan een paar stenen beeldjes, zou weleens de meest respectabele vondst van de gehele expeditie kunnen blijken. Zij beteugelde haar opwinding, hoewel haar paarsblauwe ogen schitterden.

'Denkt u dat wij dit een belangrijke ontdekking kunnen noemen?' vroeg Jean-Marc, terwijl hij nog steeds zijn arm masseerde.

'We hebben nog niets gevonden,' bracht Madelaine hem in herinnering, geamuseerd dat hij meer gespannen was dan zij. 'Het heeft geen zin om op de zaak vooruit te lopen.'

'Nu, we moeten het nog een keer proberen, nietwaar?' Hij hoestte even zachtjes. 'Ik wil het u niet vragen. Ik zou een van de anderen kunnen laten halen, niet van de gravers maar misschien Professor Enjeu?'

'Het lukt me wel,' zei Madelaine. 'Of u moet anderen bij de ontdekking willen betrekken?' Dit was een tactische zet.

'O, juist.' Hij wreef zich in de handen. 'Nu goed, ja. U zult wel gelijk hebben. Dit kan maar beter echt onder ons blijven, nietwaar? Er is geen reden de anderen erbij te halen.' Hij veegde zijn handen aan zijn overhemd af en zei: 'Dit zou ik niet moeten doen. Kijkt u maar de andere kant op als u wilt.'

'Het stoort mij niet,' zei Madelaine. 'Niet na twee jaar in deze helse hitte.' Zij legde haar hand op haar koevoet. 'Nu?'

Opnieuw telde Jean-Marc tot drie en ditmaal verschoof de steen een paar centimeter. Toen hij zijn koevoet losliet, trilden zijn armen, zij het niet alleen van inspanning. 'Hij is open.'

'Ver genoeg open voor onze doeleinden,' zei Madelaine. 'We zouden hier voor het verslag een schets van moeten maken.'

'De drommel met het verslag,' zei Jean-Marc. 'Ik wil zien wat zich daarbinnen bevindt. We kunnen het later zonodig nog schetsen.' Hij kwam dichter op het verborgen compartiment toe. 'Hoe groot is het?'

'Niet erg groot, lijkt me zo,' zei Madelaine terwijl ze zich over de opening boog.

'Leeg?' vroeg Jean-Marc opeens volslagen ademloos.

Madelaine tuurde naar binnen en draaide zich toen naar hem om met een vreemd lachje om haar prachtige mond. 'Nee.' Uiterst voorzichtig stak zij haar hand naar binnen, waarbij zij haar vingers zo licht als stofjes tussen de onbekende schatten door liet dwarrelen. Zij vergaarde verscheidene kleine voorwerpen in haar hand en bracht ze naar buiten. Zij opende haar hand uiterst langzaam daar waar de lichtbaan uit het raam zou verlichten wat zij vasthield.

'*Jésu et Marie!*' fluisterde Jean-Marc.

Er lagen een zestal faience amuletten in haar hand, geen daarvan groter dan haar vingers. De grootste was een gevleugelde tor, de kleinste een buisvormig houdertje van goud beschreven met nietige hiëroglifen. 'Er is meer,' zei Madelaine met een stem die zij ternauwernood als de hare herkende.

'Wat zijn dit?' Jean-Marc pakte een klein groen figuurtje op dat een mummie met een jakhalzenkop voorstelde. 'Van wie was dit?' Hij draaide het in zijn vingers om. 'Welke god? Osiris?'

'Anubis,' verbeterde Madelaine hem. 'De jakhalzenkop is Anubis.' Zij keek naar de andere: een hurkende dwerg die zijn tong uitstak, een stier die ingewikkelde tekeningen op zijn flanken en rug droeg en een disk tussen zijn hoorns en een nietig figuurtje van een staande ibis die een weegschaal vasthield.

Een voor een pakte Jean-Marc ze aan en legde ze neer op de vloer in het reepje zonlicht. 'Kijk eens,' zei hij ademloos. 'Wat hebben we gevonden? Wat hebben we gevonden?' Er klonk zoveel opwinding in zijn stem dat zijn toon, hoewel hij fluisterde, intenser was dan wanneer hij had geschreeuwd.

'Laat me de rest naar buiten halen,' zei Madelaine, die zichzelf dwong haar blik af te wenden van wat ze had gevonden. Opnieuw bracht zij haar hand in het gat en tastte voorzichtig naar wat daar nog was. 'Er is meer.'

Ditmaal haalde zij een beeldje te voorschijn dat even lang was als haar hand. De gestalte stelde een man voor met de kop van een krokodil, waarop hij een kroon droeg van gestileerde veren. Het was gehouwen uit hard roze-achtig steen en toen zij het naast de rest neerlegde, slikte Jean-Marc moeizaam. Tegen de tijd dat het vak leeg was, had Madelaine er nog vier gedaanten aan toegevoegd: een zittende vrouw met een leeuwenkop; een bronzen kattenfiguur; een houten geschilderde gedaante van een schrijver die met gekruiste benen zat, met zijn schrijfgerei in de aanslag; een gouden tablet ongeveer zo groot als Madelaines handpalm, dat zo te zien een soort plattegrond van de tempel of het heiligdom was, met daarboven een paar geheven armen.

Madelaine hield het laatste stuk tegen het licht. 'Is het te veel te hopen dat dit de plattegrond van deze tempel is?' vroeg zij aan de wanden.

'Hij is van goud,' zei Jean-Marc.

'Net als het beschreven houdertje,' zei Madelaine in een poging zijn al te duidelijke hebzucht te ontmoedigen. 'Het is niet het materiaal dat deze voorwerpen hun waarde verleent, de voorwerpen zelf zijn van waarde, al zouden ze van niets meer dan leem gemaakt zijn.' Zij draaide het tablet in het licht om. 'Volgens dit hier zou er vlak buiten de muren daar die kant op nog een heiligdom moeten zijn.' Zij wees naar links. 'Daar hebben we nog niet gegraven.'

'Aangenomen dat de plattegrond van deze tempel is en dat u dit ontwerp correct interpreteert.' Jean-Marc pakte de kleine ibis-amulet op. 'Waarvoor denkt u dat dit diende?'

'Waarschijnlijk heeft iemand het gedragen,' zei Madelaine. 'Kijk. Er zit een klein ringetje aan, je zou er een ketting of een leren veter doorheen kunnen halen.' Zij legde het tablet naast de rest neer. 'Jean-Marc,' zei zij, 'ik geloof dat wij uw probleem met uw toekomstige schoonvader zojuist hebben opgelost.'

Jean-Marc keek verrast op. 'Wat bedoelt u?'

'Ik bedoel dat als we eenmaal schetsen van deze voorwerpen hebben gemaakt en onze verslagen hebben geschreven, uw reputatie gevestigd zal zijn. Ik zal Broeder Gurzin opdracht geven de verslagen en voorwerpen voor ons stroomafwaarts te brengen opdat er geen twijfel kan bestaan over wie deze ontdekking heeft gedaan, evenmin als over wie het materiaal heeft geprepareerd.' Zij strekte opnieuw haar hand naar haar tas uit. 'Ik heb kleine papieren zakjes. Die zullen deze vondsten beschermen tot wij onze monografie erover kunnen voltooien.'

'Wat?' Jean-Marc keek op met ontsteltenis in zijn blik. 'Wat zegt u nu?'

Madelaine keek hem geduldig aan. 'Wilt u dat deze ontdekking tot uw verdienste wordt gerekend? Bent u bereid deze met mij te delen?'

'Ja,' zei Jean-Marc onzeker.

'En u bent zich ervan bewust dat Professor Baundilet zich niet te goed voelt om kleine voorwerpen zoals deze te verkopen teneinde deze expeditie te financieren en lieden te paaien die hem gunsten kunnen bewijzen?' Zij zag de behoedzaamheid opnieuw over zijn gezicht trekken.

'Ik heb zoiets vernomen,' zei Jean-Marc omzichtig.

'En u weet dat als Professor Baundilet deze naar de universiteit stuurt voor hun verzamelingen, dat hij de verdienste zal opeisen voor de Baundilet-expeditie – dat wil zeggen voor zichzelf.' Zij wachtte even, terwijl Jean-Marc dit overdacht. 'Waarom doet u dan niet de moeite om uw eigen belangen te beschermen aangezien u zegt dat dit voor u noodzakelijk is als u een eervol huwelijk aan wilt gaan.'

Jean-Marc keek fronsend naar de kleine beeldjes. Hij pakte de ibis op en hield die bij de ring omhoog. 'Stelt u zich eens voor; dit ding om de hals van een bevallig Egyptisch meisje, helemaal in wit, haar haar geurend naar fijne olie en haar ogen met kohl omrand. Of droegen meisjes deze wel als halsketting? Misschien hing hij aan een armband of aan een ceintuur.' Hij streek met zijn vinger over de vleugels. 'Welke god geeft dit weer?'

'Misschien is het zomaar een vogel,' zei Madelaine, terwijl zij zich voornam om Saint-Germain in haar volgende brief te vragen wat de betekenis van de ibis was. 'Ze maakten ook snuisterijtjes en speelgoed, naar ik aanneem.'

Hij keek haar met duidelijk ongeloof aan. 'Speelgoed?'

'Natuurlijk,' zei Madelaine. 'Ze hadden kinderen, dus moeten ze ook speelgoed gehad hebben.' Haar blik werd scherper. 'Nu, wat bent u van plan – gaat u een verband met mij aan of hoopt u dat Baundilet u de verdienste van deze ontdekking gunt? Veel tijd hebben we niet als ik deze zonder aandacht te trekken naar mijn villa wil krijgen.'

Jean-Marc beet zich op de onderlip. 'Goed dan,' zei hij even later. 'Ik neem de ene helft mee en u de andere. Dat is billijk. Ik zal Professor Baundilet laten weten wat ik heb gevonden maar niet wat u heeft gevonden. Als hij deze niet naar de universiteit zendt of de eer voor zichzelf opeist, heeft u nog steeds uw oudheden om mee voor de dag te komen en als u mij toestaat te delen in uw...'

'U heeft de bergplaats gevonden. Natuurlijk zult u delen in de verdienste,' zei Madelaine terwijl zij haar kin de lucht in stak. 'Ik geef u daarop mijn woord, op papier zo u wenst.'

'Nee!' zei Jean-Marc opeens verontrust. 'Niets op papier. Dat is te gevaarlijk. Als iemand het te weten kwam, zou hieruit blijken dat wij geen vertrouwen hadden in Professor Baundilet en als hij ooit van onze overeenkomst en de reden ervoor zou horen, zou hij daar beslist niet over te spreken zijn.'

'Bent u bereid hem in bescherming te nemen?' vroeg zij.

'Hij heeft mij hierheen gehaald. Hij heeft mij deze kans geboden en ik kan het hem niet op zo'n onheuse manier belonen.' Opnieuw streelde hij de kleine beeldjes.

Madelaine maakte een berustend gebaar en keek neer op de beeldjes. 'Nu goed, zoals u wilt. Welke wilt u?'

Nu hij de keuze had, aarzelde Jean-Marc. 'Ik denk erover die uit te kiezen die ik het liefst aan mijn verloofde zou laten zien. Dat zal mij nooit vergund zijn, behalve bij een bezoek aan de universiteit, maar ik stel me voor welke hiervan bij haar het meest in de smaak zouden vallen. Dit zijn de stukken die ik zou kiezen.' Hij eiste de ibis op, het langwerpige gouden houdertje, de gevleugelde gouden tor, de zittende vrouw met de leeuwenkop en de stier met de disk tussen zijn horens. De hurkende dwerg, het tablet, het Anubis-beeldje, de bronzen kat en de met veren gekroonde man met krokodillenkop liet hij aan

Madelaine. 'Zo.' Uit zijn gezichtsuitdrukking sprak twijfel. 'Dat is billijk.'

Madelaine sprak hem niet tegen. 'Ik zou het prettig vinden als u een beschrijving zou opstellen van wat u gevonden heeft, zodat ik die bij het geheel kan voegen. Maakt u ook schetsen als u daartoe in staat bent. Ik wil een zo volledig mogelijke weergave als maar mogelijk is voor onze monografie. Ik kan wel een reden bedenken – misschien in termen van financiering – waarom wij de ontdekking hebben gedeeld. Ik zal het doen voorkomen dat het niet uw beslissing was maar de mijne zodat, mocht Baundilet later vragen hebben over wat u gedaan heeft, u dan kunt zeggen dat ik erop gestaan heb.'

'Dat is niet echt noodzakelijk...' begon Jean-Marc op gewichtige toon, maar hij bedacht toen wat Baundilet misschien zou zeggen.

'O, jawel. Als dat het niet was, zouden wij deze beeldjes niet verdelen,' zei Madelaine. Zij pakte de ibis nog eens op. 'Dit is een prachtig stuk. Dat zijn ze allemaal, maar dit is... heeft meer integriteit, vindt u ook niet?'

'Wat bedoelt u met integriteit?' vroeg Jean-Marc, terwijl hij uiterst voorzichtig de beeldjes begon te verzamelen. Hij legde ze op zijn zakdoek en omwikkelde elk met zorg opdat het niet tegen de andere zou stoten.

Zij schudde heel even haar hoofd. 'De kunstenaar die dit heeft gemaakt, had maar één gedachte in zijn hoofd: deze ibis. Dat kun je... gewoon zien.' Haar gezicht klaarde op. 'Het doet er niet toe, Jean-Marc. De vondst is subliem, of de beeldjes nu grote kunst zijn of armzalig broddelwerk. Hun bestaan is waar het om gaat.' Zij stak haar hand in haar tas om zacht papier te pakken waarin ze de stukken wikkelde.

Jean-Marc vouwde zijn zakdoek dicht en hield deze vast alsof er iets levends in zat. 'Het is een sublieme vondst, jazeker. U bent uiterst genereus, Madame. Ik... ik sta versteld.'

Madelaine hield op met het omwikkelen van de man met de krokodillenkop. 'Versteld? U? Hoezo?'

'Ik had nooit gedacht dat u...' Zijn stem haperde van verwarring. 'U bent bemiddeld en jong en mooi. Waarom zou u rekening houden met mij als daar geen enkele reden toe is?'

Madelaine zette haar werkzaamheden voort. 'Wat een armzalig excuus van een vrouw moet u wel denken dat ik ben, Jean-Marc,' zei zij op luchtige, afstandelijke toon. 'Ik ben verbaasd dat u in dit geval mijn woord voor wat dan ook wilt aannemen.'

'Ik heb u gekrenkt,' zei hij berouwvol. 'Het was niet mijn bedoeling...'

'Des te erger,' zei Madelaine getergd. 'U had er geen besef van dat
uw twijfels aanstootgevend zouden kunnen zijn of...' Zij dwong zichzelf tot zwijgen. 'U heeft mijn woord dat ik mij aan onze afspraak zal
houden. Wat de rest aangaat zullen we doen alsof er niets gezegd is.
Als u het onderwerp opnieuw ter sprake brengt, is het een andere zaak.'

'U bent uiterst... toegeeflijk, Madame, uiterst toegeeflijk.' Hij depo-
neerde zijn zakdoek met inhoud in de ruimste zak van zijn jasje. 'U
heeft de tekeningen tegen het eind van de week,' beloofde hij als zoen-
offer.

'Ik zie ernaar uit ze te ontvangen,' zei Madelaine op een toon die
beleefd was maar niet toeschietelijk.

'Ja,' zei Jean-Marc terwijl hij naar de deur liep, nog steeds op zoek
naar iets om de schade ongedaan te maken. 'Ja. Ik ben blij u van dienst
te zijn, Madame.' Toen was hij weg en keek Madelaine in de felle gloed
van de zon in de deuropening.

Nadat zij haar aandeel van hun verbluffende vondst in haar tas had
gestopt, doorvoer één enkele huivering van bezorgdheid haar. Toen
was die weg. 'Hij is er de man niet naar de anderen erbij te halen,' zei
zij hardop, alsof de woorden overtuigender zouden zijn als zij die werkelijk uitsprak. Zij wachtte enige tijd, onzeker waarom zij wachtte.
Toen verliet zij de beschutting van het heiligdom en liep de onge-
temperde bezoeking van de zon binnen.

Tekst van een brief van Professor Alain Baundilet aan Yamut Omat,
beiden te Thebe.

Mijn waarde Omat,

*Ik heb met mijn universiteit een regeling getroffen voor een
volgende betaling, te doen aan Magistraat Numair, tweemaal het
bedrag van de vorige schenking. Dit dient de kwestie voor enige
tijd te beslechten. Ik weet niet hoe wij onze geschillen met de
Magistraat kunnen oplossen. Ik vertrouw erop dat u zult
vaststellen hoe dit zodanig geregeld kan worden zonder
gezichtsverlies voor wie dan ook, uzelf incluis. Het gaat tenslotte*

niet aan dat u enige last zou moeten ondervinden wegens de
moeite die u voor ons heeft gedaan.

De kleine kruik die ik meezend, is gevonden aan de voet van een
van die sfinxen met ramskoppen die worden uitgegraven. Het
oppervlak is beschadigd maar zo te zien was hij beschilderd in
een patroon van papyrusstengels en heeft hij het voorkomen van
een zeer oud voorwerp. Aangezien ik hem niet kan dateren is er
geen reden hem bij de ontdekkingen van mijn expeditie onder te
brengen. Het zou mij een groot genoegen doen als u bereid zou
zijn dit als een teken van onze vriendschap te aanvaarden.

Ja, ik heb over alles nagedacht wat wij hebben besproken en ik
kan u niet tegenspreken. Uw observaties aangaande Madame de
Montalia zijn zeer juist. Ik ben het met u eens dat zij een uiterst
aantrekkelijke jongedame is en ik deel uw verbijstering dat zij
hier is. Dit is niet bepaald het oord waar men haar zou
verwachten en ik begin uw verdenkingen te delen dat er een waas
van geheimzinnigheid om haar heen hangt. Ik kan begrijpen
waarom u haar situatie niet heeft willen bespreken want deze is
inderdaad merkwaardig. Tegelijkertijd moet ik toegeven dat ik
betrekkelijk weinig over haar weet, behalve dat zij bereid is
rijkelijk te betalen voor de gelegenheid deel uit te maken van deze
expeditie en zich tot dusver op een wijze heeft gedragen die
vrijwel geheel boven alle kritiek verheven is. Ik moet toegeven dat
ik ervan overtuigd was dat zij tegen deze tijd reeds lang zou zijn
vertrokken. Toen zij gedurende de Overstroming in ons eerste
jaar op deze plaats bleef, was ik uiterst verrast. Ik kan u in alle
openhartigheid zeggen dat u het bij het juiste eind heeft: ik vind
haar een zeer verontrustende vrouw. Er is zoveel aan haar dat
een verstandig man zou aantrekken maar aangezien ik zelf
getrouwd ben, heeft zij mij onomwonden gezegd dat ik niet hoef
te hopen dat zij mijn vrouw zou vergeten ook al zou ik dat zelf
ooit doen. Het is ergerlijk te weten dat zij zich aangetrokken voelt
tot die vermaledijde Duitser en mij niet eens in overweging wenst
te nemen. Zij is attenter tegen die kleine vadsige Engelse Lord die
zowat loopt te kwijlen bij haar aanblik.

U ziet hoe groot haar vermogen is mij van mijn stuk te brengen
en dit is geen goede zaak. Ik moet erop toezien dat er een
wijziging plaatsvindt in mijn omgang met haar, zodat er geen

moeilijkheden tussen Madame de Montalia en mijzelf hoeven te rijzen. Misschien moest ik Guibert maar aanstellen om haar onopvallend in de gaten te houden. Hij heeft genoeg van de inboorlingen weg om niet op te vallen en dan kan ik meer over haar te weten komen. Misschien zou het het beste zijn als hij eenvoudigweg met haar bedienden sprak: die weten immers alles. Haar intenties lijken me duidelijk genoeg en ik neem aan dat het niet onredelijk is dat zij besluit haar zinnen te zetten op een man die haar een eerzame plaats kan bezorgen, waartoe de Duitser in de juiste positie verkeert. En wat dat andere aangaat – de hemel moge weten dat de Engelsman geen kans maakt, aangezien hij zoals ik de andere Engelsen hem heb horen noemen 'zo vet als een varken' is, en hoewel hij een positie heeft kan ik mij niet voorstellen dat er iets anders in hem is dan zijn kinderlijke adoratie die haar aandacht zou kunnen trekken. Zij zal ongetwijfeld genoeg van hem krijgen. Het is de geneesheer die een grotere barrière voor mijn streven vormt maar ik kan niets bedenken waarmee ik haar op haar genegenheid zou kunnen doen terugkomen. Misschien moest ik maar mohammedaan worden, zoals u, zodat ik toestemming zou verwerven een tweede vrouw te nemen, want ik vrees dat zij niet bereid is minder dan een regulier contract aan te gaan.

Ik heb recentelijk bericht ontvangen van Paille dat hij een paar kleine beeldjes heeft gevonden die hij mij wil tonen. Hij is niet bereid mij te vertellen waar hij ze heeft ontdekt, maar zegt dat hij alle beeldjes heeft die op die plaats te vinden zijn. Hij bedoelde daarmee dat hij ze heeft aangetroffen op een plaats waar hij niet mocht graven. Hij heeft aangeboden mij drie van de stukken te laten zien, de beste van het stel naar hij mij verzekert. Ik heb hem meteen verteld dat ik ervan uitga alles wat hij vindt te krijgen. Ik verdenk hem ervan dat hij een stuk voor zichzelf zal bewaren teneinde zich een positie aan de universiteit te verwerven, hetgeen ik hem niet zal misgunnen.

Uw dankbaarheid voor de stukken die ik u heb gestuurd is onnodig. Ik ben degene die dank zou moeten uiten want zonder uw tussenkomst bij de autoriteiten vrees ik dat ik de ontdekkingen waarin u deelt, niet had kunnen doen. Ik ben volslagen overtuigd dat u recht heeft op een gelijk aandeel als ik en ik hoop dat u mij niet zult verbieden de regelingen voort te zetten die zozeer een deel van mijn leven hier in Thebe zijn geworden. U heeft mij zonder beloning bijgestaan. Dit is mijn manier om mijn waardering te uiten.

Wat dat aangaat wil ik zeggen dat ik de festiviteiten verwelkom die u voorstelde voor de aanvang van de Overstroming. Die weken zijn voor mijn expeditie moeilijk gebleken en ik denk dat een dergelijke afleiding als de drie dagen die u omschreef, voor ons allen meer dan aanvaardbaar zou zijn. Zeker zou het ons deugd doen de Engelse oudheidkundigen en enige andere hier aanwezige Europeanen van aanzien te ontmoeten wanneer de stand van de rivier hoger wordt.

In antwoord op uw vraag aangaande Mademoiselle Omat: laat ik u ervan verzekeren dat uw dochter grote vorderingen heeft gemaakt. Hoe meer zij zich aan haar taak wijdt, des te groter zal haar welslagen zijn. Zoals zij nu is, weet ik zeker dat u haar in elke salon in Parijs zou kunnen introduceren zonder dat men haar links zou laten liggen. Wat dat betreft is Madame de Montalia een voortreffelijke leermeester gebleken. Uw dochter heeft baat gehad bij haar onderricht. In deze kunt u gerust zijn.

Zoudt u mij de eer willen bewijzen mij overmorgen tussen het middaguur en zonsondergang op te zoeken? Dan ben ik thuis en niet op het terrein van de opgraving en wij zullen daar in staat zijn in volledig vertrouwen en zonder onderbrekingen met elkaar te spreken. U en ik kunnen onze plannen bezegelen, evenals de kwestie van Magistraat Numair en zijn aandringen op hogere betalingen bespreken.

Met mijn welgemeende genegenheid en gestage hoogachting,

De Uwe,
Professor Alain Hugues Baundilet
16 mei 1827, te Thebe

Drie

Zijn voorschoot was van de hals tot de zoom bebloed en de mouwen die tot boven zijn ellebogen opgerold waren, zagen eveneens rood. Zijn handen zagen eruit als die van een ijzeren standbeeld dat roestig is geworden. Hij leunde achterover tegen de muur in de langer wordende schaduw, zijn gezicht ontdaan van elke uitdrukking, zijn ogen dof. Hij besteedde geen aandacht aan de anderen die zijn hulp zochten en evenmin aan het gestage invallen van de nacht.

'Herr Doktor,' zei Jantje toen zij hem even later aantrof.

'Wat?' vroeg hij, zijn stem zo afwezig alsof hij mijlenver weg was.

'Ik maakte me zorgen.' Zij zag er niet bezorgd uit. Haar optreden was even pragmatisch en hartelijk als altijd. 'U was opeens weg uit de ziekenzaal.'

'De knaap is overleden,' zei Falke op volslagen vlakke toon.

'Hij was er erg aan toe,' zei Jantje, die zichzelf niet toestond zijn gemoedstoestand te delen. 'Niemand had hem kunnen redden.'

'Met behoorlijke faciliteiten was het me misschien gelukt,' wierp hij tegen, hoewel hij wist dat het dwaasheid was.

'Zijn ribben waren gebroken en zijn longen doorboord,' zei Jantje kalm. 'Als u hem had gered, had u hem geen dienst bewezen, niet als hij invalide was gebleven. Dit is geen oord waar invaliden het goed hebben.' Zij zweeg even. 'Madame de Montalia is hier,' zei zij op dezelfde toon.

Falke wendde zijn hoofd af.

'Zij vroeg u te spreken,' drong Jantje aan. 'Ik heb haar verteld dat ik u zou zoeken.'

'Ik kan haar niet ontvangen, niet in deze toestand.' Het was te donker om de kleur van de vlekken op zijn kleren en handen te zien, maar hij kon er zichzelf hoe dan ook niet toe brengen ernaar te kijken.

'Zal ik haar dat zeggen?' vroeg Jantje.

'Ja.' Hij liep van haar weg in de richting van een nis in de muur die genoeg beschutting bood om in weg te kruipen.

Toen Jantje dit een paar minuten later aan Madelaine meldde, voegde zij eraan toe: 'De dood van die graver heeft hem zwaar getroffen. Hij heeft in de afgelopen vijf dagen veertien patiënten verloren. Dit was het moeilijkste geval.' Zij maakte een hoofdgebaar in de richting van de deur naar de ziekenzaal. 'Nu ze weten dat hier hulp te krijgen is, komen ze met steeds meer. Doktor Falke heeft meer hulp nodig dan een jaar geleden. Zijn werk is nu tweemaal zo veeleisend maar nog steeds werkt hij met alleen mijzelf en Erlinda.' Zij richtte zich op. 'Niet dat ik me wil beklagen. Zo bedoelde ik het niet.'

'U heeft alle reden tot klagen,' zei Madelaine, wier blik zich verhardde. 'Hoe komt het dat er geen anderen hem komen bijstaan?'

Jantje drukte haar handen ineen. 'We zouden nog twee artsen en drie verpleegsters hebben gekregen. Dat was overeengekomen toen we hierheen kwamen, dat die ons in het jaar daarop zouden komen helpen. Maar het is één ding te zeggen dat je naar een oord als dit zult komen en een ander om het ook te doen. De anderen lezen Doktor Falkes relaas over de kwalen die hij behandelt en het leed dat hij ziet en dan kunnen ze de moed niet opbrengen om zijn voorbeeld te volgen. Een paar weken geleden arriveerde een brief van iemand die zei dat zijn familie zijn belofte had afgedwongen dat hij in Tübingen zou blijven vanwege het gevaar van infectie.' Zij wierp haar handen in de lucht. 'Wat moeten we als het lafaards zijn?'

'En de andere arts?' zei Madelaine. 'En de verpleegsters?'

'We hebben niets meer gehoord en er is niemand gekomen.' Ze schudde ongeduldig haar hoofd. 'We hebben geprobeerd ze te helpen. We hebben alles gedaan wat in ons vermogen lag maar het is niet genoeg. Het zal nooit genoeg zijn.'

Was dit hoe Saint-Germain zich had gevoeld gedurende al die eeuwen dat hij buiten het Huis des Levens had gediend? vroeg Madelaine zich af. Zij legde haar hand op de pols van de verpleegster. 'Ga een van uw bedienden halen om u af te lossen en zorg dat u een maaltijd binnen krijgt en kans ziet even te gaan liggen. U bent even uitgeput als hij.'

'Maar daar is geen tijd voor.' Jantje deinsde van haar terug.

'Die zal er nooit zijn. U zult die voor zichzelf moeten opeisen,' zei Madelaine, en zij voegde er toen aan toe: 'Ik ga Falke opzoeken.'

'In de oude tuin bij de muur,' zei Jantje op afwezige toon. 'Als u wilt dat iemand uitrust, laat hij dat dan doen. Hij is dood en doodop, die arme man.'

'Misschien wil hij wel een eindje met mij wandelen,' zei Madelaine. 'Denkt u dat dat zou helpen?'

Jantje hield haar hoofd scheef. 'Het is beter dan zich in de tuin verschansen. Hij moet meer tijd alleen doorbrengen.' Zij keek Madelaine aandachtig aan. 'Hij is een goed man, Madame.'

'Ja,' zei Madelaine, 'en ik maak me zorgen om hem. Ik maak me zorgen om jullie allemaal.'

'Ik wenste dat anderen die daar meer reden toe hebben half zo bereid zouden zijn als u, Madame,' zei Jantje, als was zij getroost door wat Madelaine haar had verteld. 'Ik weet dat u hem niet tot last zult zijn, Madame.'

'Dank u,' zei zij, en zij voegde er toen aan toe: 'Zorg dat u even goed voor uzelf zorgt als voor degenen die uw hulp komen halen, anders schiet niemand er iets mee op.'

'Als ik met de twee kinderen klaar ben,' zei Jantje vastberaden, 'dan heb ik wat meer tijd.' Zij repte zich weg van Madelaine naar de andere kant van de ziekenzaal en onder het lopen zette zij haar mutsje recht.

Toen Madelaine de tuin in liep, zag zij Falke meteen. Haar nachtzicht werd niet door het donker en de schaduwen gehinderd, maar sterker nog bespeurde zij het opdrogende bloed op zijn kleding, de geur inademend die in de met jasmijn bezwangerde lucht hing. Langzaam liep zij naar hem toe terwijl zij wenste dat zij de vermetelheid had op hem af te rennen, zeker dat zijn armen zich voor haar zouden openen.

'Wie is daar?' vroeg hij vanaf zijn zitplaats, met zijn rug naar haar toe.

'Madelaine,' antwoordde zij terwijl zij bleef staan.

'O, God,' fluisterde hij. Zijn ontreddering was zo diep dat hij tegen al zijn bedoelingen in begon te huilen.

Zij kwam achter hem staan en legde haar armen om zijn schouders, waarbij haar handen op de bloedvlekken op zijn voorschoot rustten. 'Falke.'

Zijn woorden kwamen haperend, gedempt naar buiten. 'Ga weg. Ga weg.'

'Nee.'

Hij vloekte zacht en fel.

'Je kunt ze niet allemaal redden,' zei zij zacht, na een korte stilte toen zij zeker wist dat hij luisterde. 'Dat is niet mogelijk.' Zij streelde met haar hand over zijn haar. 'Niemand kan ze allemaal redden.'

'Ze komen naar mij toe. Ze vertrouwen op mij.' Hij probeerde tevergeefs zich van haar los te maken. 'Ik heb een verplichting jegens hen.'

'Je hebt een verplichting aanvaard,' zei zij afgemeten. 'Zij hebben je die niet opgelegd en ze zouden het je niet euvel duiden als je ze niet voorgoed bleef helpen.' Ditmaal sprak zij luider. Toen zeeg zij op de bank tegenover hem neer. 'Luister goed, Falke. Jij bent niet de Engel der Barmhartigheid. Dat is geen mens.'

Hij keek haar aan, zijn blauwe ogen glinsterden van wanhoop. 'Ik ben geneesheer. Ik heb een eed gezworen genezing te brengen.'

'En je hebt velen genezen waarbij je zelf verschrikkelijke risico's hebt genomen,' zei zij. Nu zij kon zien hoezeer hij met bloed was overdekt, vond zij het moeilijk zich te concentreren. Zoveel bloed, dacht zij, erdoor bedwelmd. En allemaal voor niets.

Falke zag de onrust op haar gezicht en trok zich terug. 'Het was niet mijn bedoeling dat je dit zou zien,' zei hij, terwijl hij zijn armen over zijn voorschoot kruiste.

'Als er zoveel bloed was,' hoorde Madelaine zichzelf zeggen met een kalmte die zij niet werkelijk voelde, 'dan zou niets wat je had kunnen doen hem in leven hebben kunnen houden. De arme drommel, zijn aderen moeten volledig leeg zijn geweest.'

'Bijna,' zei Falke moeizaam. 'Het waren de ribben. Die hadden zich in de longen geboord. Een ervan... dat had ik niet in de gaten tot ik probeerde de druk te verminderen. De... die rib... drukte tegen een groot bloedvat. Ik wist niet...' Hij duwde zijn hand tegen zijn mond. 'Ik wist niet – ik zweer het bij God! – dat de rib het bloedvat had doorboord. Ik zou hem nooit hebben weggehaald als ik dat had geweten.'

'Maar dat heb je nu eenmaal wel gedaan,' zei Madelaine, waarbij ze dit meer als vraag liet klinken dan als mededeling. 'Je hebt hem verwijderd en toen kon je het bloeden niet meer stoppen?'

'Nee. Nee. Er was overal bloed. Als hij niet al zoveel had verloren zou het tegen het plafond gespat zijn. Evengoed...' Hij keek opnieuw naar beneden, naar zijn voorschoot, en moest snel slikken om te voorkomen dat hij zou overgeven.

'Falke,' zei Madelaine terwijl zij haar armen om hem heen sloeg zonder aandacht te besteden aan het geronnen bloed dat op hem zat.

'Je jurk...'

'Het bloed is bijna droog,' zei zij sussend. 'En zelfs als het niet zo was, het zou niet van belang zijn.' Teder veegde zij zijn gezicht met haar vingers schoon waarbij zij zorgvuldig de vlekken wegwerkte. 'Falke,' zei zij voordat zij hem kuste.

Ditmaal aarzelde hij niet. Hij sloot zijn armen rondom haar als was hij een drenkeling. Zijn mond was gretig. Pas toen hij haar losliet, vlijde Madelaine zich tegen hem aan. 'Dat had ik niet moeten doen.' Hij maakte aanstalten zich van haar los te maken en merkte tot zijn ontsteltenis dat zij hem niet wilde laten gaan.

'Waarom dan niet?' vroeg zij, terwijl zij zijn slaap kuste op de plaats waar zijn lachrimpeltjes zaten. Glimlachte hij maar wat vaker, dacht zij. 'Ik verlang al meer dan een jaar naar je.'

Hij staarde haar vol ontzetting aan. 'Zoals ik nu ben?' zei hij verbijsterd.

'Niet bebloed en uitgeput, nee,' zei zij, licht geamuseerd aan de klank van haar woorden te oordelen. 'En ook niet vertwijfeld of van wroeging vervuld,' voegde zij eraan toe. 'Maar ik had gehoopt dat jij evenzeer naar mij verlangde als ik naar jou. Ik heb gewenst dat je mij je hartstocht zou betonen, niet alleen je genegenheid.'

'Hoe bedoel je dat?' Hij bezag haar met een fascinatie die niet geheel fatsoenlijk was. Nooit tevoren had hij zichzelf toegestaan over haar te denken zoals nu, behalve in zijn dromen. Hij nam het zichzelf kwalijk dat hij misbruik maakte van hun vriendschap, dat hij met zijn huidige gevoelens aanstoot gaf tegen de eerzaamheid, maar zijn afkeur viel in het niet naast de behoefte aan haar die hem vervulde. Hoe kon hij dergelijk intens verlangen verdragen als dat zo afkeurenswaardig was? Hij trok haar dichter tegen zich aan. 'Hoe dan, Madelaine?'

Zij kon hem niet het hele verhaal vertellen, dat wist zij; niet nu, later misschien, als dat nodig mocht zijn, zou ze haar aard en de risico's die hij liep uiteenzetten. 'Ik bedoel,' zei zij tegen hem, 'dat het niet genoeg is als ik zeg dat ik van je houd. Dat, wanneer jij mij kust, dat niet genoeg is.'

'Madame...'

'Madelaine,' verbeterde zij hem. 'Ik wil je aanraken. Ik wil dat jij mij aanraakt, lichaam en ziel.' Zij kuste hem en ditmaal openden haar lippen zich voor de zijne. Zij voelde hoe zijn hartstocht toenam terwijl hun kus zich verdiepte.

'Het is... ik kan je geen... je bent...' Hij keek neer op haar gezicht terwijl hij een laatste, vertwijfelde, vergeefse poging deed aan haar te ontkomen.

'Ik ben niet uit op je naam of je fortuin, Falke. Het gaat mij om jou.' Zij gunde hem de tijd hierover na te denken. 'Ik ben geen losbandige vrouw en evenmin een gevallen vrouw. Er is geen andere man naar wie ik verlang.' Dat was niet geheel en al waarheidsgetrouw maar zij had geen toegang tot Saint-Germain en dat zou zelfs nog hebben gegolden als het zijn armen waren die haar omklemden en niet die van Falke.

'Een vrouw van uw positie,' begon hij haperend. 'U hebt... uw reputatie.'

'Aan wie zou je het dan vertellen?' vroeg Madelaine zacht, terwijl zij zijn mondhoek kuste, zijn oorlelletje, de plaats waar zijn hals en kaak bij elkaar kwamen.

Hij schudde eenmaal sterk afwijzend het hoofd. 'Ik vertel het niemand.' Het zou evenzeer voor hem als voor haar schande betekenen – een grotere schande als hij zich erop zou laten voorstaan. 'Niemand, Madelaine.'

'En ik evenmin,' zei zij, terwijl zij zijn hand in de hare nam, deze naar haar lippen bracht om ze te kussen voordat zij zijn vingers naar de corsage van haar jurk geleidde.

'Mijn handen zijn...'

'Dat kan me niet schelen,' zei ze zacht. 'Het zou me niet kunnen schelen als ze modderig waren of verbrand of wat dan ook. Het zijn jouw handen.' Haar ogen richtten zich op de zijne, paarsblauw op blauw. Toen zei zij: 'Aan de andere kant van de westelijke muur staat een oud gebouw. Gurzin vertelde me dat het vroeger een onderkomen voor pelgrims was. Wat het ook was, het staat nu leeg en er komt niemand. We zouden er niet gestoord worden.'

Falke knikte eenmaal. Zijn hand gleed naar beneden zodat zijn vingers zich om haar borst kromden. 'Een pelgrimspleisterplaats. Het is misschien wel gewijde grond. We kunnen daar niet heen gaan als wij...' Hij kon zichzelf er niet toe brengen de woorden uit te spreken.

'Als wij elkaar willen liefhebben, wat is dan een betere plaats dan een heiligdom? Bovendien,' vervolgde zij, toen zij besefte hoezeer het denkbeeld hem van streek bracht, 'ben ik ervan overtuigd dat het zeer lang geleden is dat pelgrims er gebruik van maakten.' Zij stond op en gebaarde naar hem dat hij ook moest opstaan. 'Ik verlang hier al zo-lang naar.'

Toen hij eenmaal stond, omsloot hij haar met zijn armen. 'Het gaat niet aan dat jij dat tegen mij zegt. Ik heb het recht niet dit te horen.' Al zijn vastberadenheid verflauwde toen hij naar haar keek in het eerste bleke licht van de maan. Hij had geen woorden voor de emotie die hem in zijn greep had, die hem evenzeer uit zijn evenwicht bracht als een lawine zou doen, zij het dat hij er lust en verlangen en tederheid in bespeurde. Hij streefde enige objectiviteit na en faalde jammerlijk. 'Als je mij dan echt wilt,' zei hij ten slotte, niet in staat haar los te laten.

'O, ja,' zei zij, terwijl haar ene hand zich om de zijne sloot. 'Er is een poort vlak bij de nieuwe stal, nietwaar?' vroeg zij, hoewel zij het antwoord al kende. 'Niemand maakt daar gebruik van.' Zij kon zichzelf er niet toe brengen hem aan te kijken voor het geval zij iets in zijn ogen zou zien dat haar zou afwijzen.

Hij sloeg zijn arm om haar schouder om haar tijdens het lopen niet los te hoeven laten. Op een gegeven moment boog hij zich naar voren en kuste haar voorhoofd, terwijl hij bekende: 'Ik ben... zenuwachtig.'

Zij glimlachte even. 'Ik ook,' zei zij tegen hem.

Hij fronste. 'Nee, dat bedoel ik niet. Nog niet.' Hij dwong haar stil te staan en keek op haar neer terwijl hij bedacht hoe mooi zij was, hoe volmaakt en lieflijk zij in de kromming van zijn arm paste. De druk van haar lichaam tegen het zijne deed hem krimpen van verlangen. 'Het is wat zal volgen wat me onrust baart. Als je later zegt dat ik je heb gedwongen...'

'Dat zal ik niet zeggen,' beloofde zij hem. Haar blik werd zachter en een zweem van een glimlach speelde om haar mond. 'Je hebt me ook niet gedwongen. Als er iemand hier een ander heeft gedwongen dan heb ik... jou gedwongen.'

'Niet gedwongen. Nooit gedwongen,' zei hij, terwijl hij hun gang naar de deur opnieuw inzette, genietend van de manier waarop haar heup tegen hem aan bewoog.

'Overgehaald,' verbeterde zij, en hoewel zij er een grapje van maakte, verborg die scherts haar angst dat hij haar niet helemaal zoals zij was zou willen, dat hij bedenkingen zou hebben wanneer hij haar aard leerde kennen.

'Wat is er?' Zij stonden bij de deur en hij strekte zijn hand uit naar de zware ijzeren grendel toen hij haar aarzeling bespeurde. Hij trok zijn hand terug. 'Wat scheelt eraan? Waarom ben je nu opeens terug-getrokken?'

Zij keek naar hem op. Zij wilde niets voor hem verborgen houden maar was zich ervan bewust dat zij dat voorlopig wel moest doen. 'Stel dat ik niet ben waarnaar je op zoek bent?' zei zij ernstig.

'Onmogelijk. Uitgesloten.' Hij had haar vele malen eerder gekust maar altijd behoedzaam, in de wetenschap dat zij louter kussen kon-den uitwisselen en dat aan kussen een eind moet komen. Deze avond beteugelde hij zijn hartstocht niet want hij wilde dat zij enig idee had van het ontluikende verlangen achter zijn toewijding aan haar.

Het allermoeilijkste voor Madelaine was om niet te luchtig te lij-ken want Falke zou niet kunnen geloven dat haar luchthartigheid voortkwam uit de vreugde die hij haar schonk. Hij zou menen dat zij grillig was, daarvan was zij overtuigd. Misschien zou hij het later be-grijpen. Misschien zouden zij er samen om lachen. Misschien zou er een tijd komen wanneer wat zij was voor geen van beiden belangrijk was. En toch voelde zij een terughoudendheid in zichzelf, een plaats in haar ziel die vervuld was van eenzaamheid en van Saint-Germain. Zij wilde dat niemand anders die plaats betrad. Saint-Germain had haar verteld dat zij hem niet kon verliezen, nu niet en nooit, maar daar was zij niet van overtuigd en zij was doodsbang dat zij, terwijl zij leerde Falke meer lief te hebben, afbreuk zou moeten doen aan haar liefde voor Saint-Germain; dat was onverdraaglijk, onverschillig hoe teder Falke haar beroerde, onverschillig wat hij in haar opriep, onverschillig hoe groot haar behoefte was.

De bongerd tussen de muur en de verlaten pelgrimsherberg was klein. De bomen boden dekking, het maanlicht liet een vlekkerig pa-troon onder de bomen achter, een plaats waar zij konden blijven staan en aarzelende liefkozingen konden uitwisselen.

Bij de deur van het verlaten gebouw bleef Falke staan en probeer-de het onderkomen te bezien zoals hij elk ander leegstaand gebouw zou bekijken. 'Weet je zeker dat het leeg is?'

'Er slapen hier geen bedelaars, heb ik van Broeder Gurzin verno-men. Op zijn ergst komen we er ratten tegen.' Zij hoopte dat dit niet genoeg zou zijn om hem te ontmoedigen. 'Als er ander ongedierte is, ben ik me daar niet van bewust.'

Toen hij deze praktische waarneming hoorde, veranderde zijn houding. 'Je bent werkelijk bereid met me naar bed te gaan, nietwaar?' Hij zei het alsof hij uit een slaap was ontwaakt.

'Ja,' zei Madelaine.

Hij overwoog haar antwoord alsof dat uit veel meer dan dat ene woord had bestaan en dat was ook zo. 'Er zijn risico's,' zei hij, terwijl hij probeerde te ontdekken hoeveel deze vrouw wist van de gevaren van wat zij deed.

'Dat weet ik,' zei zij, zich ervan bewust dat zij allebei op verschillende risico's duidden.

Hij verkende haar gezicht met de toppen van zijn vingers waarbij zijn aanraking lichter was dan een neerdwarrelend bloemblad. 'Ik...' Wat het ook was dat hij op het punt stond te zeggen werd opeens vervangen door zijn betoverende glimlach, waardoor de diepe groeven rond zijn ogen en in zijn wangen scherper werden in de schaduwen van de maan. Zijn glimlach werd breder.

Dit was waarop Madelaine had gewacht, het teken waarnaar zij op zoek was geweest zonder dat zij dit had beseft. Het bereikte die afgesloten plek die zij ongeschonden had willen laten en bewoog het binnenwerk van het slot op haar hart, zodat zij niet langer door haar barrière van herinneringen beschermd werd. Zij begaf zich in zijn armen met een vrijheid waarvan zij niet eens had geweten dat zij die zocht en dit zette haar ziel in lichterlaaie. Haar paarsblauwe ogen schitterden van hartstocht.

Haar schoonheid, haar gretigheid onthutste hem. Opeens kon hij niet diep genoeg ademhalen. Hij verdronk in zijn honger naar haar, terwijl zijn ziel wederopstanding genoot. Zijn hele leven was Falke gewaarschuwd tegen de grilligheid en onbestendigheid van vrouwen, dat het schepselen van uitersten waren, overgeleverd aan irrationele verlangens en onbeheersbare obsessies, die de zorgvuldige leiding van een man behoefden om te voorkomen dat vrouwen slachtoffer werden van hun eigen stormachtige emoties. Tot hij de deur naar de verlaten pelgrimsherberg openzwaaide, geloofde hij daar nog steeds een deel van. Hij had altijd zijn uiterste best gedaan om zich ervan te verzekeren dat hij waar nodig greep op de zaak kon houden, dat hij nooit een vrouw aan de willekeur van haar impulsen moest overlaten. Maar eenmaal binnen dat oeroude gebouw vervloog zijn zekerheid en werd deze vervangen door een onbesuisdheid waarvan hij niet had gemeend die te bezitten. Hij strekte zijn handen uit en glimlachte breed toen Madelaine haar handen in de zijne legde. 'Dit is je laatste kans om weg te lopen.'

Zij lachte zacht. 'O, Falke. Als ik van plan was weg te lopen, zou ik dat lang geleden al gedaan hebben,' merkte zij innig vergenoegd op terwijl hij haar naar binnen geleidde. 'Er staan aan het uiteinde van dit vertrek rolbedden. Niet bijzonder betrouwbaar, vrees ik. Er liggen vier opgerolde matrassen tegen de muur. Kies jij maar uit welke jij het meest... geschikt acht.'

Hij staarde haar met geveinsde ergernis aan. 'Zoals jij het zegt, klinkt het alsof ik een kippetje ga kopen.'

'Niet bepaald,' zei zij, en zij lachte opnieuw. 'Zeg me welke je wilt, dan help ik je.'

'Laten we die matrassen maar nemen,' zei hij terwijl hij op de tast zijn weg ernaartoe zocht. 'Twee naast elkaar moeten ons toch...' Zijn gezicht liep rood aan.

'Dat zullen ze beslist,' zei Madelaine terwijl zij naar de opgerolde, tegen de muur gezette matrassen liep. Zij was blij dat zij opdracht had gegeven een rookpot in deze oude herberg te laten branden, want nu was zij niet meer bang voor wat zij zouden vinden wanneer de matrassen ontrold werden. Terwijl zij een ervan naar het midden van de kamer sleepte, zei zij: 'Als vanavond goed verloopt, zijn we volgende keer voorbereid. Ik hoop dat er volgende keren komen.'

'Alstublieft,' protesteerde Falke. 'Nee, zegt u zulke dingen niet, Madame, want die gaan niet aan voor iemand als...'

Madelaine liet de eerste van de twee matrassen op de vloer vallen. 'Ik schaam me er niet voor dat ik je liefheb, Falke. Ik schaam me er niet voor dat wij gelieven zijn. Ik neem aan dat dat niet zal veranderen tenzij jij je gedraagt alsof ik een beest of een hoer ben.' Of iets ergers, voegde zij er voor zichzelf aan toe, iets ondoods. De tweede matras viel naast de eerste neer. 'Help me de riemen door te snijden die deze opgerold houden, wil je?'

Ernstig van streek lichtte hij zijn voorschoot op en haalde een zakmes uit zijn vestzakje. 'Is dit toereikend?'

'Probeer het maar,' stelde zij voor, en zij besefte dat een deel van de hartstocht die zij voelde, in het licht van al deze prozaïsche voorbereidingen wegebde. 'En kus me. Ik wil dat je me kust.'

Falke hield even op met het doorsnijden van de riemen die de opgerolde matrassen bij elkaar hielden. Hij deinsde licht terug. 'Je kussen?'

'Ik ben toch geen schaap die door een ram bestegen wordt? Ik ben een vrouw en wens liefhebbende strelingen en tedere woorden evenals de rest. Ik wil meer van je dan een beetje tijd en zweet. Als dit meer moet zijn dan een verstrooiing, ben ik uit op je ziel.' Zij koos deze woorden met opzet om hem te choqueren. Zij verstrengelde haar vingers achter zijn nek en ging op haar tenen staan om haar lippen tegen de zijne te drukken. 'Dacht je soms dat dit niets meer was dan een snel tijdverdrijf?'

'Ik... nee.' De ongelovigheid verdween uit zijn ogen en werd vervangen door iets duurzamers, iets hartstochtelijkers. Hij doorkliefde met snelle, felle uithalen de riemen rond de matrassen en terwijl die openvielen, smeet hij zijn zakmes weg en sleurde Madelaine bijna zijn armen binnen.

Onbeholpen en vol vreugde rukten en plukten zij hun kleren van elkaars lichaam en wierpen deze terzijde teneinde de schatten die daaronder schuilgingen te ontdekken en er vreugde in te scheppen. Er was vooralsnog geen begrip tussen hen want hun hartstocht ging voorbij aan kennis en rede en woorden. Hun lichamen voegden zich samen als magneten, bewogen zich in een eenheid alsof zij niet slechts in elkaar verstrengeld konden raken maar met elkaar versmolten. De ontlading kwam snel aan het eind van een opwellende aandrang en deed beiden sidderen als een plotselinge storm, zodat zij zich nog heftiger aan elkaar vastklampten, zijn gezicht omringd door de schitterende tuimeling van haar haar, met haar lippen tegen zijn hals.

Enige tijd later, toen de maan over de enorme tempels aan de westoever van de Nijl gleed, verrees Falke uit een loomheid die nog net geen slaap was. Hij streek de krullende donkere lokken weg van haar wang, genietend van het fijne weefsel van haar haar. 'Madelaine.'

'Hm,' antwoordde zij, terwijl zij haar hoofd omdraaide om de palm van zijn hand te kussen.

'Weet je wie ik ben?' vroeg hij in serene verwarring.

Zij glimlachte en zou hem met een kwinkslag hebben geantwoord maar in zijn blauwe ogen zag zij de ernst van zijn vraag. 'Egidius Maximillian Falke, geneesheer, Duits geleerde, dapper man.'

'Jouw geliefde, dat is wat ik ben.' Hij staarde omhoog naar het dak en het viel hem voor de eerste keer op dat dit uit niet meer bestond dan in elkaar verweven palmtakken. 'Al het andere... ik weet het niet. Ik dacht dat ik het wist maar nu...'

'Stil maar.' Zij kroop dichter tegen hem aan met haar been over de zijne, haar arm over zijn borst, haar hand op zijn schouder, haar hoofd in de kromming van zijn hals. Zij wenste dat zij voldoende moed had om hem het hele verhaal te vertellen. Volgende keer, beloofde zij zichzelf. Volgende keer zou zij het allemaal toelichten en zij hoopte dat hij haar daarna niet zou mijden.

Hij trok haar dichter tegen zich aan, niet langer koortsachtig maar de diepte van zijn verlangen naar haar bleef ongekend. Hoewel hij geen antwoord verwachtte, vroeg hij zacht: 'Tot wie heb je mij gemaakt, Madelaine de Montalia? Tot wie heb je mij gemaakt?'

Tekst van een brief van Claude-Michel Hiver in Wenen aan Jean-Marc Paille in Thebe.

Aan mijn gerespecteerde collega Jean-Marc Paille,

Ik weet niet of dit je zal bereiken voor de Overstroming deze zomer begint, maar ik heb regelingen getroffen dit te verzenden met het snelste schip dat van Venetië uitvaart dus misschien bereikt het je nog voor de Nijl opnieuw stijgt.
Laat ik je allereerst vertellen dat het veel beter met mij gaat. Als ik niet zo voortreffelijk verzorgd was door de bloedverwant van Madame de Montalia vrees ik dat dit geheel anders zou zijn.
Deze man, ene Saint-Germain, heeft mij voortreffelijk behandeld en heeft zijn dienaar tot mijn beschikking gesteld gedurende mijn herstel. Ik heb het vermoeden, hoewel wij deze zaak niet besproken hebben, dat deze Saint-Germain aan de mestkarren en la guillotine *is ontsnapt dankzij groot geluk en hoge kosten. Ik zou hetzelfde vermoeden van Madame de Montalia zo zij dertig jaar ouder zou zijn dan zij is. Deze Saint-Germain heeft een bepaald air alsof hij in ballingschap leeft. Iets aan die man doet mij denken aan een geëxcommuniceerde priester die ik ooit heb gekend, al kan ik je niet vertellen waarom. Hij spreekt zelden over zijn verleden.*
Hij heeft evenwel grote belangstelling voor ons werk in Egypte en heeft mij verzekerd dat als de financiering een probleem wordt,

hij bereid is de voortzetting van ons werk te bekostigen zolang Madame de Montalia lid van de expeditie blijft. Ik moet toegeven dat ik hiervan stond te kijken maar ik verdenk hem er inmiddels van dat hij van meet af aan haar beschermheer is geweest. Hij vroeg mij jou dit te vertellen voor het geval Professor Baundilet op enigerlei weerstand stuit. Hij heeft zelf in Egypte gewoond en daar zelf studies verricht. Ik heb hem ernaar gevraagd en ik moet zeggen dat hij over enige kennis beschikt, al moet ik eraan toevoegen dat de theorieën die hij uiteenzette, nogal merkwaardig zijn en dat het aantal goden dat de Farao's naar zijn zeggen hadden bespottelijk is. Maar goed, hij is rijk en heeft zich gewijd aan het verwerven van kennis over Egypte. Hij verkeert in een positie dat hij ons allen tot nut kan zijn en heeft verklaard dat hij daartoe bereid is.

Wat dat betreft moet ik je nog iets vertellen, iets dat je, naar ik vrees, geen genoegen zal doen maar dat je maar liever nu te weten kunt komen dan er later zelf achter te komen. Ik heb nu drie van Baundilets monografieën van onze expeditie gezien en er wordt over geen enkel lid van de expeditie met individuele lof van enigerlei aard gesproken. Hij heeft de leden bij naam genoemd – dat kan hij toch werkelijk niet weigeren – maar hij heeft niemand verdienste toegekend voor de ontdekkingen en het werk, zoals hij had beloofd toen wij ons bij de expeditie voegden. Ik ben mij ervan bewust dat dit niet ongebruikelijk is en dat wij niet op veel medeleven van de deelnemende universiteiten hoeven te rekenen als wij tegen deze behandeling protesteren. In wezen ben ik gewaarschuwd dat het kan gebeuren dat een dergelijke klacht een ongunstiger respons zou ontvangen van velen die in de oudheidkundige disciplines werkzaam zijn. Daarom kan ik je niet aanraden je protest te uiten, maar tegelijkertijd ben ik van mening dat je alle recht hebt je beklag te doen over de wijze waarop Professor Baundilet jouw werk en het werk van anderen voor het zijne laat doorgaan. Ik zou je willen voorstellen, voordat al te veel tijd verstrijkt, een raadsheer te zoeken want het zou weleens beter kunnen zijn dat je een einde maakt aan deze kwesties voordat je daadwerkelijk naar Parijs terugkeert. Ik bewaar kopieën van de monografieën voor je en als je die wilt zien, laat me dat dan weten, dan zorg ik ervoor dat deze je onverwijld toegestuurd worden. Saint-Germain heeft waarschijnlijk ook de monografieën in zijn bezit, als je liever niet via mij gaat.

Ik blijf nog drie maanden hier in Wenen. De geneesheer die mij hier behandelt, is zeer tevreden over mijn herstel maar wil niet dat ik een lange reis maak tot ik sterker ben dan nu. Het is vreemd me zo in acht te moeten nemen terwijl ik zo kort geleden nog hele dagen hard aan het werk was in de zon die een kreeft gaar zou stoven. Ik hoop dat met nog wat meer zorg de dag zal komen waarop ik niet meer zo voorzichtig hoef te zijn en waarop ik genoeg kracht zal hebben om een deel van mijn werk te hervatten. Je hebt geen idee hoezeer ik uitkijk naar die dag.

Als ik terugkeer in Parijs, zal ik voor een of ander onderkomen moeten zorgen. Ik weet nog niet wat mijn financiële vooruitzichten zijn en dus ben ik weinig geneigd plannen te maken. Zodra ik een adres heb waar je me kunt bereiken, zal ik je daarvan op de hoogte stellen. Ik hoop dat je mij op de hoogte zult houden van de vorderingen van de expeditie en van de ontdekkingen die je doet, evenzeer om mijn weetgierigheid te bevredigen als ook om officieus akte te hebben van je verrichtingen.

Overigens, als Madame de Montalia nog meer van die inscripties laat kopiëren, zou ik het prettig vinden haar schetsen te zien want dat is het gebied waarop mijn blijvende belangstelling zich richt. Ik meen me te herinneren dat zij een volgende serie schetsen van een fries aan het maken was, die uiterst veelbelovend was. Als zij deze heeft voltooid, vraag haar dan of ze er een kopie van wil maken voor mij. Zeker, het is zeer veel werk maar ik hoop dat zij geneigd zal zijn dit ter wille van onze studies, evenals ter wille van het welslagen van de expeditie, te doen. Zij is uiterst ijverig in haar speurtocht naar inscripties, nietwaar? Haar bloedverwant was enthousiast over de verscheidene inscripties die zij had gevonden, hoewel ik meen dat hij de aard van wat ze weergeven verkeerd interpreteert. Jammer dat hij in deze niet beter onderlegd is want hij is een uiterst toegewijd student.

Tijdens mijn herstel heb ik gelegenheid gehad wat bij te lezen. Ik was bijna vergeten wat een genot het kan zijn om voor je

genoegen en ontspanning te lezen. Over nog eens een maand of
twee word ik geacht voldoende hersteld te zijn om naar het
theater en naar concerten te gaan zonder angst dat ik mijzelf te
zeer uitput; in de tussentijd hebben boeken mijn uren gevuld en
mijn geest gevoed. Een van de interessantste romans waaraan ik
mij heb gelaafd, is een historische roman van Vigny genaamd
Cinq-Mars; *een andere schat die Saint-Germain mij heeft*
toevertrouwd is Pushkins Boris Godoenov, *die mij in staat heeft*
gesteld mijn studie van het Russisch te hervatten. Het stemt mij
droef te zeggen dat ik veel van mijn Russisch vergeten ben en ik
vrees dat het enige tijd zal duren voor ik in staat zal zijn het hele
werk door te lezen. Nog een fascinerend werk, waarvan ik moet
toegeven dat ik het niet geheel en al heb begrepen, is Nicolas
Carnots Puissance motrice du feu. *Ik moet het opnieuw lezen*
wanneer ik beter in staat ben met zijn ideeën te worstelen.
Ik heb Professor Baundilet al geschreven om hem te verzekeren
dat mijn gezondheid herstellende is. Ik heb geen gewag gemaakt
van die andere kwesties voor het geval jij mijn assistentie zou
wensen. Ik voel mij enigermate aan jou verplicht, Paille, want ik
weet heel goed dat het louter een kwestie van tijd zou zijn geweest
voordat Baundilet aanspraak zou doen op mijn werk zoals hij
ook reeds met dat van jou heeft gedaan. Je kunt mij in deze als
jouw vriend beschouwen en ik geef je mijn woord dat ik, wanneer
het maar nodig is, je voorspraak zal zijn.
Met mijn gedachten en gebeden,

Met oprechte groeten,
Claude-Michel Hiver
21 juni 1827, te Wenen

Vier

Achter Yamut Omats luxueuze villa bevonden zich drie tuinen, elk terrasvormig en gedeeltelijk afgesloten, elk in een andere stijl. De grootste van de drie was gereserveerd voor Omats vrouwen maar de andere twee waren beschikbaar voor de gasten van zijn uitgebreide festiviteit.

'Het is werkelijk schitterend, nietwaar?' vroeg Baundilet Madelaine terwijl hij haar langs de perfect bijgehouden roosperken leidde. Hun geur was zo intens dat deze bijna tastbaar was.

'Ja,' zei Madelaine, terwijl zij probeerde een wat grotere afstand te scheppen tussen zichzelf en de Professor.

'Het is werkelijk een eer voor ons dat wij hier mogen komen,' vervolgde Baundilet terwijl hij naar een ander met gekleurde stenen geplaveid pad wees. 'Het is vreemd, nietwaar, in dit oord te verkeren met al deze grootse standbeelden en bas-reliëfs op de wanden van de ruïnes en dan te zien dat er geen moderne standbeelden zijn, geen hedendaagse illustraties omdat zij nu mohammedaans zijn.' Hij glimlachte met schitteroogjes.

'De faraonische Egyptenaren waren geen mohammedanen,' zei Madelaine als sprak zij een eigenwijs kind toe.

'Zeker. Zeker,' zei Baundilet lachend alsof zij iets buitengewoon origineels had gezegd. Hij pakte haar elleboog steviger vast en stuurde haar in de richting van een kleine boog. 'Misschien moeten we dankbaar zijn dat de oude Egyptenaren hun monumenten zo groot hebben gemaakt; anders zouden de mohammedanen ze uit religieuze overwegingen misschien wel hebben neergehaald.'

'Misschien wel,' zei Madelaine. 'Ik heb begrepen dat dat al eerder gebeurd is.' Zij keek in de tuin om zich heen in de hoop anderen van het gezelschap te zien, maar ontdekte tot haar misnoegen dat zij geheel en al alleen waren. 'Professor Baundilet, men zal ons missen.'

'Welnee,' zei hij terwijl hij een appreciërende blik op haar wierp alsof hij een smakelijke maaltijd bezag. 'Wie weet nu dat we weg zijn?

En als ze het al weten, wat valt er dan te denken behalve dat wij elkaar even onder vier ogen wensen te spreken, zoals wel voorkomt onder collega's.'

'En dat is waar u op uit bent, op een paar woorden onder vier ogen?' Madelaine stelde zich voor hoe hij het uit zou brullen als zij haar voet langs zijn scheenbeen omlaag zou brengen.

'Natuurlijk.' Opnieuw die roofdierenlach van hem. Hij geleidde haar naar een van de twee stenen bankjes. 'Hier. Dit vindt u vast uiterst genoeglijk.'

'Ik voeg me liever bij de anderen,' zei zij, terwijl zij ervoor waakte elke vleiende toon te mijden die hij als flirterig zou kunnen opvatten.

'Doet u geen moeite.' Hij gaf haar nog een por. 'Ga zitten, Madelaine. Toe. Niemand weet dat we hier zijn.'

'Dan ben ik liever elders. Dit is geen passend gedrag. Ik ben niet gediend van clandestiene bijeenkomsten met u.' Zij zorgde ervoor dat haar stem niet haperde, maar zij begon angst te voelen voor Professor Baundilet.

'Niet bepaald clandestien in de tuin van onze gastheer onder de zonneschijn in de koesterende lucht.' Hij kwam naast haar zitten. 'U moet zich ervan bewust zijn hoezeer ik u hoogacht, Madelaine.'

'Even hoog als uw echtgenote?' zei zij op tartende toon. 'Het geeft geen pas dat ik u aanhoor, Professor.'

'Mijn naam is Alain, Madelaine.'

'Ik kan mij niet herinneren dat ik u toestemming heb verleend mij bij mijn voornaam te noemen, Professor Baundilet.' Zij schoof zo ver van hem vandaan als het bankje toestond.

'Ach, na zo'n lange tijd spreekt dat toch vanzelf, nietwaar?' Zijn ogen zwierven van haar gezicht naar de corsage van haar japon. 'Wij zijn hier nu al meer dan twee jaar. Spoedig zullen het er drie zijn. Wij kunnen niet doen alsof deze dagen niet hun stempel op ons hebben gedrukt.'

Langzaam verrees Madelaine. 'Professor Baundilet,' zei zij uiterst gedecideerd, 'ik moet terug naar de villa. Ik meen niet dat het correct is dat ik hier met u verwijl en evenmin is het correct dat u mij hier heeft gebracht.'

Zijn gezicht betrok. 'U wenst alleen maar geheime ontmoetingen met Duitse geneesheren, is dat het?' Opeens was hij opgestaan, zijn houding dreigend. 'Is het correct dat u Falke ontmoet zoals u doet?'

Haar uitdrukking werd afstandelijker hoewel zij geschokt was over wat zij hoorde. 'Hoe komt u erbij dat ik enigerlei bijeenkomsten met Doktor Falke zou hebben?'

Baundilets lach klonk hard. 'Ik laat u al maanden door Guibert volgen. Hij heeft gezien waar u heen gaat en wat u doet.'

Deze mededeling vervulde haar met afgrijzen maar daarvan gaf zij uiterlijk geen blijk. 'Dan heeft hij u verzinsels verteld.'

Baundilet deed twee stappen op haar toe en zijn glimlach veranderde in een grimas van woede. 'Geen sprake van.' Hij pakte haar bij de schouders. 'U heeft hem tweemaal ontmoet in een verlaten gebouw tussen uw villa en de zijne. U heeft daar op matrassen gelegen en zich gedragen op een wijze waarvan een respectabel man geen gewag zou maken, laat staan dat hij zich eraan toe zou geven. Wat zeg je nu, Madelaine?'

Zij beefde, en haatte haar lichaam om dit verraad. 'Ik zeg dat Guibert op de feiten heeft voortgeborduurd.' Zij keek hem recht in de ogen. 'Ik ben u geen verklaring schuldig, Professor Baundilet. Ik heb geen sou van uw expeditie aangenomen. Ik heb mijn eigen middelen. Hoe ik mijzelf gedraag is mijn zaak, niet de uwe.'

'Je bent hier met mijn gedogen, Madelaine,' zei hij, haar nadrukkelijk bij haar naam noemend. 'Als ik een verzoek daartoe indien, zal men je opdragen Thebe te verlaten en zal ik ervoor zorgen dat je verdere verblijf hier uiterst ongemakkelijk en kostbaar zal blijken. Stel dat je bedienden niet langer voedsel kunnen inkopen. Stel dat niemand je eigendommen over de rivier vervoert. Denk je dat ik dat niet kan regelen?'

'Ik neem aan dat iedereen dat kan regelen indien hij zich de omkoopsommen kan veroorloven,' zei Madelaine met volslagen verachting. 'Aangezien u zich in mijn aangelegenheden mengt en mij bedreigt, zal ik u enigermate op de hoogte stellen van mijn handel en wandel. Niet dat u daar enig recht op hebt. U eist dit tegen mijn wil. Is dat duidelijk?'

Zijn gezicht zag hoogrood en zijn uitdrukking veranderde ditmaal tot een inhalige gretigheid. 'Vertel het me.'

Zij deed een poging een stap achteruit te doen maar hij liet haar niet los. 'Ja, ik heb Doktor Falke daar ontmoet omdat ik hem bij zijn werk stoor als ik naar zijn villa ga. Hij komt niet naar de mijne omdat zijn aanwezigheid Broeder Gurzin aanstoot geeft. Dus hebben wij een compromis bereikt en heb ik gezegd dat hij mij niet stoort als hij mij van tijd tot tijd op die plaats wenst te spreken.'

'In het holst van de nacht.' Zijn greep werd steviger.

'Eenmaal 's nachts en eenmaal vroeg op de ochtend, zoals u van Guibert weet als die mij tenminste werkelijk volgt.' Zij was er op dit moment blij om dat de tweede bijeenkomst tot niet meer had geleid dan een paar luttele snelle kussen, aangezien dit haar de kans bood Baundilet ervan te overtuigen dat hij zich vergiste in haar privé-uren met Falke.

'Hij volgt u en hij zal u blijven volgen.' Opnieuw glimlachte hij, maar ditmaal lag er geen warmte in zijn glimlach, zelfs niet de hitte van wellust.

'Is het wel verstandig om mij dat te vertellen?' vroeg zij, terwijl zij zich afvroeg of zij het aandurfde Baundilet voor zijn onbeschaamdheid een klap in zijn gezicht te geven. 'Als ik mij werkelijk aan clandestiene bijeenkomsten overgaf, zou dit een waarschuwing voor mij zijn.'

'O, ik wil dat u het weet. Ik wil dat u eraan denkt, waar u zich ook bevindt, zodat u altijd zult weten dat ik u, als u niet doet wat ik wens, zal behandelen zoals u verdient.' Hij graaide door het satijn van haar corsage heen naar haar borst. 'Het is zo lang geleden sinds ik een Europese vrouw heb bezeten.'

'En een Egyptische dan?' kaatste Madelaine terug, terwijl zij zich van hem losrukte en een stap achteruit deed. 'U heeft duidelijk vergeten hoe u zich dient te gedragen.' Zij wist dat het dwaasheid was hem de rug toe te keren dus stak zij vermanend haar vinger naar hem op. 'Als u probeert zich aan mij op te dringen, zorg ik ervoor dat u dat zal berouwen.'

Hij lachte. 'Hoe dan?' Hij wachtte even en vervolgde toen: 'Hoe vaak zijn wij al alleen geweest? Tientallen malen, nietwaar? Welke man zou eraan twijfelen dat u en ik niet reeds een verstandhouding hebben bereikt? Als ik de anderen vertel dat u mijn maîtresse bent, wie zal het dan ontkennen?'

'Ik,' zei Madelaine en haar stem klonk krachtig hoewel zij ten prooi was aan een steeds grotere vertwijfeling.

'En wie zou u geloven? U bent gecompromitteerd louter door uw aanwezigheid hier.' Hij schonk haar een kleine ironische buiging. 'Kom, lieve, denk erover na. Als ik de anderen op de hoogte stel van uw... nu, wat het dan ook zijn moge met Doktor Falke, dan lijdt uw reputatie evenals de zijne onherstelbare schade. Dat is nergens voor nodig. Als u uw omgang met hem beëindigt, dan kunnen wij...'

Een uitbarsting van applaus uit de villa verraste hen allebei.

'Wat ik doe en met wie is mijn aangelegenheid,' zei Madelaine, wier ogen blonken van woede. 'U heeft geen gezag...'

'Het is mijn expeditie. Ik heb zeggenschap over wat wij doen en ik heb een verantwoordelijkheid jegens de Magistraat en andere gezaghebbers. U bent hier louter met mijn goedvinden, het mijne. U heeft mijn bescherming nodig. Dit is een mohammedaans land en men vergunt vrouwen hier geen vrijheden. De gezaghebbers keuren Europese vrouwen af. Zij zijn er toch al niet blij mee dat je hier bent, Madelaine. Ik zeg het nog eens: je hebt mijn bescherming nodig. Als ik hun vertel dat jij voor problemen zorgde, zouden ze je toestemming om hier met ons te werken onverwijld intrekken en dan zou je niet in staat zijn je opnieuw in mijn expeditie in te kopen of in welke andere ook.' Hij probeerde nog een glimlachje en nam een stap in haar richting.

'Daarvan kunt u niet zeker zijn,' zei Madelaine, die nog steeds afstand tussen hen beide schiep. 'Als u mij opnieuw aanraakt, dan waarschuw ik dat ik zal schreeuwen.'

'Wie zal geloven dat u daar rede toe had?' vroeg Baundilet, terwijl hij haar bespotte met een kleine buiging. 'Wie zou geloven dat enige man zich aan u zou hoeven op te dringen? Wie zou geloven dat ik mij zou moeten opdringen?'

'Misschien Mademoiselle Omat. Naar ik heb begrepen, bent u geïnteresseerd daar iets te regelen, zo haar vader overgehaald kan worden. Denkt u dat het zou helpen als ik kwaad van u zou spreken?' Zij voelde hoe de met twijgjes bedrukte mousseline van haar rok aan een van de rozenranken bleef haken en zij trok hem los, ineenkrimpend toen de stof scheurde. 'Ik ga hier weg, Professor Baundilet. En als u erop staat mij nog te volgen, zal ik niet aarzelen u aan te klagen.'

'Alsof dat mij angst zou inboezemen,' zei Baundilet, die evenwel geen verdere poging deed dichter bij haar te komen. 'U bent uiterst kortzichtig, Madame, maar dat vergeef ik u. U heeft geen tijd gehad om uw situatie in ogenschouw te nemen. Neemt u een paar dagen om uw positie te overwegen. Over een dag of wat spreken wij elkaar opnieuw wanneer wij allebei... gekalmeerd zijn. U zult beseffen dat dit een verstandige oplossing is als u maar luistert. Uw bezigheden hier kunnen geheel naar wens verlopen mits u bereid bent een paar verstandige aanpassingen te plegen.'

'Ik zal me nooit bij u aanpassen.' Madelaine draaide zich op haar hak om en liep weg, hem onder de boog achterlatend. Zij was zo woedend dat zij beefde en zij vertrouwde het zichzelf niet toe iets anders te doen dan te lopen, want haar woede maakte haar roekeloos en onbezonnen. Haar voeten waren heet als was de goede aarde van Savoie, die de zolen van haar schoenen bekleedde, brandende lava. Wat had zij zich graag op Baundilet gestort om het genoegen te smaken zijn angst te zien. Dat was de domste impuls van alle want die zou zowel haarzelf als Falke verraden en meer dan wat ook wilde ze naar Falke toe, hem waarschuwen voor de dreigementen die Baundilet had geuit; maar dat zou beslist zijn wat de Professor verwachtte, waar hij op rekende. Het zou dwaasheid zijn nu het risico te nemen contact met Falke te zoeken. Zij zou het moeten uitstellen tot een tijdstip waarop zij zorgvuldiger te werk kon gaan. Terwijl zij de treetjes naar de tuinplaats beklom, dwong zij zichzelf langzaam te lopen, na te denken, zich voor te bereiden op enigerlei onaangenaamheden die zouden kunnen volgen. Zij was bijna bovenaan toen een stem haar deed stilhouden.

'Madame de Montalia,' zei Ferdinand Trowbridge terwijl hij om een sierlijke fontein heen liep.

'Mister Trowbridge,' antwoordde zij, dankbaar dat het de mollige jonge Engelsman was die haar vond en niet een van de anderen.

Hij kwam op haar toe met de onverwachte gratie van de zwaarlijvigen en kuste haar hand. 'Het viel me al een tijdje geleden op dat u en die professor-figuur naar de tuin waren gegaan.'

'Ja,' zei zij terwijl zij haar best deed niet toe te geven aan een redeloze lachbui. Grote god, dacht zij, volgt het hele stel me dan? Eerst geeft Baundilet toe dat hij Guibert heeft aangesteld om me te bespioneren en nu dit. Houdt iedereen dan de wacht? 'Hij wenste me onder vier ogen te spreken.'

'Het gaat mij natuurlijk niets aan,' zei Trowbridge nadrukkelijk afzijdig, 'maar het valt mij op dat uw corsage beschadigd is. Ik wist niet of u...'

Zij keek naar beneden, heel even duizelig van de schok. 'Ach, lieve god!' barstte zij uit en deze ene keer was ze blij dat ze niet langer kon huilen.

'Ik dacht al dat u het niet wist,' zei Trowbridge, alsof hij het over het weer had. 'Ik vond dat ik er maar liever wat van moest zeggen voor u verder ging. Zo wilt u zich vast niet vertonen, lijkt mij.'

'Nee,' zei zij, terwijl zij zich afvroeg hoe zij dit moest aanpakken. 'Ik weet niet hoe ik onopgemerkt kan vertrekken.'

Trowbridge maakte een meelevend gebaar. 'Ik wil me niet opdringen, Madame, maar het komt mij voor dat ik u in deze van dienst zou kunnen zijn. Weet u, ik heb een idee over hoe dit aangepakt kan worden, als u er tenminste niets op tegen heeft.' Hij keek haar aan, schonk haar een snelle ondeugende glimlach en hervatte toen zijn afstandelijker manier van doen. 'Ik vroeg me af wat u ervan zou zeggen als ik een rozentakje plukte, niet veel, weet u, maar net genoeg. Ik zou het met plezier over uw corsage draperen en dan zou dat het doen voorkomen dat u per ongeluk aan een van de rozentakken bent blijven hangen, weet u, net als uw rok. Zonde hoor, het is een allemachtig fraaie jurk, Madame.'

Het afgrijzen dat haar had vervuld, vervloog. 'Trowbridge, u bent de volmaakte behulpzame heer. Ik moet buiten zinnen zijn geweest dat ik het zover heb laten komen en u bent mijn redder in de nood.'

Hij werd scharlakenrood van verward plezier. 'Het is niets,' zei hij uiteindelijk, de woorden met moeite uitbrengend.

'Ik sta wellicht voorgoed bij u in het krijt,' zei Madelaine, wier opluchting haar nu een zwak gevoel bezorgde. 'Trowbridge, u bent... nu, een held.'

'Niets daarvan,' kaatste hij terug. 'Helemaal niet. Een man is geen held als hij zijn plicht doet jegens... iemand als u, Madame. Het is een genoegen u van dienst te zijn. Dat zou het voor iedereen zijn. Alleen een schoft zou daar anders over denken.' Opnieuw kuste hij haar de hand. 'Komt u mee, dan haal ik een rozentakje.'

Zij stond hem toe haar weg te geleiden van de treetjes en bleef geduldig in een stenen nis onder aan bij de fontein staan wachten. Terwijl zij daar stond, besloot zij dat zij Falke zou moeten opzoeken maar dan wel veel later die avond, wanneer het personeel sliep en zelfs haar wachtposten zaten te dommelen.

'Hier.' Trowbridge was terug, ietwat buiten adem en roodaangelopen met een rozentak in zijn hand als een doornige trofee. 'Nu, me dunkt als u het daar vastzet waar de... stof gescheurd is...'

'Natuurlijk,' zei Madelaine terwijl zij zijn instructies opvolgde. 'Uitstekend.' Nu zij iets deed, voelde zij zich beter. Zij was licht verrast dat zij Professor Baundilet nog niet naar de villa had zien terugkeren maar zij ging ervan uit dat zij dat later het hoofd zou moeten bieden. Nu de doornen zich hadden vastgezet, pakte zij de tak beet en gaf er een ruk aan zodat de scheurtjes groter werden. 'Kijk,' zei zij voldaan.

'Uiterst geloofwaardig,' zei Trowbridge, en hij vervolgde toen op een andere toon. 'Ik was u niet aan het bespioneren, Madame. Ik zweer bij mijn heilige grootmoeder dat dat niet het geval is, maar ik heb wel iets gehoord van wat hij zei. Het was niet mijn bedoeling maar... nu ja, hij deed niet bepaald zijn best zijn stem te dempen, nietwaar?'

'Ik geloof het ook niet,' zei Madelaine, die nu wenste dat zij Baundilet de ogen had uitgekrabd onverschillig wat de gevolgen zouden zijn geweest.

'Het was een afgrijselijke leugen, nietwaar? Wat voor man zou willen proberen u te compromitteren? Ik zou nooit geloven dat u zijn maîtresse was onverschillig wat hij beweerde,' zei Trowbridge zacht. 'Ik weet dat u die Duitse geneesheer liefheeft. Dat kan ik zien iedere keer als u hem aankijkt.'

Madelaine staarde hem aan. 'Kennelijk ben ik minder omzichtig geweest dan ik veronderstelde,' zei zij, in een poging Trowbridge te ontzien. 'Het was geenszins mijn bedoeling u aanstoot te geven.'

'Niets daarvan. Ik heb geen aanstoot genomen en u bent niet indiscreet, maar er is iets in uw ogen, hoe onbesproken uw gedrag ook is. Ik heb zo'n vermoeden dat u bij hem niet gereserveerd bent.' Hij stak zijn hand op om haar tot stilte te manen. 'En dan is er nog die snuiter aan wie u schrijft, die hier vroeger woonde. U heeft Wilkinson van hem verteld, weet u nog wel? Het gaat me niets aan. Ik vind het ook niet belangrijk. Ik ben louter uit op uw vriendschap. Maar ik kan niet toezien hoe u door Baundilet in opspraak gebracht wordt. Ik houd mijn veronderstellingen over Falke voor me en ik ben niet van plan wat hier gebeurd is te bespreken, tenzij u daar toestemming voor geeft.' Zijn ogen schitterden opeens. 'Het is alleraardigst om samen een geheim te hebben, nietwaar?'

'Ik neem aan van wel,' zei Madelaine, gebiologeerd door Trowbridge.

'U kunt van mij op aan, Madame. Ik zou nooit iets in uw nadeel zeggen en tevens niets dan goeds van de geneesheer.' Hij bood haar zijn arm aan. 'Denkt u dat u kunt lopen alsof u uw enkel hebt verzwikt? Dat zou het geheel des te overtuigender maken.' Hij gaf haar een knipoog. 'Weet u, volgens mij wordt het interessant te zien wat hieruit voortkomt. Als wij het verhaal overtuigend brengen, zal elke bewering die Baundilet doet, belachelijk klinken.' Hij wiegde naar achteren op zijn hakken.

'Hoe wilt u dat aanleggen?' vroeg Madelaine, inmiddels geheel in Trowbridges plannetjes meegaand. 'Dat zou een kwestie zijn van uw woord tegen het zijne.'

'Precies. En wat voor belang heb ik bij dit alles? Ik heb u aangetroffen, zittend op een bankje met een verzwikte enkel en een jurk die aan een van die rozentakken was blijven hangen; wij hadden extra tijd nodig om naar de villa terug te keren, waar wij koude kompressen voor uw enkel zullen vragen en zoete olie om op die schrammen te smeren die de doorns hebben gemaakt. Of beter nog, u zult permissie vragen te vertrekken teneinde geen ontsteltenis over een geringe kwetsuur te veroorzaken. Als een man beweert dat hij... een vrouw gebruikt terwijl zij duidelijk... niet beschikbaar is, is dat niet geloofwaardig, of wel?'

'Ik neem aan van niet,' zei Madelaine, haar ogen half dichtgeknepen van vermaak.

'Zo kunnen wij ervan uitgaan dat iedereen het woord van de Professor in twijfel zal trekken en ertoe zal neigen u te geloven, hetgeen geheel in uw voordeel werkt.' Hij maakte een buiging terwijl hij nog steeds zijn arm uitgestoken hield. 'Als u op mij steunt, Madame, zal ik een poging doen om u deze treetjes op te helpen. Het is bijzonder spijtig van uw enkel.'

Madelaine schudde haar hoofd in treurige verbijstering. 'Waar heeft u een zo vruchtbare verbeeldingskracht vandaan?'

'O, dat is het niet. Er zit niets in mijn hersenpan dan Latijn en Grieks, althans dat zegt men altijd. Ik ben helemaal niet iemand om streken uit te halen al was ik destijds best een kwajongen, natuurlijk, maar dit is gewoon een beetje improviseren.' Hij gaf een klopje op haar hand, terwijl zij die op zijn gebogen arm legde. 'Het gaat helemaal niet aan dat ik dit zeg, Madame, en u zult mij waarlijk voor een lomperd aanzien dat ik dit toch zeg, maar we moeten het ergens over hebben en de recente gebeurtenissen zijn niet geschikt: hoe bent u ertoe gekomen om oudheidkundige te worden? Ik vraag me al langer af hoe een zo jonge vrouw als u al die kennis heeft verworven en waarom u hierheen wilde komen?'

Zij zorgde ervoor dat zij met haar been trok terwijl zij de treetjes beklom. 'Ik ben niet zo jong als u denkt, Trowbridge. Mijn bloedverwanten en ik worden niet zo snel oud als sommige anderen.' Zij wierp een blik over haar schouder maar zag niemand achter hen. Het was afschuwelijk om gevolgd te worden of het idee te hebben dat je gevolgd werd.

Hij schonk haar een knikje ten teken dat hij haar antwoord aanvaardde. 'Ik ging er al van uit dat het iets dergelijks was.' Hij bereikte de binnenplaats, snelde haar vooruit en strekte zijn arm naar achteren uit om haar bij te staan. 'Pas op. De laatste trede is hoger dan de rest. Het is waarschijnlijk zo ontworpen om insluipers in het donker te ontmoedigen.'

'Ongetwijfeld,' zei Madelaine terwijl zij net deed of zij verder hinkte. 'Ik hoop dat het Monsieur Omat niet ontrieft om kompressen voor mijn voet te laten halen. Ik voel me een beetje een...'

'Een tuttebel,' maakte Trowbridge haar zin voor haar af terwijl hij een waarschuwend knikje naar de deur gaf. 'Nu ja, iemand die zo lelijk te grazen wordt genomen door niet meer dan een plant, mag zich zo voelen.'

'Ja, een tuttebel,' zei zij, en zij zag dat Jean-Marc Paille op hen toekwam.

'*Jésu et Marie*,' riep Jean-Marc uit, terwijl hij de binnenplaats op rende. 'Wat is u overkomen?'

'Dat is een goede vraag,' zei Trowbridge gestreng. 'Ik vind het schokkend dat Madame de Montalia zonder begeleider alleen was gelaten.'

'Zonder begeleider?' herhaalde Jean-Marc.

Madelaine wierp een snelle blik op Trowbridge en stak van wal met naar zij hoopte het juiste relaas. 'Ik heb werkelijk pech gehad. Als ik niet zo onverstandig was geweest... Ik wandelde een beetje door de rozentuin. Professor Baundilet had mij die aanbevolen maar hij vertrok alras. Ik heb niet goed opgelet terwijl ik langs de paden liep en dom genoeg ben ik met mijn rok aan een rozentak blijven hangen' – zij hief het gescheurde stuk mousseline op – 'en terwijl ik probeerde die los te trekken ben ik gestruikeld, heb ik mijn enkel verzwikt en de corsage van mijn jurk geruïneerd.'

'*Bon Dieu!*' Hij leek ernstiger van streek dan een dergelijk verhaal gebood. 'Was u alleen toen dit gebeurde?'

'Ja,' zei Madelaine, terwijl zij haar best deed de verdenkingen te verhullen die zij voelde. 'Als Trowbridge mij niet toevallig had gevonden, zou ik waarschijnlijk nog steeds daar liggen.'

'Een uiterst gelukkig toeval,' zei Trowbridge met zijn mooiste cherubijnenlachje. 'Ik ben bijzonder dol op bloemen en tuinen. Dat zal mijn Engelse bloed wel zijn. Ik had zo het idee dat ik een paar handigheidjes kon leren uit de manier waarop Omat zijn rozen heeft aangelegd en dus slenterde ik wat in het rond en keek om me heen. U weet hoe dat gaat.' Hij wapperde opgewekt met zijn hand.

'Ik stel weinig belang in bloemen,' zei Jean-Marc terwijl hij een paar stappen dichter op Madelaine toekwam. 'Madame, mankeert u verder iets? Hoe erg hebt u zich bezeerd?'

'Ik heb mijn enkel verzwikt, meer niet. Het is een belachelijke klacht en een bespottelijk ongeluk.' Zij wendde zich tot Trowbridge. 'Ik ben u dankbaar voor al wat u voor mij gedaan heeft.'

Opnieuw bloosde Trowbridge. 'Lieve gunst, niets daarvan. U hoeft me nergens voor te bedanken. Het was een niemendalletje, Madame. Immer uw uiterst gehoorzame dienaar, gelooft u mij.' Hij maakte aanstalten een buiging te maken, veranderde toen van gedachten en verwijderde haar hand uit de kromming van zijn arm. 'Laat ik Mister Omat maar eens zoeken en hem vertellen wat er is gebeurd. Dat lijkt me een puik idee.' Hij liep met montere stappen van haar weg en liet haar ietwat wankel naast Jean-Marc achter.

'Een beetje een situatie alsof men door Don Quichot wordt gered,' zei Jean-Marc met een aarzelende glimlach. 'Of wellicht door Sancho Panza.'

Madelaine schudde haar hoofd. 'U doet hem onrecht,' zei zij bedachtzaam. 'Hij was de goedertierenheid zelve. Hij is dan misschien geen knappe verschijning maar hij is een goed man en goedheid houdt voor de meesten onzer langer stand dan schoonheid.' Zij hinkte naar de muur en zocht daar steun. 'Werkelijk een grote stommiteit van me,' zei zij, en ditmaal klonken haar woorden hard en helder.

'Ik vind het niets voor u,' zei Jean-Marc twijfelachtig.

'Dat zal ook wel zo zijn. Ik heb eenvoudig niet aan de rozen gedacht.' Zij vroeg zich af of zij dit zogenaamde ongeluk als een voorwendsel kon aanwenden om het feest vroegtijdig te verlaten.

'Ik vind het verbazingwekkend dat Professor Baundilet u alleen heeft gelaten,' zei Jean-Marc, wiens blik harder werd. 'Hoe is dat zo gekomen?'

'Het leek ons een discretere handelwijze aangezien wij alleen zouden zijn geweest in de tuin en dat zou niet aangaan. Wat voor man zou een vrouw in een compromitterende positie wensen te brengen?' zei Madelaine, waarbij zij haar best deed de bittere klank uit haar vraag te weren.

'Ja, daar zegt u zo wat,' zei Jean-Marc. 'Maar goed, als hij erbij was geweest, zou dit misschien niet zijn gebeurd.' Hij keek haar nogal verward aan. Hoe vaak had hij Professor Baundilet horen verklaren dat hij van plan was Madelaine de Montalia tot zijn maîtresse te maken en nog steeds was het niet gebeurd. Hij staarde naar beneden, naar de punten van zijn schoenen. 'Heeft u hem soms weggestuurd, Madame?'

Madelaine antwoordde uiterst omzichtig. 'Als dat zo zou zijn, zou ik het hoe dan ook niet zeggen, maar waarom zou ik?'

Jean-Marc knikte een paar maal en keek haar duidelijk opgelucht aan. 'Ja. Ik begrijp wat u bedoelt. Ja.' Hij kwam naast haar staan, nu een en al bezorgdheid. 'U bent een uiterst verstandige vrouw, Madame. Ik heb dat al vaker gezegd. U bevestigt wederom mijn hoge dunk van u.'

'Hoe goedertieren van u,' zei Madelaine droogjes.

Trowbridge verscheen opnieuw in de deuropening. 'Miss Omat komt er zo aan,' zei hij.

Jean-Marc sloeg geen acht op deze mededeling. 'Zo gaat dat met aristo's, nietwaar?' vroeg hij, want Madelaines toon was hem niet ontgaan en hij was nu licht vijandig. 'Wanneer ze niet iedereen in de buurt misbruiken en meer van de rest van ons vergen dan menselijk is, dan zijn aristo's het aangenaamste gezelschap in de wereld. Ze weten precies hoe ze zich door anderen moeten laten verzorgen, nietwaar? Hun wordt geleerd om zich altijd verzekerd te weten van de bijstand van anderen.'

'Hoor eens even,' zei Trowbridge beleefd, hoewel hij een hoogrode kleur had gekregen. 'Dat is werkelijk meer dan genoeg. Zo spreek je niet tegen een dame.'

'En een dame is ze zonder meer,' kaatste Jean-Marc terug. 'Daar twijfelt niemand aan, Madame. U bent charmant, daar is iedereen het over eens.' Hij stond op het punt verder te spreken toen er bij de deur enige drukte ontstond en Rida Omat naar buiten rende. Op haar allerraardigste Franse japon dansten de linten van een twintigtal kleine strikjes die de corsage van haar jurk omgaven.

Zij bleef staan toen zij Madelaine zag. 'Heeft u zich bezeerd, Madame?'

'Mijn enkel verzwikt en ik heb een paar schrammetjes,' zei Madelaine, die zich opgelaten voelde over de aandacht die zij had getrokken. 'En mijn trots is gekrenkt.'

'Mister Trowbridge vertelde me dat u aan een rozentak bent blijven hangen.' In weerwil van haar bedoelingen giechelde ze.

'Ja, dat klopt. Tot tweemaal toe,' zei Madelaine, terwijl zij naar de winkelhaken in haar jurk gebaarde. 'Ik had waarlijk beter op moeten letten.'

'Lieve help,' zei Rida Omat, die in bekoorlijke verwarring om zich heen keek. 'Ik vrees, Madame, dat ik maar weinig voor u kan doen. Ik kan u niet in de vrouwenkwartieren toelaten – Europese ongelovigen mogen daar niet binnenkomen. Als de bedienden behulpzaam kunnen zijn, vertelt u me dan wat u wilt dat ze doen.' Haar verwarring was tegelijk oprecht en gemaakt. 'Hoe ernstig is uw enkel verzwikt?'

'Niet zo heel erg,' zei Madelaine. 'Ik geloof dat het maar beter is als mijn rijtuig voorgereden wordt, dan kan ik terug naar mijn villa, waar mijn kamenier de enkel kan omzwachtelen. Ik wens uw behulpzaamheid niet af te slaan – weest ervan overtuigd dat dat niet het geval is.'

'Ik begrijp het geheel en al,' zei Rida, en zij stond op het punt nog meer te zeggen toen haar vader de binnenplaats op kwam lopen.

'Lieve hemel, Madame de Montalia, ik ben geschokt dat u uitgerekend hier een ongeluk moest overkomen.' Dit zei hij met zijn gebruikelijke elegante gladde manier van doen, maar Madelaine voelde evengoed een koude rilling langs haar ruggengraat lopen toen Yamut Omat sprak.

'Het stelt niets voor, helemaal niets.' Zij keek van Trowbridge naar Jean-Marc. 'Als de rest uwer het niet erg vindt, wil ik graag mijn rijtuig laten inspannen en dat zonder verdere ophef laten voorrijden. Volgens mij heb ik al voor meer dan genoeg last gezorgd. Ik ben u uiterst dankbaar voor uw hulp. U allen.' Zij zuchtte. 'Ik voel me werkelijk bijzonder opgelaten.'

'Laat Madames rijtuig voorrijden,' zei Yamut Omat tegen een van de bedienden bij de deur. 'Het is zo klaar.'

'Ik vergezel u terug naar uw villa, Madame,' zei Trowbridge. 'Uw koetsier hoeft zich wat dat aangaat geen zorgen te maken.' Hij keek in de richting van Yamut Omat. 'Ik kom hier terug zodra Madame de Montalia weer thuis is.'

'Die laat nooit een kans lopen,' zei Jean-Marc, terwijl hij zijn ene wenkbrauw optrok.

'Omdat ik eraan dacht voordat het idee bij u opkwam?' antwoordde Trowbridge met een goedlachse knipoog. 'Dat zal u leren in de wereld wat bijdehanter te worden.' Hij maakte een korte maar zeer veelzeggende buiging.

Rida Omat sloeg deze woordenwisseling belangstellend gade. Uiteindelijk wendde zij zich tot Madelaine. 'Vindt u dit niet opwindend? Dat zou ik wel, denk ik.'

'Nu, eigenlijk niet, nee,' zei Madelaine, die zich opeens moe voelde. 'Misschien zou het een andere keer anders liggen,' voegde zij eraan toe toen zij de teleurstelling in Rida's ogen zag. 'Maar ik heb een schok gehad en dat is nu nog voornamelijk wat mijn gedachten bezighoudt.' Zij maakte een hoofdknikje. 'Je bent bijzonder behulpzaam geweest. Ik ben dankbaar dat jij en je vader de moeilijkheid van mijn positie inzien.'

Yamut Omat kwam naast haar staan en kuste haar de hand. 'Ik ben ontreddered dat een dergelijk... ongeval bij mijn villa plaats zou vinden. Ik hoop dat u het mij niet euvel zult duiden of deze plek met gram zult bezien.'

'Uiteraard niet,' zei Madelaine, die de neiging had een paar stappen van Omat terug te deinzen. 'Mijn ongeluk is niet door u veroorzaakt.' Het kostte haar moeite te glimlachen.

'Hoe goedertieren van u,' zei Omat, op het oog volslagen oprecht.

Opnieuw kwam Ferdinand Trowbridge tussenbeide. 'Hier, Madame de Montalia, neemt u mijn arm. Ik vergezel u naar de *porte cochere*. Daar wachten wij op uw rijtuig en ik leen even een paard.'

'Uiteraard,' zei Omat, maar er lag iets onder dat hartelijke aanbod dat Madelaine bijna ineen deed krimpen.

'Het spijt mij dat ik op deze wijze moet vertrekken,' zei Madelaine tegen haar gastheer. 'Ik dank u voor de schitterende festiviteiten die u heeft geboden en het spijt me dat ik niet kan blijven om het allemaal mee te maken.'

Rida Omat giechelde van ongemak. 'Het zal veel minder amusant zijn als u weg bent.'

'Dochter toch,' zei Omat vermanend.

'Nou, het is toch zo,' zei Rida met ongebruikelijke halsstarrigheid. 'Ik weet dat het correct is dat Madame de Montalia vertrekt maar het is gewoon zo dat ik wenste dat zij dat niet hoefde.' Zij maakte een kleine buiging voor Madelaine. 'Ik zie uit naar onze volgende les, Madame.'

'Dank je,' zei Madelaine, nu dankbaar dat zij op Trowbridge kon leunen. 'Wij zullen binnenkort een tijd afspreken.'

'Goed,' zei Rida met een blik naar haar vader om zich ervan te vergewissen dat haar enthousiasme haar niet op een standje kwam te staan. 'Ik hoop dat het zeer binnenkort zal zijn.'

'Staat u mij toe,' zei Trowbridge tegen Madelaine, terwijl hij een algemene buiging naar de rest van het gezelschap maakte. 'Het gaat niet aan dat u zich nog verder bezeert, Madame.' Hij knikte in de richting van de koetsierspoort. 'Kom.'

Terwijl zij wegwandelden van de binnenplaats, knikte Madelaine hem dankbaar toe. 'U bent uiterst scherpzinnig, Mister Trowbridge.'

Aangezien zij veilig buiten gehoorsafstand waren grinnikte Trowbridge. 'Dat ben ik echt, nietwaar?'

Tekst van een brief van Honorine Magasin in Parijs aan Jean-Marc Paille in Thebe.

Mijn allerliefste Jean-Marc,

Ik heb het halscollier ontvangen dat je me hebt gestuurd en ik kan je niet vertellen hoe ondersteboven ik ervan ben te bedenken dat dit prachtige, oeroude ornament ooit om de hals van een grote Egyptische Koningin heeft gehangen. Wat een schitterend werkstuk is dit en hoe volslagen anders dan enig sieraad dat ik ooit heb gezien. Ik heb mijn tante Clémence al verteld dat ik het bij onze volgende middagsalon wens te dragen. Zij moet mij nog haar toestemming geven maar ik weet zeker dat ik haar wel kan overreden.

Het zal je genoegen doen te horen dat deze salons zeer in zwang beginnen te raken: veel mensen azen naar uitnodigingen voor deze middagen die mijn tante geeft. Zij heeft tijd vrijgemaakt voor de letteren, dus komen hier dichters en professoren over de

vloer, die om de beurt de aanwezigen vergasten op het recentste
werk van hun hand. Bij de vorige salon presenteerde een
geschiedkundige zijn theorie dat de Noren die de kust van
Engeland plunderden, eveneens de Seine opvoeren, helemaal tot
Parijs aan toe. Het wordt algemeen verondersteld dat de mensen
die langs de rivier woonden in staat waren deze plunderaars te
verdrijven, maar deze ene man meent dat de verdediging minder
ver ging dan verondersteld werd. Het is een uiterst curieus
denkbeeld maar hij brengt het vol overredingskracht en vele van
de aanwezigen hoorden aandachtig toe, al waren maar weinigen
het met hem eens.

Mijn neef Georges woonde die salon bij en sprak zijn genoegen
erover uit zich in een zo elegant gezelschap te bevinden. Georges
zit helemaal niet zo vaak met zijn neus in de boeken maar hij
vindt de wereld der letteren uiterst intrigerend en heeft tante
Clémence terzijde genomen om haar met haar succes te
complimenteren. Hij is van mening dat deze salons in deze tijd
een middelpunt zullen worden voor de meest ontwikkelde
intellectuelen in Parijs. Hoewel dat niet hetzelfde is als diegenen
met een titel en landerijen, is het veel veiliger als men lering
trekt uit het verleden. Wat zou jij om Georges moeten lachen,
want hij is waarlijk geestig wanneer hij zich onder de geleerde en
begaafde mannen der letteren begeeft. Hij vertelde mij dat jij
hier na je terugkeer beslist je opwachting moet maken, dan kun
je ons allen onderrichten in het leven van die verdwenen
Egyptenaren. Jij hebt zoveel fascinerende dingen gezien en er zijn
velen hier die aan je lippen zouden hangen. Ik zou het collier
dragen dat je mij hebt gestuurd en met zijn tweeën zouden wij
een sensatie zijn.

Mijn zuster Solange heeft het ongeluk gehad een miskraam te
krijgen. Mijn vader heeft haar verteld dat hij in haar
teleurgesteld is en heeft met haar echtgenoot de noodzaak
besproken meteen een volgend kind te nemen. Mijn vader is
ervan overtuigd dat Solange, terwijl zij toenam, nalatig was in
haar gedrag en dat dat de reden was waarom zij het kind niet
heeft kunnen voldragen. Het is choquerend dat te zeggen, dat
weet ik, maar jij bent een wetenschappelijk man en weet van
dergelijke dingen af. Mijn vader is buiten zichzelf van zorg want

als er geen erfgenaam is dan zal hij opnieuw op mij aangewezen zijn om hem van erfgenamen te voorzien. Ik had gehoopt dat hij mij in deze niet onder druk zou zetten, maar hij vindt inmiddels dat ik niet zozeer mijn best heb gedaan een echtgenoot te vinden als ik had beloofd te zullen doen.

Ik heb geprobeerd hem eraan te herinneren dat ik mijzelf als jouw verloofde beschouw maar hij wenst hier niets van te horen. Als Georges niet tussenbeide was gekomen, dan weet ik werkelijk niet waarop ons treffen was uitgelopen. Mijn vader was volslagen ten prooi aan razernij. Georges heeft mijn vader verteld dat hij zelf de taak op zich zou nemen een gepaste aanbidder voor mij te vinden en heeft mij toen onder vier ogen verteld dat hij weet dat ik aan jou toegewijd ben en dat hij mij niet zal lastig vallen met de dreigementen van mijn vader.

Dat was uiterst onaangenaam en mijn tante Clémence besloot dat wij enige tijd nodig hadden om weer in het reine te komen, dus zijn wij een weekje naar het platteland gegaan. Wij hebben een alleraardigst verblijf gehad op het buiten van haar vrienden, Monsieur Caillou en zijn familie. Madame Caillou is de beminnelijkste vrouw die je je kunt voorstellen, een superbe gastvrouw en hartelijke metgezel die haar uiterste best heeft gedaan om mij het gevoel te geven dat ik welkom was. Zij vertelde mij dat ook zij door haar vader onder druk was gezet, maar dat zij voet bij stuk heeft gehouden dat zij met Monsieur Caillou wenste te trouwen en dat haar vader uiteindelijk tot het besef was gekomen dat zij zich niet liet intimideren. Ik geef toe dat Monsieur Caillou met zijn rossige haar en zijn gewichtigdoenerij niet de man van mijn dromen zou zijn, maar ik weet dat Madame Caillou volslagen aan hem toegewijd is en meent dat zij een voortreffelijk huwelijk heeft gesloten. Ik heb veel kracht ontleend aan de omgang met haar. Zij is uiterst meelevend over onze situatie en zij zegt mij dat zij zeker weet dat het allemaal ten goede zal keren.

Mijn vader is weinig geneigd mijn verblijf hier in Parijs nog langer te laten duren maar hij heeft mij nog niet echt bevolen om naar Poitiers terug te komen. Hij is nog steeds erg bezig met mijn zuster en haar echtgenoot en heeft weinig verlangen zich af te geven met wat hij mijn gemok noemt en mokken zou ik beslist als ik het zonder jou en dan ook nog zonder Parijs moest stellen. Zolang Georges bereid is hier te blijven, meen ik dat mijn vader zich wel laat sturen in zijn eisen. Hij wenst generlei vrouw zonder de steun van een man te zien, althans dat zegt hij tegen mij, al blijft hij mij jouw steun ontzeggen hetgeen het enige is dat ik mij op de hele wereld wens. Ik heb dit vaak genoeg tegen hem gezegd maar hij wenst het niet te horen en zegt mij dat ik zelf niet weet wat ik wil, dat een huwelijk met een oudheidkundige een saai en armzalig bestaan zou opleveren. Heb je ooit zoiets belachelijks gehoord? Hij zal op zijn woorden moeten terugkomen wanneer ik hem het collier laat zien dat je hebt gestuurd, daarvan zal hij toch echt opkijken.

Ik wenste dat ik daar bij jou zou kunnen zijn. Elke dag stel ik me voor hoe het daar wel moet zijn met overal om je heen enorme ruïnes, met bedienden die je op het heetst van de dag fruit komen brengen, de boten op de Nijl met hun zeilen die de bries uit de woestijn opvangen. Ik wens mij een bouwseltje aan de oevers van de Nijl vanwaar ik over de rivier en de ruïnes kan uitkijken, zodat ik alles zal weten zodra het gebeurt: jij met je werk in de ruïnes, toezichthoudend op de mannen wier respect je krijgt zoals het je toekomt en terwijl je de mooiste dingen opgraaft en tekeningen maakt van oude geschriften. 's Avonds zouden we zelf een kleine ontvangst kunnen houden, zodat alle oudheidkundigen kunnen samenkomen om te bespreken wat ze hebben gevonden. Je zei dat zoiets weleens gebeurt maar ik weet dat wij het veel schitterender zouden kunnen doen. Je verhalen over Monsieur Omat vertellen mij dat het mogelijk is naar behoren gasten te ontvangen, zelfs op een zo afgelegen plaats als Thebe. Ik neem aan dat ik een kleine piano zou kunnen laten overbrengen. Dan zouden wij zangavonden of andere muzikale avonden kunnen arrangeren.

Het zal je zeer veel deugd doen, daarvan ben ik overtuigd, dat mijn tante voor mijn verjaardag vier nieuwe jurken voor mij heeft besteld, waaronder een werkelijk beeldschone japon van lila zijde, geborduurd met pareltjes en kleine gouden kraaltjes. Hij heeft bijzonder wijde mouwen en misschien zou je gechoqueerd zijn over de hoeveelheid schouder die hij bloot laat. Jouw collier zou er beeldschoon bij staan. Ik weet dat het niet voor iedereen acceptabel zou zijn maar hier in Parijs is het absoluut het allernieuwste in de mode. Ik wenste dat ik je deze japon meteen kon laten zien want ik weet dat jij hem superb zult vinden. Ik kan mijzelf er niet toe zetten je te vertellen hoeveel hij gekost heeft maar alle andere jurken tezamen kostten nog niet de helft van deze ene japon.

Vanmiddag ga ik met Georges naar een tentoonstelling van nieuwe schilderijen. Dan draag ik mijn perzikkleurige jurk met kant en mijn fraaiste hoed, die met de twee struisveren. Men zegt dat werken van Ingres en Delacroix getoond worden maar het lijkt me amper mogelijk dat twee zulke verschillende kunstenaars hun oeuvre op dezelfde plaats tentoon zouden stellen. Ik ben nog steeds diep onder de indruk van Dante en Virgilius die de Styx oversteken, het schilderij dat vijf jaar geleden getoond werd. Mijn hart klopte in mijn keel toen ik het zag. Er zijn er die de voorkeur geven aan Ingres maar ik geloof niet dat zijn werk dezelfde intensiteit heeft als dat van Delacroix. Wanneer je weer in Parijs bent, moet jij me vertellen of ik de verdienste van die twee juist heb ingeschat. Georges is een groot bewonderaar van Delacroix en vertelt me dat hij deze kunstenaar tweemaal in persoon heeft meegemaakt.

Wat zie ik ernaar uit om weer bij je te zijn wanneer wij samen naar de salons en tentoonstellingen kunnen gaan, wanneer jij me vertelt van alle wonderen die je in Egypte hebt gezien en hoe die de vergelijking met de kunstwereld van vandaag doorstaan. Ik weet zeker dat we hier allebei geweldig van zullen genieten. Misschien kan ik wel een paar schilderijtjes kopen. Als we dan naar Egypte gaan, kan ik die meebrengen om zelf te zien hoe ze met het werk van de oude Egyptenaren te vergelijken zijn. Ik zou graag horen wat je vriend Monsieur Omat zou zeggen als hij een Delacroix aan zijn wanden zou kunnen hangen.

Ik weet dat ik dit niet zou moeten voorstellen maar als je nog andere schatten in de graven ontdekt die je mij kunt sturen, dan zou ik daar werkelijk meer dan opgetogen over zijn. Het is zeer wonderbaarlijk om te kunnen zeggen dat mijn verloofde mij dit uit de ruïnes van Egypte heeft gestuurd. Zodra tante Clémence mij toestemming geeft, zal ik bij elke gelegenheid het collier

dragen en dan vertel ik iedereen dat het jouw geschenk aan mij is.
Elke avond bid ik voor jou en elke dag mis ik je.

Je aanbiddende
Honorine
7 augustus 1827, te Parijs

Vijf

Met een kort hoofdschudden wendde Erai Gurzin zich af van het bed waar Jantje brandend van de koorts lag te woelen. 'Ik vrees dat ik verder niets voor haar kan doen,' zei hij tegen Doktor Falke.

'O, God,' fluisterde Falke met afgrijzen op zijn gezicht. De rimpeltjes die doorgaans zijn glimlach aangaven, doorgroefden nu zijn wangen als waren ze daarin gebeiteld. 'Ik heb haar hierheen gebracht. Als ze niet was gekomen, zou ze nu niet stervende zijn. Ik ben verantwoordelijk.'

'Zij is hier gekomen omdat zij dat als haar plicht beschouwde,' verbeterde Gurzin hem. 'Dat is wat zij gisteravond zei toen zij met mij sprak. Zij wist hoe gevaarlijk het was – u heeft haar van alle gevaren van het verblijf hier verteld – en zij heeft besloten dat zij bij u zou komen werken.' Hij legde zijn hand op die van Falke. 'Kwelt u zich niet verder, Doktor. Op die manier bezorgt u louter zichzelf ellende. Redden kunt u haar daar niet mee. Alleen God kan haar nu nog redden.'

'Kent u deze koorts?' vroeg Falke, bevreesd voor wat het antwoord zou zijn.

'Ja. Die is bekend bij iedereen die in Egypte woont. Ziet u hoe ze aan haar deken plukt, dat rusteloze beetpakken en loslaten? Iedereen die aan deze koorts ten prooi valt, doet dat.' Hij zegende de ijlende vrouw in de hoop dat zij genoeg zou begrijpen om enige troost te putten uit zijn handelingen. 'Het zal haar hooguit twee dagen slechter gaan, dan zal zij of herstellen of sterven.'

'Hoevelen herstellen?' Falke sprak met beheerste stem hoewel de tranen hem in de ogen stonden.

'Uiterst weinigen,' zei Gurzin. 'Als u de koorts binnen de perken wenst te houden, dan sluit u deze villa af en staat u niemand toe om in of uit te gaan tot u weet hoevelen ermee besmet zijn.' Hij keek omhoog naar het plafond. 'Ik weet dat enige gravers van Baundilets expeditie hem van de koorts hebben verteld. Hij heeft bevel gegeven dat leden van zijn expeditie zich onder geen beding mogen blootstellen aan de koorts.'

'Heeft hij dat officieel gezegd?' vroeg Falke, verbijsterd en geschokt dat Baundilet zo uitgesproken zou zijn.

'Officieel, nee, beslist niet. Hij wenst zijn expeditie niet te schande te maken en dergelijke handelingen zijn beschamend. Hij heeft het bekendgemaakt en voor het merendeel hebben de leden van zijn gezelschap zijn stilzwijgende orders opgevolgd.'

'Voor het merendeel. Is er dan een uitzondering?' vroeg Falke, die met zijn gedachten nog steeds bij de enormiteit van Baundilets optreden stilstond. Hoe kon een man zich afwenden van het leed dat door de koorts gebracht werd?

Gurzin aarzelde en antwoordde toen: 'Madame de Montalia is gisteren met mij meegekomen. Zij heeft uw verpleegster bezocht en haar voorgelezen.'

'Ik had haar nog zo gezegd niet hier te komen,' zei Falke met een nog vertrokkener gezicht dan voorheen. 'Ik was met mijn patiënten bezig. Ik heb haar niet eens gezien.'

Gurzin maakte een gebaar van filosofische berusting. 'Heeft u ooit meegemaakt dat Madame de Montalia bevelen gehoorzaamde?' vroeg hij. 'Zij glimlacht en zegt iets beleefds en doet dan wat haar goeddunkt. Maar ik kan haar waarschuwen.' Hij wachtte tot de dokter knikte en voerde Falke toen mee, weg van Jantjes bed. 'Ik zal haar, zo u wilt, zelf het bericht overbrengen. Ze luistert naar mij, al gehoorzaamt ze me misschien niet. Ik zal erop toezien dat haar villa wordt afgesloten voor het geval de ziekte daarheen verspreid is.'

'Nu goed,' zei Falke, die zijn best deed zijn gedachten te weerhouden van vertwijfeld en nutteloos malen. 'Ik dank u.'

'Ik zie de noodzaak ervan in,' zei Gurzin, en hij vervolgde toen: 'Zo u wilt, zal ik tevens Magistraat Numair op de hoogte stellen. Die hoort het wellicht liever van mij dan van u.'

'U bedoelt dat het dan minder kost,' zei Falke bitter. Hij haalde zijn handen door zijn lichtbruine haar. 'Ik weet het niet. Volgens mij ben ik nutteloos, machteloos. Toen ik hierheen kwam, zei ik tegen mezelf dat het de risico's waard was om deze mensen te helpen. Maar ik heb zo weinig kunnen doen. Ik heb het gevoel dat ik ze van het een heb gered opdat ze aan het ander kunnen sterven.'

'Uiteindelijk is dat lot ons allen beschoren,' zei Gurzin zacht. 'En u heeft zich tenminste bezorgd getoond. Hoevelen kunnen dat zeggen en hoevelen zijn bereid hun leven op het spel te zetten zoals u?' Hij zuchtte. 'Ik maak me zorgen om u, Doktor Falke. Als iemand het gevaar loopt door deze vrouw aangestoken te worden, dan u wel.' Falke schudde ongeduldig zijn hoofd. 'Hoe kunt u zich daar zorgen over maken? Het is al erg genoeg dat ik zo lusteloos ben wanneer men mij juist zozeer nodig heeft.' Hij keek terug naar het bed. 'Wat voor arts zou ik zijn als ik mij door dergelijke overwegingen liet weerhouden?'

'Een wat gebruikelijker arts, veronderstel ik,' zei Gurzin. Hij legde zijn hand voor op zijn habijt. 'Ik kom vanavond weer. Probeer als u kunt een tijdje te rusten tot ik terugkom. Zo u wilt, blijf ik hier bij u. Aangezien uw verpleegster ziek is, zult u naar ik meen behoefte hebben aan assistentie.'

Van buiten het raam klonk een plotselinge kreet en een Egyptische stem begon te jammeren.

'Niet u, Broeder Gurzin,' zei Falke zuchtend. 'Het is niet uw plaats. Ik vind er wel wat op.'

'Vergeeft u mij, maar het is wel mijn plaats,' zei Gurzin. 'Ik heb God gezworen dat ik het werk van Christus zou doen. Hij aarzelde niet zich onder de kreupelen en de zieken te begeven en dat past mij evenmin zo ik mijn eed niet wil onteren.' Hij knikte eenmaal. 'Bovendien, ik ben geen jonge man meer. Een jaar meer of minder, ach, het is dwaasheid je op mijn leeftijd druk te maken over een paar dagen.' Hij maakte een hoofdgebaar naar het raam. 'Er zullen nog meer dan die ongelukkige vrouw op uw binnenplaats zijn. Slaat u mijn hulp niet af.'

Falke gaf geen antwoord en het gebaar dat hij met zijn schouders maakte, kon op velerlei wijzen geïnterpreteerd worden. Vanaf de plaats waar zij lag, begon Jantje een gejammer diep in haar keel te maken, terwijl zij met nietsziende ogen de kamer in staarde.

'Ik moet haar verzorgen,' zei Falke, terwijl hij zijn best deed de lethargie af te schudden waaraan hij ten prooi was geweest.

'Tot vanavond,' zei Gurzin. Hij had al bijna de deur van Jantjes kamer bereikt toen hij nog iets bedacht. 'De Overstroming laat veel sporen achter, Doktor, en koorts is één ervan. Naarmate het water zich terugtrekt, zult u ziekte in zijn spoor aantreffen. Verder stroomopwaarts geldt dat minder en in de delta in hogere mate.' Hij legde zijn handen tegen elkaar en zegende Falke toen. 'Tot vanavond, Doktor.'

'Tot vanavond,' gaf Falke zich gewonnen, met grotere dankbaarheid voor de volharding van de monnik dan hij zelfs aan zichzelf kon toegeven.

Gurzin liep terug door de bongerd naar Madelaines villa, zijn gedachten in rep en roer. Hij wist zeker dat als er koorts in het dorp heerste, die zich naar hen allen zou kunnen uitstrekken. Het was noodzakelijk Madame de Montalia onverwijld te waarschuwen en haar te helpen de waarschuwing aan anderen door te geven. Daar waren de oudheidkundigen, de Franse en de Engelse, die van de koorts verteld zouden moeten worden. Zij moesten op de hoogte gesteld worden want hun gravers zouden dat niet doen en het was niet zeker of de Magistraat de moeite zou nemen. Van Omat kon niemand op aan want Gurzin wist dat de rijkaard stroomafwaarts zou vluchten bij het eerste teken dat er gevaar dreigde. Hij probeerde te bedenken hoe iedereen het best gewaarschuwd kon worden zonder paniek te zaaien, toen hij de zijdeur van haar villa binnenging en naar de salon liep waar Madelaine zat te werken.

Renenet stond op de gang en begroette Gurzin met een buiging, hoewel hij niets zei terwijl hij verder liep naar de keuken.

'Ach, daar bent u,' zei Madelaine, opkijkend van de schragen tafel toen Gurzin naar haar toe kwam. 'Ik vroeg me al af waar u bleef.'

'Ik was in Falkes villa,' zei Gurzin en de woorden klonken scherper dan hij had bedoeld.

Madelaine ving iets in zijn woorden op dat haar aandacht trok. 'Falkes villa? Wat is er aan de hand?'

Gurzin schudde zijn hoofd en ging zitten. 'Er heerst koorts,' zei hij uiteindelijk. Hij keek op en zag hoe zij over de tafel leunde, nu eindelijk zonder nog enige aandacht te besteden aan de schetsen die daar lagen. 'Zijn verpleegster is erdoor geveld.'

'Jantje heeft koorts. Is het ernstig?' Het laatste kwam er moeizaam uit.

'Ja. Het gaat slecht met haar.' Gurzin had moeite Madelaine aan te kijken.

'En Falke?' Madelaines stem was zacht maar afgemeten.

'Uitgeput maar niet ziek. Tot dusverre niet.' Hij leunde naar achteren. 'Dat kan veranderen. Zijn vermoeienis is een slechte zaak. Die kan tot erger leiden.'

'U bedoelt dat hij ziek zal worden?' vroeg Madelaine, die geen excuses maakte voor de bezorgde toon van haar vraag.

'Daar ben ik bang voor, al bid ik dat ik het verkeerd mag hebben: ik ken deze koortsen. Hij is niet iemand die er weerstand tegen zal hebben.' Hij begon te bidden, onderbrak zichzelf toen. 'Of het moet zijn dat u in geneeswijzen dezelfde vaardigheden heeft als Saint-Germain,' zei hij, alsof het een nieuw idee voor hem was in plaats van zijn laatste vertwijfelde hoop.

'Vaardigheden? Hoe bedoelt u dat?' Zij maakte zich te grote zorgen over Falke om te schrikken van wat Gurzin zei.

Hij verwoordde zijn pleidooi met grote zorg. 'Toen Saint-Germain al die jaren bij ons was, heeft de koorts ons klooster tweemaal bezocht. Beide keren heeft die hem in het geheel niet geraakt. Hij heeft een preparaat vervaardigd dat wij van hem moesten drinken, daar stond hij op. Diegenen die dat deden, waren nog in leven toen de koorts was uitgeraasd. Diegenen die niet aannamen wat hij aanbood, waren ingemetseld.' Hij schraapte zijn keel. 'Ik vroeg mij af of u, aangezien u van zijn bloed bent, wellicht ook zijn geheimen zult kennen.'

Madelaine wendde in verwarring haar blik af. Zij wist zeker dat Saint-Germain niet met een heel klooster bloed had gedeeld. Dit zou een ander geheim moeten zijn, een van alchemistische aard. 'Ik... ik weet het niet. Falke heeft dit medicijn nodig?' Het was een dwaze vraag maar een waarmee zij wat tijd zou kunnen winnen om na te denken.

'Als hij zijn verpleegster en zichzelf wil redden en enige andere stakkers met die koorts, ja.' Hij plaatste opnieuw zijn handen tegen elkaar. 'Saint-Germain wist een manier. Hij heeft die niet aan ons doorgegeven. Hij zei dat dat niet verstandig was.'

'Dat hoor ik hem zeggen, ja,' zei Madelaine in een vlaag van liefdevolle ergernis. 'Deze ene keer ziet het ernaar uit dat zijn wijsheid kortzichtig was.' Toen leunde zij naar achteren, zich ervan bewust hoe weinig kortzichtigheid bij Saint-Germain paste. 'Of het moet zijn...'

Toen zij niet verder sprak, staarde Gurzin haar aan. 'Of wat?'

Zij schudde even haar hoofd. 'Toen ik hierheen op weg ging, heeft hij mij bepaalde papieren en grondstoffen gestuurd die hij voor dit klimaat aanbeval.' Zij had weinig aandacht besteed aan die stoffen maar nu kwam het bij haar op dat het echt iets voor hem zou zijn om haar op deze wijze te beschermen. 'Ik zal ze moeten doornemen. Eerst moet ik een briefje aan Professor Baundilet schrijven. Ik moet hem toch op zijn minst laten weten wat mijn plannen zijn.' Zij strekte haar hand uit naar een blanco vel papier en de inktpot. 'Een bediende bezorgt het wel bij hem,' zei zij al schrijvend. 'Zorg dat Renenet een van de bedienden uitkiest die Frans begrijpt. Wilt u dat doen, Gurzin? Ik moet op onderzoek...' Vastberaden stond zij uit de stoel op. 'Excuseert u mij, Broeder Gurzin, ik moet... iets afhandelen.' Terwijl zij de salon uit liep, probeerde zij te bedenken in welk van de zes kisten die Saint-Germain haar had gestuurd, datgene zich zou kunnen bevinden waar het haar om te doen was. Zij had ze sinds haar aankomst in Egypte gemeden, aangezien zij op haar eigen merites wenste te slagen, en ook om te voorkomen dat zij door zijn afwezigheid gekweld werd. Nu kwam de angst bij haar op dat zij haar onafhankelijkheid boven voorzichtigheid had laten prevaleren.

'Madame! Laat mij u helpen,' riep Gurzin haar na.

'Dank u, nee,' antwoordde zij, aangezien zij niet wilde dat de monnik sommige van de dingen te zien kreeg die Saint-Germain aan haar had toevertrouwd.

De zon was ondergegaan en zij had lampen geplaatst in de rommelkamer waar zij op zoek was. Drie van de kisten had Madelaine zorgvuldig doorzocht en terwijl zij sommige zaken eruit had gehaald, had zij nog steeds niet datgene gevonden waar zij opuit was. De vierde kist beloofde meer aangezien deze twee in leer gebonden boeken bevatte die met zilveren beugels afgesloten waren met elk een etiket 'medisch' erop. Onder de boeken lagen eenentwintig verzegelde flessen, elk gewikkeld in een vel perkament, overdekt met Saint-Germains bekende zorgvuldige hand.

Madelaine haalde de grootste fles te voorschijn en verwijderde de verpakking, waarna zij het vel zorgvuldig spreidde, opdat zij kon lezen wat daar geschreven stond: *Ter behandeling van brandwonden*, stond er in het Latijn. *Uitsluitend te gebruiken na de toediening van een siroop van papavers.* Er was een tweede briefje, in rode inkt geschreven, aan bevestigd: *Niet werkzaam voor diegenen van ons bloed.* Zij bezag de fles. Er zat misschien voldoende in om twee lichamen met de inhoud af te sponzen. De volgende fles was voor de behandeling van gezwollen knokkels. De derde was voor kortademigheid en pijn in de borst. Een preparaat voor de behandeling van littekens en wondplekken volgde en daarna een scherpruikende zalf voor allerhande schrammen en schaafwonden met daarbij de aantekening: *Zorg vooral dat de huid vrij is van zand en andere zaken alvorens dit aan te brengen.* De achtste fles was bijna zo groot als die voor de behandeling van brandwonden. *Voor koorts*, stond er op het perkament. Madelaine moest zich ervan weerhouden een kreet van opluchting te slaken toen zij de instructies voor de toediening begon te lezen en de beschrijving hoe het preparaat vervaardigd werd. De informatie die hier werd gegeven, was het eerste welkome nieuws dat zij heel die dag had ontvangen.

Tegen de tijd dat Madelaine de rommelkamer had verlaten, was Gurzin al op weg naar Falkes villa maar hij had Renenet laten weten waar hij heen ging.

'Hij wenste dat ik u vertelde dat het niet veilig is daar te komen,' zei Renenet met een frons om de woorden kracht bij te zetten.

Madelaine wees het van de hand. 'Het wordt veiliger als ik dit eenmaal bezorgd heb,' zei zij met een gebaar naar de fles die zij in haar tas had gelegd. 'Dit is het medicijn. Ongetwijfeld wil Doktor Falke dit hebben.'

Renenet schudde zijn hoofd. 'Het gaat niet aan dat u dat naar hem gaat brengen, niet nu daar koorts heerst. Een van de bedienden...'

'De bedienden weten niet hoe dit toegediend moet worden. Ik wel.' Zij begon haar geduld te verliezen. 'Geef een van de stalknechten opdracht met mij mee te komen als je dat noodzakelijk acht, dan vertrek ik onverwijld naar de villa van de Doktor. Hoe langer wij talmen, des te groter wordt de kans dat mensen sterven.'

Het paste niet dat een bediende zijn meester ophield maar het was al even ongehoord dat een vrouw in haar eentje het huis uit ging. In Renenets zienswijze handelde Madelaine al veel te vaak zodanig. Hij had geen verlangen zich aan koorts bloot te stellen maar als Madame de Montalia een medicijn had dat de koorts kon tegenhouden... Hij vatte een besluit. 'Ik pak de lamp en ga zelf met u mee. Op die manier kan niemand vraagtekens zetten bij hoe u daar bent gekomen.'

'Zeker. Zeker,' zei Madelaine, opgelucht dat er geen verdere tegenwerpingen volgden. 'Schiet op. Ze wachten op ons.'

Het krenkte Renenet aangespoord te worden. Een man van zijn positie behoorde zich niet te haasten op het woord van een vrouw. Hij sloeg zijn ogen neer. 'Ik maak mij gereed,' zei hij, en hij liep terug naar de keuken waar hij bevelen uitdeelde aan de kok en de rest van het personeel voordat hij terugkwam naar Madelaine. 'Zij zorgen in de tussentijd voor de villa.'

'Me dunkt,' zei Madelaine gepikeerd. 'Ga maar voor. Bedenk wel dat de weg door de bongerd het snelst is.'

'Natuurlijk,' zei Renenet, terwijl hij de lamp naast de deur pakte en op weg ging naar de villa van Doktor Falke.

Terwijl zij door de bongerd liepen, deed Madelaine haar best om een verklaring te vinden voor de medicijnen die zij Falke ging aanbieden. Zij had reeds beslist dat zij Saint-Germains naam erbuiten zou houden, evenals diens studies. Falke wist dat zij gefascineerd was door de geneesheren der Farao's en dat was een goed uitgangspunt: haar recente ontdekkingen omvatten onder meer wat een deel kon uitmaken van een tempel van geneeskunde, die Saint-Germain het Huis des Levens noemde. Zij wachtte nog op zijn antwoord op haar brieven hierover maar veronderstelde dat zij Falke wel zou kunnen overtuigen dat zij enige medische gegevens uit die aloude dagen had gevonden. Terwijl zij de pelgrimsherberg passeerde, voelde zij een scheut van verlangen en eenzaamheid. Zij bande die uit maar toch was haar begeerte weer gewekt. Het was meer dan een maand geleden sinds zij en Falke elkaar daar voor de tweede maal hadden getroffen en de dromen waren niet voldoende om haar te voeden.

'Wij zijn bijna bij de villa, Madame,' zei Renenet, die haar bezoek duidelijk afkeurde. 'Ik ga wel alleen verder als u dat wenst.'

'Neemt u mij alstublieft niet zozeer in bescherming,' zei Madelaine. 'Ik heb een taak te verrichten en u bent goed genoeg mij daarbij te helpen.' Zij gebaarde in de richting van de muren van de villa. 'Ga verder.'

'Ja, Madame,' zei Renenet terwijl hij een stijve buiging maakte.

Toen zij de deur bereikten, stuurde een van de bedienden hen weg.

'Ziet u wel,' zei Renenet, die aanstalten maakte onverwijld te vertrekken.

'Doe de deur open,' zei Madelaine zonder acht te slaan op Renenets afvalligheid. 'Ik heb iets voor Doktor Falke, iets waaraan hier behoefte is.'

'Niemand mag binnenkomen,' zei de bediende.

'Zeg hem dat ik een medicament voor hem heb,' zei Madelaine, en zij voegde er toen aan toe: 'Het kan vele levens redden, waaronder het uwe.'

'Wij moesten maar weggaan voor ze de deuren openen,' zei Renenet.

'U bent vrij te vertrekken, zo u wilt,' zei Madelaine onverstoorbaar, 'maar als u dat doet bent u niet langer mijn bediende.'

Opnieuw maakte Renenet een buiging, ditmaal berustend.

'Wat voor medicament?' wilde de bediende aan de andere kant van de deur weten.

'Dat kan ik jou niet verklaren. Doe de deur open en haal Doktor Falke.' Zij sprak met meer stemverheffing dan gebruikelijk in de hoop dat Falke haar zou horen en haar naar binnen zou halen.

Zij hoorde een geschuifel en toen riep Erai Gurzin haar toe: 'Waarom bent u hier, Madame?'

'Om dezelfde reden als u, Broeder Gurzin, om te helpen.' Zij zweeg even. 'Ik heb medicatie meegebracht.'

'Wat voor medicatie?' vroeg hij. Te vermoeid om een spelletje van vraag en antwoord met haar te spelen maar weinig genegen haar binnen te laten. Zo zeer als hij ernaar verlangde om haar te zien, hij wilde haar toch liever verjagen naar waar het veilig was.

'Het is een behandeling voor de koorts,' zei zij meteen, en zij begon sneller te spreken toen Falke kwam aanlopen. 'Het is bereid naar de formule van een oude Egyptische geneesheer.' Zij troostte zichzelf met de gedachte dat wat zij zei waar was.

Falke die net was aangekomen, lachte even en zuchtte toen. 'Net ontdekt en door jou vertaald? Hoe kun je weten of het...'

'Hoe kun je zeker zijn dat het niet werkt?' Zij gaf hem geen tijd om te antwoorden. 'Ik heb hulp gekregen van... een andere oudheidkundige. Het preparaat is bereid volgens de specificaties die beschreven zijn. Het wordt geacht alle gevallen behalve de meest vergevorderde verlichting te bieden.' Zij aarzelde. 'Toe, Falke, laat me iets doen. Hoe kun je me ertoe veroordelen te moeten wachten tot mijn personeel begint te sterven? Hoe kun je van me vragen dat ik niets doe terwijl jij sterft?'

'Ik wil niet dat jij hier onder zult lijden, Madelaine,' zei hij. Er lag een ontreddering in zijn stem die haar pijn deed.

'Laat me dan binnen, zodat ik je kan helpen,' zei zij, waarna zij haar stem dempte en zich naar Renenet omdraaide. 'Als je liever vertrekt, doe dat dan maar blijf in mijn villa, anders kun je ervan op aan dat ik een klacht tegen je indien bij de Magistraat.'

'Die behandelt geen klachten van vrouwen,' zei Renenet, nog net niet met een sneer.

'Hij hoort heus het geluid van gouden munten wel die tegen elkaar rinkelen. Maak je maar geen zorgen.' Zij schonk hem wat tijd om dit te overwegen. 'Blijf je of ga je weg?'

Renenet maakte een gebaar waarmee hij afstand nam. 'Als er koorts in de lucht is, dan doet het er niet toe wat ik doe want het is op mijn voorhoofd geschreven wanneer ik zal sterven. Als zij u binnenlaten, kom ik met u mee.'

'Voortreffelijk,' zei Madelaine, en zij verhief opnieuw haar stem. 'Doktor, u heeft werkzame handen nodig. U kunt diegenen die bereid zijn te helpen niet de deur wijzen.'

Falkes stem haperde inmiddels. 'Ik zou het niet verdragen als jij zou sterven, Madelaine.'

'Dat zul je ook niet hoeven,' zei ze met droeve zekerheid.

'Vanwege de remedie die je meebrengt?' Onder zijn ongeloof school een verlaten hoop.

'Ja,' loog zij.

Eindelijk ging de deur open. Egidius Maximillian Falke stond tegen de deurpost geleund. In zijn uitgemergelde gezicht waren zijn blauwe ogen bijna tot ijsgrauw verschoten. 'Nu, goed dan. Als u bereid bent te gokken, dan ben ik dat ook.'

Madelaine maakte een kleine revérence. 'Danke, Herr Doktor,' zei zij, waarbij zij de helft van haar Duitse woordenschat gebruikte. Terwijl zij door de poort liep, strekte zij haar handen uit en pakte de zijne vast, tot Renenets grote afkeur. 'Hier.' Zij hief haar tas met haar vrije hand. 'Breng me naar je apotheek, dan ga ik dit voor je bereiden.'

Hij hield haar tegen en draaide haar naar zich toe. 'En als het niet werkt?'

Zij keek hem recht in de ogen, vol mededogen. 'Dan ben je niet slechter af dan nu, of wel?' Zij kon zich met gemak van hem losmaken maar het viel haar zwaar zijn hand los te laten. 'Waar is Broeder Gurzin aan het werk? Ik wil graag dat hij zich bij mij voegt als je hem kunt missen. Je kunt Renenet in zijn plaats nemen als je hem nodig hebt.'

Renenet staarde haar vol afgrijzen aan maar hij had zich voldoende in de hand om voor Falke een buiging te maken. 'Een eer van dienst te zijn,' prevelde hij.

Gurzin, die plaats had gemaakt, deed een stap naar voren. 'Als u mijn assistentie vereist, Madame, dan ben ik bereid die te geven.'

'Goed zo,' zei zij, terwijl zij hem gebaarde om met haar mee te komen. 'De apotheek. En Falke, zorg dat je personeel allereerst behandeld wordt.'

Hij werd nog bleker dan hij al was. 'En als de medicatie hen ook ziek maakt, wat dan?'

Madelaine zuchtte. 'Als je er de voorkeur aan geeft, dan kun je de helft van je personeel laten komen om te zien hoe die erop reageren. Vervolgens de andere helft, als je er eenmaal van overtuigd bent dat er in deze remedie geen gevaar schuilt.' Het was verleidelijk hem vanwege zijn twijfels een uitbrander te geven, maar dat kon zij niet doen zonder meer van de aard van de medicatie prijs te geven dan zij van plan was. Zij wendde haar blik van hem af opdat haar leugenachtigheid minder duidelijk zou zijn. 'De oude Egyptenaren waren befaamd vanwege de vermogens van hun geneesheren. Dit is wat zij voor koorts gebruikten. Wees maar niet bang dat hun medicaties tekort zullen schieten.'

'Ik bid tot God dat u gelijk heeft,' zei Falke met zoveel gevoel dat Gurzin noch Madelaine woorden konden vinden om zijn uitbarsting bij te vallen.

Tekst van een brief van Professor Alain Baundilet aan Magistraat Kareef Numair, beiden in Thebe.

Meest vereerde Magistraat Numair,

Het is een eer u en uw volk van dienst te zijn; wat ik mijn collega-oudheidkundigen opdroeg gedurende de recente uitbraak van koorts, is wat elk ontwikkeld man zich genoopt zou zien te doen. Ik ben ervan overtuigd dat Doktor Falke het daarmee eens zou zijn. Hoewel ik u erkentelijk ben voor uw dankzegging, ben ik van mening dat in dergelijke noodgevallen de man die niets doet erger is dan een duivel, dus u zult begrijpen dat het geen moeite was om onze verscheidene talenten ten dienste te stellen van de lijdenden.

Wat het tweede punt aangaat, moet ik toegeven dat ik niet weet
hoe de gouden scarabee die vorige maand ontdekt is, kon
verdwijnen. Ik weet dat gedurende de epidemie mijn collega-
oudheidkundigen minder zorgvuldig waren in het bewaken van
onze vondsten, gepreoccupeerd als zij waren door diegenen met
koorts, meer dan door de schatten van zo lang geleden. Het
schokt mij dat u denkt dat een lid van mijn expeditie zich de
scarabee zou toe-eigenen, hoewel deze even waardevol is wegens
zijn ouderdom als wegens het edele metaal waarvan hij
vervaardigd is. Ik vrees dat een van de gravers die hem heeft
gezien, wellicht besloten heeft dat hij hem meer toekwam dan ons
en hem heeft genomen aangezien hij zich als Egyptenaar
gerechtigd achtte hem te bezitten. Er zijn voorwaar Egyptenaren
die er zo over denken. Ik zal bij mijn expeditieleden navraag
doen om erachter te komen of er oudheidkundigen zijn die enige
informatie hebben over de scarabee. Al wat ik te weten kom, al
zou het niets zijn, zal ik onverwijld aan u melden. Het stuit mij
tegen de borst te denken dat enig lid van mijn expeditie verdacht
zou kunnen worden van dergelijke inhaligheid en hoe dan ook,
wat zou een hunner met de scarabee doen als deze die in bezit
had? Hoe zou men die zonder op te vallen kunnen vervoeren? Wij
zijn geleerden, geen smokkelaars, waarde Magistraat.
Uw loftuiting jegens Madame de Montalia is een groot
compliment voor haar en ik ben bijna bang haar uw vele
goedertieren woorden over te brengen in de wetenschap hoe
gemakkelijk vrouwen tot ijdelheid geleid worden. Als dit u geen
aanstoot geeft, zal ik wat ik zeg beperken tot de mededeling aan
haar dat u weet had van het werk dat zij heeft verricht in de villa
van Doktor Falke, die het grootste deel van de erkentelijkheid
verdient, aangezien hij de geneesheer is en degene die het
vermogen heeft mensen beter te maken. De tedere hand van een
vrouw is waarlijk een verrukkelijke troost in moeilijke tijden,
maar om haar te prijzen voor wat amper meer is dan de
vrouwelijke natuur zou halsstarrigheid bemoedigen, iets wat niet
aantrekkelijk is in vrouwspersonen. Het echte werk was
ongetwijfeld verricht door Falke; zij was verstandig genoeg diens
instructies uit te voeren.
Samen met mijn oprechte goede wensen stuur ik u deze kleine

beurs, als teken van mijn respect en eerbied, en ik vraag u deze te aanvaarden wegens de hoogachting die wij elkaar toedragen. Ik verzeker u dat uw goede dunk evenveel voor mij betekent als de schatten der Farao's.

Met opperste hoogachting,
Professor Alain Hugues Baundilet
15 september 1827, te Thebe

Deel Vier

Sanh Djerman Ragoshzki

Geneesheer

Tekst van een brief van le Comte de Saint-Germain in Zwitserland aan Madelaine de Montalia in Egypte, gedateerd 8 november 1827.

Mijn dierbare Madelaine,

Hoe meer je mij over Baundilet vertelt, hoe minder ik hem mag. Ik wenste dat ik je kon aanraden de autoriteiten te waarschuwen, maar betreurenswaardig als het is, het zal hen niet interesseren; nog betreurenswaardiger, zij zouden niet luisteren naar de klacht van een vrouw, laat staan een buitenlandse vrouw. Zo was Egypte niet in de tijd dat ik er verbleef: diefstal zoals door jou beschreven, zou een gruwelijke, gerekte dood hebben betekend voor iedereen die op het plegen van een dergelijke daad betrapt werd. In die tijd werd zelfs iedereen die een kat doodde door het volk van het Zwarte Land gestenigd tot de dood erop volgde.

Je zegt dat Gurzin heeft aangeboden je stroomafwaarts te brengen en je aarzelt weer. Ik hoop dat je naar hem zult luisteren; hij kent Egypte beter dan jij of ik, mijn hartje, en zijn waarschuwingen dienen serieus te worden genomen. Sla zijn advies niet in de wind, zo niet om jouwentwille dan wel om de mijne.

De inscripties die je mij hebt opgestuurd, zijn geen vervalsingen; het zijn voorbeelden van andere, onjuiste voorstellingen; vier van de inscripties zijn gewijzigd, in het geval van de tweede inscriptie vlak na de dood van de Farao. De derde inscriptie is een verslag van de val van Troje door de Egyptische diplomaat die juist daar vandaan was teruggekeerd omdat hij wist dat de Trojanen niet zouden zegevieren over de Grieken. Jazeker, de Trojaanse Oorlog heeft wel degelijk plaatsgevonden, hoewel iedereen denkt dat Troje een mythe is. Voor wat deze inscripties betreft zal ik, zover het in mijn vermogen ligt, aangeven wat er gewijzigd is op die welke veranderd zijn. Wellicht zal dat je helpen.

Bedenk dat de Egyptenaren ontzag hadden voor woorden en dat voor hen het geschreven woord zelf kracht bezat. Men geloofde dat, door middel van wijziging van een inscriptie, invloed kon worden uitgeoefend op gebeurtenissen, zodat de persoon die de eer voor een getekende daad opeiste op een of andere magische wijze veranderde in de persoon die deze had verricht. Dat was een van de redenen waarom priesters zoveel macht bezaten: zij waren de beheerders van zoveel inscripties.

Een deel van de binnenplaats buiten het Huis des Levens behoefde herstelwerk, doch de priesters konden niet tot een vergelijk komen over hetgeen gedaan moest worden.

'De plaats is te groot; als we de binnenplaats verkleinen, kunnen we het tempelheiligdom vergroten,' zei Kepfra Tebeset, die kort tevoren tot Hogepriester was benoemd. 'Daarmee zullen we Imhotep eer bewijzen.' Over de laatste honderd jaar was de mode om geparfumeerde vetkegels op het hoofd te dragen vervangen door het insmeren van gezicht en borst met gekleurde zalf. Kepfra Tebesets gelaat en oppertorso waren net zo goudkleurig als het begrafenismasker van een Farao.

'Als we weer door een plaag getroffen worden, zullen we hier meer ruimte nodig hebben dan nu tot onze beschikking staat,' merkte Sanh Djerman Ragoshzki op, die slechts geneesheer was en daardoor van weinig belang. Zijn lange jaren ten dienste van Imhotep gunden hem zekere privileges, ondanks het feit dat hij een vreemdeling was. 'Toen de laatste plaag toesloeg, moesten we mensen wegsturen en zelfs toen hadden we niet voldoende ruimte voor hen die hier wel toegelaten waren.'

'Een schande,' zei Menpaht Resten, die zijn rivaliteit met Kepfra Tebeset niet onder stoelen of banken stak. 'Als we onze god niet nog meer willen beschamen, moeten we voorbereid zijn op het ergste dat de goden en machten van de onderwereld ons zouden kunnen bezorgen.' Hij wreef over zijn gezicht, waardoor hij de kohl uitsmeerde, zodat onder zijn ogen vegen verschenen die zich vermengden met de albasten kleur van de zalf die hij op had.

'Vliegen en zand,' mompelde Omethophis Kuyi. Met zijn drieëntwintig jaar was hij de jongste geneesheer die tot priester was verheven, een onderscheiding die hij eerder te danken had aan het feit dat hij de neef van de Farao was, dan aan zijn bekwaamheid. Hij wierp een blik op de plaats waar de muur ingestort was. 'Hoe is het gebeurd?'

'Het kwam door de Overstroming,' zei Sanh Djerman Ragoshzki, alvorens Menpaht Resten antwoord kon geven. 'Jaar in jaar uit kwam hij bijna tot aan onze poorten en ieder jaar heeft het water het gesteente onder de muur aangevreten.' Zijn blik kruiste de harde, starre blik van Kepfra Tebeset. 'Het is ook al gebeurd met andere bouwsels, nietwaar? Denk aan alle gevallen sfinxen; hoeveel duizenden waren daar vroeger niet van en hoeveel staan er nu nog?' Hij verwachtte geen antwoord op deze laatste vraag en kreeg dat ook niet.

'Het is de wil van Imhotep dat de muur veranderd moet worden,' zei Menpaht Resten. 'Het was Imhotep die de Grote Piramiden deed verrijzen; de muur van zijn tempel zou niet zijn gevallen als het niet zijn wil was geweest dat die viel.'

De woestijnwind was korrelig van stof en zand, een gewisse belofte dat er voor de volgende zonsopgang storm op komst was.

'Wellicht wil Imhotep dat wij de binnenplaats vergroten en niet verkleinen,' stelde Omethophis Kuyi voor. 'Als Sanh Djerman Ragoshzki gelijk heeft, is het de wil van Imhotep dat wij voorbereidingen treffen voor de stervenden en wil hij ons erop attenderen dat velen ziek zullen worden.' Hij was klein en pezig, met een langwerpig hoofd, doch zijn stem was fraaier dan de diepste klanken van Farao's gongs. Wanneer hij sprak, luisterden anderen zuiver om het genot hem te horen spreken.

'Het is niet aan ons om de wil van de goden te doorgronden,' zei Kepfra Tebeset. 'Wij zijn hier om offers te brengen voor diegenen die ziek zijn en om diegenen die tot ons komen te verzorgen.' Hij liep met grote passen langs de muur. 'Wij zullen aan de god dienen te vragen wat er van ons verwacht wordt. Als wij handelen zonder de leiding van Imhotep...'

'Hoe kunnen wij weten of Imhotep ons leidt?' vroeg Omethophis Kuyi, onverschillig voor het feit dat hij een meerdere in de rede viel. 'Zou het niet verstandiger zijn de Farao te raadplegen voor instructies dan voor leiding te bidden die wellicht niet de wil van de god zal blijken te zijn?'

'Farao kan ons niet alles vertellen wat wij moeten weten, want hij is deels een man. Wij zijn op zoek naar de wijsheid van de god.' Wat Kepfra Tebeset aanging was dat het eind van de discussie.

Menpaht Resten echter was niet tevreden. 'En de muur blijft beschadigd, zodat elk minder eerbaar persoon de binnenplaats zou kunnen betreden? Hoe moeten we degenen weren die zich de schenking niet kunnen veroorloven die Imhotep verlangt? Moeten we hun toestaan hierheen te komen en door het gat in de muur te klimmen?'

'Dat is wellicht beter dan op straat te sterven,' zei Sanh Djerman Ragoshzki, doch niemand schonk hem enige aandacht.

'Ik wens dat er onmiddellijk een inscriptie op de muur wordt geschilderd,' zei Kepfra Tebeset gedecideerd. 'Er moet geschreven staan dat Imhotep al diegenen vervloekt die zijn tempel door het gat in de muur betreden en ik wens dat er te lezen is dat de vloek op mijn bevel is uitgesproken.' Hij maakte een tevreden gebaar. 'Dat zal ons beschermen totdat we de wil van de god hebben vernomen.' Hij gaf een teken aan de anderen om hem te volgen toen hij de terugweg naar het tempelheiligdom aanvaardde.

'Het is niet gepast,' mompelde Omethophis Kuyi, en het timbre van zijn stem gaf betekenis aan zijn klacht. 'Het is niet aan priesters om...' Hij maakte zijn zin niet af uit vrees zich godslasterlijk of verraderlijk uit te laten.

Gedurende de nacht wakkerde de wind aan en voerde zand mee dat alles schuurde waar het mee in aanraking kwam. Enkele van de Farao's zuilen werden vernietigd aan de kant waar het zand ertegenaan sloeg en dit werd als een slecht voorteken beschouwd. De storm duurde drie dagen; het geluid van de wind, de gewaarwording ervan, was onontkoombaar. Paarden, ezels en vee werden tot waanzin gedreven en dat gold tevens, vermoed ik, voor veel van de mensen. Ik had eerder zware woestijnwinden meegemaakt, doch ik kan mij er geen herinneren die zo woest waren als deze storm in het vijftiende jaar van het bewind van Ramses III. Toen hij uitgewoed was, heerste er verwoesting vanaf de Derde Cataract aan de rand van de Nubische Woestijn tot aan Tanis in de Delta. In de resterende zestien jaar van het bewind van de Farao vanuit zijn zetel te Memphis, liet zelfs zijn succesvolle strijd tegen het los-vaste pact der Zeevolkeren geen dermate zware sporen na op het Zwarte Land. Voor diegenen van ons die in Thebe vertoefden, bracht de storm andere rampen in zijn nasleep.

Toen de wind eindelijk ging liggen, begon de Tempel van Imhotep vol te stromen. Sommigen hadden te lijden onder een geschaafde huid, die reeds gezwollen en rood was door de infectie. Anderen hadden gebroken ledematen en gapende wonden opgelopen tijdens hun pogingen iets te redden van de gulzige wind. Iedereen, op de zwakste slaven na, werd ingeschakeld om de nieuw aangekomenen te verzorgen en de waarde van de offers die zij meebrachten te taxeren. Iedereen was bezorgd dat de bronnen besmet zouden zijn, doch niemand maakte hier gewag van.

'Ik denk dat het beter zou zijn om de Farao op de hoogte te brengen,' zei Omethophis Kuyi, toen de priesters bijeen waren om te besluiten wat ze konden doen aan de drukte in de tempel. Omdat hij verwant was aan Farao, werd zijn mening argwanend bezien. 'Als er nog meer komen, zou het tot een oproer kunnen leiden en daar zijn wij niet op voorbereid.'

'Niemand zal in opstand komen,' zei Menpaht Resten laatdunkend. 'Ze hebben onze hulp nodig, dus hoe zouden ze in opstand durven komen?'

'Juist daarom,' zei Kepfra Tebeset, in de hoop dat een paar van de anderen met hem zouden instemmen. 'De tempel en allen die er binnen zijn, zijn aan mijn zorg toevertrouwd. Wij hebben plaats voor nog eens twintig, hooguit vijfentwintig en daarna moeten wij ze weigeren. Sanh Djerman Ragoshzki, wat zegt u ervan? U bent hier het langst van allemaal.' Het laatste werd ietwat ongemakkelijk erkend, daar de vreemdeling weinig tekenen van ouderdom vertoonde, terwijl, indien de tempelgeschriften geloofd mochten worden, hij daar al twee, mogelijk drie eeuwen verbleef. Misschien zelfs langer dan dat.

'Ik vrees dat u zult moeten vechten als u probeert de deuren te sluiten, maar als u nog veel meer mensen toelaat, zult u ze niet kunnen verzorgen.' Hij zei het rustig, als sprak hij over niets ernstigers dan over de vraag of de vijgen rijp waren.

'U kunt niet zeker zijn van een oproer,' verklaarde Menpaht Resten. 'Wellicht gebeurt er niets; u kunt geen beslissing voor het volk nemen.'

'Nee,' erkende Sanh Djerman Ragoshzki. 'U evenmin.'

'Als we om assistentie verzoeken, laten we daarmee de priesters van Osiris en Amon-Re weten dat onze god minder machtig is dan die van hen,' zei de Hogepriester geprikkeld. 'Dan worden we beschouwd als priesters van een...'

'Wij dienen Imhotep, die niet lijkt op Osiris en Amon-Re,' zei Sanh Djerman Ragoshzki. 'Wij zingen elke ochtend lofzangen ter ere van Amon-Re zonder te menen dat onze eredienst Imhoteps positie verzwakt. Wij offeren aan Osiris opdat het werk van Imhotep zal gedijen. Wij hebben de goden en de krachten van de onderwereld en het is geen schande dat we nu hun hulp en gunst vragen. Het zou een teken van laksheid zijn als we voor degenen die hulp bij ons zoeken, niet alles zouden doen wat in ons vermogen ligt voor zo lang als dat mogelijk is.'

De Hogepriester sloeg zijn armen voor zijn borst over elkaar. 'U bent geneesheer, geen priester.'

'Omdat ik uit den vreemde stam,' bracht Sanh Djerman Ragoshzki hem onnodig in herinnering. 'In mijn eigen land ben ik priester,' voegde hij eraan toe, hetgeen niet meer dan de waarheid was.

Terwijl Kepfra Tebeset een nijdige blik op Sanh Djerman Ragoshzki wierp, zei Menpaht Resten: 'Wij moeten streng zijn en alleen diegenen toelaten die in de grootste nood verkeren. De anderen zullen zich tevreden moeten stellen met wachten. We sturen de bedienden wel naar buiten om aan hen uit te leggen waarom dit aldus moet geschieden. We behoeven Farao hiermee niet lastig te vallen. Na een dergelijke storm zal het hoe dan ook dagen duren voordat wij naar Memphis kunnen afvaren.' Hij wist dat de andere priesters met hem zouden instemmen als hij erop aan zou dringen.

'Ik vind dat wij Farao minstens moeten inlichten,' zei Omethophis Kuyi. 'Hij behoort ervan op de hoogte te zijn hoezeer zijn volk lijdt. Hij is hun toegang tot de goden wanneer de goden zich niet in hun tempels bevinden.'

Enkele priesters betuigden hun steun aan Omethophis Kuyi's verzoek. 'Het geeft pas dat Farao ervan weet,' zei de oudste onder hen, een man met een kromme rug en een scherpe blik. 'Als Farao besluit dat we onze deuren moeten sluiten, zullen we daarvan in kennis worden gesteld.'

'Zijn boodschapper zou hier pas over vele dagen arriveren. We zullen onze deuren niet sluiten,' drong Kepfra Tebeset aan. 'Dat zou verkeerd zijn.'

'Maar u zult wel de bescherming van Farao's leger aanvaarden,' zei

Menpaht Resten, zichtbaar opgelucht.

'Indien Farao oordeelt dat het de wil van de goden is, dan zullen wij dankbaar moeten zijn. De troepen zullen in elk geval niet snel komen. En als Farao ons zijn troepen niet stuurt, zullen wij weten dat het de wens van de goden is dat de deuren open blijven.' Omethophis Kuyi keek rond in het kleine vertrek. 'Het zal voor mij een eer betekenen om Farao op de hoogte te brengen van hetgeen hier gebeurt.'

'Een eer?' zei een van de priesters, zonder zich ervoor te verontschuldigen dat hij de spot met hem dreef.

Omethophis Kuyi keek de priester verbolgen aan. 'Een eer,' zei hij nogmaals, luider ditmaal.

Een oproer brak uit, de eerste van vele; Farao heeft ons nooit troepen gestuurd, omdat die het druk hadden de opslagplaatsen te verdedigen tegen hen die hun zinnen erop hadden gezet deze te plunderen. Vijf van Imhoteps priesters werden die dag vermoord, en nog eens drie stierven aan de verwondingen die zij opliepen. Het probleem was dat Egypte verzwakte terwijl de haar omringende landen sterker werden. Als Egypte dezelfde weg als China had gevolgd en had geleerd alle volkeren te aanvaarden, zou het Zwarte Land wellicht nog steeds bloeien in plaats van vol te staan met ruïnes en tombes.

Zeker waren er vreemdelingen in het Zwarte Land, doch deze werden gedwongen apart van de Egyptenaren te leven, in enclaves, waar zij bestuurd werden door Egyptische beperkende bepalingen. De wetten van Egypte, zelfs in verval, waren streng en willekeurig, zodat iemand die geen Egyptenaar was blootstond aan Egyptische grillen. Het was dwaasheid. Als de Egyptenaren meer verdraagzaamheid jegens in Egypte woonachtige vreemdelingen hadden toegestaan, hadden zij wellicht vrienden en bondgenoten gehad toen zij die behoefden. In werkelijkheid maakten zij vijanden.

Naar Egyptische maatstaven was zijn kledij opzichtig, van een helderblauwe kleur, gemaakt van katoen en bij de taille bijeen gesnoerd door een met spijkertjes beslagen leren riem. Hij hield zijn hand tegen zijn voorhoofd gedrukt, bloed liep tussen zijn vingers door. 'Ik heb een van uw genezers nodig,' deelde hij de slaaf mee die de deur van het Huis des Levens bewaakte.

'U bent een vreemdeling,' zei de slaaf, alsof dat het enige was dat de moeite van het vermelden waard was.

'Ik ben hier geboren, ik spreek de taal beter dan jij,' zei de Feniciër. 'Ik heb een geneesheer nodig. Ik heb geld.' Het laatste voegde hij er minachtend aan toe.

De slaaf richtte zich op. 'Hoeveel geld?'

'Fenicisch en Babylonisch goud,' zei de bloedende man. 'Schiet op. Mijn hoofd barst uit elkaar.'

'Dat is misschien al gebeurd,' zei de slaaf oordeelkundig. Hij liep weg van zijn post bij de deur en ging zonder zich te haasten in de lange gang op zoek naar een geneesheer.

Korte tijd later liep Aumtehoutep naar de deur en riep om de bewaker. Toen de slaaf niet reageerde, begon Aumtehoutep de gong weer te luiden.

'Hij is weg om een geneesheer te zoeken,' zei de Feniciër. Hij zat op de brede, ondiepe treden, tegen een granieten pilaar geleund. 'Ik wacht op een geneesheer.'

Aumtehoutep keek de man lang en onderzoekend aan. 'Het ziet ernaar uit dat u die nodig heeft.'

'De slaaf dacht daar anders over,' zei de Feniciër, en hij eindigde met een kreun.

'Ik zal een geneesheer voor u zoeken,' zei Aumtehoutep; hij ontsloot de deur. 'Volgt u mij.'

De Feniciër stamelde een tegenwerping en besloot toen: 'Jij bent een bediende; zij zullen het niet toestaan.'

'Dat is mijn zaak. Mijn meester is hier een van de geneesheren en hij zal u verzorgen, wat de slaaf bij de deur ook mocht hebben besloten. Kom met mij mee. Kunt u wel zelf lopen?' Aumtehoutep liep op de Feniciër toe. 'Heeft u mijn hulp nodig?'

De Feniciër deed een poging – met weinig succes – om zich overeind te werken door zich met zijn rug tegen de pilaar af te zetten. 'Nee, ik red het wel,' zei hij met moeite.

Aumtehoutep strekte zijn arm uit en hielp de man overeind. 'Ziezo. Het is niet verstandig zich zo in te spannen wanneer men bloedt, vooral aan het hoofd.'

De Feniciër gromde slechts, plotseling hevig transpirerend. 'Ik... ik heb zeker... een hardere klap opgelopen dan ik dacht.' Hij zwaaide heen en weer in Aumtehouteps greep en deed toen zijn best om zijn voeten behoorlijk te laten functioneren.

De slaaf die de wacht hield was beledigd door Aumtehouteps daad, doch zei niets toen de bediende hem naderde. 'Ik breng deze ongelukkige naar mijn meester.'

'Het is een vreemdeling,' zei de slaaf, en hij maakte van het woord de ernstigste veroordeling.

'Deze man of mijn meester?' vroeg Aumtehoutep bedaard, en hij ging op weg naar de binnenplaats buiten het Huis des Levens, waar Sanh Djerman Ragoshzki nog immer diegenen verzorgde die niet meer te redden waren.

De Feniciër trok wit weg toen hij de man in de zwarte kalasiris temidden van een groep melaatsen zag staan. 'Ik... ik ben niet melaats,' zei hij met een schorre stem.

'Mijn meester evenmin,' zei Aumtehoutep. 'Vrees hem niet; hij zal u geen kwaad berokkenen.'

De Feniciër huiverde. 'Hoe kan hij het verdragen hen aan te raken? Kijk naar ze, zo bleek, en met... vingers en tenen... verdwenen.'

'Het is de kwaal,' zei Aumtehoutep terecht. 'Als het u benauwt, zal ik u naar de ziekenzaal brengen en kunnen wij daar op hem wachten.'

'Ja,' hijgde de Feniciër. 'Ja.'

Aumtehoutep gebaarde naar zijn meester en bracht de Feniciër, hem half dragend, terug naar het Huis des Levens. 'Hij zou niet toelaten dat u besmet raakt,' zei de Egyptenaar vertrouwelijk. 'Hij is niet zo hardvochtig.' Terwijl hij met de Feniciër een smalle gang door liep, vervolgde hij: 'Ik zal de wond schoonmaken en de zalven klaarzetten die mijn meester gebruikt. Hij weet welke het best is voor uw wond.'

De Feniciër ademde nu onregelmatig en zijn kleur had meer weg van klei dan van vlees. Hij schokte stuipachtig met zijn hoofd en viel min of meer neer op de bank waarheen Aumtehoutep hem vergezelde. Terwijl hij de namen van zijn goden mompelde, zakte zijn kin op zijn borst en verloor hij elk idee van tijd.

Toen hij zijn ogen opendeed, stond de andere vreemdeling naast hem. Zijn kleine handen betastten het hoofd van de Feniciër vlak bij de wond. 'Het is erg gezwollen,' zei hij onaangedaan toen de Feniciër hem aankeek. 'Mijn eerste zorg is infectie en koorts.'

'Word ik ziek?' Er klonk ongerustheid in zijn vraag door.

'Ik hoop het niet,' zei Sanh Djerman Ragoshzki, terwijl hij zijn hand uitstrekte naar een emmer water. 'Ik wil een beetje van het bloed bewaren, zodat ik het kan gebruiken... voor rituelen.' Hij glimlachte even, vluchtig. 'Bloed kan zeer veel vertellen.'

Totdat zij mij toestonden geneesheer te worden in het Huis des Levens, waren niet veel priesters van Imhotep geïnteresseerd in hoe ik mijn diagnoses stelde. Toen ik werd toegelaten tot de gelederen der genezers, veranderde dat; mijn leven werd nauwlettender gecontroleerd. Ik moest ze iets vertellen en dus vertelde ik dat ik het bloed voor rituelen gebruikte en dat de aard van deze rituelen mij aantoonde hoe verder te gaan. Dit was niet ver bezijden de waarheid, want ieder die van ons bloed is, kan veel halen uit wat wij proeven, al was het slechts een druppel. Ik was zo verstandig geworden om mij alleen te laven aan diegenen die zo ziek waren dat zij niets van wat ik deed in twijfel konden trekken. Hun ijlhoofdigheid voorzag als het ware in mijn levensonderhoud en mettertijd ontwikkelde ik de bedrevenheid om ze een gelukkig gevoel in hun slaap te bezorgen; je kent de techniek – het lijkt veel op die handelingen die ik Mesmer een kleine eeuw geleden heb geleerd.

In de tijd dat ik in het Huis des Levens opklom, zette de achteruitgang van het Zwarte Land zich voort. Af en toe was er een opleving van de oude grootsheid te zien, doch de onontkoombare waarheid was dat andere naties groeiden, en de ontwikkelingen die Khene, het Zwarte Land, zijn hegemonie in de wereld had bezorgd, werden nu door de anderen gedeeld. De opkomst van Judea, Tyrus en Assyrië had veel invloed op de machtswisseling in die oude mediterrane landen. De afstammelingen van mijn volk waren tegen die tijd ver naar het westen getrokken, sommigen zelfs zo ver als het Italiaanse schiereiland; ik betwijfel of ze genoemd worden in de geschriften die je onderzoekt, want de Egyptenaren interesseerden zich niet voor de omzwervingen van barbaren.

Ik had tegen die tijd een zekere vrede met mezelf gesloten. Ik had mijn plaats in het Huis des Levens, ik had mij afgesloten van de verschrikkingen en de teloorgang en de honger. Over het geheel genomen was ik zo tevreden als mijn uitheemsheid en mijn aard

mij toestonden, doch ik had hartstocht afgezworen, behalve mijn
liefde voor muziek. Mannen hebben zelden een lichamelijke
fascinatie voor mij gehad en priesters, van onverschillig welke
overtuiging, zijn niet te vertrouwen met geheimen als de onze. Ik
bleef van mensen uit het Huis des Levens datgene nemen wat ik
nodig had, nooit vaker dan driemaal, teneinde ze geen schade te
berokkenen. Veroordeel mij niet voor wat ik je nu vertel, mijn
hart, want het was het begin van de lange reis die mij tot jou
voerde; het Huis des Levens was een oord zonder vrouwen,
behalve diegenen die om hulp kwamen; ik zocht troost in de
zekerheid dat ik niet afhankelijk kon zijn van verlangens die
verder gingen dan de eenvoudige bevrediging van mijn behoeften.
Welk een dwaasheid.
Gedurende David van Hebrons veldtocht tegen Jeruzalem, nam
het aantal Judeeërs in Egypte toe; zij die het zich konden
veroorloven de strijd te ontlopen, betaalden aanzienlijke sommen
voor zoveel boerenland als de Egyptenaren deze vreemdelingen
toestonden te bezitten. Dus kwam het van tijd tot tijd voor dat er
mensen uit Judea naar het Huis des Levens kwamen en al naar
gelang de stemming van de Hogepriester, mochten wij
geneesheren hen wel of niet behandelen.

Er hingen kwastjes aan zijn kleding, hetgeen hem kenmerkte als een
man van enig gewicht in Judea. Hij stond bij de ingang van het Huis
des Levens, zijn dochter op een strobed gedragen door zijn slaven. Een
andere slaaf droeg de offers die hij meebracht. 'Ik smeek u,' zei hij tegen Sanh Djerman Ragoshzki. 'Van de Hogepriester mag alleen u haar
behandelen, omdat u ook een vreemdeling bent.' Zijn ogen lichtten
even beschouwend op; toen was het voorbij en zei hij: 'Niemand in
mijn huishouding heeft haar kunnen helpen. Wij hebben anderen geraadpleegd en zij kunnen niets voor haar doen. Zij... zij gaat achteruit en wij weten niet waarom. Alstublieft. U moet.'

Sanh Djerman Ragoshzki bezag de man nauwlettend, zijn uitdrukking verried niets van zijn gedachten. Hij wist dat zijn zwarte kalasiris en hoofdtooi, evenals zijn lengte, hem een imposant voorkomen verschaften, waarvan hij vaak gebruikmaakte. 'Hoe lang is zij al
ziek?' vroeg hij ten slotte.

'Tien dagen, waarde geneesheer,' zei de vader van het meisje. 'Zij

klaagde dat haar hoofd pijn deed en dat het leek of haar gewrichts-
banden te strak gespannen stonden. Haar moeder zei dat het veroorzaakt werd door vrouwelijke onreinheid. Toen kreeg zij koorts en deze flauwte. Ik ben bang dat zij zal sterven.'

Er was niets dat Sanh Djerman Ragoshzki hem in alle eerlijkheid
kon zeggen en dat zijn angst weg zou nemen. 'Hoe heeft u haar behandeld?'

De man uit Judea haalde zijn schouders op. 'We hebben haar water gegeven en honing. Dat is alles wat zij naar binnen krijgt.' Hij kwam
een stap dichterbij. 'Zeg dat u haar wilt opnemen. Kijk naar haar. Zij
verandert in een dorre huls. Als u haar niet opneemt, is zij onherroepelijk verloren. Onze God heeft haar niet beschermd, hoewel wij vier
jonge geiten naar Zijn altaar hebben gezonden.'

'Ik kan u geen hoop geven,' zei Sanh Djerman Ragoshzki. 'Kinderen die deze koorts oplopen, herstellen er niet van. Ik ben de koorts
nog nooit bij iemand van haar leeftijd tegengekomen. Als ik haar behandel, zou het weleens vergeefse moeite kunnen zijn.'

'Wij hebben nu geen hoop,' zei de man uit Judea. Hij wachtte, in
zijn ogen glinsterden tranen.

Sanh Djerman Ragoshzki aarzelde en zei toen, als tegen zijn zin:
'Mocht ik haar leven kunnen redden – en ik ben er niet van overtuigd
dat ik daartoe in staat ben – zou het weleens zo kunnen zijn dat zij
niet meer zal kunnen lopen of voor zichzelf zal kunnen zorgen. Ik zeg
u nogmaals, ik heb deze koorts eerder gezien en het is dikwijls barmhartiger om hen die eraan lijden uit dit leven te laten ontsnappen. Als
zij in leven blijft, zal zij haar redding wellicht nog vervloeken.'

'Ik ben rijk,' zei de man uit Judea. 'Mijn naam is Elquanah ben Il-
lah en ik bezit vierenveertig ossen en zestig... drieënzestig geiten. Ik
heb drie concubines, waaronder een Hettitische. Mijn vrouw is verwant aan de oude Koning Saul. Wij staan in hoog aanzien in Hebron
en Judea en hier in Egypte. Ik heb de Hogepriester gezegd dat wij elke dag dat mijn dochter in leven blijft, een offer naar deze plaats zullen brengen.'

'Goed dan,' zei Sanh Djerman Ragoshzki, tegen beter weten in. 'Mijn
bediende zal u wijzen waarheen u haar kunt brengen. Er is een binnenplaats aan de achterzijde van de tempel. Hij zal u vergezellen.' Met
die woorden betrad hij de tempel en klapte tweemaal in zijn handen
voor Aumtehoutep.

Om eerlijk te zijn had ik niet verwacht dat zij de nacht zou halen, doch dat deed ze wel. Zij had iets weerspannigs in zich dat zich niet wilde overgeven aan de koorts. Eloine vocht voor haar leven en mettertijd sloot ik mij aan bij haar strijd en begaf mij buiten de grenzen die ik gedurende zo lange tijd had aanvaard.

'Weet je zeker dat je het wilt proberen?' vroeg Sanh Djerman Ragoshzki, toen hij zag hoe uitgeteerd haar benen waren.

Eloine kon niet helder spreken en elke ademteug kostte haar moeite, doch zij antwoordde met een gebaar dat ooit het hoofd in de nek werpen zou zijn geweest. 'Ja, ik moet.'

'Goed dan,' zei hij twijfelachtig, terwijl hij naast haar ging staan. 'Als je dit werkelijk wilt, zal ik je helpen.'

Haar glimlach had meer weg van een grimas, maar haar weerbarstigheid verleende deze schoonheid. 'Klaar?'

'Als je dit echt wilt,' zei hij, en hij maakte aanstalten haar overeind te helpen, wetend dat het hopeloos zou zijn. Haar teleurstelling zou zo bitter als gal voor hem zijn, doch hij hoopte dat zijn gevoelens voor haar niet zichtbaar zouden zijn terwijl hij haar optilde.

Zij hing in zijn armen als een zak graan, haar pogingen om haar ledematen onder bedwang te krijgen maakten haar toestand nog pijnlijker voor hem. Haar ogen waren hard als glas. 'Het zal mij lukken, Sanh Djerman. Ik zweer op het bloed van Hebron dat het mij zal lukken.'

'Een eed in bloed afgelegd is bindend,' zei hij, niet in staat haar deelgenoot te maken van zijn groeiende zekerheid dat zij nooit meer zou lopen of veel beheersing over haar armen en benen zou herwinnen. Dat zij nog in leven was, verbaasde hem en schonk hem de troost van dat sprankje onzekerheid dat voorkwam dat hij alle hoop voor haar opgaf.

'Dan zul je mij moeten helpen mijn eed na te komen,' zei zij, en zij liet zich toen terugvallen. Zij was uitgeput en haar vermagerde ledematen trilden. Haar blik hield de zijne vast. 'Je zult mij helpen, geneesheer.'

'Indien het in mijn macht ligt,' antwoordde hij vrijblijvend. 'Je bent...' Hij nam haar hand in de zijne, terwijl hij naar de juiste woorden zocht. 'Je bent zo broos en toch zo sterk.'

Ze wilde antwoord geven, slaakte een kleine zucht en zweeg.

Dat was de eerste keer dat ik experimenteerde met beugels en
mijn ontwerpen waren onbeholpen. Tot die tijd had ik mijn
behandelingen beperkt tot medicamenten en betere methodes
voor chirurgie, want de priesters van Imhotep was het toegestaan
operaties uit te voeren en, hoewel zij niet de mystieke meesters
waren waarvoor zovelen hen vandaag de dag zouden willen
aanzien, deden zij hun werk veel bekwamer dan menigeen in die
langvervlogen tijd. Zij konden gebroken ledematen zetten, veel
ziektes behandelen, pijn en lijden verzachten, ontstekingen
remmen en eenvoudige chirurgische ingrepen uitvoeren. De
beugels waren anders en leken in niets op wat ik daarvoor had
gedaan, of wat de priesters en geneesheren van Imhotep hadden
gedaan. Ik bood ze Eloine een tijd lang niet aan omdat ik vreesde
dat zij haar niet tot nut zouden zijn. Ik werd er gek van dat ik zo
weinig hulp kon bieden. O ja, ik voorzag haar van zalven om
haar huid soepel te houden en Aumtehoutep masseerde haar
tweemaal per dag. Ik zou dat zelf wel gedaan hebben, doch ik
kon mezelf niet vertrouwen haar aan te raken. Ik legde mijzelf
toe op het maken van beugels en dacht dat dat voldoende was.

'De boogschutters brachten mij op het idee,' zei Sanh Djerman Ragoshzki, toen hij de beugels aan Eloine aanbood. 'Hun bogen zijn buig-
zaam en behouden toch hun vorm.' Hij aarzelde. 'Ze zijn niet mooi
om te zien maar ze zullen je de steun geven die je zoekt.'

Zij keek naar de beugels en van haar gezicht viel niets af te lezen.
'Heb jij ze gemaakt?'

Zijn trots was gekrenkt; plotseling had hij de onredelijke wens dat
zij wist wat hij voor haar had gedaan. 'Ik ben de enige vreemdeling
onder de geneesheren van het Huis des Levens en ik word beschouwd
als de bekwaamste. Natuurlijk heb ik ze gemaakt. Wie anders hier heeft
genoeg kennis?' En wie anders zou ertoe bereid zijn? voegde hij er
voor zichzelf aan toe.

Zij lachte beteuterd. 'Zullen ze werken?' Haar spraak klonk helderder en zij was niet meer zo snel moe als een maand tevoren, waardoor haar aanhoudende zwakheid bijzonder teleurstellend voor haar
was.

'Ik weet het niet,' gaf hij toe. 'Het is beter dan je voortslepen op een
kinderkarretje.'

Zij kromp ineen bij zijn woorden. 'Ja, dat is waar,' gaf zij direct toe, terwijl zij met de gebruikelijke moeite rechtop ging zitten. 'De dood is beter dan een kinderkarretje.'

'Zeg dat niet.' Hij sprak zacht en op vlakke toon maar zij hoorden beiden zijn innerlijke smart.

Zij staarde hem een poosje aan. 'Ik ben kreupel. Ik ben er erger aan toe dan zij die aan toevallen lijden. Ik kan mij niet zonder hulp voortbewegen. Ik ben nutteloos.'

'Bloemen kunnen zich ook niet voortbewegen zonder hulp en toch zijn zij niet nutteloos.' Hij kwam dichter op haar toe. 'Als dit werkt, zul je in staat zijn je voort te bewegen.'

'Dat hoop je tenminste,' kaatste zij opgewekt terug. Toen knipperde zij tweemaal met haar ogen maar kon de tranen die langs haar gezicht gleden, niet tegenhouden.

Hij zag haar niet graag huilen en zonder erbij na te denken strekte hij zijn armen uit en trok haar naar zich toe, dicht tegen zich aan, alsof hij haar al zijn bovennatuurlijke krachten wilde verschaffen. Toen hij haar kuste, was het hem onmogelijk de rilling die hem doorvoer te verhullen maar dat wilde hij ook niet.

Zij leefde nog bijna twee jaar en elke dag dat zij bij mij was, vocht ik voor haar leven, net zoals zij zich tegen haar zwakheid verzette totdat zij geen kracht meer had om adem te halen. Ik heb nooit haar bloed geproefd, want zij was te zwak om ook maar een enkel druppeltje te kunnen missen; ik bezorgde haar echter wel zoveel plezier als in mijn vermogen lag en vond daarin een soort bevrediging die ik nooit had verwacht. Omdat wij beiden vreemdelingen waren, sloegen de priesters van Imhotep geen acht op ons; wij konden hun belangstelling niet opwekken voor de beugels, hoewel Eloine tot op zekere hoogte in staat was te lopen als zij ze droeg.

Toen zij dood was, voelde ik niets, zo groot was mijn pijn om haar verlies. De dag dat haar vader haar kwam halen, weigerde ik bijna haar aan hem mee te geven, hoewel ik wist dat er geen reanimatie voor haar mogelijk was, niet voor zulk een beschadigd lichaam.

In de daaropvolgende jaren, decennia lang, heb ik mij overgegeven aan studie en experimenten, alles dat maar een

barrière zou vormen tussen mijzelf en het verdriet dat ik om haar
voelde. Ik heb zeer veel geleerd en langzamerhand kreeg ik de
reputatie dat ik een gunsteling van Imhotep was, iets dat de
priesters met verbazing vervulde, aangezien het vanzelf sprak dat
geen vreemdeling dusdanig begunstigd kon zijn. In die tijd werd
mij toegestaan om grote hoeveelheden van mijn geboortegrond
per schip aan te laten voeren en voor het eerst hoefde ik geen
vrees meer te koesteren voor het zonlicht of voor reizen over
water. De priesters geloofden dat de aarde mijn kracht deed
toenemen, hetgeen in zekere zin waar was.

Je zegt dat je een deel van een tempel in Luxor hebt gevonden
waarvan je het vermoeden hebt dat dat het Huis des Levens was.
Volgens je beschrijving moet dat een deel van de latere tempel
zijn, daar de muren zijn versterkt. Vele, vele eeuwen lang werd de
Tempel van Imhotep omsloten door muren zonder versterking,
omdat dat niet nodig was. Dat deel werd in een rechte hoek ten
opzichte van de oudere tempel gebouwd en was aanmerkelijk
kleiner, een teken te meer van het geleidelijke verval van het
Zwarte Land.

Je vraagt mijn advies aangaande de Duitse geneesheer. Ik weet
niet wat ik moet zeggen. Als je hem tot een van ons bloed wilt
maken, is dat jouw keus. Maar denk je dat hij een vampier zal
willen zijn? Alle eigenschappen die je opsomt, zullen weinig
geneigd zijn het leven te aanvaarden waartoe wij genoopt zijn,
ervan uitgaand dat hij niet zal denken dat je hem onzin vertelt.
Je zegt me dat hij prat gaat op zijn pragmatisme en zijn verstand,
en dat zijn zeker bewonderenswaardige eigenschappen voor een
medicus; zou zijn verstand jouw aard verwerpen als iets uit het
volkse bijgeloof?

Ik hoop dat het zo zal zijn waar jij op hoopt, Madelaine. Ik vrees
dat ondanks de onmogelijkheid van onze situatie, ik die Doktor
Falke van jou benijd, die immers de rijkdom van jouw liefde zou
kunnen bezitten als hij niet al te rationeel is om hetgeen je hem
biedt te aanvaarden en als hij het geschenk dat jij geeft op
waarde weet te schatten.

Over vier dagen vertrek ik naar Boedapest; jouw brieven zullen
mij daar bereiken in het Empress Elizabeth Hotel. Ik zal
regelingen treffen voor meer zendingen met goede Karpatische

aarde en zal daar waarschijnlijk het grootste deel van de winter
blijven. Als je me nodig mocht hebben, laat het me weten, dan
vertrek ik onmiddellijk naar Egypte. Je hoeft je geen zorgen te
maken, ik kan mijn herinneringen opzij zetten of ik in Egypte
ben of waar ook ter wereld, vooral als jij daar ook bent.
Vreemd, terwijl ik dit schrijf hoop ik dat je mij zult laten komen,
en toch wil ik anderzijds niet dat je met enigerlei gevaar in
aanraking komt, het eind van het gevaar evenwel zou de
noodzaak voor mijn aanwezigheid tenietdoen. Het is een
dilemma waarmee ik leef sinds ik jou voor het eerst zag. Wees
ervan verzekerd dat ik naar je zal verlangen tot de
onherroepelijke dood. Niets zal dat wijzigen, mijn hart, hoeveel
andere dingen ook mogen veranderen.

Saint-Germain
(zijn zegel, de eclips)

December 1827 tot en met maart 1828

Tekst van een brief van Rida Omat aan een onbekende persoon in Thebe, in het geheim afgeleverd.

Mijn liefste licht van mijn ziel, roos van mijn liefde,

Vergeef mij alsjeblieft dat ik zo slecht in het Frans schrijf. Ondanks de lessen van Madame de Montalia ben ik de prachtige woorden van jouw land nog niet meester. Ik beheers deze taal nog niet voldoende om al die dingen tegen je te kunnen zeggen die ik zou willen zeggen. Mijn hart is van je vervuld en vindt weerklank bij jouw liefde, maar ik ben in deze taal ofwel van spraak verstoken of ik brabbel als een kind.

Hetgeen wij doen is bijzonder verkeerd, elkaar in het geheim ontmoeten zonder de goedkeuring van mijn vader, en het doet mij verdriet dat het zo moet zijn, want wij riskeren beiden zoveel. Ik zou niet anders kunnen dan naar je toekomen wanneer je mij laat halen, maar ik hoop dat je begrijpt hoeveel wij beiden te verliezen hebben: jij bent geen mohammedaan en als je met mij aangetroffen zou worden, zelfs al zou je mij de eerbare huwelijkse staat aanbieden, zouden ze je evengoed castreren. Ik zou, samen met een kat, in een zak genaaid en in de Nijl geworpen worden om te verdrinken, want ik zou mijn vader onteren en er bestaat geen uitweg voor een dochter die dat doet. Ik vertel je deze dingen niet om je angst in te boezemen of om je weg te jagen, maar om je duidelijk te maken waarom ik heb gezegd dat we voorzichtig moeten zijn, altijd voorzichtig.

Ik ben bang dat we een van je collega's in vertrouwen zullen moeten nemen, want ik kan mij niet verlaten op iemand in dit huishouden en als jij een bediende stuurt, zal er geroddeld worden, ongeacht welke bediende het is. Je zei dat je knecht Guibert volledig te vertrouwen is, en dat kan wel zo zijn, maar men kent hem als jouw bediende en hij zou zichzelf noch jou kunnen beschermen als er zich moeilijkheden mochten voordoen. Laat mij je smeken om een van je mensen als begeleider voor mij te laten optreden, een man die noch jou noch mij zal verraden, die niet zou besluiten om zijn stilzwijgen af te laten hangen van mijn inschikkelijkheid aan zijn verlangens. Dat zou ik niet verdragen. Het zou waarschijnlijk mijn hartstocht voor jou vernietigen als ik gedwongen zou worden daarover te onderhandelen met een andere man. Ik moet je verzoeken om zeer kieskeurig te zijn met wie je kiest, maar ik smeek je om iemand aan te wijzen, anders zullen wij niet veilig zijn. Ik vrees niet mijn eigen noodlot want zonder jou heeft mijn leven geen zin. Maar jij, ik zou nimmer van jou eisen die vernedering en dat verlies om mijnentwille te doorstaan. Ik weet reeds, mijn vader nog niet, dat ik een vrouw ben geworden die slechts door een Europeaan zou worden geaccepteerd, want geen Egyptenaar, geen ware mohammedaan, zou mij aanvaarden nu ik mij zonder ingetogenheid kleed en me schaamtelozer gedraag dan de meest ontaarde vrouwen in dit land. Ik heb aan niemand iets te bieden dan aan jou. Maar jij mag niet gedwongen worden die prijs te betalen omdat je mij liefhebt. Het zou te wreed zijn als ze van jou een vrouw zouden maken.

Hoe vind ik een manier om je te ontmoeten? Je zegt me dat je vrouw niets behoeft te weten van onze vereniging, dat je bereid bent hier volgens de islamitische wet met mij in het huwelijk te treden en niets te zeggen tegen je vrouw in Frankrijk, die christen is. Je vertelde me dat je voor mij zult zorgen terwijl je in Frankrijk bent en met me zult samenleven wanneer je hier bent. Ik kan mij niets heerlijkers voorstellen, niets dat mij gelukkiger zou maken. Ik vrees echter dat mijn vader zich zou verzetten tegen een dergelijke verbintenis, want hij wil niets liever dan zich gedragen in overeenstemming met de Europeanen en zou daarom een huwelijk zoals jij met mij wenst niet gunstig gezind zijn.

O, mijn allerliefste, mijn zonlicht, mijn liefdesbron, blijf niet te lang bij mij vandaan. Mijn benen trillen en openen zich nu reeds, gereed om jou tussen ze in te laten vlijen. Jouw eenogige kopje heeft mijn innerlijk gezien en rijkelijk vreugdetranen geplengd. Mijn buik verlangt ernaar om van jou vervuld te zijn.

317

Elke minuut dat je niet bij me bent, misgun ik je. Bij elke blik die je andere vrouwen schenkt, zelfs de oude en mismaakte, word ik verteerd door jaloezie. Je kunt niet weten hoe overweldigend mijn liefde voor jou is; alleen Allah – immer glorierijk – weet dat.

Ik zal vanavond bij de ingang van de kruidentuin wachten. Zo je boodschapper mocht komen, zal hij mij daar aantreffen. Ik kan die plaats bereiken zonder dat anderen daar iets van merken en dat zal ik doen. Maar ik kan daar niet bijzonder lang blijven, want dan bestaat de kans dat de bedienden me zullen zien. Daarom, drie uur na zonsondergang zal het tijdstip zijn dat ik daarheen zal gaan. Zeg tegen je knecht om een mantel voor mij mee te brengen en ervoor te zorgen niet aan de oostkant van het huis voorbij te gaan, want daar wordt het pluimvee gehouden en dat zal meer lawaai maken dan een meute wilde honden.

Tot ik weer bij je ben, adem ik slechts om de lucht te smaken die eens de jouwe was. Tot ik bij je ben, zal ik mij door vrouwen die mij bedienen laten masseren met zoete oliën en me inbeelden dat je al bij me bent.

In aanbidding,
Rida

Een

Toen zij haar paard in de schaduw van de muur tot staan bracht, wendde Madelaine zich tot haar metgezel. 'Wie waren deze goden, Trowbridge? Als het al goden waren.' Zij wees naar de enorme figuren die in bas-reliëf in de steen uitgehouwen waren. Zij bevonden zich aan de buitenzijde van de muren van de pas ontdekte kleine tempel die grensde aan het terrein waar zij al meer dan twee jaar met de opgraving bezig waren. Madelaine was ervan overtuigd dat dit het Huis des Levens was, de Tempel van Imhotep, hoewel niemand anders dat geloofde.

'Het moeten wel goden zijn,' zei Trowbridge na een kort, nauwgezet onderzoek. 'Dierenkoppen, allemaal behalve degenen die op mummies lijken.' Met half dichtgeknepen ogen keek hij naar het oosten, naar de zonsopgang. 'Kerstochtend,' zei hij ten slotte. 'En binnen twee uur is het zo heet als in een smidse. Waar is de sneeuw en wat dies meer zij?'

'Er ligt wat sneeuw in de bergen,' zei Madelaine. 'Niet hier in de woestijn.' Zij sprong uit het zadel en legde de teugels over het hoofd van haar merrie, opdat zij haar kon leiden terwijl zij liep.

'Maar Kerstmis zonder sneeuw. Of minstens regen,' zei hij, zijn eis afzwakkend, en hij schudde afkeurend zijn hoofd.

'Dat vind je in Europa, Trowbridge.' Zij grinnikte en keek nogmaals tegen de muur op. 'Wat denk jij ervan? Was dit de plaats waar zij hun zieken en stervenden heen stuurden?'

'Een tempel?' Trowbridge overdacht de vraag terwijl hij afsteeg. 'Ik zou niet denken dat ze zieke mensen naar een tempel zouden sturen. Een vreemd iets om te doen.' Hij leidde zijn paard tot waar Madelaine en haar paard stonden. 'Maar die Egyptenaren waren toch eigenaardige figuren. Nu u het zegt, brachten ze misschien best wel mensen die er slecht aan toe waren naar de tempel.'

'Dat deden ze,' zei Madelaine met overtuiging. 'Ze brachten ze hierheen.' Zij wees op het zand dat weggeruimd werd. 'Wij weten niet hoe groot dit bouwwerk was, nog niet, maar ik denk niet dat het zo groot zal blijken als de hoofdtempel. De muren zijn minder hoog en tot dusver is er geen zuilengang, slechts iets wat een reeks binnenplaatsen zou kunnen zijn. We weten meer als het zand weg is. Professor Baundilet denkt nog steeds dat dit slechts een ander deel van de hoofdtempel is. Hij hecht niet veel geloof aan mijn theorie.'

Trowbridge schraapte zijn keel. 'Niet om iets ten nadele van de Professor te zeggen, maar hij is een ietwat vreemde vogel, nietwaar?'

'Als dat betekent wat ik denk dat het betekent, ben ik bang dat dit zo is,' zei Madelaine ernstig. 'Ik maak me... zorgen om zijn gedrag.'

'Geen wonder. Die episode in de tuin: niet bepaald zoals het hoort. En er gaan geruchten. Niet het soort verhalen dat een heer kan herhalen,' zei Trowbridge, en hij deed er verder het zwijgen toe terwijl zij langs de muur liepen. Hij bleef staan bij een deels weggesleten figuur van een man met een ibiskop die een tablet vasthield waarop hij schreef. 'Het zou niet prettig zijn iets dergelijks om je heen te hebben, zou het? Ik begrijp niet hoe de Egyptenaren het aangenaam konden vinden, maar toch.' Hij fronste zijn voorhoofd bij de volgende fries, die half met zand was bedekt. 'Wat ligt er in die weegschaal?'

'Men zegt dat het een veer is. Als wij hem eenmaal hebben uitgegraven, zou aan de andere kant een kruik moeten staan.' Zij deed een paar passen achteruit en bestudeerde de fries, zoals zij die de laatste twee maanden elke ochtend had bekeken. 'Vraag me niet waarom een kruik en een veer.'

Trowbridge grijnsde. 'Dat wilde ik inderdaad vragen.' Hij draaide zich om omdat hij niet over het opgehoopte zand wilde klimmen. 'Hoe lang duurt het nog, denkt u, voordat deze plek opgeruimd is?' Hij gebaarde in de richting van de kleine tempel.

'O, dat weet ik niet. Jaren vermoed ik.' Zij liep achter hem aan. 'Het werk duurt eeuwig en dan zijn er ook nog altijd de autoriteiten om rekening mee te houden.'

'Jaren,' zei hij, en hij trok bedachtzaam zijn lippen samen. 'Dat vinden ze nooit goed.'

'Wie niet?' vroeg Madelaine verbijsterd.

'Moeder en vader. Die willen mij voor de zomer thuis hebben, vrees ik. Ze maken zich ongerust, weet u. Ik ben al te lang van huis en dat bevalt ze niet.' Hij bleef staan en keek haar aan. 'Ik laat u niet graag hier achter.'

Haar blik werd milder. 'Trowbridge...'

'O, ik ga u heus niet mijn liefde verklaren, hoor. Uw meest toegewijde, enzovoorts, maar meer ook niet. Dat heb ik u maanden geleden al verteld en ik ben niet veranderd. Ik verkeer niet in de positie om iemand het hof te maken en ik ben er ook nog niet aan toe. Om u de waarheid te zeggen zou ik net zo lief niet trouwen, maar daar zou vader nooit zijn goedkeuring aan schenken. Bovendien vertelde u dat u nooit zult trouwen en ik geloof u.' Hij keek haar lang aan. 'Het gaat om meer dan alleen maar het behoud van uw onafhankelijkheid, nietwaar?'

Madelaine richtte haar blik op de muur opdat ze hem niet in de ogen hoefde te kijken. 'Ja.'

'Dat dacht ik al,' zei Trowbridge op zijn eigen ontspannen wijze. 'Ik wilde het alleen zeker weten.' Hij vervolgde zijn wandeling. 'Waar het om gaat is, ik heb de kans gehad u gade te slaan. Ik merk dingen op.'

Zij vroeg het met tegenzin. 'Welke dingen?'

'Kleine dingen. U eet alleen, althans zo is mij verteld. Ik weet dat u niet in gezelschap eet. Het is mij opgevallen dat u geen spiegels bezit. Ik dacht eerst, nou ja, een mohammedaans land, spiegels worden met afkeuring bekeken. Maar het is meer dan dat, nietwaar?' Toen zij zweeg, zei hij: 'Men beweert dat nonnen geen spiegels hebben. Dat heeft met kuisheid of iets dergelijks te maken. Zij hebben ook niks op met haute cuisine. Met het oog op alles dat er in Frankrijk uit naam van het geloof is voorgevallen, kan ik begrijpen dat een non niet zou willen toegeven dat zij tot non gewijd is. Dat zou kwade gevolgen kunnen hebben, zelfs nu nog. Het schrikbewind speelde zich dertig jaar geleden af, maar het zou best kunnen dat het gevaar voor nonnen nog niet geweken is. Vooral als zij van goede familie zijn.' Hij keek neer op de leidsels die hij met zijn vingers had verstrengeld. 'U hoeft het me niet te vertellen als u dat niet wilt, maar...'

Het zou zo eenvoudig zijn om hem voor te liegen, dacht Madelaine. Hij had haar een welhaast volmaakt argument aangereikt. Hij zou tevreden zijn met de leugen; zij zou dat niet zijn. Zij schudde haar hoofd. 'Ik ben geen non, Trowbridge, zelfs niet een die gevlucht is.'

'Nonnen werden naar de guillotine gestuurd, nietwaar?' hield hij vol.

'Vele, vele mensen zijn naar de guillotine gestuurd; nonnen waren niet de enigen die het hoofd verloren,' zei Madelaine met gedempte stem.

Hij liep enkele minuten zwijgend met haar op en toen hij weer het woord nam, zei hij: 'Het is tijd om u naar die samenkomst te brengen die u elke ochtend bijwoont. De oudheidkundigen verwachten dat u komt.'

Zij knikte, opgelucht dat haar gedachten werden onderbroken. 'Ja, u hebt gelijk. Professor Baundilet wil dat we na de mis onze projecten nog met hem doornemen.'

'Heeft u de mis bezocht?' vroeg Trowbridge lichtelijk verbaasd.

'Een monnik maakt deel uit van mijn huishouding. Hij gaat elke ochtend voor in een Koptische dienst,' zei zij zonder eraan toe te voegen dat zij deze nooit bijwoonde.

Trowbridge knikte. 'Zal wel vreemd zijn.'

'Wat zal wel vreemd zijn?' vroeg zij, toen zij op het punt stond haar paard weer te bestijgen.

'Die Koptische monnik. Het zijn geen christenen zoals wij, nietwaar? Niet om iets in hun nadeel te zeggen, begrijpt u, maar het is soms moeilijk ze als christenen te beschouwen.' Hij gaf een paar klopjes op de hals van het paard. 'Laat mij u helpen opstappen,' bood hij aan.

Madelaine zat reeds in het zadel en schikte haar rokken over de gebogen hoorn. 'Doe geen moeite, Trowbridge,' zei zij glimlachend. 'Ik klim al langer op paarden dan u zich kunt voorstellen.'

'Ongetwijfeld,' zei Trowbridge, terwijl hij zijn paard besteeg. 'Er zijn vanavond enige feestelijkheden als u zin heeft om naar het door ons gehuurde huis te komen. Punch en kerstliederen en dat soort dingen, denk ik.' Hij glimlachte breed tegen haar. 'Ik zou mij verheugen in uw gezelschap.'

Zij schudde haar hoofd. 'Beter van niet,' zei zij. 'Professor Baundilet ziet niet graag dat zijn oudheidkundigen al te veel optrekken met leden van andere expedities als hij niet van de partij is. Hij wil dat wij op onszelf blijven. Ik weet dat hij deze avond met Monsieur Omat doorbrengt.' Zij maakte een ongeduldig gebaar. 'Maar als u overmorgenochtend uit rijden wilt gaan, zal ik blij zijn met uw gezelschap.'

'Ik zal mij tegen het aanbreken van de dag melden,' zei Trowbridge gretig.

'Mooi,' verklaarde zij, en zij wendde haar merrie van de ruïnes af.

Terwijl zij over de stoffige weg draafden, glimlachte Madelaine plotseling spijtig. 'Het dringt juist tot mij door; waarom het niet op kerstochtend lijkt.'

'Omdat het zo heet is als een bakkerij en zo droog als oude botten,' zei Trowbridge.

'Nee. Omdat er geen klokken zijn,' zei Madelaine. Het was meer dan vier jaar geleden dat zij kerkklokken had gehoord. Zij kreeg een verre blik in de ogen. 'Ik mis de klokken.'

Trowbridge hield zijn paard ietwat in en ging stapvoets verder. 'Daar zegt u zo wat.' Zijn ronde gezicht stond plotseling volslagen ernstig en Madelaine besefte dat hij bij het stijgen der jaren niet langer op een cherubijn zou lijken, dan zou hij een buldog worden. 'Een neef van mij – ik heb er tientallen – is geestelijke, zo een die meer houdt van port en jagen dan van het lezen van de Heilige Schrift. Ik vraag mij af wat hij hiervan zou vinden?' Hij gebaarde naar de ruïnes en de lage dorpsgebouwen die dezelfde stofkleur hadden als de verre rotsen.

Madelaine toomde haar merrie eveneens in. 'De jacht hier is bijzonder slecht.'

Hij lachte hartelijk om deze opmerking. 'O god, die moet ik onthouden. Wanneer ik terug ben in Engeland zal ik het hem vertellen.' Hij fronste zijn voorhoofd. 'Ik zou veel liever niet gaan. Op sommige dagen zou ik het liefst de woestijn in lopen en verdwijnen. Maar dan,' vervolgde hij op luchtige toon, 'bedenk ik hoe afgrijselijk de hitte is en hoe troosteloos de woestijn, en dan besef ik dat ik de voorkeur geef aan Engeland.'

Madelaine lachte, evenzeer omdat het van haar werd verwacht als uit oprecht vermaak. Zij kwamen in de buurt van Professor Baundilets huis en zij was onwillig deze aangename ochtend te verruilen voor een volgend rondje oudheidkundig gekibbel. 'Van de twee is Engeland het aangenaamst,' zei zij.

'Dat vind ik ook,' zei Trowbridge. Hij ging met zijn paard aan de kant om een aanrijding te vermijden met een ezel die een kar voorttrok.

Zij hadden nu bijna Professor Baundilets huis bereikt en waren nog langzamer gaan rijden. 'Het was bijzonder aardig van u om vanmorgen met mij mee te gaan, Trowbridge.'

'Het genoegen is geheel mijnerzijds,' zei Trowbridge, terwijl hij in het zadel een buiging maakte.

Zij waren nu bij het hek aangekomen en Madelaine belde aan om het hek te laten openen. 'Niet helemaal; ik geniet evenzeer van deze ritten.' Zij gleed uit het zadel en keek van waar zij stond naar Trowbridge op. 'Overmorgen dan.'

'Rond de dageraad,' beaamde hij, en hij wendde zijn paard af toen Baundilets bediende het hek openmaakte.

Baundilet stond in de deuropening te wachten terwijl Madelaine haar paard aan een stalknecht overdroeg. Hij was gekleed in een wijd Egyptisch gewaad en droeg versleten sandalen in plaats van schoenen. Slechts het crucifix om zijn hals duidde op de dag van het jaar en zijn geloof. 'Daar bent u dan. U bent de eerste.'

'Vrolijk kerstfeest,' zei Madelaine terwijl zij op hem toeliep, en onder het lopen bedacht zij dat hij er in Egyptische kledij minder belachelijk uitzag dan de meeste Europeanen.

'Insgelijks. En een gelukkig nieuwjaar dat spoedig zal beginnen.' Zijn glimlach was bezitterig, eerder roofzuchtig dan hartelijk. 'Kom binnen, kom binnen. Ik heb het ontbijt laten klaarzetten. Wellicht zult u uw soberheid voor deze keer vergeten, Madame?' Hij deed een stap opzij en met een buiging liet hij haar het huis binnen.

'Dank u, maar ik neem op dit tijdstip geen voedsel tot mij,' zei zij, zoals zij reeds zo dikwijls had gezegd.

'Wanneer neemt u wel voedsel tot u, vraag ik mij af?' vroeg hij ietwat sarcastisch. 'De la Noye en Enjeu zullen spoedig hier zijn. Jean-Marc heeft laten weten dat hij wat later komt; hij is met LaPlatte naar de mis.' Hij wees naar de hoofdsalon, die pas geleden in Egyptische stijl aangekleed was. 'Wij kunnen de bedienden desgewenst de aantekeningen laten brengen.'

'Ik zou graag de schetsen zien die Enjeu heeft gemaakt van de muur die wij ontdekt hebben. Ik heb er op weg hiernaartoe nog een blik op geworpen en ik geloof dat hij wellicht enkele details heeft weggelaten.' Zij zag dat er nog twee Franse stoelen in de kamer stonden en koos er een voor zichzelf uit. 'Ik ben er niet op gekleed om aan te liggen, Professor Baundilet,' zei zij ter verklaring.

'U kunt mij hier toch zeker Alain noemen.' Hij ging voor zichzelf koffie inschenken en vroeg al doende: 'Heeft het zin u een kop aan te bieden?'

'Slechts de zin van goede manieren,' zei Madelaine. 'Mag ik u bedanken.' Zij ging zitten, haar handen in de schoot gevouwen.

'Ik heb weinig tijd gehad om uw laatste aantekeningen en schetsen te bekijken. Ik begrijp dat u volhoudt dat de decoratieve randen eigenlijk inscripties zijn. Bijzonder interessante veronderstelling; ik zou weleens willen weten hoe u daarbij komt. Wellicht is het mogelijk dat wij in de loop van deze week op een avond kunnen bespreken waar u zich mee bezighoudt?' Hij ontblootte zijn tanden. 'U mag uitkiezen waar wij elkaar zullen ontmoeten.'

'Waar u ook maar met de anderen samenkomt is wat mij betreft uitstekend,' zei Madelaine op haar meest onverschillige toon.

'Maar u weet hoe omstreden uw werk juist nu is en er zouden discussies kunnen ontstaan en argumenten worden opgeworpen die nergens toe zouden dienen. U houdt hardnekkig vast aan deze onorthodoxe denkbeelden en dat leidt slechts tot ergernis bij de anderen; er is geen reden om hen deel te laten nemen aan onze bespreking, niet als ik een beter inzicht in uw werk en ideeën wil krijgen. Als u en ik een gesprek kunnen voeren zonder door de anderen gestoord te worden, zouden wij meer vooruitgang kunnen boeken, een betere verstandhouding kunnen verkrijgen.' Hij liet het woord in de lucht hangen alsof het lichaam en vorm bezat. 'U heeft er nog geen verklaring voor gegeven waarom u dergelijke theorieën aanhangt. Ik wil er meer van weten, opdat ik de waarde kan bepalen van hetgeen u doet.' Ditmaal was zijn glimlach gladjes ontspannen. 'Een uur of twee moet genoeg zijn, Madame. U en ik kunnen tot een uitstekende verstandhouding komen.'

Madelaine weerstond de neiging om op te staan en de salon te verlaten. 'Ik denk niet dat ik bereid ben te doen wat u voorstelt,' liet zij hem weten.

'Heeft u dan geen vertrouwen in uw theorie?' Er blonk nu spot in zijn ogen en iets hards en onverzoenlijks.

Zij veranderde van onderwerp. 'Wat heeft u van de universiteit gehoord? U zei dat u voor het eind van het jaar bericht verwachtte.'

'Dat is zo; wij hebben nog een week te gaan in 1827. Zij hebben het afgelopen jaar regelmatig verslagen en zendingen van mij ontvangen. Ik veronderstel dat ik iets zal horen, zodat wij kunnen vaststellen hoe de expeditie het komende jaar zal vorderen. Ik weet niet hoeveel geld ditmaal beschikbaar zal worden gesteld. Ik vrees dat hun belangstelling voor hetgeen wij doen afneemt.' Hij slaakte een kleine zucht toen hij een zitkussen vond en erop neerzeeg, het kopje koffie perfect in evenwicht houdend. 'Als ik niet aan voldoende geld kan komen om door te gaan...'

Madelaine keek naar het raam en de binnenplaats, waar een fonteintje klaterde. 'U bedoelt dat u meer geld van mij nodig heeft teneinde de expeditie hier te kunnen handhaven.' In haar stem klonk geen enkele emotie door en die misleiding schonk haar voldoening.

'Zover zou het zeker kunnen komen,' zei Baundilet zwaarmoedig. 'Het spijt mij, Madame, dat ik u een dergelijk verzoek moet doen.'

'Dat betwijfel ik,' antwoordde zij, en haar toon was iets minder koel. 'U heeft nooit eerder geaarzeld; waarom nu dan wel?'

'Waarom?' Hij nam een slokje van de dikke, zoete koffie. 'Het is niet comme-il-faut voor een academicus in mijn positie om zoveel hulp te vragen van iemand als u. O, ik heb er niets op tegen een geldschieter te zoeken, maar het is niet zoals het hoort u op deze manier lastig te vallen.' Hij keek op toen de bel op de binnenplaats luidde. 'De la Noye, vermoed ik.' Hij knipperde geërgerd met zijn ogen. 'Hij is vroeg.'

'Hij en Enjeu,' zei Madelaine, opgelucht dat zij en Baundilet niet langer alleen zouden zijn.

Beide mannen werden naar het vertrek begeleid door Baundilets huisbediende, die niet bleef om nodeloze introducties te verrichten.

De la Noye liep het vertrek door en kuste Baundilets wangen, terwijl hij hem een vrolijk kerstfeest wenste. 'Ik was bijna vergeten wat voor dag het was tot Thierry mij eraan herinnerde. Het is toch niet voor te stellen dat het Kerstmis is?' Lachend liep hij naar waar de koffie stond om voor zichzelf in te schenken en hield slechts even in om in Madelaines richting te knikken.

Thierry Enjeu was hoffelijker. 'Moge God u een vrolijk kerstfeest bezorgen, Madame,' zei hij tegen Madelaine, terwijl hij doorliep om zijn koffie te halen. 'Ik hoop dat uw inspanningen in het nieuwe jaar beloond zullen worden.'

'Dank u,' zei Madelaine. 'Ik hoop dat het nieuwe jaar voor u eveneens succesvol zal zijn.' Terwijl Enjeu koffie inschonk, viel het haar op dat hij de afgelopen maanden nog magerder was geworden. Terwijl hij voorheen slungelachtig was geweest, was hij nu hoekig, de beenderen in zijn gezicht staken door de spieren heen als een carnavalsmasker. Het idee kwam nogmaals in haar op dat hij ziek was.

'Ik hoop dat de volgende zending uit Caïro mijn pijptabak zal bevatten,' klaagde De la Noye met montere barsheid. 'Als ik gedwongen word nog meer van wat zij hier te bieden hebben te roken, zal ik aan longontsteking bezwijken.' Hij zat op de divan met zijn voeten op een van de enorme kussens. 'Dit is *de* manier voor een man om zich te ontspannen.'

'Mijn bedienden zullen dadelijk het ontbijt opdienen,' zei Baundilet en hij voegde eraan toe: 'U bent vanzelfsprekend geëxcuseerd, Madame.'

'U bent allerhoffelijkst,' zei Madelaine en zij vroeg zich af hoeveel langer zij geacht werd te blijven. Zij had er al spijt van dat zij de uitnodiging had aangenomen. 'Wellicht staat u mij toe de schetsen en aantekeningen te bekijken terwijl u ontbijt? Dat zou ik zeer op prijs stellen.'

'Altijd aan het werk,' zei De la Noye niet onvriendelijk. 'Wat bent u toch ijverig.' Hij legde zijn hand op zijn hart. 'Ik ben zeker niet zo toegewijd als u, vooral niet vandaag, nu er van mij wordt verwacht feest te vieren.'

'Drijf niet de spot met haar, Merlin,' zei Enjeu op vermoeide toon. 'Als zij de schetsen wil bekijken, laat haar dan. Zij kan nog altijd haar eigen schetsen maken als die van ons haar niet bevallen.' Hij dronk snel zijn koffie op en schonk nog eens in.

'Je was gisteravond uit, Alain,' zei De la Noye, terwijl hij zich dieper in de kussens nestelde.

'Hoe kom je daarbij?' vroeg Baundilet ietwat verbaasd.

'Enkelen van ons hebben aan de poort gebeld en men vertelde ons dat je er niet was,' zei De la Noye, terwijl hij zijn koffie opdronk.

'O, daar moet je niet op letten. Ik heb mijn bedienden gezegd dat ik wat tijd voor mezelf nodig had. Je weet hoe ze zijn als je ze dergelijke instructies geeft.' Hij keek op toen zijn huisbediende terugkwam. 'Wat is er, Ahzim?'

'Alles staat gereed in de eetkamer,' zei Ahzim, en hij maakte een buiging waar meer respect uit sprak dan iemand in de kamer verdiende.

'Op zekere dag zal je onbeschaamdheid te ver gaan,' zei Baundilet, waarbij hij in zijn poging het plaatselijke dialect te spreken de klemtoon totaal verkeerd legde.

'Wat u zegt, Professor,' zei Ahzim, en hij maakte een tweede buiging alvorens de kamer te verlaten.

'Wat is er met je huisbediende aan de hand?' vroeg Enjeu, nieuwsgierig geworden door wat hij zojuist had gezien. 'Het is niet dezelfde knaap die je zes maanden geleden had.'

'Nee. Deze werd aanbevolen omdat hij het Frans enigszins meester is, maar brutaal is hij ook,' zei Baundilet. 'Ik neem echter aan dat we net zo goed kunnen gaan ontbijten. Het is een aanmatigende schurk, maar hij zou het ontbijt niet aankondigen als het niet klaarstond.' Zijn lach klonk ietwat geforceerd, maar de anderen lachten beleefd met hem mee en verlieten de kamer, op Madelaine na, die opstond zodra de mannen vertrokken waren.

Zij overlegde net bij zichzelf of zij het kon riskeren om naar Baundilets studeerkamer te gaan, toen zij de deur nogmaals open hoorde gaan, ditmaal om LaPlatte en Jean-Marc Paille binnen te laten. Zij bleef staan luisteren in de hoop dat de nieuw aangekomenen rechtstreeks naar de eetkamer zouden gaan; zij was er zeker van dat de huisbediende hen daarheen zou brengen. Als zij allemaal aan het ontbijt zaten, zou zij op onderzoek uit kunnen gaan.

'Ik kom er zo aan,' zei Jean-Marc vlak bij de salondeur en een ogenblik later kwam hij het vertrek binnen. 'Madame de Montalia,' zei hij, en hij voegde er als een late inval aan toe: 'Vrolijk kerstfeest.'

'Insgelijks,' zei Madelaine, geërgerd door zijn goede wensen. 'Bent u naar de mis geweest?'

'Ja. Een geïmproviseerde aangelegenheid, maar beter dan Kerstmis doorbrengen met alleen het feest vanavond.' Hij liep op haar toe en kuste haar hand, waarbij hij zijn best deed om ongedwongener over te komen dan hij zich voelde. 'Ik hoopte al dat ik u hier zou treffen.'

'Om welke reden?' vroeg Madelaine, die Jean-Marcs onrust bespeurde nu zij hem nauwkeuriger kon gadeslaan. Zijn ogen, zag zij, lagen diep in hun kassen en hadden donkere wallen. Hij had zich gesneden bij het scheren, en toen hij koffie inschonk, beefden zijn handen. 'Wat is er aan de hand, Jean-Marc?'

Hij gaf haar niet rechtstreeks antwoord. 'Het is niets waar u zich zorgen om hoeft te maken. Ik... ik zal het toch wel bij het verkeerde eind hebben.'

'Waar heeft u het over?' vroeg zij, en het viel haar op dat hij niet slechts van streek was, maar bevreesd. 'Wat is er?'

Hij schudde zijn hoofd. 'Er is geen reden om u zorgen te maken.'

'Waarom nam u dan de moeite om mij nu aan te spreken?' vroeg zij op haar redelijkste toon. 'U wilt mij iets vertellen. Wat wilt u weten?'

Hij schudde eenmaal met zijn hoofd alsof hij zijn gedachten van zich af wilde zetten en zei toen, met snelle, gedempte woorden: 'Herinnert u zich de voorwerpen die wij in dat verborgen compartiment hebben gevonden? Die we onderling hebben verdeeld?' In een teug dronk hij zijn koffie op en hij schonk nog eens in.

'Natuurlijk herinner ik mij dat,' zei zij rustig.

'Er was een beeldje van een ibis bij. Weet u nog?' Hij dronk het tweede kopje leeg en schonk een derde in, terwijl hij zei: 'Er is geen koffie meer.'

'Ik herinner me de ibis. Er zat een ring aan vast zodat hij gedragen kon worden, dat dachten we tenminste.' Zij liep wat dichter naar hem toe. 'Wat is er?'

'Ik ben er zeker van dat ik de ibis heb gezien,' zei hij. 'Het moet wel dezelfde zijn geweest. Er zijn geen andere geweest. Maar ik heb hem aan Professor Baundilet gegeven, zoals het hoort. Ik heb hem tevens mijn verslag gegeven.' Hij staarde neer in het kopje, naar het koffiedrab onderin. 'Ik dacht dat ik juist had gehandeld.'

Madelaine wist hier niets op te zeggen. Zij wilde geen veronderstellingen uitspreken want zij vermoedde dat Jean-Marc zou schrikken van dergelijke denkbeelden. Zij gebaarde naar de divan. 'Waarom gaat u niet zitten?'

'Dat kan niet,' zei hij met toenemende nervositeit. 'Ik moet gaan ontbijten. Maar ik wilde dat u wist dat ik de ibis weer heb gezien, nadat ik hem aan Professor Baundilet heb gegeven.'

'In zijn rapport of bij zijn zendingen?' Madelaine wist met zekerheid dat zijn antwoord ontkennend zou zijn.

'Mademoiselle Omat droeg hem. Hij hing aan een gouden ketting om haar hals. Ik kwam haar tegen bij een bijeenkomst gisteravond. Zij zei dat het een geschenk van haar vader was.' Hij zette het kopje neer en staarde naar het plafond. 'Hoe kan het een geschenk van haar vader zijn? Hoe kan haar vader hem per slot van rekening in zijn bezit hebben gekregen? Ik heb hem aan Professor Baundilet gegeven.'

'U heeft meer voorwerpen aan Professor Baundilet gegeven die niet naar de universiteit zijn gestuurd,' zei Madelaine; haar toon was niet langer meelevend, en haar houding streng. 'U heeft hem geholpen met zijn handel in antiquiteiten, en dat hij daarin handelt is zeker, ongeacht wat hij de rest van ons vertelt.' Zij sloeg haar armen over elkaar. 'Waar of niet?'

Hij kon haar niet aanzien. 'Ik had geld nodig, Madame. U weet niet wat het betekent om geld nodig te hebben. Maar ik heb nooit ingestemd met een dergelijke verkoop. Mij is verteld dat mijn vondsten naar de universiteit zouden worden gezonden en dat de ontdekking ervan tot mijn verdienste zou worden gerekend.' Hij ging plotseling overeind zitten. 'Maar hij heeft hem niet opgestuurd.'

'Daar ziet het wel naar uit,' zei Madelaine.

'Het was mijn ontdekking, de mijne! Hij had naar de universiteit gezonden moeten worden. Mij is gezegd dat hij verstuurd was!' Hij had met stemverheffing gesproken en hij keek nu snel schuldbewust om zich heen. 'Als iemand hem herkent, zullen ze zeggen dat ik hem heb verkocht. Als de universiteit ervan hoort, zullen ze niet...' Hij brak af toen Ahzim in de deuropening verscheen.

'Professor Baundilet en de anderen wachten op u, Monsieur Paille,' zei hij met overdreven hoffelijkheid.

'O, god,' fluisterde Jean-Marc, en hij liet bijna zijn kopje vallen. Hij draaide zich om en keek Ahzim aan alsof hij bij een misdaad werd betrapt. 'Ik... wilde een paar woorden met Madame de Montalia wisselen,' stamelde hij, terwijl hij zijn kopje met trillende handen opzij schoof. 'Niets van belang, heus. Het kan wachten. Het is een onbelangrijke zaak. We zullen die een andere keer ophelderen. Ik kom eraan.' Hij keek vluchtig naar Madelaine. 'Ik weet niet wat ik moet doen.' Met die woorden maakte hij een vluchtige buiging en liet haar alleen.

Madelaine pakte Jean-Marcs kopje op en zette het op tafel bij de andere: al die tijd kon zij het beeld van het snuisterijtje in de vorm van een ibis niet uit haar gedachten bannen. Meer dan Kerstmis, meer dan de inscripties en de pas ontdekte tempel eiste de ibis haar aandacht op en verdreef alle andere gedachten uit haar hoofd.

Tekst van een brief van Claude-Michel Hiver in Arles aan Merlin de la Noye in Thebe.

Mijn beste vriend en collega De la Noye,

Ik dank je voor je bezorgdheid: inderdaad, mijn herstel vordert gestaag. Zoals ik Jean-Marc reeds vertelde, ben ik een van de gelukkigen. In feite heeft de geneesheer hier mij verteld dat de behandeling die Saint-Germain mij verschafte bijzonder heilzaam was. Hij liet mij weten dat van een steek zoals door mij opgelopen, bekend was dat deze vaak resulteerde in het verschrompelen van ledematen of het verlies van gevoel, hetgeen bij mij niet het geval blijkt te zijn. Wekenlang heb ik gevreesd dat dit zou gebeuren; nu verheugt het mij je te kunnen zeggen dat ik bijna net zo sterk ben als vroeger en de gevolgen van de steek minimaal blijken te zijn. Als ik dit jaar goed doorkom, is het wellicht mogelijk in de toekomst naar Egypte terug te keren. Terwijl ik dit schrijf, kan ik je niet uitleggen wat een heerlijk gevoel die voorspelling mij bezorgt. Hier bereidde ik mijzelf voor op een leven van studie zonder veldwerk, voor eeuwig gedoemd om door anderen gevonden schatten te onderzoeken. Dat zou waarachtig het ergste noodlot zijn dat ik kan bedenken. Nu is mij verteld dat het misschien mogelijk zal zijn naar Egypte terug te keren. Ik zou mij niet beter voelen als mij gratie was verleend voor een levenslange veroordeling tot de gevangenschap van wetenschap zonder expedities. Het is niet mijn bedoeling om het academische leven te belasteren, maar voor diegenen van ons die te velde trekken om onze studie te volgen, zijn bibliotheken en collegezalen armzalige plaatsvervangers.

Ik beken dat ik je brief met gretigheid heb gelezen, elk snippertje informatie dat je mij schenkt verslindend, je benijdend omdat je daar bent en deel kunt hebben aan deze ontdekkingen. Je beschrijving van de kleinere tempel die je hebt opgegraven, heeft mijn verbeelding zo aangewakkerd dat ik mij er amper van kan weerhouden Professor Baundilet of Madame de Montalia te schrijven om hun te vragen mij schetsen en verdere informatie over de plek op te sturen. Je zult wel bijzonder opgewonden zijn een dergelijke ontdekking gedaan te hebben. Om een tempel te vinden die voorheen onbekend was, wellicht eeuwenlang! Ik zou willen dat ik erbij was geweest toen hij werd gevonden. Ik begrijp niet waarom er niet meer is gedaan om hem uit te graven; maar ik veronderstel dat het voorzichtig moet gebeuren, ervoor zorgend dat alles intussen opgetekend wordt.

Omdat mijn herstel voorspoediger gaat dan ik had gehoopt, heb ik een mogelijkheid gezocht om aan verscheidene universiteiten lezingen te geven over de oudheidkundige ontdekkingen in Egypte. Het zal mij een betere kans geven om in de herfst een

docentschap te vinden en het zal mij ook van pas komen indien
en wanneer ik zover ben om naar Egypte terug te keren voor
verdere studie. Ik ben van plan om een deel van mijn lezing te
wijden aan het werk dat jullie nog steeds in Egypte verrichten. Ik
geloof dat het jullie doel zal dienen en voor mij nuttig zal zijn.
Als er iets is dat je graag door mij besproken zou zien, hoef je mij
dit maar te laten weten en als er vondsten ter discussie staan,
waarschuw mij dan, zodat ik de studies die natuurlijk doorgaan
terwijl ik dit schrijf, niet in gevaar zal brengen. Je mag dit
beschouwen als mijn verzoek om jouw hulp bij de voorbereiding
van mijn voordrachten en ik smeek je bij voorbaat mijn dank te
aanvaarden voor de ontvangst van je antwoord.

De zorgen die ik enkele maanden geleden tegenover Jean-Marc
Paille uitsprak, blijven onveranderd. Ik vertelde hem dat
Professor Baundilet zijn monografieën over de onderzoeken van
zijn expeditie op dusdanige wijze heeft gepresenteerd, dat het lijkt
of alles zijn eigen werk is. Ik veronderstelde, nadat ik dit onder de
aandacht van Jean-Marc had gebracht, dat Baundilet zich
inschikkelijker zou tonen, maar ik vrees dat dit niet het geval is.
Een man met jouw ervaring en jaren van oudheidkundige studies
behoort hiervan op de hoogte te zijn, opdat je maatregelen kunt
treffen om te voorkomen dat je huidige werk in zijn totaliteit
door Baundilet wordt opgeëist. Sta mij toe je nu te vertellen dat
ik teleurgesteld ben in hetgeen Professor Baundilet heeft gedaan;
en hoe meer ik van zijn monografieën zie, des temeer ben ik
geneigd te denken dat in sommige opzichten de schorpioenensteek
een gelukkige ontsnapping betekende.

Ik sluit een exemplaar van Victor Hugo's nieuwe roman,
Cromwell, bij, die veel aandacht heeft gekregen. Ben je een
bewonderaar van Hugo? Ik heb geprobeerd mij voor de geest te
halen wat je over hem hebt gezegd, maar tevergeefs. In elk geval
denk ik dat je dit een interessant werk zult vinden. Ik herinner
me dat je meermalen je onvrede uitsprak over het feit dat je zover
achter liep met betrekking tot nieuwe boeken en daarom ben ik
zo vrij geweest dit exemplaar voor je te kopen. Ik heb het nog niet
uitgelezen en kan er dus nog geen commentaar op geven.
Wanneer je weer schrijft, en ik hoop dat je dat spoedig zult doen,
laat me dan weten hoe je over dit boek denkt. Ik vind Hugo een

bijzonder overtuigend schrijver, maar ik weet dat niet iedereen mijn mening deelt.

Ik heb vernomen dat er een hevig gevecht heeft plaatsgevonden tussen de vloot van Egypte en Turkije tegen Franse, Britse en Russische strijdmachten. Heeft die gebeurtenis invloed gehad op je werk in Thebe, of gaat dit net zo door als voorheen? Het is moeilijk je voor te stellen dat er een oorlog aan de gang is als je je bezighoudt met de opgraving van ruïnes die zo oud zijn als de bewuste tempels. Hoe het ook zij, ik hoop dat je niet slecht wordt behandeld vanwege een strijd die ver weg plaatsvond.

Wees zo goed mijn groeten over te brengen aan alle expeditieleden, en vooral aan Madame de Montalia. Zonder haar goede diensten vrees ik dat ik er heel wat slechter aan toe zou zijn dan ik nu ben. Als ik denk aan het risico dat zij om mijnentwille heeft genomen, verbaast mij dat steeds weer opnieuw en ik vraag mij af of ik haar moed zou hebben gehad als de omstandigheden omgekeerd waren geweest. Niet al mijn herinneringen zijn zo verschrikkelijk of zo vol emoties. Ik denk vaak aan jullie allemaal, en wel met een groot gevoel van vriendschap. Wanneer ik eindelijk naar Egypte terug mag keren, hoop ik dat ik het geluk zal hebben weer met je samen te werken, Merlin, of met degenen van jullie die in Egypte blijven, want ik ben ervan overtuigd dat de Baundilet-expeditie – zonder Baundilet – heeft bewezen een van de meest succesvolle te zijn die ooit naar dat verre land is uitgezonden. De hemel zag ooit glimlachend op mij neer; misschien zal die mij andermaal gunstig gezind zijn. Laat alsjeblieft in elk geval een paar mysteries onopgelost voor wanneer ik terugkom.

Met de meest oprechte groeten,
Claude-Michel Hiver
22 januari 1828, te Arles

Twee

Lasca's kreet weergalmde nog in de hal toen Erai Gurzin zijn kamer uitvloog en haar, met zijn habijt in wanorde, te hulp spoedde. Zijn kap was naar achteren geslagen en onthulde zijn grijzende randje haar. 'God bescherm mij!' jammerde Lasca terwijl zij achteruitlopend de kleedkamer verliet, waarbij zij bijna in botsing kwam met de monnik.

'Wat is er aan de hand?' vroeg hij, haar dwingend hem aan te kijken.

Na drie diepe ademteugen was zij in staat antwoord te geven. 'Een adder. Christus! *Een adder*! Hij is enorm groot.' Zij huiverde en haar ademhaling ging snel; zij zag lijkwit.

'Een adder!' Gurzin was ontsteld. 'Hier?'

'Ik maakte de kist open. Ik maakte hem open en daar was de adder.' Zij sloeg een kruis en verborg haar gezicht in haar handen. 'Hij is verschrikkelijk groot.'

'Zit hij er nog?' vroeg Gurzin terwijl hij haar stevig bij de schouders vasthield om haar aandacht niet te verliezen. 'Zeg het me!' Hij keek naar de openstaande deur van de kleedkamer. 'Heb je de kist gesloten?' Toen zij geen antwoord gaf, verhief hij zijn stem. 'Denk na, vrouw! Heb je de kist gesloten?'

'Ja!' Ze staarde hem aan. 'Nee. Ik weet het niet meer.'

'Welke kist was het?' vroeg Gurzin, die zijn best deed kalm te blijven.

Vanaf halverwege de trap naar boven riep Renenet: 'Wat is er aan de hand?'

'Ik regel het zelf wel,' verzekerde Gurzin de huisbediende. Hij hoopte dat Renenet niet helemaal naar beneden zou komen want hij wilde niet dat het praatje over de slang zich door het huishouden verspreidde. 'Een ongelukje.' Hij schudde Lasca heel even niet al te hard door elkaar. 'Welke kist?'

'Die Russische op pootjes. Bij de mangel.' Haar stem klonk minder

334

schel, maar haar ogen stonden glazig van angst. 'Ik... ik durf die kamer niet meer in. Dwing me daar niet toe.'

'Wat zit er in die kist?' vroeg Gurzin.

Lasca antwoordde heftig: 'De slang!'

'Afgezien daarvan.' Gurzin besefte dat hij de vraag anders had moeten formuleren. 'Wat zit er nog meer in? Wat nog meer, behalve de slang.'

'Halsdoekjes, sjaals, capuchons, omslagdoeken,' somde Lasca op, elk woord hard uitsprekend en met haar hoofd knikkend om het gezegde kracht bij te zetten. 'Ik waag me niet in de buurt van die adder.'

'Natuurlijk niet,' suste Gurzin. Hij kon weinig dingen bedenken die hij minder graag bij zich had bij de jacht op een dodelijke slang dan een hysterische vrouw. 'Hoe weet je dat het een adder is?'

'Hij kwam omhoog en ik zag zijn kraag.' Zij begon te huilen. 'O, alstublieft. Maak hem dood. Maak hem dood.'

'Ja, dat zal ik doen.' Hij duwde haar opzij, met opzet bij de kleedkamerdeur vandaan. 'Ik heb een urn nodig om hem in te stoppen als hij dood is,' zei hij tegen haar. 'Kun je er een voor mij halen?' Dat zou haar iets te doen geven en haar tegelijkertijd bij hem uit de buurt houden.

'Ja,' zei zij, en zij knikte alsof haar hoofd aan een touwtje vastzat. 'Jazeker.' Zij liep bij Madelaines suite vandaan. 'Er staat een urn in de tweede slaapkamer.' Zij bleef plotseling stilstaan. 'Ik durf daar niet alleen naartoe te gaan.'

'Haal dan een urn bij de oprijlaan. Er staan er daar drie met water erin. Een daarvan zal volstaan.' Zijn stem klonk kortaf door bezorgdheid. Hij keek om zich heen op zoek naar iets wat hij als een wapen tegen de slang kon gebruiken. 'Ligt er een zwaard in de tweede slaapkamer?' riep hij naar Lasca, die reeds op weg naar beneden was, wankelend als een zeer oud vrouwtje.

'Aan de wand.' Zij stond stil en keek achterom naar waar Gurzin stond. 'Het is niet erg scherp.'

'Dat hoeft ook niet,' zei Gurzin, zich vermannend om de tweede slaapkamer te betreden. Hij was blij met het uitstel hoewel hij bang was dat, als de kist nog steeds openstond en hij te lang wachtte, de slang verdwenen zou zijn en zich ergens in huis zou verstoppen. Hij dwong zichzelf snel te lopen en deed de deur voorzichtig open, terwijl hij de plaatsen in ogenschouw nam waar een slang zich zou kunnen verbergen. Aan de wand hingen twee ceremoniële zwaarden kruiselings over het wapen van De Montalia. Hij haastte zich er een te pakken en liep naar de kleedkamer, het zwaard onhandig vasthoudend, onbekend als hij met wapens was.

Lasca had de kist dichtgedaan; Gurzin slaakte een zucht van verlichting. De slang moest er nog in zitten. Een adder, had Lasca gezegd, hoewel de kraag op een cobra duidde. Hij trachtte het samengeknepen gevoel in zijn keel en borst weg te slikken en moest hoesten door de inspanning. Hij wist dat hij zich tactisch moest opstellen opdat de slang niet gemakkelijk naar hem zou kunnen uitvallen. Zeer omzichtig trok hij de kist bij de muur vandaan, hem met zomin mogelijk schokken over de ongelijke planken van de vloer schuivend. Hij wilde de slang niet waarschuwen of doen opschrikken. Toen de kist in het midden van de kamer stond, deed hij een stap naar achteren en wreef zich enkele malen over zijn kin terwijl hij zijn angst de baas werd.

Ten slotte stak hij zijn hand uit en trok het deksel omhoog, terwijl hij zo ging staan dat de open kist hem dekking bezorgde.

De cobra kronkelde glibberend en richtte zich op voor de aanval, en terwijl hij omhoogkwam, zwaaide Gurzin met het zwaard onder het prevelen van een gebed aan Christus om hem zijn doel te laten raken. De slag van het zwaard gaf hem een grotere schok dan hij had verwacht en hij liet het bijna vallen. Zijn hand omklemde het zwaard krampachtig en hij bracht het omhoog om nogmaals toe te slaan.

De slang kronkelde en sloeg om zich heen maar was niet meer in staat omhoog te komen.

Gurzin kwam achter het openstaande deksel vandaan en liet het lemmet keer op keer neerkomen, biddend bij elke slag, tot hij zeker wist dat de cobra dood was. Toen liet hij het zwaard uit zijn handen vallen. Ontzet door zijn daad viel hij neer op zijn knieën en smeekte God om vergeving voor zijn wreedheid.

'Is hij dood?' Lasca stond in de deuropening. Zij hield de urn onbeholpen vast en haar gezicht had iets meer kleur dan voorheen.

'Ik geloof van wel,' zei Gurzin terwijl hij overeind kwam. 'Ik geloof van wel.' Hij tuurde in de kist en zag de overblijfselen van de cobra. Hij bedacht dat hij eigenlijk misselijk behoorde te zijn door de slachtpartij, doch hij kon zich niet beschaamd voelen.

'God heeft uw hand geleid,' zei Lasca. 'Moge God eeuwig geprezen worden.'

'Niet voor het doden van slangen,' zei Gurzin heftig.

'Wel voor het doden van dit exemplaar,' zei Lasca nog eens, terwijl zij de urn neerzette. 'Wat gaat u nu doen?'

'De slang in de urn stoppen opdat wij hem aan Madame de Montalia kunnen laten zien als zij terugkomt.' Hij verlangde er wanhopig naar om te gaan zitten, om een glas wijn te drinken, niet ter ere van God maar om zijn zenuwen in bedwang te krijgen.

'Waarom laat u hem niet waar hij is?' vroeg Lasca, die ineenkromp bij het voorstel van de monnik.

'Omdat, hoe langer hij hier blijft liggen, des te groter de kans is dat het personeel erachter komt,' zei Gurzin, terwijl hij de kruk naar zich toe trok waarop Madelaine altijd zat als zij gekapt werd.

'En ze zouden het ook moeten weten,' zei Lasca vurig. 'Dat iets dergelijks zich in deze villa kan voordoen.'

Maar Gurzin schudde zijn hoofd. 'Je denkt niet na,' zei hij, terwijl hij diep inademde, hetgeen hielp om de vlaag van misselijkheid die in hem opwelde, wat te doen afnemen. 'Je bent verbaasd dat er een cobra in de kist zat. Dat ben ik ook.'

'En wij zouden moeten...' begon Lasca maar hij viel haar direct in de rede. Zij hief haar handen als om slagen in plaats van woorden af te weren.

'Omdat,' zei hij op opzettelijk ruwe toon, 'ik niet begrijp hoe hij daar terecht is gekomen, in een gesloten kist. Hij kan er niet zelf in gekropen zijn.' Hij wendde zich naar Lasca en dwong haar hem in de ogen te zien. 'Iemand moet hem daarin gestopt hebben.'

Lasca trok wit weg. 'Nee.'

'Ja,' zei Gurzin. 'Iemand moet hem daarin gestopt hebben. Hij kan er op geen enkele andere manier in gekomen zijn.' Hij maakte een gebaar als om het kwaad af te weren. 'Neem dit van mij aan, Lasca. Iemand heeft die slang in de kist gelegd. Hij kan er niet op een andere wijze in terecht zijn gekomen.' Hij verafschuwde het gevoel dat het uitspreken van die woorden hem gaf en hij haatte eveneens de blik van walging in Lasca's ogen. 'Daarom moeten wij hierover zwijgen, anders waarschuwen we degene die er verantwoordelijk voor is dat de cobra hier is.' Hij wreef met zijn hand over zijn voorhoofd. 'Kom. Ik heb je hulp nodig om de urn vast te houden.'

'Nee. Alstublieft.' Lasca kromp ineen. 'Vraag dat niet van mij.'

'Ik kan het niemand anders behalve Madame de Montalia vragen en zij is er niet.' Hij stond op en liep de paar passen naar de kist. 'Het was een behoorlijk flinke slang; bijna net zo lang als ik ben.' Hij slaagde erin het afgrijzen dat hij voelde te onderdrukken. 'Ik kan me niet voorstellen wie zoiets zou doen. Maar dat moet ik wel.'

'Ik wil er niet naar kijken,' fluisterde Lasca.

'Hij is dood,' zei Gurzin terwijl hij een kam oppakte en er de dode slang mee porde. 'Ik heb hem in stukken gehakt.' Zijn stem klonk afstandelijk, alsof het doden lang geleden had plaatsgevonden.

Lasca sloeg een kruis. 'Ik wil niet naar de slang kijken.'

'Kijk dan naar de urn,' zei Gurzin. Degene die de slang had meegebracht had hem waarschijnlijk in een van Madelaines sjaals gewikkeld, hetgeen betekende dat de persoon die de cobra in de kist had gestopt waarschijnlijk deel uitmaakte van het personeel. Hij pakte de punten van de zijden sjaal en bracht ze naar elkaar toe, de dode slang erin gevat. 'Kijk de andere kant op,' zei hij tegen Lasca, terwijl hij de cobra naar de urn toe droeg en hem zorgvuldig in de wijde halsopening liet verdwijnen. 'Het is klaar.'

'O, Heiligen, bescherm mij,' fluisterde Lasca, terwijl zij nogmaals een kruis sloeg. 'Hoe kan iemand een dergelijk monster het huis in willen brengen?'

'Ik weet het niet,' zei Gurzin, die nu aan zichzelf toegaf dat zijn trillende handen aan het verplaatsen van de slang waren toe te schrijven. 'En dat baart mij zorgen.'

Lasca liep bij de urn vandaan. 'De adder is dodelijk.'

'De cobra,' verbeterde Gurzin zachtaardig. 'Ja, hij is dodelijk.' Ondanks zijn goede bedoelingen vervolgde hij: 'En iemand heeft hem daar moedwillig in gestopt.'

'Zeker,' antwoordde Lasca. Zij liep de kamer door en ontweek zorgvuldig de urn. 'Hoe komen wij erachter wie het heeft gedaan?'

'Dat weet ik niet,' zei Gurzin eerlijk. Hij vroeg zich af of hij er verkeerd aan zou doen om Renenet te vragen hem een hartversterking te brengen.

'Maar we moeten dat zien uit te vinden,' zei Lasca opgewonden. 'Als we daar niet in slagen zou het opnieuw kunnen gebeuren.'

'Of iets ernstigers,' zei Gurzin, en hij vervolgde langzaam terwijl hij zijn gedachten ordende: 'Dit was een waarschuwing, geen echte bedreiging. De cobra zat opgesloten in een kist. Hij kon niet ontsnappen. We hoefden geen jacht op hem te maken om hem te doden. Dus

was het hun bedoeling dat wij hem zouden vinden en hem doden.'
Hij staarde naar zijn handen alsof ze hem vreemd waren. 'Het was een waarschuwing.'

'Waarom?' vroeg Lasca verwilderd. 'Wie is ertoe in staat zoiets te doen?'

'Iemand wenst dat Madame de Montalia weet dat men haar niet vertrouwt.' Hij zag de ontsteltenis in Lasca's ogen. 'Slangen worden door heksen gebruikt,' verklaarde hij. 'Door de cobra hier achter te laten wil iemand Madame de Montalia laten weten dat zij voor een heks wordt aangezien.'

'*Dio proteggemi,*' fluisterde Lasca.

Gurzin vervolgde alsof Lasca niets had gezegd. 'Madame bedekt haar gezicht niet. Madame brengt haar tijd in de ruïnes door met het kopiëren van de geschriften van de oude priesters. Madame is zeer jong en toch is zij een geacht geleerde. Madame heeft aan de Doktor medicijnen gegeven die voortkwamen uit de geschriften van de oude priesters die weinig meer waren dan tovenaars, volgens de mohammedanen tenminste. Madame heeft geen echtgenoot of vader of broer. Madame eet nooit als anderen dat kunnen zien.' Hij telde deze eigenaardigheden op zijn vingers af. 'Het is niet verbazingwekkend dat iemand in dit huishouden achterdochtig is.' Hij vouwde zijn handen samen. 'Madame zal omzichtiger te werk moeten gaan als zij wenst dat deze geruchten ophouden.'

'En ze bevindt zich nu in de ruïnes,' zei Lasca verontrust. 'Ze verzamelt nog meer tekeningen en inscripties. Dat zou ze niet moeten doen.' Zij keek Gurzin aan. 'We moeten haar zien over te halen de ruïnes te laten voor wat ze zijn.'

'Denk je dat jij dat kunt?' vroeg Gurzin. 'Zij kwam hier tegenstand ten spijt en zij blijft hier ondanks de afkeuring van velen. Denk je werkelijk dat zij haar studie zal opgeven omdat er mensen zijn die deze afkeuren? Dat heeft haar tot nog toe niet weerhouden.'

'Ik denk dat we haar moeten doen inzien hoe groot het gevaar is,' zei Lasca nadat zij de vraag had overdacht. 'Dit is iets anders dan roddelpraatjes. De adder had haar kunnen doden.'

'Denk je dat? Met al die medicamenten die zij gevonden heeft in die kist, denk je dat het vergif van een cobra voor haar dodelijk zou zijn?' Hij kwam overeind, pakte de kleine bel van de tafel en luidde hem eenmaal voordat hij zei: 'Ik wil dat Renenet hiervan op de hoogte is. We zullen wellicht iets te weten komen uit zijn reactie, zo niet uit zijn woorden.' Hij gebaarde naar Lasca om plaats te nemen. 'Laat die man maar aan mij over.'

'Met genoegen,' verzekerde zij hem, terwijl zij zijn plaats op de kruk innam. 'Ik zou niet weten wat te doen; hij spreekt met geen enkele vrouw behalve met Madame.'

'Ja,' zei Gurzin, en hij gebaarde haar om er het zwijgen toe te doen toen hij Renenet hoorde naderen. 'Huisbediende,' zei hij met een eerbiedige buiging, toen Renenet behoedzaam aarzelde in de deuropening. 'Wij hebben behoefte aan je hulp en stilzwijgen.'

'Als het in mijn vermogen ligt,' zei Renenet, terwijl hij de kleedkamer betrad, zijn blik van twijfel vervuld.

'Wij hebben een cobra in een van Madame de Montalia's kisten gevonden. Ik heb hem gedood' – hij gebaarde naar de urn – 'en ik zal hem aan Madame laten zien zodra zij terugkeert van de ruïnes. Wat ik wil vaststellen, is hoe de cobra in de kist is gekomen.' Hij maakte nogmaals een buiging, zijn eerbied nu lichtelijk beledigend.

'Een cobra?' herhaalde Renenet met opgetrokken wenkbrauwen. 'Bent u er zeker van dat het een cobra is? Er zijn veel andere soorten slangen in Egypte en het zou een van die andere kunnen zijn, wellicht volkomen ongevaarlijk.'

'Ik herken een cobra als ik er een zie,' zei Gurzin. 'Hij heeft een kraag.'

'Genadige alwetende Allah!' Zijn stem klonk hoger van angst.

'Hij kan niet in de kist zijn gekomen zonder dat iemand hem daarin heeft gestopt,' zei Gurzin en hij bemerkte Renenets ongerustheid. 'Dus moet iemand de cobra in de kist hebben gelegd.' Hij wachtte op de volgende reactie van de huisbediende.

Na een korte aarzeling bracht Renenet een korte, bulderende lach voort. 'Wie zou een slang tussen Madame de Montalia's spullen stoppen? Wie zou zo dom kunnen zijn?'

'Dat is wat ik vastbesloten ben uit te zoeken,' zei Gurzin.

'Het is absurd dat iemand zoiets zou kunnen doen,' zei Renenet, terwijl de frons op zijn voorhoofd zich verdiepte.

'Hoe dan ook, de overblijfselen van de slang zitten in die urn en zodra Madame de Montalia terugkeert, zal ik ze aan haar laten zien.' Hij sloeg zijn armen over elkaar. 'Wie van het personeel heeft vragen over Madame opgeworpen?'

'Niemand,' zei Renenet veel te snel. Hij besefte zijn vergissing en vervolgde met een zenuwachtig lachje: 'Niemand is op dat punt serieus geweest. Iedereen is zich ervan bewust dat zij... opmerkelijk is. Maar behalve incidentele loze bedenkingen heeft niemand iets ten nadele van Madame geuit.'

'En toch was de slang hier,' zei Gurzin.

'En er zijn bezoekers in de villa geweest,' zei Renenet en zijn toon klonk zekerder nu hij zich op veiliger terrein bevond. 'De wetenschappers en die geneesheer en Omats dochter zijn hier allemaal in de afgelopen twee dagen geweest. Weet u wanneer de kist voor het laatst geopend werd?' Dat was een slimme zet en hij werkte.

'Vier dagen geleden,' zei Lasca in antwoord op de vraag en het gebaar van Gurzin. 'Toen heb ik een paar sjaals opgeborgen. Ik heb hem nadien niet meer opengemaakt.'

'Ziet u nu wel,' zei Renenet en hij haalde zijn schouders op ten teken dat hij niet verantwoordelijk gehouden kon worden voor de aanwezigheid van de slang.

'Ik begrijp dat er meer mogelijke vijanden zijn,' zei Gurzin onomwonden. 'Ik begrijp tevens dat u eerder de bedienden dan uw meesteres in bescherming zou nemen.'

Renenet maakte een buiging. 'Madame is hier slechts voor korte tijd. De bedienden zijn Egyptenaren en zullen hier tot het eind van hun dagen verblijven.'

Gurzin slaakte een zucht van berusting. 'En wat moet ik Madame dan vertellen?'

Renenet aarzelde en liet het beleefde masker, dat zijn gebruikelijke uitdrukking was, even zakken: 'Zeg haar dat zij er goed aan zou doen van hier te vertrekken voordat haar iets ergers overkomt dan een cobra in haar kist.'

'Is dat een boodschap?' vroeg Gurzin ietwat verbaasd. Hij had vormelijke afzijdigheid van Renenet verwacht, geen onverbloemde uitdaging. 'Wie heeft jou tot zijn boodschapper gemaakt?'

'Ik ben geen boodschapper,' zei Renenet, nu weer beleefd. 'Ik zeg u alleen maar wat ik vrees. De aanwezigheid van de slang is een boodschap en dat weet u net zo goed als ik. Iemand beschuldigt Madame van hekserij en dat is een ernstige aanklacht. Als zij niet bereid is zich te verdedigen, zijn er zeker mensen die haar zwijgen als een schuldbekentenis zullen opvatten.'

'Ja,' zei Gurzin zachtjes. Hij wees naar de urn. 'Die slang had Madames bediende kunnen doden of iemand van het personeel die op verzoek de kist had geopend. Mocht iemand navraag doen naar de cobra, zou je die dat kunnen vertellen, met een waarschuwing dat wij ons veel moeite zullen getroosten Madame te beschermen.' Hij wees naar de deur en gaf met een hoofdknikje te kennen dat Renenet kon vertrekken. 'Je bent zeer behulpzaam geweest, Renenet. Dat zal ik Madame melden wanneer ik de rest rapporteer.'

Renenet trok wit weg. 'Op welke wijze ben ik behulpzaam geweest?'

'Door je antwoorden, natuurlijk,' zei Gurzin. 'Je hebt mij veel verteld en daar ben ik je dankbaar voor. Dat zal Madame ook zeker zijn.' Het lokaas was hiermee tot tevredenheid uitgezet en met een handgebaar liet Gurzin Renenet weten dat hij kon gaan.

'Waarom heeft u hem niet gedwongen alles te vertellen wat hij weet?' vroeg Lasca nadat zij Renenet de trap had horen aflopen.

'Omdat hij zou liegen,' zei Gurzin. 'We hebben hier geen kopie van de koran en dus zouden we hem niet kunnen dwingen de waarheid te spreken.' Hij liep door de kleedkamer heen en weer. 'O, hij had ons best willen vertellen dat hij erop zou zweren, maar als hij niet werkelijk zijn hand op de koran zou hebben terwijl hij dit zei, zouden zijn woorden niets te betekenen hebben.' Hij zag ongeloof op Lasca's gezicht. 'Mohammedanen zijn niet hetzelfde als christenen wanneer zij getuigenis afleggen.'

'Maar om te liegen over zoiets als dit.' Zij bracht haar handen weer naar haar gezicht, doch die konden de tranen niet tegenhouden. 'We zullen allemaal vermoord worden, nietwaar?'

Gurzins antwoord was allesbehalve geruststellend. 'Daar zal het misschien op uitdraaien als wij niet voorzichtig zijn. We moeten Madame ervan overtuigen dat het gevaar groter is dan wij hadden gedacht.' Hij legde een hand op Lasca's schouder. 'Kom. We trekken ons terug in Madames zitkamer en wachten haar daar op. Zij zal waarschijnlijk binnen het uur terug zijn en in die tijd kunnen wij een plan bedenken.'

'Ik vind dit afschuwelijk,' zei zij, terwijl zij hem volgde.

'Overtuig je ervan dat je de deuren naar de kleedkamer goed afsluit. Ik wil niet dat de urn verdwijnt terwijl wij van de kamer weg zijn,' raadde Gurzin haar aan. Hij wachtte terwijl Lasca de kleedkamerdeur, de deur van haar eigen kamer en de deur naar Madelaines slaapkamer op slot deed. 'Uitstekend,' zei hij. 'Mocht zij ernaar vragen, dan kunnen wij met zekerheid verklaren dat deze deuren op slot zijn.'

'En als ze straks niet meer op slot zijn?' Haar blik was verward alsof elke nieuwe mogelijkheid haar nog meer verontrustte dan de vorige.

'Als Madame de Montalia terugkomt?' vroeg Gurzin, hoewel hij zeker was van haar antwoord.

'Ja. Stel dat de deuren open zijn. Stel dat de urn verdwenen is en daarmee ook de slang? Wat dan?'

Haar stem ging scherp de hoogte in.

Gurzin deed zijn best rustig over te komen. 'Dan weten wij dat de schuldige een lid van het personeel is en niet een buitenstaander die gebruik heeft gemaakt van een gemis aan oplettendheid, hetgeen onze zoektocht zou vereenvoudigen.' Hij gaf haar te kennen dat zij zachter moest praten. 'Maar wij willen er niet voor zorgen dat de schuldige op zijn hoede zal zijn, is het wel?'

'Nee,' zei zij, echter met minder vastberadenheid dan hij tentoonspreidde. 'Maar hoe komen we daar achter? Ik wil weten wie dit op zijn geweten heeft.'

'Dat willen we allemaal,' zei Gurzin. 'En als we geluk hebben, zullen we erin slagen te ontdekken wie het heeft gedaan voordat iemand in de villa nog meer ongeluk treft.' Hij was bij de deur van de zitkamer aangekomen.

'Ik zal ons wat te eten laten brengen, want Madame wordt pas over ruim een uur verwacht en men zal het niet vreemd vinden als wij nu iets gebruiken.'

'Ik denk niet dat ik kan slikken, laat staan eten,' waarschuwde Lasca en de kleur trok uit haar lippen. 'Ik ben bang dat ik misselijk word.'

'Dat zou eveneens argwaan wekken en het zou aantonen dat je net zo zwak bent als andere vrouwen. Je moet de schuldige trotseren en kracht en doelbewustheid putten uit je...'

Lasca hief haar handen. 'Goed dan. Ik zal wat eten. Als u denkt dat dat wijs is,' zei zij opgewonden, en op haar gezicht stonden nieuwe lijnen gegrift.

'Ik acht het verstandig; dat kan hetzelfde betekenen.' Hij maakte de deur voor haar open en liep naar binnen toen zij op de divan had plaatsgenomen.

343

Gedurende de volgende anderhalf uur leidde Gurzin het gesprek en hij zorgde ervoor dat zij niet bleven stilstaan bij de toenemende zekerheid dat zij veel voorzichtiger zouden moeten zijn teneinde een eventueel volgende val voor hen of Madelaine uitgezet, te kunnen vermijden.

Renenet bracht ze een schaal gekruide vleeswaren en honingzoete vruchten. Hij was zeer beleefd, alsof Gurzin en Lasca vreemden en mohammedanen waren die het huis bezochten in plaats van christelijke bedienden die er woonden. Hij zei hun dat hij zou komen zodra ze om hem belden en maakte veel vertoon van zijn vertrek, niet dralend waar hij iets zou kunnen opvangen van hetgeen zij bespraken.

'Hij is bang dat hij te ver is gegaan,' zei Gurzin toen Renenet hen alleen had gelaten. 'Hij weet dat hij zich meer vrijheden heeft geoorloofd dan zijn positie billijkt.'

'Door te weigeren Madame te helpen?' vroeg Lasca zich af, terwijl zij het lamsvlees, bereid met kaneel en uien, proefde. 'Denkt u dat dat hem dwarszit?'

'Ja, dat denk ik,' zei Gurzin onverwachts. 'Hij mag haar dan volledig afkeuren, maar hij is in haar dienst en dat schept zekere verplichtingen waaraan hij moet voldoen, of hij toont zich onwaardig voor zijn vertrouwenspositie in de huishouding. Als hij in de toekomst nog voor andere Europeanen wil werken, kan hij nu niet riskeren beschuldigd te worden van een tekortkoming in zijn optreden.' Hij zegende het voedsel en vervolgde: 'Als hij iets weet, zal hij dat Madame, als zij ernaar vraagt, moeten vertellen.'

'Denkt u dat zij vragen zal stellen?' vroeg Lasca, nog niet zo overtuigd als Gurzin dat de bedienden partij voor hun werkgeefster zouden kiezen.

'Ik denk dat zij dat wel zal moeten,' zei Gurzin, en hij stapte van het onderwerp over op minder penibele zaken.

Toen men Madelaine naar de zitkamer had begeleid, trof zij daar Gurzin en Lasca aan in diep gesprek gewikkeld over de Evangeliën; Gurzin verdedigde de boeken van het Nieuwe Testament geïdentificeerd als de Apocriefe Boeken, vooral de Boeken over de jonge Jezus.

'Nu,' zei zij, toen Gurzin zijn krachtige verdediging van deze teksten afbrak. 'Ik verwachtte iets ongebruikelijks maar theologie was niet bij mij opgekomen,' gaf zij hun geamuseerd te kennen. 'Renenet vertelde mij dat jullie mij wensten te spreken, dat het dringend was.

Ik begrijp dat er zich hier een klein probleempje heeft voorgedaan terwijl ik weg was. Zo'n vage omschrijving: "een klein probleempje". Zou een van jullie mij willen uitleggen wat het was?'

Lasca keek Gurzin aan. 'Vertelt u het haar,' smeekte zij.

Gurzin keek neer op zijn gevouwen handen. 'Alles wat ik u nu kan vertellen is weinig meer dan giswerk en heeft als zodanig geen betekenis.'

'Dat begrijp ik, en ik weet ook dat u niets ten nadele van wie dan ook zou uiten zonder aannemelijke reden.' Zij nam plaats op een zadelmakersstoel en wachtte tot Gurzin het haar zou vertellen.

'Er was een cobra,' zei Gurzin en hij zag hoe Madelaine kaarsrecht in haar stoel ging zitten. 'In een kist.' Zo beknopt mogelijk bracht Gurzin verslag uit van alles wat er was gebeurd, vanaf de ontdekking van de cobra totdat zij naar de zitkamer waren gegaan om haar op te wachten. Terwijl hij zijn relaas vervolgde, bezag hij Madelaine nauwlettend en hij bemerkte haar gereserveerdheid, hoewel er uiterlijk weinig verandering in haar houding was te zien. 'De cobra, of liever wat ervan over is, zit in een urn in uw kleedkamer.'

'Als hij daar tenminste nog steeds is,' voegde Lasca er somber aan toe.

'Het zou een grove vergissing zijn om hem daar niet te laten liggen,' zei Madelaine. 'Ik denk niet dat we het geluk zullen hebben dat onze vijanden zo dom zijn.' Zij leunde achterover in de stoel maar was ditmaal niet ontspannen. 'Ik wil de cobra natuurlijk zien. En ik wil Renenet ondervragen, al zal dat weinig zin hebben. Ik zal tevens een manier moeten vinden om een klacht in te dienen bij de Magistraat zonder dat die tot mij terug te leiden is.' Zij wierp een blik op Gurzin. 'Kunt u dat voor mij doen of moet ik iemand anders zoeken?'

'Yamut Omat is de aangewezen persoon om dat te doen,' zei Gurzin. 'Hij is de makker van de Magistraat en zij hebben sinds lange tijd een zekere verstandhouding.'

'En het zijn allebei mohammedanen,' zei Madelaine. 'Goed dan, de volgende keer dat ik Rida Omat onderricht, zal ik proberen enkele woorden met haar vader te wisselen. Als Omat niet degene is die verantwoordelijk was voor de cobra, zou hij mijn kant kunnen kiezen.' Zij legde haar vingertoppen tegen elkaar. 'De beschuldiging van hekserij: hoe ernstig is die?'

'Ernstig genoeg als het zo doorgaat,' zei Gurzin. 'Deze mensen stenigen heksen tot de dood erop volgt.'

'Stenigen hen,' herhaalde Madelaine, wetend hoe dodelijk dat voor haar zou zijn. Als haar ruggengraat gebroken zou worden, of haar schedel verpletterd, zou dat voor haar net zo zeker de onherroepelijke dood betekenen als voor elk ander levend wezen. 'Ik begrijp het.'

'Het is een ernstige smet,' hield Gurzin vol. 'En u heeft veel vraagtekens opgeworpen die de beschuldiging geloofwaardigheid verlenen. Wellicht moeten wij bespreken...'

'Niet nu,' onderbrak zij hem. 'Ik wil eerst de cobra bekijken. Daarna wil ik Professor Baundilet inlichten voor het geval Europeanen in het algemeen het doelwit zijn. Ik kan ook maar beter een berichtje sturen aan de Engelsen en tevens aan Doktor Falke.'

'Sommigen zouden dat kunnen opvatten als een slecht teken,' waarschuwde Gurzin haar. 'Ze zouden de waarschuwing kunnen beschouwen als medeplichtigheid of schuld.'

'Mogelijk,' zei Madelaine, terwijl zij vastberaden opstond. 'Maar ik garandeer u dat daar geen Europeanen bij zullen zijn.' Zij maakte een vluchtige revérence. 'De cobra?'

Gurzin maakte een beschermend gebaar terwijl hij diep uitademde. 'Natuurlijk,' stemde hij in.

Tekst van een brief van Professor Rainaud Benclair in Parijs aan Jean-Marc Paille in Thebe.

Mijn beste Professor Paille,

Ik ben in het bezit van uw schrijven van 10 januari van dit jaar en ik moet u zeggen dat ik gechoqueerd ben dit te hebben ontvangen van een man die als zo eerbaar aan mij is voorgesteld. De toon en aard van uw brief zijn bijzonder onrustbarend. Hoe u uw expeditieleider van een dergelijke valsheid kunt beschuldigen, gaat mijn begrip te boven. U beweert dat hij zich de eer van de ontdekkingen van zijn expeditie toe-eigent, terwijl hij heeft beloofd deze te delen met diegenen van u die deel uitmaken van zijn expeditie en toch kunt u geen specifiek bewijs leveren, behalve uw veldaantekeningen, die, vergeef mij dat ik het zeggen moet, niet de beste bron van onpartijdig bewijs vormen. Tevens beweert u dat de Professor de door hem gevonden antiquiteiten

heeft verkocht aan rijke beschermheren. Zo dat op waarheid
berust, zou dat betreurenswaardig zijn, doch dit biedt amper
genoeg reden voor de geuite beschuldigingen. Het is algemeen
gebruik dat enkele snuisterijen aangeboden worden aan mensen
zoals plaatselijke Magistraten en andere
hoogwaardigheidsbekleders, opdat het werk dat u verricht,
ongehinderd voortgang kan vinden. Door te opperen dat
Professor Baundilet zo kortzichtig zou zijn de belangrijkste
vondsten te verkopen omdat zij het meeste geld opbrengen, doet u
een cynisme en hebzucht veronderstellen die onmogelijk aanwezig
kunnen zijn in een zo vooraanstaand oudheidkundige als
Professor Baundilet.

Wij hebben uw brief hier uitvoerig besproken en wij hebben
besloten dat wij voorlopig geen stappen tegen u zullen
ondernemen daar wij reden hebben om aan te nemen dat de
spanningen van de expeditie zekere geestelijke afwijkingen teweeg
kunnen brengen, waarvan uw uitbarsting een typisch voorbeeld
is. Mochten wij nogmaals een dergelijk hekelschrift van uw hand
ontvangen, dan zullen wij ons evenwel gedwongen zien u te
verzoeken onmiddellijk naar Frankrijk terug te keren en zullen
wij de reden voor ons besluit tot dergelijke maatregelen openbaar
maken. Het zou niet in uw voordeel werken als dergelijke
verwikkelingen u in dit stadium van uw carrière zouden treffen.
Sta mij toe er bij u op aan te dringen de indirecte gevolgen van
een dergelijke daad te overwegen, alvorens u ons noodzaakt u te
verzoeken Baundilets expeditie te verlaten. Na rijp beraad ben ik
ervan overtuigd dat u de wijsheid van mijn aanbevelingen zult
inzien. Mochten wij daarentegen gelijksoortige klachten
ontvangen, dan zullen wij nogmaals uw schrijven in ogenschouw
nemen en beslissen welke maatregelen zonodig genomen zullen
moeten worden. Wij kunnen niet redelijker zijn dan dat.
Gedurende de laatste drie jaar hebben wij ervoor gezorgd dat
Magistraat Numair royale giften werden aangeboden en deze
heeft ons verzekerd dat, zolang zulke schenkingen doorgaan, het
werk van de expeditie ongehinderd mag voortgaan. Hoe
betreurenswaardig deze gang van zaken ook mag lijken, het is
lonend en stelt ons in de gelegenheid tot oudheidkundige
onderzoeken, die niet mogelijk zouden zijn als de Magistraat u

zou verbieden de ruïnes op te graven. Uw verontwaardiging is prijzenswaardig maar ik vrees dat wij op dit ogenblik niet in de positie verkeren ons beleid ten opzichte van de Magistraat te wijzigen zonder uw expeditie hopeloos in gevaar te brengen. Ons is door anderen verteld dat men in de gehele oosterse wereld met deze werkwijze geconfronteerd wordt en of wij deze schenkingen nu betalen aan mohammedanen in Egypte of aan Mandarijnen in China, zij maken deel uit van de prijs van de wetenschap.

Ik stel voor dat u uw geweten naarstig onder de loep neemt, Professor Paille. U heeft zich, door het uiten van de klacht die u ons heeft gezonden, boven uw expeditieleider geplaatst; het is feitelijk niet correct te noemen dat wij dergelijke beschuldigingen binnenskamers houden, toch zullen wij dat, de omstandigheden in aanmerking genomen, voorlopig doen. Wij zullen hetgeen u voorstelt uitvoeren en een vertrouwelijk gesprek aangaan met Claude-Michel Hiver, teneinde vast te stellen of hij vergelijkbare ervaringen te melden heeft. Zo niet, dan zullen wij, weliswaar met tegenzin, Professor Baundilet moeten aanspreken en hem vragen te reageren op uw aantijgingen. Ongetwijfeld zou dat het einde betekenen van uw verbintenis met de door Baundilet geleide expeditie, maar het zou tevens als voorbeeld dienen, ofwel voor u of voor Professor Baundilet.

Het is pijnlijk het hoofd te moeten bieden aan een dergelijk onaangenaam voorval als het onderhavige. Ik spreek dan ook de hoop uit dat de zaak snel afgehandeld zal worden met zomin mogelijk ongemak voor alle betrokkenen.

Met de meeste hoogachting,
Professor Rainaud Benclair
28 februari 1828, te Parijs

Drie

Falkes glimlach maakte aanspraak op zijn hele gezicht, van de rimpeltjes in zijn ooghoeken en aan de rand van zijn wangen, tot de lijnen tussen zijn neus en mondhoeken, tot de rimpels op zijn voorhoofd. Hij hield de zijdeur open en maakte een buiging toen Madelaine naar binnen liep. 'Meer aftreksels uit die oude tempel?' vroeg hij, met een gebaar naar de mand die zij droeg. Hij wachtte niet op een antwoord alvorens zich voorover te buigen om haar te kussen. Lampen maanlicht gaven zowel een gouden als een zilveren glans aan zijn gelaatstrekken.

Toen zij in staat was antwoord te geven, zei zij: 'Bij wijze van spreken,' want dit waren nog meer medicijnen uit de kist die Saint-Germain haar had verschaft. Zij draaide zich in zijn omhelzing om, zonder zich van hem los te maken. 'Deze stammen uit de dagen van de Farao's, zeker. Deze is voor schaafwonden en deze is voor insectenbeten en de huiduitslag die zij veroorzaken. Dit derde flesje bevat een oplossing dat kan worden aangewend om gezwollen tandvlees te behandelen. Deze laatste is voor steenpuisten en andere zwellingen van de huid, doch mag niet rondom de ogen worden aangebracht.' Zij reikte hem de mand aan. Zij was gekleed in een met gouddraad geborduurde voile japon, geschikt voor een diner thuis maar niet voor ontvangsten. Zij droeg een fichu om haar hals en daaronder een kort parelsnoer, waarin een robijn was gezet.

'Alles bereid volgens de inscripties in de tempel van de geneesheer?' vroeg hij, en hij wist hoe haar antwoord zou luiden. Gedurende de laatste zes maanden was zij erin geslaagd hem ervan te overtuigen dat de kleine tempel tevens een soort ziekenzaal was geweest en hoewel haar collega's het een belachelijk idee vonden, was Falke nu tot de slotsom gekomen dat zij haar bewering had gestaafd en hij wist nu zeker dat de oude Egyptenaren deskundige apothekers waren geweest. Zoals hij inmiddels gewoon was, voelde hij zowel opluchting als bezorgdheid door Madelaines schenkingen, want hij had nog geen verklaring kunnen bedenken waardoor de schijn niet gewekt zou worden dat hij met de levens van zijn patiënten experimenteerde en hoewel velen zijn inspanningen zouden toejuichen, zouden anderen weinig vertrouwen hebben in hetgeen hij had bereikt, omdat zijn methodes zo onbekend waren. 'Wil je,' zei hij, voor de zoveelste keer het verzoek herhalend, 'mij de receptuur voor deze geneesmiddelen verschaffen?'

Madelaine ademde diep in. 'Waarom blijf je zo aandringen?'

'Hoe kan ik mijn patiënten nu genezen verklaren als ik niet weet waardoor zij zijn genezen?' Hij hield een van de houders omhoog. 'Wat zit er in deze zalf?'

Zij zuchtte. 'Het zijn zeer oude geneesmiddelen.'

Hij nam de mand van haar aan. 'Ik dank je allerhartelijkst. Echt, Madelaine, dat meen ik. Alles wat je me tot nu toe hebt bezorgd, is bijzonder bruikbaar, en ik veronderstel dat deze dat ook zullen blijken te zijn. Maar ik zou toch willen weten wat erin zit. Begrijp je dat dan niet?'

'Ja, ik begrijp het,' zei zij zachtjes, en zij gaf zich gewonnen. Zij zou het Saint-Germain uitleggen, besloot zij, en hij zou haar beslissing accepteren. 'Goed dan. Ik zal doen wat ik kan om je de receptuur te bezorgen, maar onthoud dat... deze medicijnen uit langvervlogen tijden stammen. Het zal enige tijd vergen om...'

'Ik zal geduld betrachten.'

'De hoeveelheden zijn... niet bijzonder nauwkeurig.' Dat was de enige waarschuwing die zij wilde geven.

'Maar toch brengen ze genezing teweeg,' zei Falke. Met een glimlach wees hij naar de deur die toegang gaf tot de privévleugel van de villa. 'Ik heb je gemist, Madelaine.'

Zij negeerde het laatste, hoewel een verandering zich in haar gezicht voltrok. 'Je moet me laten weten of er medicijnen bij zijn die niet werken, of die niet goed werken,' zei zij, zich ervan bewust dat haar eigen twijfel de medicamenten geloofwaardiger maakte. 'Ik ben er niet altijd zeker van wat er in de inscripties staat geschreven of wat de instructies betekenen.'

'Ik ben al blij dat je daar moeite voor doet, en ik verontschuldig mij dat ik je lastig heb gevallen voor de recepten. Ik vond het noodzakelijk, zolang als je bereid was...' Hij zweeg, en toen hij haar aankeek, werd zijn blik zachter. 'Het klinkt ondankbaar, nietwaar? Dat ben ik niet. Welke andere Europeaan heeft de moeite genomen mij te helpen zoals jij? Als je ze hoort praten, is niets van die oude volkeren ons heden ten dage van nut. De enige keer dat de andere oudheidkundigen een stap binnen deze muren zetten, is als ze verzorging nodig hebben; ze voelen er niets voor mij te helpen, zelfs als ze daartoe in staat zijn,' zei Falke, zijn vrije arm om haar middel slaand. Toen zij zijn privé-vleugel naderden, zei hij: 'Ik ben *Wilhelm Meisters Wanderjahre* aan het lezen. Dat heb ik elk jaar sinds ik hier ben een keer gedaan. Ik heb tien jaar geleden een *Wanderjahr* gehad; dat heeft mij ervan overtuigd dat ik niet veilig thuis moest blijven zitten. Ik bewonder Goethe; ik betwijfel of ik de moed zou hebben gehad aan deze onderneming te beginnen zonder de aanmoediging van zijn werk.'

Madelaine was niet zo onaardig om te lachen, doch kon niet laten te zeggen: 'Maar de door jou zo bewonderde Goethe blijft mooi thuis.'

'Hij heeft zeer belangrijk werk te doen,' zei Falke, niet in het minst geamuseerd. 'Het zou een verspilling zijn als hij hier in de woestijn was. Zijn geest is een kleinood en wel een dat nog niet volledig onderzocht is, noch door hemzelf noch door iemand anders.'

'Denk je dan dat jij geen belangrijk werk verricht?' zei Madelaine, en zij vervolgde, voordat hij iets kon zeggen: 'Mijn dankbaarheid dat je hiernaartoe bent gekomen is groter dan ik kan zeggen, vergis je niet, en mijn redenen hebben weinig te maken met de behandeling die je hier biedt: maar zou je de geneeskunde niet... op minder gevaarlijke wijze kunnen uitoefenen dan hier nu? Zou je niet in staat zijn je gewenste aandeel te leveren zonder je aan gevaar bloot te stellen?'

'Vrouwenlogica,' maakte Falke zich hier met tederheid in zijn stem van af. 'Hoe zou ik iets van de ziektes van de woestijn te weten moeten komen als ik in Duitsland was gebleven?' Hij lachte terwijl hij de deur naar zijn privévertrekken openmaakte.

'Maar waarom zou je daar een studie van maken? Dat is waar ik op doel,' zei Madelaine toen zij zijn villa binnentrad. 'Is er nog iemand op?'

'Het is al na enen in de ochtend,' gaf Falke te kennen. 'Bij de hoofdpoort bevindt zich een portier, die nu zeker zit te dommelen. En nu Jantje weg is, werk ik met plaatselijke verpleegsters, die alleen overdag komen. Ze vertrekken tegen zonsondergang, zodat ze de wet niet overtreden.'

Zij staarde hem aan. 'En Magistraat Numair staat dat toe?'

Hij wreef over zijn kin, die ruw was door de fijne stoppels van die dag. 'Ik geloof niet dat ik daarnaar heb geïnformeerd,' zei hij met een groot vertoon van onschuld.

Madelaine bleef staan en keek hem met waarachtige angst aan. 'Je hebt het hem niet gevraagd? Meen je dat nou?'

Hij zette haar mand op een kastje bij het raam. 'Waarom zou ik? Hij zou slechts betalingen eisen die ik mij hoegenaamd niet kan veroorloven, betalingen waarvan hij zou verwachten dat ik die zou verhogen bij het voortschrijden van de tijd. Hij zou het geld opeisen dat ik nodig heb voor medicijnen. Hoe kan ik daarmee instemmen?'

'Maar door zonder zijn toestemming mohammedaanse vrouwen in dienst te nemen – je neemt toch vrouwen in dienst, nietwaar? – zou je hen en jezelf in moeilijkheden kunnen brengen.' Zij legde haar hand op zijn arm. 'Ik wil je niet ongerust maken, Falke, maar ik stel voor dat je je trots inslikt en toch een deel van je beurs opoffert om de Magistraat te betalen wat hij vraagt, of de gevolgen onder ogen ziet die je niet...' Haar woorden stierven weg toen zij hem naar het raam zag staren, waar de duisternis van de nacht het glas in een spiegel had veranderd.

Zijn lach miste overtuiging. 'Kijk. Ik wist zeker dat je daar stond' – hij wees naar het raam waar haar spiegelbeeld te zien had moeten zijn – 'maar je bent er niet.'

'De lichtinval,' zei zij, en zij wenste dat zij kon weglopen zonder de aandacht op zichzelf te vestigen.

'Nee. Nee, het is niet het licht. Want daar is die gravure achter je. Waarachtig, je hoofd zou die aan het gezicht moeten onttrekken.' Hij keek gefascineerd naar het raam. 'Hoe merkwaardig,' fluisterde hij, alsof elk geluid een eind aan het ogenblik zou maken. 'Er is hoegenaamd geen weerspiegeling.'

'Gezichtsbedrog,' zei zij, en zij voelde zich nog minder op haar gemak.

'Nee, dat niet. Dit is dat andere. Dit is wat je bedoelde. Je zei dat je jaren geleden een verandering hebt ondergaan, maar ik had niet gedacht dat het...'

Ze onderbrak hem. 'Ik heb je verteld dat ik in 1744, bij mijn overlijden in Parijs, een vampier ben geworden,' zei zij, haar woorden met opzet zo onopgesmukt mogelijk kiezend. 'Geloof je me nu eindelijk?'

'Je spiegelbeeld is overtuigend,' zei hij, doch uit de klank van zijn stem bleek dat hij nog steeds niet geloofde wat hij zag.

'Maak je niet ongerust,' zei ze. 'Bekijk het gewoon als een deel van mijn aard.'

'Dat zal ik wel moeten,' klonk zijn verbijsterde antwoord, terwijl hij naar het venster staarde. 'Het is mij nooit eerder opgevallen.'

'Ik ben gewoonlijk niet zo onhandig,' zei Madelaine, terwijl zij naast hem kwam staan; zij nam niet de moeite naar het raam te kijken want zij had een hekel aan het gevoel van duizeligheid dat haar altijd beving wanneer ze tevergeefs naar haar spiegelbeeld zocht.

'Maar het is zeer opmerkelijk,' zei Falke, die zachtjes met zijn vingers het raam beroerde. 'Als er iemand buiten zou staan, zou die je dan zien?'

'Jazeker. Net als jij me ziet als je naar me kijkt.' Zij legde haar hoofd op zijn schouder. 'Het is niets om je druk over te maken,' vertelde zij hem, en zij wenste dat dat waar was. Terwijl zij het plekje onder zijn oor, bij de overgang tussen zijn kaak en hals, kuste, zei zij: 'Gaan we naar je slaapvertrek?'

'Zeer zeker niet,' zei Falke met slechts half geveinsde verontwaardiging. 'Ik zou je nooit te schande maken en zeker niet onder mijn eigen dak. Ik zou je nooit blootstellen aan roddelpraatjes, noch zul je moeten aanhoren hoe ik voor een snoodaard word uitgemaakt. Ik heb kussens neergelegd in de kleine salon, waar de kruiden staan. Dat is een veilige plek.'

'Ja, inderdaad. Wie zou kunnen denken dat we daar een rendezvous hadden? Als iemand ons mocht zien zou ik kunnen zeggen dat we een nieuwe portie van die medicijnen bereidden,' plaagde Madelaine. 'Zeer aannemelijk. Bijzonder verstandig.'

'Dat is het niet en dat weet je,' zei Falke. Toen zij door de korte gang liepen, pakte hij haar hand. 'Ik wil niet dat mijn personeel morgenochtend doorverteld dat ik een vrouw in mijn bed heb gehad, want dat zou tot meer vragen leiden dan jij of ik wensen te beantwoorden. Geen van ons beiden mag nu in opspraak gebracht worden, niet zonder ernstige gevolgen.' Hij maakte de deur van de kleine salon open. 'Wat wil je, Madelaine? Zal ik de lichten dimmen of ze laten zoals ze zijn?'

'Laat de kaarsen maar staan,' zei zij toen zij de enkelvoudige arm op de tafel, bij de potjes tijm en rozemarijn, zag staan. 'De andere kunnen we uitblazen.'

Gehoorzaam deed hij een ronde door het kleine vertrek, op zijn weg de lampen uitblazend en de pitten bijstellend. 'Volgens overlevering kun jij in het donker bijzonder goed zien. Is dat waar?'

'Ja, en fel licht lijkt nog feller voor mijn soort. Zonder mijn schoenen met hun voering van de aarde uit mijn geboorteland, kan ik mij niet zonder hevig ongemak over stromend water verplaatsen. 's Nachts hoef ik niet al te voorzichtig te zijn, maar overdag laten mijn krachten mij in de steek en ben ik, als ik geen voorzorgsmaatregelen tref, aan de zon overgeleverd.' Zij wierp haar fichu aan de kant en begon met de ingewikkelde taak van het losmaken van de lusjes van de vierenveertig knoopjes aan de achterzijde van haar jurk.

'Laat maar,' zei Falke en zijn stem werd veel zachter. Hij blies nog twee lampen uit. 'Dat doe ik wel voor je.'

'Zoals je wilt,' zei Madelaine glimlachend. Zij keek toe terwijl hij de laatste lampen uitblies. Toen hij op haar af liep, hief zij haar armen en sloeg die om zijn nek, alvorens zij elkaar kusten.

'Je bent een gevaarlijke vrouw om te kennen,' fluisterde Falke toen zij elkaar loslieten. 'Ik was er volmaakt tevreden mee dat de woestijn en de wereld hun tol van mij eisten, en toen kwam jij...' Terwijl hij haar vasthield, maakte hij de knoopjes los tot haar jurk van haar nek tot onder haar taille openstond. 'Heb je er opzettelijk voor gezorgd dat ik je opmerkte? Wilde je dat ik van je ging houden? Wilde je dat?' Na elke vraag kuste hij haar, de laatste keer zo intens dat hem de adem werd ontnomen.

Zij werkte zich met een schouderbeweging uit haar jurk en sloeg geen acht op de schitterende hoop met goud geborduurde voile aan haar voeten. Haar onderjurk, gemaakt van fijn batist, was zeer eenvoudig, met uitzondering van de kanten strook langs de zoom. 'Ik ben niet in staat iemand tot liefde te dwingen, en als ik het al kon, dan zou ik het niet willen, want dat zou geen... genot voor mij betekenen,' zei zij zonder koketterie. 'Als je van me houdt, is dat omdat je van me houdt en niet omdat ik een toverspreuk over je heb uitgesproken.'

'Ik dacht ook niet dat je dat had gedaan,' zei hij, en hij voelde haar gespannenheid onder zijn handen.

'Dacht je dat niet? In het allereerste begin, dacht je toen niet dat ik misschien op Mesmer zou lijken en in staat zou zijn andermans geest te manipuleren?' Haar kus was gehaast. 'Nu,' vervolgde zij vermetel, 'ik ben onderwezen door dezelfde leermeester als Mesmer; er zijn mensen wier geest ik in slaap kan sussen en dan kan ik, terwijl zij dromen, van hen nemen wat ik nodig heb. Dat heb ik dikwijls gedaan. Dat is hoe de meesten van ons overleven, hoewel het iets weg heeft van je te goed doen aan afval.' Zij bemerkte de geschokte blik in Falkes ogen. 'Je zou je er niets van herinneren. En niets dan een lichte loomheid zou je 's ochtends aan de droom doen denken.' Zij maakte zich van hem los. 'Twijfel je aan me?' Zij was nu een halve kamerlengte bij hem vandaan en bleef staan om hem aan te kijken.

Falke schudde zijn hoofd. 'Nee. Ik twijfel niet aan je. Maar ik kan me niet voorstellen dat jij je zo zou gedragen.'

Op dat ogenblik wilde zij hem choqueren om te zien of hij zich van haar af zou keren. 'Ik gedraag me wel zo. Ik moet wel.' Zij zweeg lang genoeg om haar onderjurk over haar hoofd uit te trekken; zij was nu nog slechts gekleed in haar korset en kousen. 'Kun je dat aanvaarden?'

Hij staarde haar aan, zijn halsdoek en kraag beide losgemaakt, en maakte met één hand zijn overhemdknoopjes los. 'Je bent de mooiste vrouw,' mompelde hij. 'Je bent zo mooi.'

'Is dat zo?' Zij liep een paar passen dichter naar hem toe. 'Ongeacht wat ik ben?'

'Ongeacht,' herhaalde hij, terwijl hij de manchetten van zijn overhemd losmaakte en zijn manchetknopen bij zijn laag uitgesneden laarzen legde. 'Je zou in de woestijn als een jakhals op rooftocht kunnen gaan en ik zou je niet tegenhouden.'

Zij keek hem zo intens verdrietig aan dat het hem beangstigde haar zo te zien. 'Dus je vergelijkt me met een jakhals?' Zij maakte haar kousenbanden los en begon haar zijden kousen af te stropen.

'Nee,' zei hij terwijl hij een poging deed zijn verlangen naar haar te verbergen. 'Dat was een slechte woordkeus.'

'Dat was het zeker,' zei zij, toen zij de eerste kous boven op haar jurk gooide. 'Een jakhals voedt zich met kadavers, Falke. Die hebben niets te bieden aan degenen die van mijn bloed zijn. De kracht van het bloed zit in het leven; als het leven verdwenen is, heeft het bloed voor ons geen waarde meer.' Ze trok de tweede kous uit en liet hem bij de eerste neervallen. 'Ik zoek het leven, Egidius Maximillian Falke.'

Hij knikte tweemaal, zoals hij voor alles wat zij te berde bracht instemmend geknikt zou hebben, want zijn behoefte naar haar nam toe terwijl hij haar gadesloeg. 'Ja,' dwong hij zichzelf te zeggen.

'Ik nuttig geen kadavers; ik maak geen slachtoffers. Wel dan?' Deze laatste vraag klonk weemoedig. In het flauwe licht had haar bleke huid de rijke glans van parelmoer. 'Wel dan?' herhaalde zij, en zij probeerde niet bevreesd te zijn voor zijn antwoord.

'Van mij niet,' zei hij, en hij overbrugde de afstand tussen hen met twee onstuimige passen over het schitterende zijden tapijt. 'Ik ben geen slachtoffer, behalve van de liefde,' vervolgde hij snel en hij hield haar zo stevig vast dat hij haar levenskracht en verlangen kon voelen. 'Jij bent meer dan alles wat ik ooit heb gekend, Madelaine, en ik ben... bevreesd voor wat ik van jou verlang.' Hij keek neer op haar gezicht, betoverd door hetgeen hij in haar paarsblauwe ogen zag en wat hij innerlijk voelde. 'Ons Duitsers wordt geleerd dat Françaises verderfelijk zijn.'

'Bijzonder galant,' zei zij sarcastisch, en zij keek hem toen zeer openhartig aan. 'Denk jij dat ook?'

'Ik denk dat wij Duitsers nog niet de helft weten als alle Françaises op jou lijken.' Hij kuste haar en zijn lippen waren tegelijkertijd dwingend en zacht. 'Mij is gezegd grilligheid te verwachten en ik vond standvastigheid; ik ben gewaarschuwd om geen geloof aan je woorden te hechten maar jij bent volkomen betrouwbaar.'

'Wij hebben een verbond. Ik heb je bloed geproefd,' zei zij zeer ernstig. 'Dat houdt een verplichting in.' Zij leunde tegen hem aan, haar wang tegen zijn overhemd gedrukt waar dat op zijn borst openstond. 'Iemand als ik kan die verplichting niet negeren.'

'Het zou niet uitmaken als je dat wel deed,' zei Falke. Hij maakte de spelden in haar haar los en liet het over zijn handen vallen, waarbij hij de weelderige bruine lokken beroerde als waren die van de zuiverste zijde. 'Donker als de rivier bij nacht,' fluisterde hij. 'En ogen als de schemering.'

'Poëzie,' fluisterde Madelaine. Zij liet een van haar handen in zijn overhemd glijden en genoot ervan hoe zijn huid aanvoelde, van het krullen van zijn haar. 'Het is lang geleden dat ik poëzie heb gehoord, tenminste zoals dit. Het is heerlijk om het genot ervan wederom te ondergaan.' Zij drukte haar lippen tegen zijn borst waar zijn hemd openstond en voelde zijn hart kloppen. 'Verontrust het je, het risico dat je loopt als wij nog langer als minnaars doorgaan?'

'Dat ik word zoals jij?' Hij grinnikte. 'Een vreemd idee, Madelaine.'

'De waarheid,' zei zij zachtjes, en zij wenste dat het niet zo moeilijk was om te spreken over de veranderingen die hij zou ondergaan. 'Je moet je er rekenschap van geven, want als je niet bereid bent om bij je sterven een vampier te worden, zullen we zowel ter wille van jou als van mij onze hartstocht moeten opgeven. En dat zou... pijnlijk zijn.' Zij wist dat hij op het punt stond zich uit te spreken, haar bezorgdheid af te wijzen; zij was hem voor. 'Ik heb nu viermaal je bloed geproefd. Je loopt reeds gevaar. Als je mij vannacht aanvaardt, zal het risico toenemen. Nog tweemaal samen en dan zal, tenzij je lichaam vernietigd wordt ofwel volledig invalide raakt, je transformatie een voldongen feit zijn, en zal de dood geen vat meer op je hebben.'

'En dan zou ik een vampier zijn?' Hij zorgde ervoor haar niet te bespotten. 'Niet echt datgene wat een geneesheer zou moeten zijn.' Hij zag de pijn diep in haar ogen.

'Je gelooft me niet, is het wel?' Zij maakte aanstalten zich van hem terug te trekken.

'Niet doen.' Hij verstevigde zijn omhelzing. 'Welke man wil een vampier zijn? Ik wil je minnaar zijn.'

'Die twee zijn met elkaar verbonden, Falke.' Het maakte haar verdrietig dit toe te moeten geven. Zij liet haar andere hand in zijn hemd glijden. 'Ik verlang naar je, maar niet als jij niet naar mij verlangt met inbegrip van alles wat ik ben.'

'Ik zou je dus werkelijk kunnen vragen te vertrekken en dan zou je gaan?' Zijn vermaak was van ongeloof vervuld.

'Ja,' zei zij uit volle overtuiging.

De klank van haar stem verraste hem; hij keek haar nu ernstiger aan. 'Maar je zou terugkomen?'

'Nee,' gaf zij te kennen. 'Niet als je minnares, louter als een goede vriendin.'

'Ik laat je niet gaan. Dat sta ik niet toe.' Voorzichtig maakte hij de veters van haar korset los en trok het zachtjes tussen hen vandaan. Haar lichaam was zo bedwelmend als de papaverpasta die verslavende dromen veroorzaakte en een eind maakte aan pijn. Hij trok haar dichter tegen zich aan. 'Wat wil je dat ik tegen je zeg, Madelaine?' Hij kuste haar haar en wenste dat zij hem aan zou kijken.

'Ik wil dat je zegt wat je in je hart voelt. Al het andere is onbelangrijk.' Het was moeilijk om zijn antwoord af te wachten en nog moeilijker om zich te weerhouden een poging te doen hem nog meer te beïnvloeden dan haar aanwezigheid al deed. 'Als je naar me verlangt, is er niets dat mij grotere vreugde zou schenken dan jouw liefde, en dan verlang ik naar jou zoals de levenden naar adem. Maar als je me niet wilt, als je niet kunt aanvaarden wat ik ben, dan wil ik niet blijven als een ongewenste minnares die je in gevaar brengt en een transformatie veroorzaakt die je verafschuwt.'

Hij beroerde haar gezicht en draaide het naar zich toe. 'Jij mag er vrede mee hebben om mij te laten gaan maar ik ben niet zo edelmoedig.'

Zij fronste. 'Ik ben niet edelmoedig. Ik zeg dit uit noodzaak. Ik weet dat diegenen die niet waarlijk mijn liefde zoeken, die ik niet waarachtig lief kan hebben, niet zijn wat ik nodig heb en omdat ik ze geen bevrediging kan schenken, zullen zij niet in al mijn behoeftes voorzien. Bloed zonder liefde is minder dan water-en-brood.'

'Het leven dat je leidt, moet wel zwaar zijn,' zei hij, deels in scherts. 'En op een dag zul je mij daar alles over moeten vertellen. Op dit moment geef ik er de voorkeur aan dat we veel minder spreken.' Zijn kus was dwingend, niet zo teder als voorheen, en zijn handen gleden met toenemende drang over haar rug en heupen. Hij liet zich op zijn knieën zakken, haar met zich meetrekkend.

'Als je besluit te worden zoals ik, zul je nog veel moeten leren,' zei zij als een laatste concessie aan haar geweten. Toen stond zij zijn kussen en zijn hartstocht toe haar zorgen te verdrijven en verheugde zij zich in zijn onderzoekende vingers en mond, zijn liefkozingen beantwoordend met liefkozingen, terwijl hij haar bevrediging zocht met de zijne. Van de ronding van haar borst tot de welving van haar heup overlaadde hij haar met aandacht en hij aanvaardde met grote vreugde het genot dat zij hem verschafte.

Lang voordat hij haar lichaam binnendrong, rees hij tot een heerlijke, tedere staat van vervoering, intenser en betekenisvoller dan enige ervaring die hij ooit had gekend. Hij drong binnen in meer dan haar lichaam, bereikte meer dan het hoogtepunt van hun wederzijdse verlangen. In het verzwakkende moment, toen zij beiden de totaliteit van de ander bereikten, onderging Falke een gevoel van samenzijn waarvan hij het bestaan nooit eerder had vermoed noch gehoopt had te zullen vinden.

Het was veel later toen hij bijkwam uit de heerlijke toestand van halfbewustzijn die hem had overmand; hij zag Madelaine naast zich zitten, haar knieën opgetrokken tot onder haar kin, haar armen om haar benen geslagen. Hij strekte zijn hand uit om zich ervan te vergewissen dat zij niet een voortzetting van zijn droom was en was opgetogen haar aan te treffen. 'Je bent er.'

'Wat?' fluisterde zij toen hij met de rug van zijn hand langs haar arm streek.

Hij antwoordde niet meteen. 'Maakte dat deel uit van je aard?'

'Als het geaccepteerd wordt,' zei zij met een zachte, heldere stem, 'kan het dat zijn.'

'Dan is elke man die het versmaadt een dwaas,' zei hij, terwijl hij zich op zijn zij rolde. Toen pas besefte hij dat hij in zijn bed lag. Hij kon zich niet herinneren hoe hij daar gekomen was; zij hadden elkaar bemind op het oude, zijden tapijt.

'Ik heb je hierheen gebracht,' zei Madelaine en toen zij het ongeloof in zijn ogen zag, voegde zij eraan toe: 'Nog een deugd van degenen van mijn bloed is een kracht, al kent die zijn beperkingen.' Zij leunde achterover in de kussens. ''s Nachts vormt het geen beproeving om jou of iemand zoals jij te dragen. Onder de zon... welaan, wij die zijn gestorven en getransformeerd, wij varen niet wel in de zon.'

Falke was nu klaarwakker en zijn nieuwsgierigheid was gewekt. 'Hoe komt dat?'

'Dat weet ik niet,' zei zij, een lichte zucht slakend. 'Mijn eerste minnaar, die mij tot een van zijn bloed maakte, zei dat het met de aarde te maken heeft. De aarde is 's nachts het krachtigst en de zon is overdag het sterkst. Wij die overgaan tot dit leven, leren allemaal in de loop der tijd om onze schoenen en onze zadels en bedden en rijtuigen en de vloeren van onze huizen te voeren met aarde uit ons geboorteland, zodat wij niet verzwakken terwijl de zon schijnt.'

'En als je dat niet doet?' vroeg Falke toen zij enige tijd niets zei. Hij volgde met een enkele vinger de lijn van haar schouder, haar borst en de boog van haar ribben.

'O, dat hangt ervan af,' zei zij, en zij keek de andere kant op. 'Op zijn minst zal de zon ons verbranden zoals vlammen jou. Het vergt enige tijd om van zulke brandwonden te herstellen, zelfs ons die ondood zijn.' Zij streek haar haar uit haar gezicht. 'Als je een van ons lang genoeg in de zon laat, zodat de brandwonden zo ernstig worden dat die ons onherstelbare schade toebrengen, dan zullen wij net zo zeker sterven als elke ketter die op de brandstapel is geketend. Verbrand ons met vuur en wij sterven de onherroepelijke dood. Breek onze ruggengraat en wij sterven; vernietig onze zenuwen en wij sterven. Maar wij kunnen geen ziektes oplopen en ze evenmin verspreiden. Wij kunnen niet verhongeren. Wij kunnen niet doodbloeden.'

'En het kruis?' vroeg Falke, die zich de gruwelverhalen uit zijn jeugd herinnerde, waarin diegenen die de boeien van de dood hadden afgeworpen, op afstand gehouden konden worden met behulp van de symbolen van Christus.

Madelaine lachte zachtjes. 'En wijwater? En de hostie? En de namen van God en Jezus en de Heiligen? Ik ben een geboren katholiek,' zei zij, 'en op een bepaalde manier ben ik dat nog, hoewel de Kerk het misschien niet met mij eens is.'

'Maar vampieren...' Hij sprak het woord met moeite en ongeloof uit.

'Wat is daarmee?' Zij strekte haar hand uit en beroerde het plekje op zijn keel waar een klein spatje bloed zat. 'Wij zijn geen werktuigen van de Duivel.' Haar ogen werden donker en afstandelijk. 'Ik ken diegenen die voor Satan buigen en ik ben niet een van hen.'

Falke zag iets in haar gezicht dat hem onthutste. 'Madelaine?' Hij wilde haar naar zich toe trekken, haar beschermen tegen wat zij voor haar geestesoog zag.

Zij schudde licht met haar hoofd. 'Niets. Dat was vele jaren geleden.'

Hij voelde iets van zijn gevoel van tevredenheid wegglippen. 'Kom hier, laat mij je vasthouden.'

Hoewel zij zich gewillig door hem liet omarmen, zei zij, nadat zij elkaar hadden gekust: 'Het is al laat. Ik had al weg moeten zijn.' Er klonk zoveel tegenzin in door dat Falke een glimlach van voldoening niet kon verbergen.

'Je mag blijven als je dat wenst.' Hij kuste haar voorhoofd, haar ogen.

'Dat zou bijzonder onverstandig zijn, voor ons allebei. Op het ogenblik doen er overal gissingen over ons de ronde; het zou dwaasheid zijn ze zekerheid te geven.' Zij gaf zich nog eenmaal over aan zijn kussen en zette toen haar beslissing meer kracht bij. 'De mohammedanen zullen binnen het uur tot het gebed worden opgeroepen.' Haar glimlach was ironischer dan hij ooit van haar had gezien. 'Diegenen van ons die zijn getransformeerd zijn gevoeliger voor de zon dan welke andere kinderen van de nacht ook.'

Hij liet haar los. 'Moet het echt?'

'Niet dan?' was haar tegenvraag, terwijl zij uit bed stapte. 'Mijn kleding ligt hier.'

'Zal ik je helpen?' bood hij aan, in de hoop haar nog wat langer bij zich te houden.

Ditmaal lachte zij zachtjes en met oprecht plezier. 'Dat zou mijn vertrek niet bespoedigen,' zei zij en toen werd zij weer ernstig. 'Pas op, Falke. Wij zijn hier geen van beiden veilig.'

'Wij zullen zegevieren,' zei hij, zoals hij elke dag had gezegd sinds hij de deuren van zijn villa had opengesteld voor de zieken en gewonden.

'Denk je dat echt?' vroeg zij terwijl zij haar korset aansnoerde.

Falke was verbaasd. 'Jij niet dan, nu je zover gekomen bent?'

Zij gaf niet meteen antwoord en was druk bezig met het aantrekken van haar jurk en het vastmaken van enkele van de knoopjes aan de achterkant. 'Nee,' zei zij ten slotte. 'Ik hoop dat ik in staat zal zijn te overleven en dat de prijs niet te hoog zal zijn.' Zij boog zich voorover om hem te kussen. 'Maar als je dat wenst, zal ik voor jou hopen dat je zegeviert.'

Tekst van een brief van Honorine Magasin in Parijs aan Jean-Marc Paille in Thebe.

Mijn dierbare Jean-Marc,

Wat lief van je om mij dat geschetste portret te laten opsturen, want ik had zo weinig aandenkens waarmee ik voor de dag durfde te komen en mijn vader heeft mij het medaillon dat je mij hebt gegeven, afgenomen toen hij verdere omgang met jou verbood. Morgen zal ik het laten inlijsten en het met zoveel trots uitstallen als voorzichtigheidshalve maar mogelijk is. Ik heb vaak verlangd naar je beeltenis, om ermee te kunnen praten en te doen alsof je bij mij bent. Je zegt dat je haar erg uitgebleekt is door de zon en dat er zich diepere rimpels rondom je ogen hebben gevormd, en dat je gezicht bruinverbrand is. Ik zal proberen dat beeld te vormen terwijl ik naar je portret kijk en mijzelf eraan herinneren dat ook ik enigszins veranderd ben sinds jij mij hebt gezien. Ik hoop dat ik nog geen rimpels in mijn gezicht heb maar

welke vrouw kan aan de tol van het ouder worden ontkomen? Ik
draag mijn parasol en gebruik komkommerlotion, maar ik vrees
dat ik niet meer zo jeugdig ben als toen je vertrok.
Je zult ondervinden dat de haarstijlen in modieuze kringen erg
veranderd zijn. Ik herken mezelf bijna niet als ik in de spiegel
kijk, want mijn nieuwe coiffure is uiterst opvallend en verschilt
sterk van de manier waarop ik mijn haar voorheen droeg en de
ogenschijnlijke verandering van mijn gelaatstrekken als resultaat
daarvan is zeer ingrijpend. Tante Clémence beweert dat het
bijzonder aantrekkelijk is maar ik ben er nog niet aan gewoon, en
daarom komt het mij ook nog niet zo voor. Als ik je weer zie,
moet je me vertellen hoe de verandering je bevalt.
Mijn zuster heeft eindelijk een erfgenaam voortgebracht, doch
men maakt zich zorgen om het jongetje, want hij groeit niet goed
en is erg klein en kribbig. Het kind heeft elk moment van de dag
een oppas nodig en ook 's nachts behoeft hij voortdurende
bewaking. Mijn vader zegt dat het nodig is dat ik trouw, zodat hij
niet al zijn hoop op deze enkele kleinzoon hoeft te vestigen.
Solange heeft verklaard dat zij voor het einde van het jaar nog
een zoon zal baren, maar wie kan zeggen of dat ook werkelijk zal
gebeuren? Ik bid elke ochtend voor mijn nieuwe neefje want ik
wil niet nog eens genoodzaakt worden met mijn vader in
discussie te treden over mijn status van alleenstaande. Ik heb
mijn keuze bepaald en er is niets wat mijn vader kan doen dat
mij van jou af zal keren. Denk echter niet te slecht over me als ik
ernaar verlang je hier bij mij te hebben, want ik begin hoop te
koesteren dat mijn vader meegaander zal blijken nu Solange niet
zo succesvol is als hij had gehoopt. Mijn vader wil dat ik, ter wille
van de continuïteit van de familie, moeder word, niet een tante.
Zie je mij als een tante, Jean-Marc? Het is zeer moeilijk voor me.
Je laatste brief aan mij heeft er veel langer dan gewoonlijk over
gedaan om mij te bereiken – bijna vijf maanden – en dat heeft
mij ongerust gemaakt, vooral toen ik hoorde dat er nog steeds
strijd wordt gevoerd in dat deel van de wereld, deels door de
Turken en de Russen en deels door de Fransen en anderen die
trachten de vrede te bewaren. Ik heb het tot mijn taak gesteld
erachter te komen of er zich waar jij je bevindt krijgshandelingen
hebben voorgedaan, en mij is verteld dat Egypte niet bij de

schermutselingen betrokken was. Ik was bijzonder opgelucht en je
kunt je wel voorstellen hoe ik me voelde toen ik zo lang na je
vertrek vernam dat je gevaar zou kunnen lopen van zoiets als een
oorlog. Ik smeek je om mij op dit punt op de hoogte te houden.
Anders zal ik mij om jouwentwille ongerust maken.
Georges is onlangs voor enige tijd uit Parijs vertrokken, want zijn
grootvader is uiteindelijk overleden. Hij was zwaar invalide, weet
je, en leefde op zijn landgoederen, teruggetrokken van de
maatschappij. Georges heeft jarenlang zijn zaken behartigd. Ik
heb nooit besef gehad van de omvang van zijn bezittingen maar
blijkbaar is een deel afkomstig uit de buitenlandse handel en het
overige van transacties in metaal. Ik heb een slecht hoofd voor
dergelijke zaken. Zijn rijkdom is legendarisch in de familie en nu
blijkt dat neef Georges het merendeel ervan zal erven omdat hij
zo lang de zaken van de oude man heeft beheerd. Georges, zoals
je je kunt denken, is buiten zichzelf van verbazing. Hij zei dat hij
het niet had verwacht en dat hij maatregelen zal moeten treffen
om zijn levenswijze te veranderen in overeenstemming met de
landerijen en het geld die hij nu zal moeten beheren. Georges is
natuurlijk altijd welgesteld geweest maar nu wordt hij fabelachtig
rijk. Ik ben ervan overtuigd dat het niemand had kunnen
overkomen die het meer verdiende dan hij, en ik heb er
vertrouwen in dat hij erin zal slagen zijn bezittingen uit te
breiden, hetgeen zijn grootvader welgevallig zou zijn. Ik heb
Georges gezegd dat ik hem zover als het in mijn vermogen ligt zal
bijstaan want hij is zo goed voor mij geweest, door mij te helpen
en als koerier tussen jou en mij te fungeren. Ik weet zeker dat jij
net zo blij voor hem bent als ik. In feite heb ik hem jouw
felicitaties overgebracht omdat ik weet dat je dat van mij
verlangd zou hebben.
Drie avonden geleden hebben tante Clémence en ik hier in Parijs
een besloten concert bijgewoond, waar een recital van de opera
Oberon werd opgevoerd. De muziek van Weber is bijzonder mooi
en het stuk was in Londen zeer populair, maar het is niet mijn
smaak. Ik verlang naar een stuk over die oude heersers van
Egypte, hun oorlogen en hun liefdes, dat de wijsheid van die
verbazingwekkende mannen weergeeft en tegelijkertijd
amusement zou bieden. Wellicht ben jij bereid na je terugkeer

een componist uit te zoeken om samen met hem aan een
dergelijke onderneming te werken. Ik kan geen aardiger gebruik
van je onderzoek en geleerdheid bedenken.
Je zult willen weten dat ik dat Egyptische halssnoer heb gedragen
tijdens het concert en, zoals gewoonlijk, ontving ik er zeer vleiend
commentaar op. De meeste aanwezigen zeiden dat zij nog nooit
iets dergelijks hadden gezien en toen ik summier uitlegde hoe ik
in het bezit ervan ben gekomen, waren zij verbaasd en onder de
indruk. Een vrouw, een zeer deftige oude dame, bleef zo
hardnekkig uitroepen over mijn halssnoer slaken dat ik bijna
gedwongen werd haar te kennen te geven dat ik er niet van
gediend was dat zij zoveel aandacht op zichzelf en mijn halssnoer
vestigde. Zij nam mijn opmerkingen goedaardig ter harte maar
later hoorde ik haar beweren dat het haar niet zou verbazen als
bleek dat het halssnoer niets meer was dan een snuisterijtje
afkomstig van de markt in Caïro. Ik ben daar niet tegenin
gegaan maar ik had een vinnig antwoord in gedachten, dat
verzeker ik je.
De twee nieuwe jurken die ik met Kerstmis heb besteld, zijn
afgeleverd en die van lichtblauwe mousseline is zo prachtig dat
het mij bijna doet beven van vreugde. Je kunt je niet voorstellen
hoe hij mij flatteert, want gewoonlijk staat blauw mij niet goed.
Maar deze wekt de indruk dat ik in een wolk gekleed ben. De
mousseline is zo fijn dat het dwarrelt als ik loop en de snit
vervolmaakt mijn figuur precies goed, hoewel het niet aangaat
dat ik jou dit vertel. Ik moet je zeggen dat het mij niet gelegen
komt dat Georges juist nu weg is, want hij zou mij naar
verscheidene middagfêtes vergezellen, waarvoor deze jurk perfect
zou zijn. Ik zal moeten wachten tot hij terugkeert. Gelukkig is de
jurk geschikt als zomerdracht, anders zou ik hem weg moeten
hangen tot volgend voorjaar, en tegen die tijd zou hij niet meer
het nieuwste van het nieuwste zijn. Ik heb van mijn tante in
zoverre geprofiteerd dat ik haar aanbod voor nog een complet
niet heb afgeslagen: een fraai kostuum voor overdag met een
lange jas voor tochtjes per koets, die perfect past bij de japon
eronder, die van fijn linnen is gemaakt. Ik had niet gedacht dat ik
een linnen japon mooi zou vinden want ik ben ouderwets genoeg
om te denken dat alleen boeren linnen dragen, maar het wordt

een ware rage en het is bijzonder duurzaam, hetgeen bij
uitgaanskostuums het overwegen waard is.
Mijn tante Clémence heeft mij tevens verteld dat zij overweegt
om nog een stel stoelen te laten maken voor de grote salon. Ik
moet bekennen dat dit mij verraste want de stoelen die zij nu
heeft zijn pas twaalf jaar oud, doch zij beweert dat een nieuwe
bekleding niet zou voldoen en dat zij nieuwe wil hebben. Het
resultaat is dat zij heeft toegezegd de huidige stoelen voor mij te
laten opslaan tot jouw terugkeer, wanneer wij ons geplaatst
zullen weten voor het opzetten van onze huishouding. Jij, een
Professor, zult op bepaalde punten moeten bezuinigen en deze
stoelen zullen ons helpen zoveel mogelijk te doen met het geld dat
wij dan tot onze beschikking hebben. Niet dat ik belang hecht
aan dergelijke zaken, maar ik weet dat het verstandig is om
zoveel voordeel als mogelijk te halen uit zo'n goedgeefs aanbod als
door mijn tante gedaan, zodat je je middelen niet zult hoeven
uitputten als wij gaan trouwen.
Een week geleden heb ik met tante Clémence een landhuis
bezocht, waar wij een zeer oude vesting bezichtigd hebben,
waarvan wordt gezegd dat hij stamt uit de tijd van de Romeinen.
Er zit nu geen dak meer op en sommige muren zijn ingestort,
maar, terwijl ik mijn weg zocht tussen die hopen steen, betrapte
ik mezelf op de gedachte dat ik iets vergelijkbaars deed als jij doet
ver weg in Egypte. Ik moet je zeggen dat ik niet begrijp hoe je je
geestdrift kunt behouden als het werk zo zwaar en eentonig is. Ik
zou het niet langer uithouden dan een maand of twee, denk ik.
En toch, als wij in Egypte zijn, zullen er andere dingen te doen
zijn dan het blootleggen van stenen, nietwaar? Je schreef over het
vermaak dat door die Egyptenaar, Monsieur Omat, wordt
aangeboden en het gezelschap van de andere oudheidkundigen,
zodat jouw wereldje niet zo beperkt is als ik soms vrees. Je zult
wellicht de vesting willen bezichtigen als je weer in Frankrijk
bent. Ongetwijfeld zal het minder opwindend zijn dan die
geheimzinnige monumenten die je nu onderzoekt, doch jouw
bekwaamheden kunnen evenzeer hier als in Thebe van nut zijn.
Ik moet nu afsluiten. Mijn tante Clémence heeft mij te kennen
gegeven dat de kleine landauer gereedstaat en dat wij ons moeten
haasten, want de koetsier laat de paarden niet graag te lang

stilstaan. We gaan naar Saint Sulpice om een speciale dankdienst
ter ere van hen die in de strijd tegen de Turken gesneuveld zijn
bij te wonen, en je kunt erop vertrouwen dat ik bij deze
gelegenheid oplettend zal zijn en zal bidden voor jouw veiligheid.
Het is mijn liefste wens dat er geen verdere vijandelijkheden
zullen uitbreken in dat deel van de wereld, en dat zij die
slachtoffer werden van het conflict, het respect betoond wordt dat
zij als de helden die ze zijn, verdienen. Er zijn natuurlijk andere
diensten gehouden maar tante Clémence is van mening dat deze
belangrijker is dan sommige van de grootsere herdenkingen. Ik
ben gekleed in een aantrekkelijke middagjapon van diep
lavendelblauw, zodat ik niet te frivool zal overkomen voor zulk
een droevige gelegenheid. Na de herdenking gaan wij naar een
souper bij een oude vriendin van mijn tante, die ons heeft
uitgenodigd ons aan te sluiten bij haar en een stuk of dertig van
haar vrienden voor een avond van conversatie en airs op de harp.
Je kunt onmogelijk de diepte van mijn liefde voor jou peilen,
liefste Jean-Marc. Kom spoedig naar huis om de prijs van mijn
levenslange aanbidding op te eisen.

Met standvastige liefde,
Honorine Magasin
9 maart 1828, te Parijs

Vier

'Het was een geschenk van mijn vader,' zei Rida Omat in antwoord op Madelaines vraag, waarmee zij zeer ingenomen was. 'Bijzonder mooi, nietwaar?'

Madelaine strekte haar hand uit en beroerde de kleine ibis die aan de gouden ketting om Rida's hals hing. 'Ja,' zei zij bedachtzaam. 'Ja, het is bijzonder mooi. Hoe gelukkig dat je vader je een dergelijk geschenk heeft kunnen geven.'

Rida glimlachte ongekunsteld. 'Ja, zeer gelukkig. Vader geeft zijn echtgenotes geen geschenken zoals dit. Ieder van hen heeft juwelen van hem gekregen maar geen ervan is zo opmerkelijk als dit.' Zij keek op de ibis neer. 'Mijn vader is een fantastische man.'

'Velen hebben datzelfde gezegd,' zei Madelaine, en zij wist dat Rida niets dan instemming in haar woorden zou horen. Zij keek neer op de sortering waaiers die zij had meegebracht om aan Rida te tonen. 'Het lijkt zonde om zoiets prachtigs te moeten verbergen achter beschilderd kippenvel.' Terwijl zij dit zei, pakte zij een van de fraaist bewerkte waaiers op. 'Deze zou geschikt zijn.'

'Wat mooi,' riep Rida uit toen zij de waaier van Madelaine aanpakte en het miniatuur tafereel bekeek dat op het kippenvel geschilderd was. 'Dit is bijna net zo mooi als die kleine schilderijtjes die de Perzen maken.'

'Het heeft er wel iets van weg,' gaf Madelaine toe.

'Wat mooi,' herhaalde Rida toen zij een van de zijden waaiers oppakte. 'Ik zal mijn vader vragen er een voor mij te kopen.' Haar glimlach was te gemaakt om overtuigend te zijn. 'Bezit elke Europese vrouw dergelijke waaiers?'

'Niet allemaal, nee,' zei Madelaine. 'Maar meisjes die hun debuut in de maatschappij maken, dragen zulke waaiers. Dat ivoor is bijzonder broos, dus wapper er niet te hard mee; hij breekt als je dat doet.'

'Hij is niet erg bruikbaar als je er niet mee kunt wapperen.' Rida draaide hem om en bekeek het patroon. 'En toch is hij... prachtig.'

Madelaine wees naar de oudste waaier. 'Deze is antiek,' verklaarde zij. 'Mijn... overgrootmoeder droeg hem bij zich.' Zij pakte haar moeders waaier op en liet hem aan Rida zien, terwijl zij tegelijkertijd de ibis nogmaals bekeek. 'Een waaier als deze is een bijzonder galant geschenk, vooral als de gastvrouw een oudere vrouw is die oog heeft voor de waarde ervan.'

'Zou een waaier een passend geschenk zijn voor een vrouw?' vroeg Rida, haar wenkbrauwen optrekkend.

'Voor een gastvrouw zeer zeker,' zei Madelaine. 'Evenals een fraaie sjaal, een fichu zou echter niet geschikt zijn, tenzij je langere tijd in het huis van je gastvrouw zou verblijven. Ik zou voorstellen om enkele juwelen mee te nemen, niet al te uitgelezen, als geschenk voor je gastvrouwen. Het is niet helemaal wat men zou verwachten, maar jij hebt het voordeel dat je Egyptische bent en daarom...' Zij zag hoe Rida's gezicht betrok. 'Wat is er?'

'Denkt u dat Françaises mij werkelijk als een gast zullen ontvangen?' vroeg zij en haar stem klonk zo klaaglijk dat Madelaine getroffen was. 'Wie zou mij in hun huis willen verwelkomen?'

Het duurde even voordat Madelaine een antwoord had geformuleerd. 'Er zijn er die dat niet zullen wensen; het spijt mij te moeten zeggen dat velen niet zouden weten hoe zij jou zouden moeten ontvangen, niet alleen omdat je Egyptisch bent maar omdat je mohammedaans bent. Je zult waarschijnlijk ontdekken dat sommige Europeanen... onontwikkeld zijn en men zou je kunnen kwetsen.'

'Maar waar zou ik in de Egyptische uitgaanswereld in deze kledij en met deze waaier heen kunnen gaan?' Zij haalde haar schouders op en hield haar blik afgewend. 'Ik verzet mij niet tegen mijn vaders wensen maar ik weet niet wat er van mij moet worden. Geen Egyptenaar zal nu nog om mijn hand dingen en welke Europeaan zal...' Toen sloeg zij haar hand voor haar mond. 'Het spijt me. Ik laat mij door mijn gevoelens in de war brengen. Dat is zinloos.' Zij keek op de waaiers neer. 'Is er nog iets wat ik hierover zou moeten weten?'

'Niets wat wij niet eerder hebben besproken,' zei Madelaine, verward door deze plotselinge wending van hun gesprek. 'Je weet hoe je de waaier moet vasthouden en je hebt mij niet nodig om je te vertellen hoe je moet flirten.'

Rida bloosde. 'Waarom zegt u dat?' vroeg zij.

Madelaine raakte nog meer in verwarring dan voorheen. 'Dat zeg ik,' vertelde zij Rida zo rustig mogelijk, 'omdat je een bijzonder mooie jonge vrouw bent, en al in de grote wereld hebt verkeerd, tenminste een beetje. Wat dacht je dat ik bedoelde?'

'Niets.' Rida slaakte een zucht en kneep haar handen samen. 'Wat voor een echtgenoot zal mijn vader voor mij vinden als hij erin volhardt dat ik zo Europees moet worden? Welke Europese man zal om mijn hand dingen? Het zijn christenen en zij mogen niet meer dan een echtgenote hebben. O, wat een dwaasheid!' Zij vloog bij de tafel vandaan en keerde zich toen tot Madelaine. 'Hoe verdragen jullie het dat mannen maar één echtgenote mogen hebben?'

'Zij hebben maîtresses,' zei Madelaine openhartig. 'Daarbij gaat het om een heimelijke relatie en niet iedereen keurt dat goed maar de meeste mannen die het zich kunnen veroorloven, houden er een maîtresse op na, en dat wordt slechts door weinigen veroordeeld.' Zij keek Rida aan en trachtte haar uitdrukking te doorgronden. 'In sommige kringen wordt het als zo normaal beschouwd dat een man voor zonderling wordt aangezien als hij geen maîtresse heeft.'

'Een man heeft veel vrouwen nodig om hem veel zonen te schenken,' zei Rida. 'Iedereen die daar niet zo over denkt, is een dwaas.'

'In Europa wordt een man geacht zonen te krijgen bij zijn echtgenote. Als hij ze bij zijn maîtresse heeft, wordt hij geacht ze te onderhouden maar ze niet boven de zonen van zijn echtgenote te stellen, noch is het hem toegestaan ze als zijn erfgenamen te benoemen, ongeacht of hij zonen heeft bij zijn echtgenote. Als zijn echtgenote hem geen zonen schenkt, wordt zijn broer of zijn neef zijn erfgenaam.' Zij wees naar de verfrissingen die al eerder waren aangeboden. 'Wilt u nog iets gebruiken, Mademoiselle?'

'Nee, dank u,' zei Rida. 'Wordt een man dan geacht slechts één echtgenote en één maîtresse te hebben?'

'Dat heeft de voorkeur en is in zekere zin fatsoenlijk,' zei Madelaine met een flauwe glimlach. 'Zelfs al houdt hij zijn maîtresse niet lang, hij wordt geacht haar te onderhouden gedurende de tijd dat hij haar voor eigen gebruik reserveert. Deze maîtresse dient hem trouw te zijn zolang hij haar onderhoudt. Hij wordt geacht zijn kinderen te onderhouden totdat zij meerderjarig zijn, ongeacht zijn omgang met hun moeder. Niet alle mannen houden zich daar aan. Een man kan verscheidene maîtresses in zijn leven hebben maar als hij er meer dan een tegelijk heeft, wordt hij als lichtzinnig beschouwd.' Ze liep het vertrek eenmaal op en neer. 'Er zijn natuurlijk prostituees maar die behoort een man niet tot zijn maîtresse te maken. Hij zou wellicht een favoriet bordeel bezoeken of de voorkeur geven aan een bepaalde prostituee, maar dat zijn geen vrouwen die hij tot zijn maîtresse of echtgenote zou nemen. Hij wordt dan geacht te betalen voor het plezier dat hem wordt verschaft en er is geen sprake van voortdurend onderhoud of de erkenning van eventuele kinderen; niet dat prostituees in bordelen veel kinderen hebben. De meeste bordeelhouders staan dat niet toe. Er zijn ook straatprostituees, die genieten nog het minste aanzien, doch mannen van stand nemen niet vaak hun toevlucht tot hen; dat zou ook niet verstandig zijn.'

Ditmaal was Rida gechoqueerd. 'Er bestaan instellingen waar vrouwen worden gehouden voor mannen die niet hun meester of echtgenoot zijn?' vroeg zij verontwaardigd. 'Het zou veel beter zijn als een man verscheidene vrouwen nam en niet hoefde...'

'Het is vaak een kwestie van smaak,' zei Madelaine. 'Er zijn dingen die echtgenotes en maîtresses niet... accepteren, tenminste de meesten van hen. En dan zijn er de bordelen voor jongens en mannen.'

Rida lachte. 'Welaan, mannen worden altijd verliefd op jongens, nietwaar? Maar waarom moeten er van die instellingen zijn? Kunnen ze dat niet beter onderling regelen?' Zij nam een van de bonbons en proefde hem. 'Jongens zijn maar zo kort jongens. Zonen en echtgenotes zijn levenslang van een man.' Zij wees naar de waaiers. 'Ik wil daar vandaag geen tijd meer aan besteden. Ik weet dat mijn vader wenst dat ik eraan gewend raak om ze op Europese wijze te hanteren maar voor nu heb ik genoeg geleerd. Ik zou veel liever meer te weten komen over die bordelen.'

'Waarom?' vroeg Madelaine, niet geheel overtuigd dat Yamut Omat zou willen dat zijn dochter werd ingelicht over bordelen. 'Het is niet iets dat je zou moeten weten; het is bijzonder onfatsoenlijk. De meeste vrouwen van stand besteden geen aandacht aan bordelen en doen net of ze niet bestaan.'

'Zijn die bordelen verborgen?' vroeg Rida geboeid. 'Als dat zo is, zou het verklaren waarom een vrouw er niet van op de hoogte is.'

'Aan de ene kant wel en aan de andere kant niet.' Madelaine gaf zich alle mogelijke moeite een manier te vinden om het aan Rida uit te leggen, zodat zij de werkwijze van bordelen zou begrijpen, hoewel zij hoopte dat er niet veel vragen meer zouden volgen. 'Ze zijn... discreet. De bordeelhouders worden geacht zich niet in het oog lopend te manifesteren en als ze wel opvallen, zien zij zich genoodzaakt een groot aantal mensen om te kopen teneinde in bedrijf te kunnen blijven. Als zij te berucht worden, worden zij door de overheid gedwongen te sluiten. De Franse politie doet geen moeite de mannen te arresteren – de vrouwen worden het land uitgezet. Vroeger werden zij naar de Nieuwe Wereld verscheept, maar dat gaat niet meer zo gemakkelijk en het volk wil niet dat Françaises naar Afrika worden gezonden.'

'Wat een eigenaardige gewoontes,' zei Rida op een toon alsof zij er niet langer zeker van was dat Madelaine de waarheid sprak.

'De gewoontes van andere volkeren zijn vaak eigenaardig,' zei Madelaine, en zij probeerde niet te geamuseerd of ontstemd te klinken. Zij liep naar de kleine sofa bij het raam en streek de rokken van haar middagjapon glad toen zij plaatsnam. 'Kom. Ga zitten.'

'Weer een les,' protesteerde Rida.

'Als je liever niet...' zei Madelaine ten teken dat zij zich bij Rida's beslissing zou neerleggen. 'Je moet leren om je eigen keuzes te maken. Je vader heeft liever dat je dat leert dan dat je de ongeoorloofde handelwijze van Franse mannen bestudeert. Europese vrouwen worden geacht zich naar de verlangens van hun echtgenoot te schikken doch volledige overgave wordt niet verwacht.'

'Wat is het verschil?' vroeg Rida, die zich ontspannen in de kussens van de stoel achterover liet zakken.

'Soms is dat verschil niet zo duidelijk,' zei Madelaine lachend en in haar lach klonk ironie door. 'En er bestaat een soort ritueel voor. Als je je wilt verzetten tegen wat een man van je verlangt, kun je gaan pruilen, doch niet als hij erg boos is. Als hij geprikkeld is, kun je hem door gevlei zijn slechte humeur proberen te doen vergeten. Sommige mannen zullen prijs stellen op je eerlijke mening en als dat het geval is, moet je die uiten, hoe vreemd dat ook mag lijken; een vrouw die haar mening niet geeft als erom gevraagd wordt, verliest snel het recht om er een op na te houden.' Zij bracht haar hand naar haar voorhoofd. 'Het is uiterst ingewikkeld. Elke poging die ik doe om het uit te leggen klinkt onlogisch.'

'Nee,' zei Rida. 'Hoe kun je weten wat er van je wordt verlangd?' Zij wierp haar hoofd in de nek, zoals zij Madelaine had zien doen toen zij door Professor Baundilet tijdens een bijeenkomst enkele weken eerder terzijde was genomen. 'Hoe gedraagt een Fransman zich als hij een vrouw wilt hebben? Wat zou een man doen die met mij zou willen trouwen?'

'Dat hangt ervan af,' zei Madelaine, die deze vraag had verwacht. 'Als hij op zoek is naar een echtgenote, zou het gepast zijn als hij eerst met je vader zou spreken alvorens zijn belangstelling aan jou kenbaar te maken, hoewel een man tegenwoordig vermoedelijk eerst de vrouw zal willen leren kennen alvorens zich tegenover haar vader uit te spreken.' Zij aarzelde. 'Een man die om je geeft zou je veel aandacht schenken, zou je het hof maken. Hij zou je bloemen geven en je begeleiden als je uitging. Hij zou jou en je vader uitnodigen wanneer hij thuis mensen ontving, waarbij jullie niet de enige gasten zouden zijn. Hij zou je met eerbied behandelen en respect hebben voor jouw positie en die van je familie.'

'Heus waar?' Ze deed een dappere maar mislukte poging om te lachen.

'Ja,' zei Madelaine.

'Maar als beiden elkaar liefhebben, zou dat verschil maken?' Haar stem klonk hoger dan voorheen.

Dit werd moeilijk want zij wilde Rida niet aanmoedigen in haar zoektocht naar een Europese minnaar als een dergelijke man voor haar vader niet aanvaardbaar was. 'Dat zou betekenen dat je meer zorgzaamheid voor jouw welzijn zou mogen verwachten. Er zou geen sprake zijn van heimelijkheid of verleiding en je aanbidder zou geen pogingen doen jou, louter voor zijn eigen bevrediging, tot iets te dwingen.' Zij dacht terug aan sommige van de jongemannen die zij in haar jeugd had gekend. 'Ik geef toe dat een dergelijke zorgzaamheid zeldzaam is, maar dat is liefde ook.'

'Maar als een man niets anders zou doen dan bloemen schenken, hoe komt een vrouw er dan achter wat voor soort man hij is?' Zij spreidde haar armen als om de onmetelijkheid van de vraag daarmee aan te geven. 'Zou een man, als hij van een vrouw zou houden, niet alles voor haar durven wagen? En als zij van hem hield, zou zij hem dan niet haar gehele liefde schenken en niet slechts een dom geaffecteerd lachje? Zouden ze niet beiden de vervulling van hun liefde zoeken? Zouden ze daar niet toe gedwongen worden? Zouden ze dat niet? U beweert dat mannen niet vaak de oprechte mening van vrouwen zoeken en vervolgens beweert u dat een aanbidder te herkennen is aan zijn terughoudendheid. Waar is de logica?'

'Het is niet altijd logisch,' gaf Madelaine toe. 'Het is de manier van een man om vrouwen in het ongewisse te laten en ze vervolgens ervan te beschuldigen dat ze te mysterieus zijn.' Zij keek naar het raam. 'Als je in Frankrijk was, zou ik je een voorbeeld kunnen laten zien. Maar hier, waar er slechts weinig Europeanen zijn, en waar wij niet leven zoals thuis, kan ik...' Zij kwam overeind van de sofa. 'Je vader zou het niet goedkeuren dat ik je deze dingen vertel. Hij wil dat ik je leer om je als een dame te gedragen. Hoe kan ik dat, zonder te spreken over datgene waarover men niet praat?'

Rida strekte loom haar armen uit en gaf met een gebaar te kennen dat het haar allemaal om het even was. 'Weten Françaises al deze dingen?'

'Ja,' zei Madelaine, 'maar er wordt niet openlijk gesproken over zaken als bordelen en maîtresses en bastaards. Liefde wordt geacht te persoonlijk te zijn om er, met uitzondering van je minnaar, over te praten. Er zijn weinig zaken waar vrouwen openlijk over spreken, behalve over hun japonnen en bedienden en de vooruitgang van hun kinderen.' Zij schudde haar hoofd. 'En de erkenning die hun echtgenoten ten deel valt.'

'U heeft geen echtgenoot en geen kinderen,' zei Rida.

'En ik ben oudheidkundige, hetgeen kwalijker is dan de eerste twee,' vulde Madelaine voor haar aan. 'Ja. Ik ben rijk en bovendien van goede afkomst, en dat schept voor mij de mogelijkheid voor dat kleine stukje onafhankelijkheid dat ik geniet. Zonder mijn rijkdom en mijn maatschappelijke positie – zo ver als die reiken – zou ik door niemand worden getolereerd.'

Rida ging overeind zitten, de wijze waarop Madelaine had gezeten nabootsend. 'Maakt dat u boos?'

'Soms wel,' zei Madelaine zacht. 'Er zijn momenten geweest dat ik zo woedend was dat ik er misselijk van werd. Maar meestal vermoeit het mij meer dan dat het mijn woede opwekt.'

'Waarom wilt u dan niet trouwen en kinderen nemen? U bent een mooie vrouw, nog jong genoeg, en uw rijkdom moet wel aanbidders aantrekken. Fransmannen geven om rijkdom, nietwaar?' Deze laatste vraag klonk ietwat geprikkeld, doch Madelaine werd zo in beslag genomen door hetgeen zij zei, dat het haar niet opviel.

'De meeste mannen geven om fortuin,' zei zij vriendelijk. 'En jij verkeert in de gelukkige omstandigheid dat het fortuin van je vader je opvoeding compenseert.'

'Is dat verkeerd?' vroeg Rida, gemelijk nu.

'Dat is 's werelds wijs,' zei Madelaine. Toen schudde zij haar hoofd. 'We zouden het niet over deze zaken moeten hebben. We kunnen ze toch niet veranderen. Ongetwijfeld zul je er zonder mijn hulp snel genoeg mee te maken krijgen. Je vader zal het mij niet in dank afnemen dat ik je deze dingen vertel.' Zij moest er niet aan denken wat Yamut Omat ervan zou zeggen als Rida hun gesprek zou doorvertellen.

'Mijn vader zal hier niets van te horen krijgen. Ik zal doen wat Europese vrouwen doen, en ik zal doen wat u zegt: pruilen.' Ze stak haar onderlip naar voren. 'Ziet u wel?'

'En zal je vader dat accepteren?' vroeg Madelaine.

'Hij zal wel moeten. Ik zal niets onthullen, zelfs niet als hij mij slaat. Dat doet hij nu niet meer zo dikwijls want hij wil vaak dat ik klaarsta om zijn vrienden te ontmoeten en als ik blauwe plekken heb, zou dat zijn vrienden niet behagen, of ik zou hun opstandig voorkomen, hetgeen nog erger is dan niet behagend.' Zij at de laatste bonbon op. 'Ik vermoed dat ik hem zal moeten vertellen dat ik leer hoe ik me als een Française moet gedragen; dat kan hij mij niet kwalijk nemen, aangezien hij mij hierheen stuurt om te leren hoe een Française te zijn.' Zij stond op het punt haar mond met haar hand af te vegen en haar vingers af te likken, toen zij zich herinnerde wat Madelaine haar had verteld en een van de kleine linnen servetten oppakte. 'Hoe dwaas om hier stof voor te verspillen,' zei zij terwijl zij haar lippen depte. 'Doe ik het goed?'

'Het begint erop te lijken,' zei Madelaine lichtelijk geamuseerd.

'Belachelijk,' zei zij, en zij vouwde het servet eenmaal losjes dubbel en legde het op het dienblad. 'Zo goed?'

'Ja,' zei Madelaine. 'Als je het net zo opvouwt als toen je het kreeg, wek je de indruk dat je denkt dat de servetten meer dan eens gebruikt worden, hetgeen beledigend is voor gasten.'

Nu lachte Rida voluit. 'Ik denk al jarenlang dat het in Europa hoogst eigenaardig toegaat maar nu weet ik het zeker.' Zij keek Madelaine nieuwsgierig aan. 'Ik heb een... uitgaansjas besteld, is dat het goede woord?'

'Als je daarmee iets bedoelt om te dragen wanneer je in een open rijtuig zit, ja, dan is dat het goede woord. Een behoorlijke uitgaansjas behoort twee of drie pelerines te hebben. Alleen mannen hebben er meer, en dat is al enige jaren geen mode meer. De Engelse jassen waren het meest uitgebreid; Engelse vrouwen waren de eerste die uitgaansjassen droegen.' Zij keek naar de ramen. 'Dit is niet het geschikte klimaat voor een dergelijke jas, maar het is zeer correct.'

'Ik heb drie pelerines besteld,' zei Rida. 'Mijn vader waarschuwde mij om niet meer uit rijden te gaan zonder een dergelijke jas en een geschikte hoed. Ik heb er nog niet een gezien die er gerieflijk uitziet.'

'Er zijn er maar weinig die gerieflijk zijn,' zei Madelaine en zij stond op het punt door te gaan, toen Renenet in de deuropening verscheen. 'Wat is er?' vroeg Madelaine, die normaal gesproken niet gestoord werd als Rida er was voor haar informele lessen.

'Professor Baundilet wil graag enkele woorden met u wisselen. Hij beweert dat het dringend is en dat hij u anders niet gestoord zou hebben.' Renenet maakte een buiging waarin zowel spot als eerbied lag.

'Baundilet?' vroeg Rida, en haar adem stokte in haar keel. 'Weet hij dat ik hier ben?'

'Dat heb ik hem medegedeeld, Mademoiselle,' zei Renenet. 'Ik heb hem gevraagd in de groene salon op u te wachten. Ik zal Broeder Gurzin naar hem toesturen als u daar de voorkeur aan geeft.'

Madelaine schudde haar hoofd. 'Nee. Als het dringend is kan ik hem beter ontvangen.' Zij richtte zich tot Rida. 'Wilt u mij excuseren, Mademoiselle?'

'Vanzelfsprekend,' zei Rida snel. 'Ik ga wel wat oefenen met de servetten.'

'Goed.' Madelaine haastte zich de salon uit achter Renenet aan, en wenste dat haar voortreffelijke huisbediende zich niet voortdurend in een tred nog statiger dan die van een butler verkoos voort te bewegen.

'Madame,' zei Professor Baundilet toen Madelaine de groene salon betrad. Hij pakte haar hand en drukte er een kus op, haar daarbij schalks aankijkend. 'Heel vriendelijk van u om aan mij een deel van uw tijd af te staan.'

'Wat kan ik voor u doen, Baundilet?' vroeg zij hem, ervoor zorgend uiterst beleefd te zijn.

'Er is iets waarvan ik hoop dat u mij ermee zult willen helpen. Het gaat de hele expeditie aan, moet ik helaas toegeven; en wij zullen snel moeten handelen: ik vrees dat Jean-Marc het in zijn hoofd heeft gehaald om zonder uitstel naar Frankrijk terug te keren.' Toen hij de verbazing op haar gezicht zag, knikte hij. 'Ja, u heeft alle reden tot verbazing. Ik ben ook verrast. Ik weet niet wat die kerel mankeert. Hij heeft het steeds maar over die verdomde verloofde van hem, en de noodzaak om een geschikte aanstelling bij een universiteit te vinden, nu hij enige ervaring heeft opgedaan met oudheidkundige expedities. Hij slaat wartaal uit, Madame. Ik kan geen zinnig woord uit hem krijgen.'

'Dat maak ik uit uw woorden op,' zei Madelaine, Baundilet met een gebaar uitnodigend om plaats te nemen. 'Wat wilt u dat ik eraan doe?'

'Met hem praten. Praat u met hem!' barstte Baundilet uit. Hij sloeg geen acht op haar onuitgesproken uitnodiging en begon heen en weer te lopen. 'Die knaap is de grootste dwaas die er bestaat. Dit is niet slechts een jeugdige dwaling. Hij staat op het punt zijn toekomst te vergooien voor een gril. Maar hij is goed voor zijn werk en het zou ons doel in het geheel niet dienen als hij nu zou vertrekken.' Hij bleef staan naast de stoel waarin zij had plaatsgenomen. 'Naar u luistert hij. Elke man met bloed in zijn aderen zou naar u luisteren.'

'Wat een vreemde zinsnede,' zei Madelaine, terwijl zij bedacht dat deze beter gekozen was dan Baundilet kon vermoeden.

'U weet wat ik bedoel. U bent het soort vrouw naar wie een man wel moet luisteren, al was het maar uit het oogpunt van verlangens, zo niet voor een andere reden.' Hij boog zich enigszins over de leuning van haar stoel. 'Ik ben het niet vergeten; zeg niet dat u het wel vergeten bent.'

'Ik heb er mijn best voor gedaan en zou het vergeten als u mij er niet steeds aan herinnerde,' antwoordde zij vinnig. 'U had het over Jean-Marc.'

Baundilet streek met zijn hand over haar schouder, en toen, alvorens zij kon protesteren, liep hij met lange passen bij haar vandaan. 'Ik weet dat hij zich zorgen maakt dat hij de roem en rijkdom niet heeft gevonden waarvan hij verwacht had dat de expeditie hem deze zou bezorgen. Dat spijt mij voor hem maar ik ben optimistischer dan hij. Er zijn universiteiten over de gehele wereld die weinig waarde hechten aan het opgraven van het verleden, die volhouden dat wat wij dienen te weten van het verre verleden, ons als religie wordt geleerd, en dat het overige tot het vakgebied van geschiedkundigen behoort. Wat zouden ruïnes ons kunnen vertellen? Dat is het argument van vele wetenschappers. Het zijn slechts ruïnes, weet u. Jean-Marc is het daar niet mee eens en hij wil dat de academische wereld verandert louter omdat hij dat wil.' Hij stak zijn handen diep in zijn zakken. 'Ik wil Jean-Marc niet kwijtraken, Madame. Ik reken op uw hulp.'

Madelaine schudde haar hoofd. 'Welk verschil zou ik kunnen maken, Professor Baundilet? Ik heb geen overwicht op Jean-Marc. Ongetwijfeld heeft u dat wel.'

'Nu niet meer,' zei Baundilet, voor het eerst met een spoortje ergernis. 'Dat had ik in het verleden wel, maar hij heeft kritiek op mijn handelwijze. Hij denkt dat ik het succes van de expeditie heb tegengewerkt omdat ik hem niet heb uitverkoren en overladen met eerbewijzen en gunsten. Ik vrees dat hij door zijn teleurstelling niet naar mij zal luisteren. Hij heeft tevens gezegd dat hij het niet eens is met wat ik met betrekking tot onze vondsten heb gedaan. Hij keurt sommige van mijn methodes af.'

'Om welke methodes gaat het dan?' vroeg Madelaine, en zij dacht aan de ibis aan Rida's halssnoer.

Baundilet maakte een nonchalant handgebaar. 'O, op dat punt is hij niet consequent. Wellicht slaagt u erin om meer aan de weet te komen.' Hij kwam vlak voor haar stoel staan, zo dichtbij dat zij zich niet kon bewegen zonder hem aan te raken. 'U weet vast wat u moet doen, Madame.'

'Ik verzoek u: weest u zo vriendelijk een stap terug te doen.' Haar manier was beleefd maar haar stem had een scherp kantje.

'Ik wil u doordringen van mijn bezorgdheid,' zei Baundilet, geen duimbreed wijkend. 'Ik vrees dat u mijn bezorgdheid als onbeduidend afdoet maar ik verzeker u dat het niet zo is.' Hij pakte haar bij de kin, met opzet te stevig. 'U zult dit voor mij doen, zo niet, dan zal ik Magistraat Numair een memorandum over u doen toekomen en dan zult u het bijzonder ongemakkelijk vinden om hier te blijven. Ben ik duidelijk genoeg geweest?'

'Zeer zeker,' zei Madelaine, terwijl zij zich afvroeg of zij de moed had haar woede op Baundilet los te laten; zij besloot dat het onverstandig zou zijn.

'En als u de jonge idioot ervan heeft weten te overtuigen om verstandig te zijn, moet u mij daar alles over vertellen, tot in details, en mij laten zien hoe u hem van gedachten hebt doen veranderen. Wat u ook voor Jean-Marc zult doen, zult u ook voor mij doen, als een demonstratie van uw overtuigingskracht. U zult niets achterhouden. Dat zult u doen, nietwaar?' Zijn hand kneep nogmaals voordat hij haar losliet.

'Ik ben niet van plan hem te verleiden als dat uw bedoeling is,' zei Madelaine losjes op normale gesprekstoon, de walging die zij voelde verbergend. 'En ik zal mijzelf niet tot uw hoer maken.'

'Niet mijn hoer, o nee, dat niet,' zei Baundilet, gekrenktheid veinzend. 'Daar bent u te goed voor, nietwaar? Terwijl u 's nachts wel de bongerd doorloopt naar de villa van die Duitser.' Deze beschuldiging werd grof geuit. 'Geen leugens, Madame. Guibert heeft u in de gaten gehouden en mij alles verteld wat hij heeft gezien.'

Het kostte Madelaine moeite om kalm genoeg te blijven om te antwoorden. 'Als hij door een stenen muur kan kijken, is hij begaafder dan iedereen die ik ooit heb ontmoet.' Zij kwam overeind, hoewel dat inhield dat ze te dicht bij Baundilet kwam te staan. 'U heeft er het recht niet toe mij in de gaten te laten houden. Dat heb ik u enige tijd geleden reeds laten weten. Dat u daarmee doorgaat, is een belediging.'

'Doch noodzakelijk naar het schijnt,' zei Baundilet zonder verontschuldiging voor zijn gedrag. 'U brengt de nacht met die Duitser door.'

'Bent u daar zo zeker van?' vroeg zij. 'U doet voorkomen als zou ik iets oneerbaars hebben gedaan; maar weet u werkelijk wat ik heb gedaan, en of ik wel iets heb gedaan?'

'Als die Duitser iets tussen zijn benen heeft, heeft u zeer zeker iets gedaan,' zei Baundilet. 'En als u zich aan hem kunt geven, kunt u zich ook aan mij geven.' Hij zette zijn handen op zijn heupen. 'Als ik de Magistraat vertel van de cobra in uw kist, zal hij u vragen stellen over uw hekserij en in dit land betekent dat, dat u door steniging ter dood gebracht zult worden.'

Madelaine gaf geen blijk van de angst die haar overviel. 'U zou in staat zijn een Française aan een mohammedaanse rechtbank over te dragen om gedood te worden? Hoe denkt u dat een dergelijk verslag het op uw staat van dienst zou doen, Professor?' Zij lachte koeltjes. 'Of heeft u een ruil in gedachten – u zou zorgen voor de noodzakelijke omkoopsom voor de Magistraat om mij ervoor te behoeden dat men mij zou doden, zolang ik aan uw verlangens toegeef?' Zij zag de verandering in zijn gelaatsuitdrukking. 'Dus dat is het.'

'Het is niet...' begon hij.

'Het staat u vrij om mij nu of wanneer dan ook te beschuldigen,' zei zij met meer bravoure dan moed, nu zij haar woede vrij spel gaf. 'Gaat uw gang. Onder deze omstandigheden geloof ik dat ik steniging boven u zou prefereren.' Zij probeerde zich langs hem heen te dringen, doch hij pakte haar arm. 'Laat me los, Professor.'

'Dit ben je mij schuldig,' gromde hij, en hij drukte met geweld zijn lippen op de hare, haar meeslepend in een verstikkende omhelzing.

Razernij maakte haar roekeloos; met haar enorme kracht brak zij uit zijn greep los en gaf hem toen met haar vlakke hand een enkele, kneuzende klap in zijn gezicht. 'Probeer dat nooit weer, Professor.'

Hij deed een stap terug, een hand op de plek waar zij hem geslagen had en keek haar met van woede vlammende ogen aan. 'Ik zal u krijgen, Madame. Ik zal u krijgen of u gaat eraan.' Hij begon in de richting van de deur te lopen en werd zich toen pas bewust van Rida Omat die hem, met een lijkbleek gezicht, stond aan te staren.

Tekst van een brief van Erai Gurzin te Thebe aan de Broeders van het klooster van Saint Pontius Pilate te Edfoe.

Aan mijn eerwaardige superieuren en mijn Broeders in de Naam van Christus, mijn groeten en zegen,

Ik dank God dat u heeft erkend dat uw vrees voor mijn ziel ongegrond was en dat mijn geloftes geen gevaar lopen in het gezelschap van Madame de Montalia. Het betekent de grootste bevrijding voor mij dat u bereid bent mijn handelingen te heroverwegen, temeer omdat er nu laster over Madame de ronde doet die haar slechts onheil kan brengen. Er zijn mensen die zweren dat zij de zwartste magie beoefent, die eropuit zijn haar ter veroordeling voor het mohammedaanse gerecht te brengen, waar zij zich niet kan verdedigen, en waar zij geen beroep kan doen op een verdediger die door het hof geaccepteerd zou worden. Dat is de reden dat ik aan u schrijf: ik wil Madame de Montalia de bescherming van ons klooster bieden als de noodzaak zich voordoet dat zij haar toevlucht buiten Thebe moet zoeken. Ik geloof dat de mogelijkheid bestaat dat zij een dergelijk toevluchtsoord zal behoeven als deze beschuldigingen aanhouden en de steekpenningen van de Professoren niet langer toereikend zullen zijn om de Magistraat van haar onschuld te overtuigen.

Voor het geval zij bescherming behoeft, vraag ik uw toestemming, zo niet voor Madame de Montalia dan wel omwille van Saint-Germain, om haar naar het klooster te brengen tot zij Egypte veilig kan verlaten.

Hoe uw besluit ook zal luiden, ik heb Saint-Germain reeds bericht gezonden en hem op de hoogte gebracht van enkele van de problemen waaraan Madame de Montalia het hoofd moet bieden. De brief zal hem vanzelfsprekend niet spoedig bereiken en dat baart mij zorgen. Madame de Montalia correspondeert met zekere regelmaat met Saint-Germain maar het ligt in haar aard om luchthartig voorbij te gaan aan het risico dat zij loopt, en ik vermoed dat zij de ernst van haar situatie niet aan hem kenbaar heeft gemaakt. Het kan zijn dat zij zich niet bewust is van het gevaar dat zij loopt – hoewel zij een bijzonder scherpzinnige vrouw is – ofwel is zij onwillig Thebe te verlaten want zij is gefascineerd door de oude monumenten.

Zij is hier zeer vastberaden aan het werk gegaan. Tot op heden heeft zij meer dan driehonderd schetsen van inscripties en friezen gemaakt, en daarenboven nog een stuk of honderd gewreven afdrukken en haar aantekeningen beslaan bijna duizend bladzijden. Zij heeft mij verteld dat het haar overtuiging is dat dit slechts het allereerste begin is van de studie van de tijden der Farao's. Terwijl andere geleerden zeggen dat twintig tot vijftig jaar zullen volstaan om alle oude ruïnes te catalogiseren en registreren, houdt zij vol dat er meer onder het zand ligt dan iemand zich maar kan voorstellen. Ik weet niet met zekerheid of zij gelijk heeft maar ik ben wel tot de conclusie gekomen dat er wellicht meer te onderzoeken zal zijn dan nu wordt aangenomen. Elke geleerde, man of vrouw, die zo toegewijd is aan onderzoek dat deze zich niet door de risico's laat beïnvloeden, is iemand die ons respect verdient en het archief dat zij van deze expeditie heeft gemaakt, is van dien aard dat het zeker de moeite waard is behouden te blijven, ongeacht wat er verder gebeurt.

Ik smeek u onze schuld aan Saint-Germain in gedachte te houden en ik verzoek u alles wat ik in deze en andere brieven heb verteld in overweging te nemen. Als u de aanwezigheid van deze vrouw niet kunt verdragen, laat mij dit dan onmiddellijk weten, opdat ik een andere manier kan zoeken om haar te helpen. De bedienden die zij in dienst heeft, zullen dit niet doen; in feite ben ik bang dat zij de eersten zullen zijn om haar bij de Magistraat aan te geven als zij op het idee komen dat het in hun voordeel zou zijn dat te doen. Zij die deel uitmaken van dezelfde expeditie, bevinden zich niet in een positie om haar meer dan vluchtige hulp te bieden, hetgeen geldt voor alle Europeanen hier, hoewel ik van mening ben dat de Fransen minder snel geneigd zullen zijn haar te helpen dan sommige anderen. Het is een verschrikkelijk iets om op vooruit te lopen, de onbetrouwbaarheid van vrienden. Zij onderhoudt nauw contact met een Duitse geneesheer, doch deze kan haar niet verbergen, niet alleen omdat hij geen aanzien bij de rechtbank geniet maar omdat hun verbintenis weliswaar van vertrouwelijke aard is, doch niet geheel onbekend, hetgeen het voor hem extra moeilijk zou maken haar veilig onderdak te bieden. Zij kent weinig Egyptenaren en wie van hen zou zichzelf in opspraak willen brengen om een Europese vrouw te verdedigen?

Moge God u voorzien van mededogen en een heldere blik en moge Hij u bezielen met de wijsheid om de diepste kern van de Liefde van Christus te doorgronden. Aangezien wij de verplichting hebben vreemdelingen uit de woestijn op te nemen, moeten wij toch zeker ook onze deuren voor Madame de Montalia openstellen.

Met geloof en in de hoop op Genade,
Erai Gurzin, monnik
Te Thebe, de Mis der Aartsengelen

Vijf

Tegen vier uur 's middags bood een reepje schaduw enige verlichting tegen de hitte. De oude tempelmuur was lang en hoog genoeg om Madelaine in staat te stellen op betrekkelijk gerieflijke wijze te werken, hoewel zij zonder haar met aarde gevoerde schoenen zo zwak als een pasgeboren kalf zou zijn geweest. Zij hield haar schetsblok omhoog en vergeleek haar werk met de inscripties die een afbeelding omringden van wat naar zij vermoedde een samenkomst van goden was, want de meesten hadden dierenkoppen. De godin met de kattenkop week licht af en ook het offer op het blad had ze niet juist getroffen. Zij hoorde een voetstap achter zich maar draaide zich niet om.

'Madame,' zei Jean-Marc Paille, op een toon die gespannen en ongelukkig klonk. Hij bleef op afstand terwijl hij sprak. 'Ik moet met u spreken.'

Ze keek over haar schouder. 'Ja, dat denk ik ook,' zei zij en het viel haar op hoe wanhopig hij leek te zijn; zij maakte voorlopig een eind aan haar werk, sloeg haar schetsboek dicht en liet het in haar tas glijden. 'Zo. Wat is er aan de hand, Jean-Marc?'

Hij haalde zijn handen door zijn haar en bracht het lint, dat de onmodieus lange lokken uit zijn gezicht hield, in de war. 'Ik weet niet waar ik moet beginnen.'

'De ibis zou een goed begin zijn,' stelde zij op haar redelijkste toon voor en zij zag hem terugdeinzen alsof hij bedreigd werd. Zij ging wat dichter bij de muur staan opdat zij zijn gezicht duidelijker kon zien. 'U heeft me verteld dat u het haar heeft zien dragen en dat heb ik inmiddels zelf ook gezien. Wat wij aan de weet moeten zien te komen is: hoe komt Rida Omat eraan?'

'Daar kan ik slechts naar raden,' gaf Jean-Marc toe. 'Ik veronderstel dat Baundilet hem aan haar vader heeft verkocht. Ik durf er niet aan te denken hoeveel van al het andere hij aan Omat heeft doorverkocht.' Hij gaf een klap tegen de beeltenis van een god met de ramskop en kromp haast voldaan ineen toen hij zijn handpalm schaafde.

'Dat lijkt aannemelijk omdat Rida mij heeft verteld dat het een geschenk was,' zei Madelaine. Zij hield haar hoofd schuin. 'Dus heeft Baundilet hem aan Omat verkocht of wellicht gegeven? Of heeft Omat van de vondst gehoord en deze laten stelen? Of is hij gestolen zonder Omats medeweten en hem door de dief aangeboden?'

'Zou het meisje de ibis dragen als hij gestolen was?' Jean-Marc keek Madelaine aan en de ontreddering maakte zijn jonge gezicht lelijk. 'Zou Omat zo onbeschaamd zijn?'

'Alleen als hij zou denken dat het voor Baundilet niets zou uitmaken en dat betwijfel ik; hij wil maar al te graag op goede voet blijven met de Europeanen en als hij hen zou bestelen, zou dat niet bevorderlijk zijn. Dus heeft Baundilet hem dit geschonken? Of aan hem verkocht? Of geregeld dat het hem op een andere manier werd aangeboden?'

Dit waren exact dezelfde vragen die Jean-Marc zichzelf de laatste paar weken voortdurend had gesteld. 'Ik weet het niet. Ik wil er niet over nadenken.'

'En u kunt aan niets anders denken,' zei Madelaine zachtjes. 'Ja, ik weet het.' Zij schudde haar hoofd, een meelevende blik in haar ogen. 'Wat nu, Jean-Marc? Wat gaat u nu doen?'

Hij balde zijn handen tot vuisten, eerder in vervloeking dan in gebed samengedrukt. 'Ik weet niet wat ik kan doen,' zei hij ongelukkig. 'Ik ben... machteloos.'

'Zachtjes uitgedrukt,' beaamde zij.

Op enige afstand wervelden stofwolkjes omhoog toen de verschroeiende wind voor het eerst die middag tot leven kwam.

Jean-Marc sloeg zich op zijn dijen en liet zich toen neerzakken in het zand naast de muur, waar hij tegen de inscripties aangeleund zat, met zijn voorhoofd tegen zijn knieën gedrukt. 'Ik heb de universiteit geschreven en hun mijn vermoedens voorgelegd. Ik dacht dat het wat uit zou maken.' Hij lachte wrang.

'En dat was niet zo,' zei Madelaine. 'Niet zoals u had gehoopt. Ach, Jean-Marc.'

Hij schudde zijn hoofd en zijn woorden klonken gejaagd. 'Ik dacht dat ze zijn methodes wellicht in twijfel zouden trekken of hem minstens zouden waarschuwen dat hij de expeditie in opspraak bracht. Ik dacht dat ze van streek zouden raken door zijn handelwijze, het op die manier verkopen van antiquiteiten, terwijl hij wordt geacht de universiteit te voorzien van een aanvulling op hun verzameling. Ik had verwacht dat ze ontstemd zouden zijn dat hij niet al zijn vondsten aan hen gaf en geen aantekeningen bijhield van alles wat hij heeft gevonden. In plaats daarvan berispen ze mij. En hebben ze mij medegedeeld dat ze vooralsnog geen actie tegen mij zullen ondernemen, maar mocht ik zo doorgaan, dan zullen ze mijn werk niet onderschrijven, hetgeen het voor mij bijzonder moeilijk zou maken om de door mij beoogde beurs te verkrijgen.'

'En het zou u uw huwelijk weleens kunnen kosten,' zei Madelaine, terwijl zij zich naast hem installeerde. Zij schikte haar rokken om haar benen en wenste dat zij in plaats daarvan korte broeken of een pantalon kon dragen.

'O, dat zou zeker het geval zijn. Ik heb mezelf er nog niet toe kunnen brengen haar van deze laatste ontwikkeling op de hoogte te brengen, uit angst dat zij zich dan genoodzaakt zou voelen onze verbintenis te verbreken. Gelet op het feit dat het mijn verloofde al niet werd toegestaan met een professor in de oudheidkunde in het huwelijk te treden, moet u eens bedenken welke bezwaren haar vader zou hebben als hem ter ore kwam dat ik wellicht nooit een vaste aanstelling zal weten te bemachtigen?' Hij wierp zijn hoofd in de nek en keek met een getergde blik naar de hemel. 'En als Baundilet zich tegen mij keert, kan ik hier niet blijven. Hij heeft te veel macht over de ambtenaren in dit district.' Hij wreef over zijn gezicht. 'Zand.'

'Overal,' beaamde Madelaine, terwijl zij met een tevreden gevoel tegen de muur leunde, die nieuw was geweest toen Saint-Germain de stervenden buiten het Huis des Levens verzorgde. 'Het verbaast mij dat de oude Egyptenaren dit land het Zwarte Land noemden, naar het land na de Overstroming in plaats van naar het zand.'

Jean-Marc lachte bedrukt. 'Op zand kun je geen tarwe verbouwen,' zei hij, en hij vervolgde in een poging tot schalksheid: 'Weet u zeker dat ze dat deden? Dat ze het land zo noemden?'

Het kostte haar een ogenblik om zich te herstellen en zij bedacht dat zij reeds te onvoorzichtig was geweest met Jean-Marc. 'Welaan, het stond bekend als Kheme, het Zwarte Land, en het Zwarte Land beschrijft slechts het gebied van de Overstroming,' zei Madelaine, en zij vertrouwde erop dat Jean-Marc te zeer in beslag werd genomen door zijn eigen zorgen om haar blunder op te merken. 'Wat had het

Zwarte Land anders kunnen betekenen?'

'Waarom niet?' vroeg Jean-Marc, en hij haalde zijn schouders eens op. 'Dat klinkt even aannemelijk als andere theorieën. Of het zou voor iets geheel anders kunnen staan. Betekent het Zwart Land of zou het Verbrand Land kunnen zijn? Want verbrande dingen zijn zwart en dit land brandt zeer zeker.'

Het was verleidelijk om met hem in discussie te treden doch haar voorzichtigheid kreeg de overhand zodat zij ervan afzag. 'Wat gaat u doen ten aanzien van de voorwerpen die u aan Baundilet heeft gegeven? Of heeft u dat nog niet besloten?'

'Wat kan ik doen?' vroeg Jean-Marc vertwijfeld. 'Ik kan hem niet openlijk uitdagen, niet hier in Egypte, en evenmin bij mijn terugkeer naar Frankrijk, niet als ik een aanstelling hoop te krijgen. Dus denk ik dat ik hetgeen er is gebeurd zal moeten accepteren en hopen dat het mij niet meer zal overkomen. Maar het vervult mij van bitterheid als ik bedenk dat ik een dergelijk schandalig misbruik van het doel van deze expeditie door de vingers moet zien en tevens een dergelijke verloochening van mijn eigen werk moet dulden. Voor het beetje erkenning dat ik voor mijn werk hier zal krijgen, had ik net zo goed in Frankrijk kunnen blijven om de zonen van rijke kooplieden Latijns en Grieks te leren. Ik wil Baundilet voor het gerecht slepen, maar bij welke rechtbank en op beschuldiging waarvan?' Hij legde een hand over zijn ogen. 'Ik praat er niet graag over. Ik ben bang dat hij erachter zal komen en dat zou het einde betekenen. Ik zou zonder pardon als een minderwaardige bediende de laan uit worden gestuurd en hier in de steek gelaten worden met geen enkel uitzicht op het vinden van een positie in dit land of waar dan ook in Europa.' Hij pakte een kiezelsteentje op, wierp het van zich af en keek toe hoe het in een zandhoop verdween.

Madelaine begon faraonische symbolen in het zand te tekenen: met elkaar verbonden papyrusknoppen, een Egyptisch kruis, een slang, een gesloten oog, een havik, een gekartelde lijn. 'Mijn monografieën zijn er ook nog,' bracht zij hem in herinnering toen hij na korte tijd niets meer zei. 'Die laat ik door Broeder Gurzin naar Caïro brengen, van waaruit ze worden verzonden met schepen die aan' – ze keek naar de versie van zijn naam die ze had opgeschreven – 'een bloedverwant toebehoren. Ze bereiken Frankrijk zonder hindernissen.'

'En dan?' Hij wilde niet echt schimpen omdat hij respect had voor het werk dat zij zo ijverig uitvoerde. 'Wat gebeurt er met uw monografieën, Madame?'

'Die worden uitgegeven,' zei zij, en zij smaakte de voldoening hem gechoqueerd te hebben. 'Niet door een universiteit of een wetenschappelijk tijdschrift maar niettemin door een uitgeverij van enige reputatie. De uitgeverij is Frans, doch is om politieke redenen in Gent gevestigd.'

'Aristo's.' Jean-Marc grijnslachte spottend.

'Sommigen, ja,' zei Madelaine zonder protest. 'Daar komt in elk geval het geld vandaan; enkelen van hen hebben een uitstekende academische reputatie en velen van hen bezitten met recht beroemde collecties antiquiteiten en uitgebreide bibliotheken die de onderwerpen leveren en de pers een goede reputatie verlenen, ondanks de ongewone situatie.'

'En zij geven uw werk uit,' zei hij, zonder zich te verontschuldigen voor de twijfel die hij voelde. 'Als oudheidkundige geschriften.'

'Natuurlijk, dat zijn het toch ook.' Nu was Madelaine ietwat geprikkeld. 'Zij hebben werk van vele andere wetenschappers gepubliceerd; enkelen van hen waren vrouwen.' Zij deed haar best haar ergernis te verhullen. 'Ik heb reeds een monografie over onze gedeelde vondst verstuurd met een beschrijving van zowel uw deel als het mijne; deze is naar voornoemde uitgever verzonden met instructies om de voorwerpen te schenken aan de universiteit met de meest waardevolle collectie antiquiteiten.' Nu kon zij niet anders dan geamuseerd zijn want zij zag hoeveel moeite het Jean-Marc kostte om een besluit te nemen. 'Er waren schetsen van uw voorwerpen bij de monografie en men zal waarschijnlijk proberen om er afbeeldingen van op te nemen, zoals ook lithografische platen opgenomen zullen worden van de dingen die ik ze heb gezonden. De monografie zal waarschijnlijk nog voor de zomer gepubliceerd worden.'

'U heeft een uiterst vooruitziende blik,' zei Jean-Marc eindelijk, en het compliment kwam niet gemakkelijk over zijn lippen. 'Ik wilde dat ik zo goed voorbereid was geweest maar ik heb nooit het vermoeden gehad dat ik het hoofd zou moeten bieden aan een dergelijke...'

'Tegenstand?' opperde Madelaine. 'Maar weet u, ik wist dat dit zou gebeuren; u bent niet de enige geleerde die mijn vakbekwaamheid in twijfel trekt louter omdat ik een vrouw ben; en aldus heb ik dit op voorhand geregeld.'

'Bewonderenswaardig,' gaf Jean-Marc toe. 'U bent een verbazing-wekkende vrouw, Madame.' Hij tuurde naar het oosten, naar de steile rotswanden in de verte. 'Het zou een gok zijn om mijn monografie aan u te geven. Hij zou genegeerd kunnen worden zonder de goedkeuring van de universiteit. Als uw werk hoe dan ook de aandacht trekt, zou ik wellicht Baundilet bij zijn eigen spel kunnen overtroeven. Als het zo niet loopt zal ik...' Hij was niet in staat zijn zin af te maken.

'Ja,' zei Madelaine alsof er geen hiaat in hun gesprek viel. 'Het is een gok en u riskeert alles in een onzekere onderneming. Veronderstel dat u zich schikt in de huidige stand van zaken, veronderstel dat u Professor Baundilet niet uitdaagt – wat dan? Dan zult u niet de erkenning krijgen die u toekomt en zal Baundilet u in zijn macht hebben zolang u een academische post bekleedt. Waar of niet?'

Jean-Marc ademde langzaam uit. 'Inderdaad.'

'Denkt u, zijn karakter kennend, dat hij u ongemoeid zal kunnen laten?' Zij aarzelde slechts een ogenblik alvorens te vervolgen. 'Want ik vermoed dat hij zal besluiten u naar zijn pijpen te laten dansen, al was het alleen maar om te bewijzen dat hij daartoe in staat is.'

'Zo laakbaar is hij niet,' zei Jean-Marc met minder overtuiging dan hij had gewild.

'Ik hoop dat u gelijk heeft. Maar ook dat is een gok, een grotere dan mij toe te staan zorg te dragen voor de publicatie van uw monografie. Gezien het feit dat drie van mijn monografieën reeds gepubliceerd zijn, zou uw informatie als aanvulling op wat ik reeds heb gedaan gepresenteerd kunnen worden.' Met ondeugend, zij het niet boosaardig plezier sloeg zij zijn besluiteloosheid gade. 'Aristo's zorgen voor elkaar, Jean-Marc,' zei zij, en zij wist dat zij het hiermee erger maakte.

Bij uitzondering was Jean-Marc zo verstandig om zijn mond te houden. Hij wierp nog een kiezelsteentje het zand in. 'Het is, als het oprecht is, een edelmoedig aanbod.' Hij wierp haar een blik toe doch zij bleef zwijgen. 'Als ik het zou doen, wanneer wilt u de monografie dan hebben?'

'Uiterlijk over vier dagen,' zei zij. 'Broeder Gurzin zal nog een monografie en schetsen voor mij wegbrengen; hij vertrekt over vijf dagen naar Caïro. Denkt u dat u voor die tijd iets kunt samenstellen? Zij geven de voorkeur aan lange monografieën: ten minste vijftig volle bladzijden in standaard handschrift.'

'Dat is behoorlijk veel werk,' zei Jean-Marc, en hij probeerde te berekenen hoeveel bladzijden hij per avond zou kunnen schrijven.

'Maar het zou als uw werk ontvangen worden en u zou het in druk hebben voordat Baundilet erachter komt wat u heeft gedaan.' Zij stond op. 'Nu dan, neem het in overweging, Paille. U weet wanneer ik mijn werk zal versturen. Als u verder nog iets heeft dat u wilt laten verzenden, breng me dat dan over vier dagen. Als u dat niet doet, moet ik aannemen dat u heeft besloten om uw netelige situatie op een andere manier op te lossen.'

Hij keek toe terwijl zij haar schetsboek uit haar tas trok en haar potloden zocht. 'U bent zeer toegewijd, Madame.'

'Dank u,' zei zij, maar zij klonk reeds licht afwezig terwijl zij de plek op de inscripties zocht waar zij deze aan het kopiëren was.

'Hoe komt dat?' vroeg Jean-Marc, niet zeker waarom hij het wilde weten.

Zij had juist de plek teruggevonden, doch met een zucht van ergernis keek zij op hem neer. 'Ik ben nieuwsgierig. Ik ben altijd geïnteresseerd geweest in zeer oude plaatsen en in volkeren die van de aardbodem zijn verdwenen.'

'Die van voor de Zondvloed,' schertste Jean-Marc.

Madelaine gaf hem een ernstig antwoord. 'Ik betwijfel of de Zondvloed daar zoveel mee te maken had, anders zouden deze ruïnes verdwenen zijn of ver onder water staan. Ze stammen van voor de Zondvloed en ze kunnen niet de enige zijn.' Zij was klaar om haar werk aan de schetsen te hervatten.

'Het water van de Zondvloed heeft zich teruggetrokken,' bracht Jean-Marc haar in herinnering.

'Deze gebouwen hebben nooit een andere Zondvloed gekend dan de jaarlijkse Overstroming. Bekijk ze. Gebruik uw ogen.' Zij maakte een ongeduldig gebaar. 'Ga weg, Jean-Marc. Ga aan uw monografie werken. Er is niet veel tijd.'

Vanuit de hoogte klonk de kreet van een rondcirkelende havik, doch geen van beiden keek op; het geluid was zo vertrouwd geworden dat zij het amper hoorden. Van verder weg klonk een tweede kreet als antwoord.

Hij stond langzaam op. 'Ik ben u hiervoor dank verschuldigd.'

'Ja, dat bent u,' zei zij met een flauwe glimlach. 'En als ik het alleen maar om uwentwil zou doen, zou ik boos worden als u het niet deed.'

Jean-Marc fronste. 'Om welke andere reden zou u dit doen?' De kribbigheid die zijn gezicht eerder had getekend kwam terug.

Haar glimlach verbreedde zich nu, maar haar paarsblauwe ogen verkilden. 'Ik doe het om Professor Baundilet aan de kaak te stellen, om hem ter verantwoording te roepen voor wat hij heeft gedaan.'

'O.' Jean-Marc probeerde nog iets te vinden om hierop te zeggen. 'En toch is het fijn om deel uit te maken van uw plan.'

'Ik hoop dat u er nog zo over denkt als het allemaal voorbij is,' zei zij, en zij ging door met schetsen.

'Natuurlijk,' riep Jean-Marc uit. Hij wachtte of zij nog iets zou zeggen, doch besefte dat zij te druk was met haar schetsen; slecht op zijn gemak begon hij van haar weg te lopen en voordat hij het eind van de muur had bereikt, overdacht hij reeds hoe hij zijn monografie zou presenteren.

Madelaine had geluisterd hoe hij zich verwijderde; zij was zich meer van zijn aanwezigheid bewust dan zij hem wilde toegeven. Toen zij met zekerheid wist dat hij vertrokken was, hield zij op met haar werk en overwoog of zij het gevaar had doen verminderen of juist toenemen door haar aanbod om Jean-Marc Paille te helpen. Hij had elke reden om angstig te zijn, daarvan was zij overtuigd, en nog meer reden om boos te zijn over de onrechtmatige toe-eigening van zijn werk, maar zouden tegenmaatregelen werkelijk slagen? Zij was er nog niet uit, toen zij voetstappen achter zich hoorde, en zij draaide zich om in de verwachting dat zij Jean-Marc weer zou zien.

'Het is niet mijn bedoeling u lastig te vallen, Madame. Ik ben slechts onderweg voor een middagritje,' zei Ferdinand Charles Montrose Algernon Trowbridge, terwijl hij over de oude straatstenen naar haar toe liep en onder het lopen zijn hoed af zette. 'Dacht dat u geen bezwaar zou hebben tegen een beetje gezelschap van mij.' Hij zag het schetsboek in haar handen. 'Ik zal weer vertrekken als het u niet schikt.'

'Wees geen uilskuiken, Trowbridge,' zei zij vol genegenheid. 'U bent juist wat ik nodig heb om mij voor schele hoofdpijn te behoeden.' Haar glimlach onderstreepte haar woorden maar hield geen stand. 'Deze inscriptie loopt niet weg.'

Hij aarzelde en begon toen: 'Het zijn mijn zaken niet, dat weet ik. Het is alleen, het valt mij op dat u zichzelf niet bent, ziet u. Moeilijkheden, Madame?' vroeg Trowbridge met bezorgdheid op zijn engelachtige trekken.

'Niet echt, nee,' zei zij terwijl zij naar hem toe liep. 'En nog minder nu u hier bent.'

'Hoffelijk als altijd,' zei Trowbridge, en hij maakte een lichte buiging voor haar. Zijn lichte gezicht was rood aangelopen door de hitte en zijn ogen waren weinig meer dan spleetjes. 'Ik weet niet hoe u het kunt verdragen hier te werken. Ik denk dat ik flauw zou vallen. Ik zou minstens mijn reukzout nodig hebben.' Zijn stem klonk schalks terwijl hij een reusachtige zakdoek uit zijn zak trok en zijn gezicht ermee afveegde. 'Een verschrikkelijk oord maar het is weergaloos.'

'Geen plek voor de onvoorbereiden,' zei zij, hetgeen niets meer dan de waarheid was.

Hij stopte zijn zakdoek weg. 'Soms vraag ik mij af of het niet beter zou zijn om opvoeding en positie overboord te gooien en een van die gewaden aan te trekken die de inlanders dragen. Ik kan er toch onmogelijk belachelijker in uitzien dan in deze uitrusting, wel dan? Zoiets doe je natuurlijk niet, maar je kunt het iemand toch niet kwalijk nemen het te overwegen.'

'U mag het uitproberen, als u wilt. Ik zal u niet bekritiseren.' Ze slaakte een zucht. 'Ik zat net te verlangen naar een pantalon in plaats van rokken.'

Trowbridge trok zijn lichte wenkbrauwen op. 'Zo, een pantalon? Laat niemand anders dan mij dat horen, men zou niet weten wat daarvan te denken.'

'En wat denkt u ervan?' vroeg zij, haar nieuwsgierigheid gewekt.

Hij haalde zijn schouders op. 'Als een aanstootgevend idee dat best weleens zinnig zou kunnen zijn als het niet zo choquerend was,' zei hij met een knipoog.

'Waarom trekt u dan geen djellaba aan, als dat het juiste woord is, en dan zal ik deze rokken inruilen voor... een pantalon.' Zij sprak het verboden woord vol verlangen uit en genoot van de manier waarop Trowbridge moeite deed om onverstoord te lijken door haar taalgebruik.

'Ik ben hier niet alleen, anders zou ik het misschien proberen. Castermere loopt hier ook ergens rond. Hij wilde met Professor Baundilet spreken, weet u. Ik vermoed dat hij iets wil regelen dat hij mee naar huis kan nemen. Zijn familie heeft een voorliefde voor antiquiteiten. Hij vertrekt eindelijk weer.' Hij zette zijn hoed weer op. 'Zijn familie heeft hem ontboden. Hij moet zich een vrouw nemen. Zij weten natuurlijk niets van zijn voorkeuren. Nou ja, een kerel houdt dat voor zich. Hij zal er wat bij moeten zoeken want het geeft geen pas een echtgenote al te vaak ervan langs te geven en Castermere... nou ja... En toch is hij van het slag dat zijn voorkeuren verborgen houdt. Niet het soort zaken om aan vader of de familie te vertellen.' Hij dacht hierover na en verbeterde zichzelf. 'Of wellicht weten ze ervan en zeggen niets. Dat zou eenvoudiger zijn, denk ik zo.'

'Hij is al eens naar Engeland terug geweest, als ik het mij goed herinner,' zei Madelaine, en zij wees naar de grootste schaduwplek. 'Het is daar niet veel koeler maar het is uit de zon.'

'Dank u beleefd,' zei Trowbridge, terwijl hij dicht bij haar kwam staan. 'Ja, Castermere is ongeveer in de tijd toen de koorts uitbrak een paar maanden naar huis geweest. We bleven gedurende dat beleg allemaal op onszelf.' Hij bloosde. 'Nou ja, ik weet dat u dat niet deed. Iedereen sprak erover dat u die Duitse geneesheer hielp. U heeft de slachtoffers van de ziekte verzorgd. Enorm heldhaftig om zoiets te doen.'

'Dat hoeft u niet steeds te zeggen, Trowbridge,' zei Madelaine. 'En u kunt ophouden zich schuldig te voelen dat u zich niet bij ons heeft aangesloten.' Zij stak haar hand uit en beroerde zijn pols. 'U maakt een te groot punt van hetgeen ik heb gedaan. Heus.'

'Lijkt mij verdomd moedig, met excuses voor het taalgebruik,' zei Trowbridge, en hij keek neer op zijn versleten laarzen. 'Ik heb Castermere verteld dat ik ook spoedig huiswaarts zal keren. Vader heeft gezegd dat hij na afloop van dit kwartaal geen geld meer zal sturen, dus ik heb niet veel keus, nietwaar?' Hij produceerde een scheef glimlachje.

Tot haar verbazing besefte Madelaine dat zij Trowbridge zou missen. 'Wanneer vertrekt u?' vroeg zij. Uit haar ooghoek zag zij de hitte boven de straatstenen trillen.

'O, niet voor eind mei. Mij is verzekerd dat ik tot dan kan blijven, opdat ik de onderzoeksprojecten waarmee ik mij bezighoud, kan afronden. Niet dat ik met veel meer bezig ben dan over de westelijke oever ronddwalen en naar de beelden staan staren die van zand zijn ontdaan. Ik heb niet in de tempels rondgekeken. Die werken op mijn zenuwen.'

'Geen wonder,' zei Madelaine.

'Drijft u de spot met mij?' vroeg Trowbridge en toen lachte hij. 'En of het een wonder is, Madame. Die rotswanden zitten vol tempels en de duivel mag weten wat nog meer. Ik kan het ze niet kwalijk nemen dat ze denken dat het nog zeker een jaar of dertig zal duren voordat we zullen weten wat zich daar allemaal bevindt. Het gaat mijn verstand te boven hoe ze denken al dat zand in die tijd te kunnen verplaatsen, laat staan alles wat ze vinden te registreren. Meer expedities, dat is het antwoord.' Hij depte het zweet dat langs zijn wangen liep.

'Meer expedities met meer geld om inlandse hulp in te huren,' zei Madelaine bedachtzaam. 'En met geld voor de benodigde steekpenningen, natuurlijk. Er gebeurt hier niets zonder de gepaste omkoperijen.' Als ze eerder niet met Jean-Marc had gesproken, zou dit niet zo nijdig hebben geklonken. Nu echter werden de woorden vinnig geuit.

'Wat weet u van steekpenningen, Madame?' zei Trowbridge in een poging galant te klinken. 'Niet bepaald een onderwerp voor dames.'

'Dat mag dan wel zo zijn,' zei zij scherp, 'maar ik wil er liever niet aan denken hoe mijn leven eruit zou zien als ik ze niet zou betalen.' Te laat zag zij dat dit hem van zijn stuk bracht. 'Niet dat ik ze zelf aanbied, of ze wat dat aangaat steekpenningen noem. O, nee. Broeder Gurzin legt een bezoek af bij de Magistraat, met een attentie voor de vele blijken van eerbied. Ik doe daar niet aan mee omdat vrouwen voor de Magistraat niet meetellen. Gurzin wordt getolereerd omdat hij allereerst Egyptenaar is en dan pas Kopt. Een kleine buidel met baar geld wisselt van eigenaar, zeer discreet, en ik heb toestemming om Egyptische bedienden in mijn villa in dienst te houden. Als ik dit niet met enige regelmaat doe, zou men mij niet toestaan Egyptenaren in te huren en niemand zou voor mij kunnen werken. Dat is 's lands wijs.' Zij fronste haar voorhoofd. 'Gelukkig ben ik rijk, anders zou ik niet aan Numairs eisen kunnen voldoen. Niet dat zijn eisen worden uitgesproken – hemel, nee! – maar we begrijpen elkaar.'

'Het lijkt zo oneerlijk, Madame,' zei Trowbridge ernstig. 'Is er niemand in Caïro die hier iets aan kan doen?'

'Wat dan?' vroeg zij. 'Tegen de tijd dat het bericht stroomopwaarts kwam, zou er niemand meer voor mij willen werken, voor geen prijs.' Dat zou bijzonder lastig zijn; zij verzweeg de grotere gevaren van eventuele acties die tegen haar ondernomen konden worden door het hof van de Magistraat.

Trowbridge haalde zijn zakdoek weer te voorschijn. 'Beangstigt het u nooit, Madame, dit hachelijke bestaan?'

Zij stond op het punt hem een luchthartig antwoord te geven, doch besloot dat hij beter verdiende. Zij keek hem recht in de ogen. 'Vaak wel,' gaf zij toe, en zij wendde haar blik weer naar de muur en de gestalten van de oude, raadselachtige goden.

Tekst van een briefje van Professor Alain Baundilet aan Rida Omat, beiden te Thebe, door Ursin Guibert weggebracht en heimelijk bezorgd.

Mijn liefste,

Doe niet zo belachelijk, kleine geliefde. Je hebt hoegenaamd geen reden om jaloers te zijn. Je zegt ervan overtuigd te zijn dat Madame de Montalia jouw plaats in mijn hart heeft ingenomen maar dat is beslist niet waar. Geef mij slechts een uur met jou samen en ik zal je met stelligheid bewijzen hoe dwaas je angst is en hoe volledig ik aan jou verslingerd ben.

Je weet net zo goed als ik dat het niet verstandig is om je vader te benaderen, nu nog niet. Hij is bezorgd om jou, dat hoort ook, en wil niet dat jij in opspraak wordt gebracht. Dat is geen reden om je boos op hem te maken, Rida mijn liefste. Hij heeft het beste met je voor. Het is zijn wens om je onder de aandacht te brengen van veel Europeanen, opdat je hier door hen als een geëerde gast ontvangen zult worden, hetgeen ook je goed recht is. Hij doet moeite je een plaats in de maatschappij te bezorgen alvorens een aanbidder voor je te zoeken en totdat hij de overtuiging heeft dat hij daarin is geslaagd, zal hij een verzoek om jouw hand niet in overweging nemen, zelfs niet van mij.

Het stoort hem dat ik in Frankrijk een echtgenote heb, mijn duifje, en hij maakt zich bezorgd dat ik niet in de positie zou verkeren om de echtgenoot te zijn die jij ten volle verdient. Dat is uiterst voorzichtig van hem. Hij is zich ervan bewust dat er Europeanen zijn die je zouden negeren als je een Europeaan zou huwen, gewoonweg omdat je Europees noch christelijk bent. Een belachelijk vooroordeel natuurlijk, doch een waaraan je vader noch ik uit genegenheid voor jou voorbij kunnen gaan.

Ik weet zeker dat geen vrouw zo hartstochtelijk en vol overgave zou kunnen zijn als jij ten opzichte van mij bent. Je hebt gelijk dat mijn Franse echtgenote bij lange na niet zo bedreven is in het liefdesspel als jij. Zij mist de techniek en de avontuurlijke geest waarover jij zo overvloedig beschikt. Ik ben dankbaar voor elke dag dat ik een plaats in jouw hart mag innemen en het stelt mij teleur dat jij niet gelukkig bent met onze liefde.

Het zou verrukkelijk zijn, dat geef ik toe, als er een manier was om met onze liefde naar buiten te treden zonder blaam op jou te werpen. En ik zou niet graag het doelwit worden van onheus commentaar, omdat ik zo gelukkig ben geweest jouw genegenheid te veroveren. Geen van ons beiden zou kunnen doen wat wij wilden als wij ontdekt worden, en ik zou het niet verdragen een eind aan onze liefde te moeten maken. Dat is mijn grootste angst, dat wij gedwongen zullen worden onze ontmoetingen te staken en dat ons niet zal worden toegestaan minnaars te blijven. Dus moet ik er nog steeds op aandringen dat wij onze liefde geheimhouden, en aan niemand toegeven hoezeer wij elkaar aanbidden.

Dat is de reden dat ik af en toe andere vrouwen openlijk moet benaderen: om te voorkomen dat mijn ware hartstocht ontdekt wordt en jij en ik met schande worden overladen. Dat begrijp je toch zeker wel? Ik weet dat Madame de Montalia mij nooit als minnaar zou aanvaarden, omdat ik Fransman ben en gehuwd, en omdat zij Française is. Dus is zij de vrouw die ik het best kan achtervolgen zonder dat iemand mijn interesse of haar voortdurende weigering opmerkelijk zal vinden. Je behoeft niet te vrezen dat ik zou handelen overeenkomstig de dingen die ik tegen haar zeg.

Liefste, kostbaarste Rida, heb geduld met mij. Ongetwijfeld had ik je mijn bedoelingen moeten uitleggen voordat je mij met Madame de Montalia zag, maar ik dacht dat je mijn oogmerk wel zou begrijpen. Onze gevoelens zijn zo gelijkgestemd en onze eenheid is zo groot, dat ik bij gelegenheid vergeet dat jij geen ervaring hebt met de Europese gewoontes. Ik heb je niet willen kwetsen en het is niet mijn bedoeling je te choqueren. Ik ben genoopt dingen te doen die mij tegenstaan teneinde jou tegen kwaadsprekerij te beschermen. Weet dat alles wat ik doe onze zaak dient, teneinde zeker te stellen dat onze liefde voortgang kan vinden en zal bloeien. Als de tijd gunstiger is, zal ik met je vader spreken en zullen wij een manier vinden om samen te zijn. Als

het mogelijk was zou ik een nietigverklaring van mijn huwelijk
bewerkstelligen, maar voor een man in mijn positie is dat niet
verstandig en het zou mijn huwelijk met jou twijfelachtig maken
als je niet bereid zou zijn je te bekeren. Mettertijd zullen wij een
oplossing vinden voor onze moeilijke situatie, vrees niet.
Draag intussen de ibis dicht bij je hart. Toen ik hem vond, wist ik
dat hij voor jou, en alleen voor jou, was bestemd. Hoewel het mij
mijn post als professor zou kunnen kosten, was ik vastbesloten
dat jij hem zou krijgen, dus stond ik je vader toe hem te kopen
opdat hij hem aan jou kon schenken, aangezien er geen andere
manier was om de gift tot stand te brengen. Als het aan mij lag,
zou je overladen worden met alle kostbaarheden van de verloren
gegane schatten van Egypte en zouden alle juwelen van de
Farao's de jouwe zijn, hoewel jij ze allemaal in glans overtreft.
Morgen zal ik op het gebruikelijke uur naar de tuinpoort komen.
Als je mij hebt vergeven, als je begrijpt waarom ik dit heb moeten
doen, ontmoet me daar dan. Ik verlang ernaar in je armen te
liggen, je volledig te bezitten.
Zeg mij, als wij bij elkaar liggen, dat je mij vergeeft en ik zal deze
uren van jouw woede zegenen als herauten van een diepere
liefde.

Je smachtende
Alain
18 maart 1828

Deel Vijf

Het zegel van Sanh Zhrman

die is

Hogepriester van Imhotep

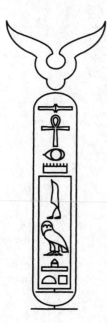

Tekst van een brief van le Comte de Saint-Germain in Athene aan Madelaine de Montalia in Egypte, gedateerd 15 maart 1828.

Madelaine, schat van mijn hart,

Naar het zich laat aanhoren is Paille bang, en bange mannen doen roekeloze, wanhopige dingen. Je kunt hem nu niet vertrouwen, ongeacht wat hij je vertelt. Ik dring er bij je op aan je van hem los te maken. Hij is als een drenkeling die jou bij je poging hem te redden waarschijnlijk mee de diepte in zal trekken. Jij kunt hem niet uit zijn netelige positie halen en hij kan jou veel schade berokkenen. Al is Baundilet nog zo gewetenloos, van beide collega's is hij de meest betrouwbare. Stel je niet bloot aan een nog groter gevaar, om mijnentwille zo niet om de jouwe.

In antwoord op je vragen, zonder accurate schetsen kan ik geen eenduidige identificatie geven maar ik kan een poging wagen: Hapi is het gemakkelijkst, omdat het de enige hermafrodiet is; hij wordt meestal afgebeeld met water dat uit zijn borsten stroomt, hetgeen de Blauwe en de Witte Nijl aanduidt. De god met de havikskop is waarschijnlijk Horus maar zou ook Montoe kunnen zijn, indien hij een schijf met veren op zijn hoofd heeft. De koeienhoorns horen bij Hathor; maar overtuig je ervan dat het geen gazellenhoorns zijn want dat zou inhouden dat het om Anoekis gaat. De god met de ramskop, met de kroon en twee pluimen, is Harsaphes, maar zonder de hoofdtooi is het Chnoem, behalve als hij drie scepters draagt, want in dat geval is het waarschijnlijk Ptah. De god met de rattenkop is Seth. Zowel de ibis als de baviaan zijn heilig voor Thot. De god met de pluimen, de dorsvlegel en de fallus is Min. De godin met de leeuwenkop is of Bastet of Sechmet; als zij een cobra op haar hoofd heeft, is het

*Wadjit. Isis, Osiris, Anubis, Apis, Geb, Noet, Sjoe en Nephthys
ken je reeds, evenals Imhotep.*

*Als de man van wie je gewag maakte – de jonge Britse
oudheidkundige Wilkinson – bereid is schetsen voor je te maken,
zal ik die graag bekijken. Ik kan je een nauwkeuriger identificatie
geven aan de hand van goede schetsen dan met louter
beschrijvingen, en als ik je goed begrijp is hij uiterst precies in
zijn werk.*

*Je vroeg mij waarom de figuren op wandschilderingen en rollen
en bas-reliëf altijd en profil worden afgebeeld. Je zegt dat je tot
nog toe geen uitzondering bent tegengekomen en ik kan je
verzekeren dat je die ook niet zult vinden. Het werd beschouwd
als een onrechtmatige toe-eigening van het godenrecht om beide
zijden van het gezicht op vlakke of bas-reliëf oppervlakken te
tonen, en elke kunstenaar die zich aan een dergelijke voorstelling
waagde, stelde zich bloot aan steniging wegens godslastering. Ik
kan mij herinneren dat dergelijke vonnissen enkele malen ten
uitvoer zijn gebracht, en het werk van de kunstenaar werd dan
vernietigd teneinde de goden tevreden te stellen en als blijk van
gepast ontzag voor hun macht. Het bleek zelden noodzakelijk om
een dergelijke genoegdoening te eisen, want zoiets ondenkbaars te
doen werd als je reinste krankzinnigheid beschouwd. Ongeacht
welke stilistische veranderingen zich voordeden in de
wandschilderingen van het Zwarte Land, die ene traditie
onderging geen wijziging, zo groot was de macht van de goden en
hun priesters.*

*Het was de Farao Sjosjenk, de stichter van de Libische dynastie,
die de herstelwerkzaamheden te Karnak uitvoerde, waarvan
melding werd gemaakt in de tekst die je mij toezond, en aldus de
bestaande verdedigingswerken versterkte en nieuwe aanbracht
waar voorheen niets was. Je moet begrijpen dat hij het land door
een zege had ingenomen en besloten had dat niemand anders
daartoe in staat mocht zijn. Er zijn in de nieuwe constructie
inscripties te zijner ere te vinden. Hij was een bekwame,
hebzuchtige en meedogenloze man, iemand die macht begeerde
en te dien einde zijn zoon als Hogepriester installeerde in de
Tempel van Amon-Re; zijn opvolgers hebben vaak vergelijkbare
zetten geprobeerd met de bedoeling om juist dat soort*

onrechtmatige toe-eigening te voorkomen waaraan zij zich
hadden schuldig gemaakt.
Een tijdlang brachten zij het Zwarte Land hernieuwde voorspoed,
doch die was broos en hield niet veel langer dan een eeuw stand,
wat in het Zwarte Land niet lang was. Tegen de tijd dat Sjosjenk
III aan de macht kwam, was het koninkrijk wederom verdeeld.
De positie van vreemdelingen echter was onder de Libische
heersers verbeterd en vijf decennia voordat Osorkon IV zijn
dochter Sjepenwepet aanstelde als Hogepriesteres van Amon-Re,
ben ik ten slotte tot priester van Imhotep gewijd, en werd mij
volledige macht en bevoegdheid in het Zwarte Land verleend.
Uiteindelijk klom ik op in het priesterschap.

Gedurende de nacht klampte Bathatu Sothos zich aan het leven vast,
ervan overtuigd dat de god die hij zolang had gediend hem zou redden daar hij in het heiligdom van de tempel lag. Als Hogepriester van
Imhotep had hij meegewerkt om de tempel voor grotere faraonische
ongenade te behoeden, en was beloond met voldoende middelen om
twee van de binnenplaatsen te restaureren. De priesters die onder hem
hadden gediend, zagen met vrees hun toekomst tegemoet nu Bathatu Sothos de dood zo nabij was.

'De muren behoren toe aan de glorie van Neferkare,' mompelde
Bathatu Sothos tegen de priesters die hem verzorgden terwijl de nacht
vorderde. 'Hij heeft ze voor dat doel laten restaureren, voor zijn glorie, niet voor Imhotep.'

'Dat brengt geen oneer over Imhotep,' zei Sanh Zhrman, die was
aangewezen om Bathatu Sothos op te volgen.

'Die woorden bevatten geen waarheid en brengen oneer over zijn
priesters,' zei de stervende man. 'Ze blijven als een visgraat in mijn
keel steken.' Hij keek de anderen aan en knipperde met zijn ogen in
een poging ze in het lamplicht scherp te stellen. 'In onze boekrollen
staat geschreven dat er een tijd bestond waarin wij niet afhankelijk
waren van de gunst van een vreemdeling om onze plaats in de wereld
zeker te stellen.' De laatste woorden stierven weg tot ze bijna on-
hoorbaar waren en hij ademde moeilijk.

Neksumet Ateo, die pas negentien jaar oud was, maakte een gebaar
om zich te beschermen tegen de geesten van ouderdom en ziekte. 'Er
is geen reden waarom Farao ons meer dan anderen zou begunstigen.'

Hij keek naar Sanh Zhrman alsof hij de goedkeuring van de vreemdeling verwachtte.

De Hogepriester maakte een zwak gebaar, niet tot spreken in staat. Eindelijk bracht hij er met moeite uit: 'Geen gunst. Geen gunst. Wrok.'

'Stil,' zei Sanh Zhrman, en hij legde zijn hand op Bathatu Sothos' voorhoofd. 'Spaar uw krachten.'

'Waarom?' klonk het antwoord.

Sanh Zhrman had hierop niets te zeggen; hij maakte een gebaar naar zijn bediende en fluisterde hem toe: 'Je moet een boodschap voor mij doen. Ik heb de tinctuur nodig die in de chalcedonen kruik zit, die met de stop van jaspis. Wil je die halen?'

'Onverwijld,' zei Aumtehoutep, en hij verliet het heiligdom snel en rustig.

'De anderen zouden moeten zingen,' protesteerde Wekure Udmes, die nooit tevreden was. Hij hield van grandeur en in het Huis des Levens had hij die intens gemist. Twee van zijn broers bekleedden een post aan het hof, hetgeen zijn ergernis slechts deed toenemen. 'Het is ongepast dat niemand zingt.'

'Dat is op mijn... verzoek. Ik heb ze gevraagd het niet te doen,' zei Bathatu Sothos zachtjes. 'Ik wil rust.'

'Rust,' spotte Wekure Udmes, die overeind kwam uit zijn stoel en heen en weer begon te lopen. 'Hoe kunt u rust vinden als er geen offers zijn, geen gezang, geen ceremonie, om u het Huis des Levens uit te leiden.' Hij keek naar de anderen die om de Hogepriester heen stonden. 'Wij zijn in ongenade gevallen en niemand van ons maakt zich zorgen. Onze Hogepriester ligt op sterven en er is geen boodschapper van Farao gekomen, geen van zijn rouwers. Hoe komt het dat niemand van u lijkt te beseffen wat er aan de hand is?'

'Zwijg, Wekure Udmes,' sprak Sanh Zhrman namens hen allemaal, hoewel hij de andere priesters niet aankeek.

'U bent nog geen Hogepriester, vreemdeling, en ik hoef uw orders nog niet op te volgen.' Zijn sandalen stampten op de granieten vloer en gaven meer dan zijn woorden blijk van zijn woede. Hij keek de overige priesters aan. 'Zult u er vrede mee hebben als een vreemdeling hier de mis opdraagt?'

'Dat zullen zij,' fluisterde Bathatu Sothos.

Neksumet Ateo sprak voor de overige priesters. 'Sanh Zhrman is hier langer dan wij allemaal, langer dan de oudste van ons zich kan herinneren. Mijn oom heeft mij verteld dat hij Sanh Zhrman hier heeft gezien toen hij nog een jongen was en dat is meer dan veertig jaar geleden. Er wordt beweerd dat hij hier al was voordat de tempel werd gebouwd. Als hij bereid is als Hogepriester te dienen, mogen wij van geluk onze handen dichtknijpen.' Hij staarde naar de vloer, in verlegenheid gebracht door zijn eigen ijver.

Deze steunbetuiging was niet voldoende om Wekure Udmes het zwijgen op te leggen. 'Er zijn documenten waarin geschreven staat dat een vreemdeling hier reeds honderden jaren verblijft. Doch de eerste documenten maken melding van een slaaf, niet van een priester, van iets dat weinig menselijks had, iemand die de stervenden buiten het Huis des Levens verzorgde. Omdat hij dat nu doet en omdat hij een vreemdeling is, beweert u dat het om dezelfde man gaat, maar er is altijd iemand nodig om ze te verzorgen en wie beter dan een vreemdeling? Wie kan zeggen welke vreemdeling wie is?' Hij staarde Sanh Zhrman aan, alsof voor het eerst de gedachte bij hem opkwam dat iemand die minder sceptisch was dan hij geloof zou kunnen hechten aan de documenten. 'De beschrijving is gelijkluidend, maar beschrijvingen kunnen worden veranderd.'

'En heeft u ooit meegemaakt dat de priesters van Imhotep wijzigingen in de documenten hebben aangebracht?' vroeg Sanh Zhrman zachtjes. Hij richtte zijn aandacht weer op Bathatu Sothos en legde een koud kompres op zijn gezicht. Uit de ademhaling van de oude man kon hij opmaken dat hun nachtwake bijna voorbij was.

'Er staat geschreven dat de slaaf littekens had,' hield Wekure Udmes aan. 'Ernstige, brede littekens.'

'Ik ben ervan overtuigd dat u de beschrijving heeft gelezen,' zei Sanh Zhrman zonder zijn aandacht van de Hogepriester af te wenden.

'Van de ribbenboog tot onder aan het bekken,' zei Wekure Udmes. 'Alsof de huid was afgestroopt.'

Zijns ondanks huiverde Sanh Zhrman: zijn dood door het verwijderen van zijn ingewanden had meer dan twaalfhonderd jaar tevoren plaatsgevonden maar de herinnering droeg hij nog immer bij zich. 'Ja, dat is de goede omschrijving.'

Neksumet Ateo had meer zelfvertrouwen en keek naar de overige priesters die in het heiligdom bijeen waren. 'U heeft een litteken, Sanh Zhrman. Het is een gelijksoortig litteken, breed en wit. Dat is genoeg.'

'Ja,' zei Sanh Zhrman diep ongelukkig. Hij liet zijn hand lichtjes op

Bathatu Sothos' borst rusten en voelde het zwakke, gebrekkige rijzen en dalen. Hij knikte naar de rollen met de liturgie voor de stervenden en zei tegen Pama Yohut, die ze bewaarde: 'Ik denk dat u het beste met de laatste regels kunt beginnen.'

Pama Yohut voldeed direct aan het verzoek. Hij nam de rol van zijn ereplaats aan de voet van het standbeeld van Imhotep en rolde het papyrus open. ' "Want iedere dag wordt voltooid in overeenstemming met de blik der goden, en alle dingen worden afgesloten volgens hun wil, en komen aan het eind dat voor hen is bepaald. Voor hen die zich inspannen om het werk van de goden te doen, is hun einde een deel van hun begin, een facet van het juweel dat als leven wordt geschonken. Er is geen taak die niet kan worden overgelaten aan de goden, geen daad die niet nagekomen..." '

'Sanh Zhrman,' mompelde de Hogepriester.

'Ja, grote leermeester,' zei Sanh Zhrman zoals het betaamde.

' "... hoewel de *ba* en de *ka* met het hart komen om beoordeeld te worden door Osiris voor Ma-a-t en Thot en Anubis..." '

'Laat je niet van onze roeping afleiden. Luister niet.' Bathatu Sothos' stem klonk zo zwak dat Sanh Zhrman hem amper kon horen.

'Dat zal ik niet,' beloofde Sanh Zhrman hem.

' "... Wanneer rust komt en de reis ten einde is," ' eindigde Pama Yohut. Hij zweeg en hield de rol open en eerst toen Sanh Zhrman een pas bij Bathatu Sothos vandaan deed, liet hij toe dat de rol zich sloot.

Destijds, toen de inwijdingsceremonie beëindigd was, amuseerde ik me met de gedachte aan wat Mereseb of Sehet-ptenh zouden hebben gedaan als zij getuige waren geweest van die gebeurtenis. Ik had niet verwacht zoveel voldoening te zullen voelen als ik toen smaakte. Als ik er nu aan terugdenk, schaam ik mij ietwat voor het genot dat ik beleefde aan mijn promotie. Om na bijna acht eeuwen – meer dan de helft van mijn leven toentertijd – tot Hogepriester te zijn opgeklommen: het was een zoete overwinning. En ik veronderstel dat ik gerechtigd was er plezier aan te beleven, dat houd ik mijzelf tenminste voor.

Tegen de tijd dat hij negenenzestig jaar oud was, had Neksumet Ateo de helft van zijn tanden verloren en was zijn haar wit geworden. Bij het lezen van de heilige teksten moest hij zijn ogen halfdicht knijpen, en de zwelling in de gewrichten van zijn handen maakte van schrijven een trage en pijnlijke taak. Hij keek op van een vijfhonderd jaar oude rol toen een schaduw eroverheen viel. 'Sanh Zhrman,' zei hij met zijn gebarsten stem.

'Neksumet Ateo,' antwoordde Sanh Zhrman. 'Ik begeef mij buiten het Huis des Levens om te zien wie daar vandaag is toegelaten. Heeft u zin mij te vergezellen?'

De oude priester wist dat Sanh Zhrmans uitnodiging een zeldzame eer betekende, een die aan zeer weinigen van zijn medebroeders werd verleend, doch hij aarzelde en dacht aan de hitte van de zon en het aanzicht van de stervenden. 'Ik zal spoedig genoeg te weten komen van wat het betekent om mij buiten het Huis des Levens te bevinden, Hogepriester. Als ik bedank is dat geen kleinering van uw edelmoedigheid van geest.'

'Natuurlijk niet,' zei Sanh Zhrman met een vluchtige glimlach. 'Het is niet mijn bedoeling mij op te dringen, oude vriend.'

'Oud, ja; dat is het woord dat mij beheerst: oud.' Hij wees naar de rol. 'Dit is het document van een Hogepriester van Imhotep die hier lang geleden diende, Amensis genaamd. Een deel van wat hij schrijft is aan u gewijd, Sanh Zhrman, hoewel hij u niet Zhrman noemt. En toch bent u het.'

'Bent u daar zeker van?' vroeg de Hogepriester uit den vreemde.

'Zo zeker als enig man van iets zo ondenkbaars kan zijn,' zei Neksumet Ateo. 'Ik dacht terug aan de dingen die over u werden gezegd toen Bathatu Sothos overleed, toen ik nog zo jong was. Welaan, men zegt dat de wijsheid komt met de jaren. Gelooft u daarin, Hogepriester?'

'Ik hoop dat het waar is,' antwoordde Sanh Zhrman voorzichtig.

'Ik ook, want ik zou niet graag geloven dat ik gek ben.' Hij boog zijn hoofd naar achteren en bestudeerde Sanh Zhrman met samengeknepen, zwakke ogen. 'Hoe oud bent u?'

'Ouder dan de meesten uwer vermoeden,' antwoordde hij naar waarheid, met een geamuseerde glinstering in zijn zeer donkere ogen.

'Waar komt u vandaan?' De snelheid waarmee Sanh Zhrman antwoordde verbaasde hem, want hij had verwacht dat de Hogepriester zijn verleden zou verloochenen.

'Van ten noorden van Mycene, in de bergen; ik laat aarde daarvandaan naar mij opsturen voor... rituele doeleinden.' Zijn glimlach was vluchtig en hartverscheurend, al bijna verdwenen voordat hij begon. 'Mijn volk leeft daar niet meer, het is daar sinds lange tijd verdwenen. Een van de gewestelijke prinsen, die hulde bracht aan de Hettieten, heeft ons de oorlog verklaard. Hij voerde op snode wijze strijd, nam de krijgers gevangen om als dekking voor zijn eigen soldaten te dienen en doodde alle anderen: vrouwen, kinderen, de ouderen en de zwakzinnigen. Hij offerde ze allemaal aan de goden voor zijn zege over ons. Hij doodde mijn vader als laatste door hem te villen en daarna te roosteren.'

'Allemaal slechte daden,' zei Neksumet Ateo, in de ban van hetgeen de Hogepriester van Imhotep hem vertelde.

'Waarvoor hij na verloop van tijd heeft moeten betalen.' Sanh Zhrmans stem klonk killer dan Neksumet Ateo ooit van hem had gehoord. Hij had de oude man niet aangekeken, doch hij wendde zich nu tot hem. 'Wilt u de rest ook horen of bent u tevreden met een stukje van de waarheid?'

'Waarom vertelt u mij dit?' flapte de oude man eruit.

Sanh Zhrmans lach was kort en pijnlijk; hij aarzelde voordat hij sprak. 'Ja, waarom eigenlijk? Wellicht omdat ik moe ben het te verzwijgen. Misschien, al was het maar eenmaal, wil ik het iemand vertellen.' Hij keek op de oude man neer. 'Zelfs mijn bediende weet hier niets van. Eens zal ik het hem vertellen, maar... U bent een goede man, Neksumet Ateo, een uiterst trouw man. Dus wellicht zult u mij aanhoren, en als ik klaar ben, zult u wat u heeft gehoord voor u houden en daarmee mijn... eeuwige dankbaarheid verdienen.'

Neksumet Ateo antwoordde niet meteen. 'Ik ben al eenenvijftig jaar lang een priester van Imhotep en die jaren hebben geen uitwerking op u gehad. Van wat ik heb gelezen was u reeds hier in de tijd van de ketterse Farao met zijn Hettitische zonnegod en Hettitische vrouw. Dat is lang geleden.'

'Ik ben hier een eeuw eerder gekomen,' zei Sanh Zhrman zacht, en hij ging zo staan dat de oude man zijn gezicht duidelijk kon zien.

'En u was destijds niet ouder of jonger, is het wel?' vroeg Neksumet Ateo, die wist hoe het antwoord zou luiden.

'Nee.'

Een korte tijd zei Neksumet Ateo niets; toen keek hij de Hogepriester aan. 'Vertel het mij.'

Nogmaals vertrok de flauwe, diepbedroefde glimlach zijn mond. 'Ik was de zoon van onze Koning – hij was niet zo machtig als Farao, doch hij was machtiger dan velen – en omdat ik ben geboren in de donkere tijd van het jaar, ben ik ingewijd in de cultus van onze god.' Zijn donkere ogen stonden afwezig, gekweld door zijn herinneringen. 'Toen ik oud genoeg was, ben ik achtergelaten in het heilige bos, met bloedende handen, klaar om mijzelf aan de god te offeren. Hij kwam natuurlijk, en aanvaardde mijn toewijding, want toen ik een man werd heb ik zijn bloed gedronken en werd ik een van de zijnen, bestemd om mij van de dood te bevrijden.' Hij zweeg plotseling en keek Neksumet Ateo aan. 'Dat was dertienhonderd jaar geleden; volgens mij was Mentoehotep toen Farao.

'Uw god heeft zich aan zijn verbond met u gehouden,' merkte Neksumet Ateo op.

'Ja, dat heeft hij.' Sanh Zhrmans uitdrukking werd afstandelijk. 'Mijn god is gestorven in de strijd die van mij en van de helft van de mannen die aan mijn zijde vochten een slaaf maakte. Hij stierf en stond nooit meer op want zijn hoofd werd van zijn lichaam geslagen.' Hij keek de oude priester bedachtzaam aan. 'Dat zou ook voor mij fataal zijn.'

'Dat zou voor alles wat leeft fataal zijn,' zei Neksumet Ateo bedaard. Hij was Imhotep dankbaar dat hij hem voor eenmaal zijn ware gezicht had getoond.

'De Koning die mij gevangennam, liet mij doden – voor de zege in een strijd die zo goed als verloren was.' Onwillekeurig ging zijn hand naar de witte zwade van littekens die over zijn platte buik liep.

'En toch leeft u,' zei Neksumet Ateo.

'Ik ben niet dood,' verbeterde de Hogepriester hem zacht.

Gedurende alle eeuwen die ik in het Huis des Levens diende, was alleen Neksumet Ateo van mijn geheim op de hoogte en hij bewaarde het trouw. Toen de priesters van Anubis hem kwamen halen, gaf ik ze een glazen ring om met hem begraven te worden. In die tijd, mijn hartje, was glas een zeldzamer juweel dan diamanten. Hij liet een verslag van ons gesprek na, doch het was verzegeld en vele jaren lang heeft niemand het gelezen. In het gehele Zwarte Land bleef het onrustig en dat werd van tijd tot tijd erger, hetgeen nooit tot de volledige ineenstorting van het land leidde, doch het gestadig uitholde. Sjabaka moest eraan te

*pas komen om een eind aan de gewestelijke twisten te maken en
het Zwarte Land wederom te herenigen. Tegen de tijd dat
Taharqa van Nubië tot aan de zee monumenten ging bouwen,
kwam het land weer tot bloei. De Overstromingen waren hevig
tijdens Taharqa's bewind en sinds de kleine oorlogen tot een einde
waren gekomen, waren de oogsten gedurende meer dan een
decennium overvloedig.*

*Omdat Farao in Memphis zetelde, werd het bestuur van Thebe
en Boven-Egypte overgelaten aan de vierde priester van Amon,
een bekwaam fanaticus van goede afkomst, Montemhet
genaamd. Hij werd door het volk van Thebe zo goed als
aanbeden, en door de hele stad werden monumenten te zijner ere
opgericht. Anders dan veel heersers van het Zwarte Land was
Montemhet bijzonder geïnteresseerd in de verbetering van de
wijze waarop het werk werd gedaan. In vele opzichten zijn tijd
vooruit, financierde hij projecten om wegen en gebouwen te
verbeteren en veranderde hij het belastingstelsel. Hij bleef
weigeren munten te laten slaan want voor hem was dat uitheems
en laakbaar omdat de Grieken het deden. Dus handhaafde
Egypte de ruilhandel. Je zult tevergeefs zoeken naar het gezicht
van Farao in zilver en koper en goud geslagen, zoals dat van
Caesar.*

*In het noorden werd Farao onder druk gezet door Esarhaddon, de
Koning van Assyrië, die Memphis gedurende twee jaar belegerde,
totdat Taharqa kwam, met een in Boven-Egypte geformeerd leger,
om zijn hoofdstad terug te vorderen. Dit alles versterkte een
tijdlang Montemhets positie, doch niets kon hem behoeden voor
verraad; of het nu de aanhangers van de Nubiërs waren of
iemand uit zijn eigen omgeving, de enige keer dat ik Montemhet
heb gezien was nadat hij vergiftigd was en naar het Huis des
Levens werd gebracht in de ijdele hoop dat hij gered kon worden.*

Onder het schild in de vorm van een zonneschijf was Montemhets
borst koud en glad. Zijn ademhaling was oppervlakkig; de lucht ging
fluitend in en uit. Hij keek de Hogepriester nauwlettend aan. 'U bent
een vreemdeling; ik heb over u gehoord,' zei hij ten slotte.

'Dat is Farao ook,' zei Sanh Zhrman, terwijl hij zich naar voren boog
om de man te onderzoeken. 'Weet u hoe u ziek geworden bent?'

'Vergif,' gooide de vierde priester van Amon eruit.

'Ja,' zei Sanh Zhrman. 'Maar weet u hoe u het naar binnen heeft ge-kregen?' Hij wachtte en wist dat het verkeerd was om een onmiddel-lijk antwoord te verlangen. 'Als u het zich niet kunt herinneren, is het niet erg dat toe te geven.'

'Ik geloof niet dat ik het mij herinner,' zei Montemhet, elk woord met zorg kiezend. 'Er komt mij niets voor de geest.'

'Heeft men u wellicht gedurende langere tijd kleine hoeveelheden toegediend?' Sanh Zhrman zette zijn onderzoek voort.

'Tot gisteren heb ik niets gemerkt,' zei Montemhet. 'En toen voel-de het alsof er een schorpioen in mijn edele delen zat.'

'Ja,' zei Sanh Zhrman terwijl hij rechtop ging staan. 'Dat is betreu-renswaardig.'

'Betekent betreurenswaardig dodelijk?' vroeg Montemhet.

Sanh Zhrman keek de andere kant op en beantwoordde toen Mon-temhets starende blik. 'In dit geval wel, vrees ik.'

'Hoe snel?' Montemhet had Sanh Zhrmans antwoord niet nodig; iets in diens houding zei meer dan woorden hadden kunnen doen. 'Morgen? Zal ik tenminste morgen nog hebben?'

'Ik denk het wel, als het nog niet te ver gevorderd is; ik kan niets zeggen over de dag daarna.' Hij deed een stap terug van de tafel waar-op de vierde priester van Amon lag.

'Is er niets wat u kunt doen?' vroeg Montemhet ernstig, zijn as-grauwe trekken vol vastberadenheid.

Andermaal nam Sanh Zhrman de tijd alvorens antwoord te geven. 'Ik weet het niet. Het is een moeilijk geval. Als ik zeker wist om welk vergif het ging, zou ik u misschien iets kunnen geven wat het zou... vertragen.' Hij maakte een vluchtig, afdoend gebaar. 'Het zou uw dood niet tegenhouden en het zou de pijn ook niet veel verlichten, doch het zou u twee of drie dagen langer de tijd geven.'

'Waarom moet u er zeker van zijn om welk vergif het gaat?' Dit-maal dwong Montemhet zichzelf te gaan zitten en hij keek Sanh Zhr-man met samengeknepen ogen aan.

'Indien ik u zou behandelen voor een bepaald vergif en er was u een ander toegediend, dan zou het kunnen dat de werking van het vergif verdubbeld zou worden, en dan zou u nog voor zonsondergang sterven.' Hij sprak op een vlakke, rustige toon, doch iets in zijn ge-zicht onthulde zijn ongerustheid.

'Geef mij het middel,' zei Montemhet onmiddellijk.

'Nee,' protesteerde Sanh Zhrman. 'Als ik ongelijk heb...'

'Als u ongelijk heeft, zal ik in elk geval sneller sterven en minder lijden. Als u mij nog twee dagen kunt geven, zal ik in staat zijn de verraders aan te houden die mij dit hebben aangedaan.' Hij sloeg met zijn hand op het tafelblad, doch de klap miste kracht, en de nadruk die hij had moeten geven, ging verloren.

'En dan zal er worden gezegd dat ik u heb gedood,' bracht Sanh Zhrman onder zijn aandacht. 'Wat denkt u wat er dan zou gebeuren? Hoeveel priesters van Imhotep zouden zich voor mijn vergissing moeten verantwoorden?'

'Ik zal zorgen voor bescherming voor het Huis des Levens,' zei Montemhet. 'Stuur mij een schrijver en de opdracht zal gegeven worden.'

Sanh Zhrman fronste zijn voorhoofd en zei: 'Goed dan.'

Die nacht stierf hij, ondanks de tinctuur die hem te drinken was gegeven. Het vergif had te veel greep op hem. Tegen het einde stuurde hij bericht naar de bewakers, dat hij het Huis des Levens verliet en zich naar de Tempel van Osiris begaf, teneinde door middel van hun orakels te ontdekken wie hem het vergif had toegediend. Het was een edelmoedig gebaar, want het betekende dat geen van ons in het Huis des Levens ervan beschuldigd zou worden hem te hebben gedood. Niet lang daarna kwamen de Assyriërs terug en voerden oorlog door het gehele Zwarte Land. Uiteindelijk werden zij verslagen, doch zij hebben Egypte veranderd, want de zege over de Assyriërs werd behaald door een Farao die Griekse en Carische huurlingen in dienst had. Psammetichus I verklaarde dat dit was teneinde te voorkomen dat het leger te veel invloed aan het hof kreeg, doch dat was niet de reden: hij had meer angst voor Egyptenaren dan voor vreemdelingen. Hij handhaafde zijn hoofdstad in het noorden en verklaarde dat het Zwarte Land wederom verenigd was. Tot op zekere hoogte slaagde zijn strategie, want Necho II was in staat Nebukadnessar II terug te drijven en gevechtsschepen te bouwen in de monding van de Delta.

Niet lang daarna stemde Nitocris, de Goddelijke Aanbidster van Amon te Thebe – jij zou haar vermoed ik Hogepriesteres noemen – erin toe om Ankhnesneferibre als haar opvolgster te benoemen.

Het was een pragmatische afspraak, aangemoedigd door Farao en de Goddelijke Aanbidster, tot hun wederzijds voordeel. Beide vrouwen was een lang leven beschoren en gezamenlijk dienden zij gedurende ruim een eeuw als afgevaardigden van de koninklijke familie in Thebe.

Toen Ankhnesneferibre ongeveer veertig jaar oud was, brak er opnieuw onrust uit in het Huis des Levens, want de priesters werden ervan beschuldigd toverdranken te verkopen aan hen die daartoe de middelen hadden. Aanvankelijk waren de geruchten hinderlijk, doch later werden zij dringend en gevaarlijk. Ankhnesneferibre riep mij namens alle priesters van Imhotep ter verantwoording.

Zij was gezeten toen Sanh Zhrman bij haar kwam, en haar slaven stonden om haar heen als blijk van haar gewichtigheid; haar pruik was enorm en zeer kunstig, haar gezicht zo uitdrukkingsloos als een standbeeld. Toen de Hogepriester van Imhotep op gepaste wijze een diepe buiging had gemaakt, wees zij de plek aan waar hij mocht gaan staan. 'Brengt u mij een antwoord, Sanh Zhrman?' Het weglaten van zijn titel was haar manier om hem eraan te herinneren dat hij persoonlijk verantwoordelijk werd gehouden voor hetgeen hij haar zou vertellen.

'Ik heb uitgebreid navraag gedaan, Goddelijke Aanbidster, en ik weet nog steeds niet wie van mijn priesters eventueel heeft gedaan waarvan zij worden beschuldigd.' Hij sprak openlijk en zonder de omhaal die bij een dergelijke formele audiëntie gebruikelijk was.

'En tot welke conclusie bent u gekomen, Sanh Zhrman?' Zij hield een decoratieve dorsvlegel in haar hand maar de manier waarop ze hem hanteerde, gaf blijk van de heftigheid van haar gevoelens. 'Er zijn personen die niet durven eten of drinken omdat zij ervan overtuigd zijn dat uw priesters hun vijanden dodelijke stoffen hebben toegespeeld.'

'Dat is niet zo, Goddelijke Aanbidster,' zei hij, zo rustig als hij kon.

'Het is wel zo,' drong zij aan. 'Het is een bekend feit. Het is zeker dat de priesters de grenzen hebben overschreden die zij zo lang in acht hebben genomen, en dat alles omdat u niet in staat bleek hun leiding te geven.' Zij wierp hem een woedende blik toe.

'Omdat ik een vreemdeling ben?' opperde hij luchtig, zichzelf niet toestaand geprikkeld te raken. 'Dat zou een redelijke verklaring zijn

411

als u de verdachtmakingen gelooft.'

Zij stond op en hief haar hoofd zo hoog als mogelijk was zonder dat haar pruik verschoof. 'Luister naar mij, Sanh Zhrman, er moet een eind komen aan het verraad.'

'U zou dat verzoek beter tot Amon of tot Farao kunnen richten dan tot mij, Goddelijke Aanbidster.' Hij toonde geen tekort aan eerbied, doch iets in zijn houding irriteerde haar.

'U bent niet uit het Zwarte Land afkomstig en toch is het u gelukt op te klimmen tot Hogepriester van Imhotep. Welke betere manier om de macht van Kheme te ondermijnen dan door uw tempel waar iedereen genezing zoekt?' Zij maakte wederom een fel gebaar met haar decoratieve dorsvlegel.

Sanh Zhrman gaf een tweede blijk van nederigheid. 'Het is waar dat ik niet uit het Zwarte Land afkomstig ben, doch ik behoor niet tot een volk dat u kent, Goddelijke Aanbidster. Ik ben de laatste overlevende van mijn volk en ik heb in het Zwarte Land een toevluchtsoord gevonden, waarmee ik mij gelukkig prijs. Waarom zou ik een dergelijk geschenk ontheiligen als ik daarvan slechts verlies zou ondervinden?'

'Wat komen die woorden u toch gemakkelijk over de lippen,' zei Ankhnesneferibre, haar grote met kohl omlijnde ogen scherp en kritisch. 'Ik ben reeds eerder voor u gewaarschuwd.'

'Om welke reden, Goddelijke Aanbidster?' vroeg Sanh Zhrman uit waarachtige nieuwsgierigheid. 'Ik heb mij nooit buiten de tempel gewaagd, ik doe niets dat niet gepast is voor de priesters van Imhotep. Het is mijn taak om diegenen te verzorgen die hulp bij ons komen zoeken.' Hij legde zijn hand op het borstschild dat hij droeg; het was zijn persoonlijke zegel, de eclipsschijf met opstaande vleugels.

'Mij is verteld dat u niet bent wie u lijkt te zijn.' Zij kwam overeind van haar troon, een kleine, hoekige vrouw met trekken die ooit mooi waren geweest maar nu door de jaren waren verscherpt. Terwijl zij twee passen in zijn richting deed, merkte zij op: 'Men zegt dat u de harp bespeelt.'

Sanh Zhrman knipperde met zijn ogen. 'Ja.'

'Alleen vrouwen bespelen de harp,' zei Ankhnesneferibre.

'Dat is niet altijd zo geweest,' zei Sanh Zhrman voorzichtig, en hij dacht terug aan een tijd niet meer dan drie eeuwen geleden toen het vrouwen niet was toegestaan andere muziekinstrumenten te leren bespelen dan de fluit. 'Ik heb het enige tijd geleden geleerd.'

'Een vreemdeling die de harp bespeelt.' Zij lachte en de overige hovelingen lachten met haar mee. Haar blik flitste over hem heen alsof zij zwakheden zocht. 'Aan welke verwonding heeft u een litteken te danken, Hogepriester?'

'Een oude,' zei Sanh Zhrman.

'Geen onbeschaamdheden,' snauwde Ankhnesneferibre.

'Zo was het niet bedoeld,' verzekerde Sanh Zhrman haar op eerbiedige toon. Zijn gevoel van onbehagen werd sterker, doch hij durfde zich daarvan geen enkel besef toe te staan.

Zij nam nog een stap in zijn richting en keerde hem toen de rug toe. 'Ik ben er niet van overtuigd dat uw priesters geen blaam treft. U zou hen tegenover mij in bescherming nemen; ik betwijfel zelfs of u ze verantwoordelijk zou houden als dergelijke daden u bekend waren.' Zij hief haar hand en de dorsvlegel bewoog enigszins. 'Ik zal u voorlopig niet veroordelen, doch uw priesters dienen in het oog gehouden te worden. U zult zich niet tegen mij verzetten.'

Het kostte hem enorme vastberadenheid om tegen haar te zeggen: 'Zoals u wenst, Goddelijke Aanbidster,' terwijl hij veel liever protest had aangetekend.

'Zoals ik wens,' beaamde zij.

En zo kwam het dat spionnen van de Tempel van Amon hun intrede deden in het Huis des Levens. Er waren er vier in de daaropvolgende twee jaar, en elk van hen veroorzaakte meer onenigheid dan zijn voorganger. Niets van hetgeen ik te berde bracht tijdens die zeldzame gelegenheden dat zij mij in haar audiëntievertrek ontving, kon de Goddelijke Aanbidster van gedachten doen veranderen. Zij was ervan overtuigd dat de wortel van het kwaad in het Huis des Levens school, en zij was vastberaden deze te vinden, al zou zij zelf iets moeten verzinnen; en uiteindelijk gebeurde dat ook. Terwijl het wantrouwen in de Tempel van Imhotep toenam, begonnen sommige gebeurtenissen waarnaar Ankhnesneferibre zocht, zich voor te doen; aanvankelijk was het mogelijk degenen die hun geloftes verbraken weg te zenden, doch dat werd steeds moeilijker toen alle priesters zich geheimzinniger gingen gedragen.

Ik weet niet wanneer het complot is gesmeed maar ik weet wel

dat het onvermijdelijk was. Enkelen van hen die ontevreden
waren vonden bondgenoten, en al spoedig besloten zij dat,
teneinde het Huis des Levens te bevrijden van de verdenkingen
en afvalligheid dat gewoongoed was geworden in de tempel, zij
zich van mij moesten ontdoen, opdat een andere Hogepriester
zou kunnen heersen. Ik vermoed dat ik alle vergeten goden
dankbaar mag zijn dat zij messen als wapens kozen.

Denin Mahnipy, als leider van de groep, was de eerste die de deur van de privéstudeerkamer van de Hogepriester binnenkwam. Hij hield zijn mes als een toorts voor zich uit, alsof het lemmet licht zou geven. Toen hij zich ervan had overtuigd dat de kamer leeg was, gebaarde hij naar de overige drie, die in de hal stonden te wachten om zich bij hem te voegen. 'Snel,' fluisterde hij, terwijl hij zijn hand uitstrekte naar de deur om deze te sluiten.

'Waar is hij?' siste Wanket Amphis, terwijl hij zijn blik door de kamer liet glijden; evenals het merendeel van de priesters van Imhotep was hij nooit eerder in het vertrek geweest en zijn nieuwsgierigheid was bijna groter dan de prikkel van gevaar.

'Buiten het Huis des Levens,' mompelde Kafwe Djehulot. 'Daar gaat hij iedere avond heen.' Hij staarde naar de planken die vol stonden met kruiken en ampullen. 'Wanneer houdt hij zich hiermee bezig?'

''s Nachts, heb ik mij laten vertellen,' zei Wanket Amphis kortaf. 'Wij moeten ons verschuilen.' Verstoppen was een woord dat hij vermeed omdat het te laf klonk.

'Ja,' zei Kafwe Djehulot, die om zich heen keek op zoek naar een geschikte plek. 'Waar is zijn bediende?'

'Die is naar de markt; ik zag hem kortgeleden vertrekken.' Denin Mahnipy knikte in de richting van de deur die naar het slaapvertrek van de Hogepriester leidde. 'Daar.'

'En als hij dan niet snel naar binnen komt?' vroeg Kafwe Djehulot, wiens vastberadenheid alras wegebde. 'Stel dat hij niet...'

'Hij zal daar binnen gaan om van kledij te wisselen,' zei Denin Mahnipy met meer geduld dan hij voelde. 'Dat is al jarenlang zijn gewoonte.'

'Wij kunnen hem overmeesteren als dat nodig mocht zijn,' zei Mosahtwe Khianis, de grootste van de vier, bijna even lang als Sanh Zhrman zelf.

'Het slaapvertrek in dan,' zei Denin Mahnipy. 'Houd jullie messen gereed en spreek niet.'

'En als we ontdekt worden?' vroeg Kafwe Djehulot, stotterend van nervositeit.

'We worden niet ontdekt,' zei Denin Mahnipy, terwijl hij het slaapvertrek betrad en een ogenblik bleef staan door de sobere aanblik ervan: een enkel, smal bed op een kist geplaatst, een groepje olielampen, een eenvoudige stoel, en een rek vol opgerolde papyrusrollen. Er was geen goud, geen versierselen, als blijken van de hoge positie die de man die daar sliep bekleedde.

'De priesters zullen zich bij ons voegen,' zei Mosahtwe Khianis op een toon even onverbiddelijk als de zon.

'Wees stil,' waarschuwde Denin Mahnipy toen hij een geluid hoorde in de gang. 'Houd je gereed.'

De vier zwegen en elk van hen verstevigde zijn greep op zijn mes, hun aandacht op de deur gericht.

Toen hij door de deur kwam, aarzelde Sanh Zhrman, zijn hoofd schuin, zijn donkere ogen versluierd. Hij hield zich stil. Toen, alsof hij een besluit nam, liep hij het vertrek binnen en reikte naar zijn zwarte hoofddoek om deze af te doen. Alvorens hem terzijde te werpen aarzelde hij wederom, en wendde zich naar de deur van zijn slaapvertrek, op zijn hoede als een wild dier.

Wanket Amphis kwam het slaapvertrek uit struikelen, zijn mes achter zijn rug. Hij liet zijn hoofd zakken. 'Genade, Hogepriester. Ik... Ik was nieuwsgierig. Ik... wilde niet...' Hij liet zijn woorden wegsterven.

'Wilde wat niet?' vroeg Sanh Zhrman, toen Wanket Amphis zijn zin niet afmaakte.

'... niets...' Hoewel zijn stem gesmoord klonk en zijn houding eerbiedig leek, bleef Sanh Zhrman op zijn hoede.

'Ben je alleen?' vroeg hij snel.

'Ja,' zei Wanket Amphis nu wat krachtiger. 'Er is niemand anders om te berispen.' Tegelijkertijd zwaaide hij zijn arm naar voren, het mes zo gericht dat het diep in Sanh Zhrmans zij zou dringen.

Op dit teken stormden de overige drie door de deuropening van het slaapvertrek, hun messen geheven, en staken op de Hogepriester in.

Sanh Zhrman, die al bijna duizend jaar geen ernstige verwonding had opgelopen, werd meer verrast door de pijn dan door de aanval.

Toen de messen in zijn lichaam drongen, wankelde hij en zonk op zijn knieën, en voelde zijn bloed op zijn handen plakken. De vier mannen wierpen zich op hem, hun messen druk in de weer.

'Snijd zijn keel door,' hijgde Mosahtwe Khianis. 'Dat kan niet missen.'

Door zijn foltering heen hoorde Sanh Zhrman het bevel en hij voelde hoe drie handen zich naar zijn keel bewogen. Hij zette zich schrap en bracht zijn arm zo krachtig omhoog dat Kafwe Djehulot met zo'n vaart tegen de eerste serie planken werd gegooid, dat de helft van wat er opstond omviel en boven op hem terechtkwam.

De volgende die de gram van Sanh Zhrman ondervond, was Denin Mahnipy, die werd opgetild en boven op de tafel die in het midden van het vertrek stond, werd geworpen; drie tafelpoten braken door de klap. Denin Mahnipy bleef uitgestrekt tussen de wrakstukken liggen.

Wanket Amphis schoot in een poging tot ontsnappen in de richting van de deur. Hij voelde hoe bloederige vingers zich om zijn arm sloten en met dezelfde beweging werd hij in de deurlijst van het slaapvertrek getrokken. Hij voelde zijn schouder en ribben breken voordat hij het bewustzijn verloor.

Mosahtwe Khianis kon niet geloven wat hij zag. Hij deed nog twee uitvallen met zijn mes en voelde hoe het lemmet diep het lichaam van de Hogepriester binnendrong, en toch hield dit Sanh Zhrman niet tegen. Voordat Wanket Amphis op de vloer was gegleden, had Sanh Zhrman zich tegen Mosahtwe Khianis gekeerd. 'Nee,' mompelde Mosahtwe Khianis toen Sanh Zhrman, die nu zo glom van het bloed alsof hij gelakt was, in zijn richting wankelde en probeerde zijn ogen schoon te vegen.

'Verrader,' zei Sanh Zhrman toen hij zich op Mosahtwe Khianis wierp en zijn handen zich met een vaste greep om diens keel sloten.

Wanhopig deed Mosahtwe Khianis een poging zich vrij te maken, doch het enige dat hij bereikte, was dat hij met zijn rug tegen de verre muur kwam te staan, terwijl Sanh Zhrman hem nog steeds de keel dichtkneep.

Geen van beiden bemerkte dat de deur was opengegaan, en dat Aumtehoutep en twee oudere priesters daar stonden en met afschuw toekeken terwijl het gevecht voortduurde.

'Mijn meester!' riep Aumtehoutep uit toen hij zijn eerste verlammende schrik had overwonnen.

Een geluid ontsnapte Mosahtwe Khianis terwijl hij tegen de muur ineen zonk; zijn gezicht had de gevlekte paarse tint van pruimen aangenomen.

'De Hogepriester bloedt!' schreeuwde een van de priesters bij Aumtehoutep; en met die woorden drong hij de kamer binnen en gebaarde de andere priester met hem mee te gaan. 'Ze hebben messen bij zich,' zei hij tegen de tweede priester.

Aumtehoutep was sneller dan de twee oudere priesters. Hij bereikte Sanh Zhrman en boog zich over hem heen in een poging hem van Mosahtwe Khianis af te trekken. 'Meester, meester, bedenk wat u aan het doen bent,' riep hij uit.

Versuft van pijn en woede verstond Sanh Zhrman nauwelijks wat zijn bediende zei. Toen kreeg zijn pijn de overhand en liet hij Mosahtwe Khianis los. Zo immens als zijn kracht was geweest, zo zwak was hij nu. Hij legde een bloederige hand op de gebroken tafel. 'Ze hebben mij opgewacht.'

'U heeft ze het hoofd geboden,' zei Aumtehoutep met een onbewogen gezicht.

'Ik neem aan van wel,' zei Sanh Zhrman, en hij deed een poging om te gaan staan. Hij had de hulp van Aumtehoutep nodig om overeind te komen en rechtop te blijven. Hij sloot zijn ogen. 'Hoeveel wonden?'

De oudste van de oudere priesters keek op van de plek waar hij Kafwe Djehulot onderzocht. 'We hebben ze niet geteld, Hogepriester.' Uit zijn houding bleek zijn vrees dat de wonden fataal waren.

'Ja,' zei Sanh Zhrman met wegstervend stemgeluid. Zijn hoofd rolde naar achteren. 'Aumtehoutep.'

'Ja, meester,' zei de bediende.

'Breng mij...' – er lag een flauwe, ironische glinstering in zijn gepijnigde donkere ogen – 'breng mij buiten het Huis des Levens.'

Negenendertig dagen lang lag ik op de binnenplaats buiten het Huis des Levens en luisterde hoe de priesters met hun gezang mijn dood probeerden tegen te houden. Denin Mahnipy en zijn mannen werden naar Ankhnesneferibre gezonden en zij beval hen te laten verdrinken. Iemand vond het verslag van Neksumet Ateo. Dus toen ik wederom het Huis des Levens betrad, stond

mijn naam in een cartouche met de cartouche van Imhotep, en
was ik een god.
Een eeuw later ben ik uit het Zwarte Land vertrokken en
noordwaarts gereisd op weg naar mijn geboorteland alvorens
naar Athene te gaan. In mijn geboorteland was ik evenzeer een
vreemdeling als toen ik pas aankwam in het Huis des Levens.
Hoewel de plek mij versterkte, was er niets dat mij daar bond en
ik vertrok met een dieper gevoel van droefenis dan van spijt.
Het zou wellicht voor jou evenzeer verstandig zijn om je vertrek
in overweging te nemen. Ik heb opdracht gegeven dat mijn jacht
in Caïro op je blijft wachten. Er is een bed boven de goede aarde
van Savoie in de grote hut en twee kisten ervan staan in het
ruim. Mijn kapitein zal zonder bedenking jouw bevelen opvolgen.
Ik vertrek over vier dagen naar Kreta en zal daar op je wachten.
Vergeet niet dat Egypte in Afrika ligt en niet in Frankrijk; dat
Afrika een alles verslindend oord is. Er liggen grootse schatten in
die rotswanden verborgen en er is rijkdom en eer te behalen voor
diegene die ze ontdekt, maar daar is ook de dood. De graftomben
hebben drieduizend jaar in die vallei liggen wachten – en zij
zullen heus nog wel langer wachten totdat jij ze gevonden hebt,
mijn hartje, zoals ik bijna even lang heb gewacht om jou te
vinden. Al vertrek je voor een jaar of een decennium of een eeuw,
Egypte zal daar nog steeds zijn. Evenals ik. En ik zal je nog steeds
liefhebben als alle verborgen rijkdommen van Egypte tot stof zijn
vergaan.

Saint-Germain
(zijn zegel, de eclips)

April tot en met juli 1828

Tekst van een brief van Ferdinand Charles Montrose Algernon Trowbridge in Thebe aan zijn vader, Percy Edward Montrose Dante Trowbridge in Londen.

Geachte vader,

In overeenstemming met uw wensen, heb ik gereserveerd voor de overtocht vanuit Caïro, en zal daar op 19 juli vertrekken op het schip Duchess of Kent, *dat Barcelona aandoet alvorens huiswaarts te keren. Ik heb reeds geregeld half mei naar Caïro te gaan, want Thebe ligt, zoals u weet, meer dan vierhonderd mijl van Caïro en de stad kan niet in een dag bereikt worden. Weliswaar varen wij stroomafwaarts, doch het is niet de snelste overtocht. De felucca zal tevens al mijn bagage meenemen, zodat die met mij meereist naar Engeland.*

Ik moet u zeggen dat ik ietwat onwillig ben uitgerekend nu te vertrekken want ik ben volledig in de ban geraakt van deze plaats. Het is waarachtig een zeer ongewone ervaring want ik heb nooit de genoegens der wetenschap nagestreefd. Ik besef nu, dat als ik eenmaal getrouwd ben, ik zonder problemen terug zal kunnen keren wanneer de basis voor een gezin eenmaal is gelegd. En toch is dat niet de manier waarop ik mij zou willen gedragen. Ja, Egypte kan een hels oord zijn, en ik heb mij eerder over de vele moeilijkheden beklaagd, maar toch is het het begin van de wereld, dat lijkt het voor mij tenminste te zijn, en ik kan de hitte en het zand voor lief nemen als dat al mij ook maar een beetje begrip voor deze verbazingwekkende monumenten oplevert. Hier, in de schaduw van reusachtige beelden die de buitensporigheid van Rome nietig doen lijken, ben ik op een mysterie gestuit dat zich niet gemakkelijk prijsgeeft aan mijn toepassing van logica en onderzoek. Nu en dan trekt een uitdrukking, een naam, mijn aandacht maar dat duurt nooit lang, dat kan niet lang duren. Ik kan mij er geen voorstelling van maken hoe het hier nog maar twintig jaar geleden moet zijn geweest, toen deze stenen volledig stom waren, omdat wij niet beschikten over een vertaling van hun taal. Nu, sinds Champollion zoveel voor ons heeft gedaan, verbaast het mij dat zo weinig oudheidkundigen hierheen zijn gekomen om de beloning van zijn inspanningen te oogsten.

Nee, ik ben geen geleerde, doch slechts een nieuwsgierige knaap met een redelijke ontwikkeling. Ik streef niet na iets toe te voegen aan de verzamelde geschriften van deze plek maar ik ben er niettemin in geïnteresseerd. Ik geef toe dat ik niet had verwacht onder de bekoring van dit land te geraken en dat mijn eerste affiniteit werd veroorzaakt door mijn belangstelling voor Madame de Montalia. Nu, welke verstandige man zou geen acht slaan op de charmes van zulk een bekoorlijke dame? Het komt mij nog immer verwonderlijk voor dat zij bereid was tot vriendschap met mij. Toen kwam ik onder de bekoring van deze plek. En nu ben ik waarachtig geïntrigeerd en niet als een curiositeit of een plaats waar mensen reusachtige beelden hebben opgericht en zulke grootse tempels dat ze met geen woorden zijn te beschrijven, tenminste niet alleen daarom. Egypte is vol geheimzinnigheid en ik wil weten wat er achter de façade verborgen ligt.

Wellicht zal ik later terugkeren, doch ik weet dat de ban dan deels gebroken zal zijn, omdat ik dan niet meer in staat zal zijn mij zo volledig te geven als nu het geval is. Ik zal een vrouw en kinderen hebben die mijn gedachten evenzo zullen bezighouden als deze monumenten. Als u de piramiden of deze reusachtige beelden en muren en tempels zou hebben gezien, zou u kunnen begrijpen waarom ik mijn beklag bij u doe. Maar dat kunt u niet, u kent deze plek niet en het is zinloos te proberen het uit te leggen.

Als ik thuis ben, zal ik trachten mij te voegen naar uw wensen en begrip voor uw plannen op te brengen. Het doet mij genoegen dat ik mijn zusters en twee neven zal weerzien, en ik hoop dat u moeder zult vertellen dat ik verscheidene rollen stof voor haar zal meebrengen. Regelingen worden getroffen om tijdens mijn reis stroomafwaarts stof en enkele bronzen schotels en urnen aan te schaffen. *Ik zal mij ervan vergewissen dat deze behoorlijk worden verpakt en in het ruim gestouwd, opdat zij ongeschonden en onbezoedeld aankomen.*

Ik verzoek u beleefd mijn zusters mede te delen dat ik tot mijn spijt geen oude schatten voor hen kan meebrengen. Zelfs als ik die had gevonden, zou ik het niet juist hebben gevonden ze op te sturen. Ik ken vele anderen die het daar niet mee eens zouden zijn, maar ik ben ertoe overgegaan de zorg te delen die Madame de Montalia heeft geuit met betrekking tot de verspreiding van deze schatten; als iets zeer oud is, is het een voorwerp voor onderzoek, deel van een navorsing van Egypte zoals het eens was. Als het nog steeds zou zijn als vroeger, zouden er minder dringende redenen zijn om de vondsten intact te laten; doch daar wij deze oude volkeren slechts kennen door de voorwerpen die zij nalieten, brengen wij schande over hen en onszelf als wij toelaten dat hun werk verstrooid raakt. Als dat een radicaal idee is, beschouw mij dan maar als radicaal. Bij nadere beschouwing zou ik nooit hebben verwacht dat ik over mezelf zou zeggen dat ik een radicaal ben, en nog wel in verband met iets zo vreemd als graftombes en tempels op deze helse plek. Ik kan u niet zeggen hoeveel ik van deze stenen houd. Ik had nooit gedacht dat het zover zou komen en nu dat wel zo is, ben ik de weg kwijt – maakt u zich wegens deze woordkeus echter geen zorgen!

Ik veronderstel dat Daffodil Peg weer een veulen heeft geworpen. Ik verheug mij erop na mijn terugkomst te zien wat zij heeft voortgebracht. U vertelde dat haar hengstveulen van 1825 een slordige vijftienhonderd heeft opgebracht. Niet al te slecht voor een eenjarige, vijftienhonderd. Het zal mij goed doen om weer eens een echte Engelse volbloed onder ogen te krijgen; deze woestijnpaarden zijn prachtig maar spichtig, en niet geschikt voor Engels landschap en gebruik. Geef mij maar een goed jachtpaard. Zowel het paard als ik zijn beter af met een grotere schofthoogte en een steviger skelet.

Mijn innige groeten aan moeder en mijn zusters, met de verzekering dat ik er klaar voor zal zijn ze op hun wenken te bedienen; mijn groeten aan het personeel, vooral de bedienden die mij voorheen hebben gediend; als Sheffley nog steeds in uw dienst is, vertrouw hem dan de zorg voor de paarden toe, als dat

zo schikt; ik verzoek u beleefd om mijn vrienden ervan in kennis
te stellen wanneer zij kunnen verwachten mij thuis te treffen,
zodat u niet lastig gevallen zult worden tot na mijn aankomst.
Mijn toegenegen respect aan u, sir.

Uw meest gehoorzame zoon,
F.C.M.A. Trowbridge
2 april 1828, te Thebe

Een

Nu het meeste zand van de buitenste binnenplaats was weggeruimd, kreeg Madelaine een beter idee van de afmetingen van
de tempel. Deze was niet zo groot als zij aanvankelijk had gedacht,
doch zij zag dat hij verscheidene aparte ruimtes bevatte, gewijd aan
verschillende aspecten van het genezingsproces, zij hoopte tenminste
dat het om verschillende aspecten van genezing ging. Behalve voorraden kruiken en linnen banden, vond zij geen betrouwbare aanwijzing dat hier ook maar iets had plaatsgevonden. Het zou een stuk van
de Tempel van Anubis kunnen zijn waar de overledenen tot mummie
geprepareerd werden. Zij schudde haar hoofd. Was de plek waar zij
nu stond, werkelijk eens de binnenplaats geweest die Saint-Germain
'buiten het Huis des Levens' had genoemd, of was het iets anders? Was
dit niet de Tempel van Imhotep maar die van een andere god of godin of wellicht een gebouw dat niets met het geloof te maken had? De
enige antwoorden lagen onder het zand bedolven.

Met de grote bezem ruimde zij meer zand uit de weg, terwijl zij de
stenen en het bas-reliëf over de gehele lengte van de muur bekeek en
wenste dat zij meer bedreven was in de taal van de oude Egyptenaren. Het was tergend om slechts enkele klanken te kennen doch bijna niets van de betekenis. Deze mensen, dacht zij, waren zo ver weg
en zo anders dan wat zij had verwacht. Iedereen sprak over begaafde
en sobere mannen die in een rijke, kuise wereld leefde, en hun gebeden en offers richtten tot even onbegrijpelijke goden als Jehova zou
zijn voor de Egyptenaren die zich schikten naar Farao. Maar Saint-
Germain vertelde een ander verhaal, een verhaal dat veranderde, dat
rees en daalde al naargelang de voorspoed van het Zwarte Land. Terwijl zij de bezem hanteerde, probeerde zij zich te concentreren op alles wat zij zag, doch zij was zich ervan bewust dat haar aandacht af-
dwaalde.

Toen bleven enkele van de stijve, droge wortels waarvan de bezem
was gemaakt, achter een klein uitsteeksel hangen en haar aandacht

was weer gevangen. Zij liet zich op haar knieën zakken en begon, als een hond die een bot opgroef, het zand weg te scheppen. Zij was niet vaak zo opgewonden geweest als nu, wetend dat zij zich op de drempel van iets nieuws bevond, iets zo verschrikkelijk ouds dat het gloednieuw was. Een van haar vingernagels scheurde, doch zij ging voort het zand weg te ruimen, eerst met haar handen en daarna met haar armen. Iets wachtte erop gevonden te worden, dat voelde zij. Zij begon nog ijveriger te graven. Zij wist dat Lasca zich zou beklagen dat ze haar kleding zo mishandelde, maar dat betekende nu niets voor haar; kleding kon vervangen worden. Niets kon echter datgene wat onder de stenen lag vervangen.

Binnen een uur was er zoveel ruimte vrijgemaakt dat Madelaine in het zand kon knielen en genoeg plaats kon maken om de lage deur die zij had gevonden te openen: het compartiment was bijna even hoog als Madelaine lang was en even breed, het vierkant was pas duidelijk nadat zij het had gezien.

De deur kraakte, minder luid echter dan Madelaine had verwacht, en gleed over een bak vol kralen en een stuk of vijf bronzen rollers, die ongeveer even lang waren als haar middelvinger. Er bevonden zich drie planken in het kamertje, op twee daarvan stonden kruiken in rijen opgesteld en op de derde een aantal beeldjes van mensen en dieren en de combinaties van mensen-en-dieren zoals die overal bij deze artefacten te zien waren. Madelaine staarde ernaar en besefte dat het zonde was het licht te verspillen, omdat zij anders aan het eind van de dag niet voldoende over zou hebben om haar schetsmatige documentatie van hetgeen zij had ontdekt af te maken. Als zij een man was, zou zij twee gravers aanwijzen om hier met haar te overnachten en zou ze de toegang lijfelijk versperren maar omdat zij een vrouw was, was dat onmogelijk; geen van de mohammedanen zou aarzelen om een vrouw te doden als haar dood een rijke beloning zou opleveren. Zij wiegde naar achteren op haar hakken en dook in haar tas zodat zij kon beginnen. Zij slaakte een kreet van ergernis.

'Heeft u iets ontdekt?' De stem klonk beslist vriendelijk want Baundilet klonk altijd vriendelijk. 'Waarom doet u zo geheimzinnig?'

'Ik... Ik...' – het zou dwaas zijn om te huichelen en dus deed zij geen moeite – 'Ik vermoedde dat er iets in die muur zat. Het blijkt dat ik gelijk had,' antwoordde zij, en zij verafschuwde hetgeen dat naar zij wist zou volgen.

'Was dat het geluid dat ik hoorde' – hij keek haar glunderend aan – 'zojuist?'

'Tien minuten geleden,' zei Madelaine en zij wenste dat zij het geluid van het openen van de deur had kunnen voorkomen. 'Ik was geïrriteerd omdat de middag voorbijging. Ik heb zitten staren.' Zij wees naar de open deur en haar gelaatstrekken verzachtten zich, hoewel haar gedachten koud waren. Om Baundilet zo nabij deze dingen te zien was ontheiligend en gaf haar een gevoel van walging, hetgeen zij verhulde teneinde hem niet te waarschuwen. 'Schitterend, nietwaar? Alleen die carneolen kruik al is waarschijnlijk een klein fortuin waard.'

'Hmm,' zei Baundilet. 'Dat denk ik wel, ja.' Hij ging op zijn hurken naast haar zitten en liet zijn hand nu op haar schouder rusten. 'Een bijzonder gelukkige toevalstreffer.' Hij trok aan de korte, praktische linten van haar strohoed. 'Een schitterende ontdekking. Ik kan geen enkele reden bedenken om deze vondst niet te vieren. Het verandert de situatie voor u en mij, nietwaar? Het is tijd om de stand van zaken opnieuw te onderzoeken, vindt u niet?'

Madelaine trok zich bij zijn hand vandaan. 'O, dat betwijfel ik,' antwoordde zij. 'Ik denk dat het meer een kwestie is van het indienen van een paar pragmatische verzoeken. Ziet u, ik ben mij evenzeer als u van deze kans bewust.'

'Wat bedoelt u?' Hij klonk niet meer zo optimistisch.

Madelaine keek rechtstreeks naar de open deur. 'Ik ben bereid om door te gaan dit deel van Thebe en Luxor op te graven. Ik ben gefascineerd door deze plek. Dit boeit mij, deze getuigenissen van die verdwenen volkeren. Ik beschik, zoals u weet, over voldoende kapitaal, en ik vind het niet erg om te werken zonder uw... hulp. In feite begin ik te geloven dat ik daar de voorkeur aan zou geven. U zo royaal te betalen voor toestemming om inscripties voor u te schetsen is niet zo billijk als u wilt doen geloven.'

Baundilets glimlach was nu verdwenen. 'Het is niet ongebruikelijk dat leden van een expeditie betalen voor het voorrecht om deel te nemen aan onderzoek.' Zijn toon was kortaf. 'Niemand eist dat u mij betaalt.'

'Niemand eist dat? U eist dat,' snauwde Madelaine. Haar grote paarsblauwe ogen schoten vuur. 'Zonder uw goedkeuring zou Magistraat Numair weigeren mij toestemming te geven om hier in de buurt opgravingen te doen. Zonder uw stilzwijgende steun zouden mij de beperkte mogelijkheden die ik hier geniet, niet worden verleend. Zonder uw toestemming zou ik genoodzaakt zijn stroomopwaarts te gaan, wellicht naar die tempels die zich volgens zeggen in de Nubische woestijn bevinden. Als ik noordwaarts naar Beneden-Egypte zou gaan, zou mij geen gelegenheid geboden worden om zelf onderzoek te doen, hetgeen de enige reden voor mij was om hierheen te komen. Hoe moeilijk het ook voor een vrouwelijke oudheidkundige is om hier te werken, ik geloof toch niet dat het gemakkelijker zou zijn tussen de Eerste en Tweede Cataract of in de schaduw van de Grote Sfinx.'

'U bent toch geen operazangeres, Madame, dat u een dergelijk kleinzielige scène wilt maken.' Hij ontblootte zijn tanden. 'U beweert dat u een oudheidkundige bent. Nu, dit is een enorm land en er staan monumenten over meer dan duizend mijlen verspreid. Zoek er een uit die u bevalt; ik zal u niet tegenhouden.'

Madelaine keek hem over haar schouder aan. 'Maar mijn protest betreft deze monumenten, Professor Baundilet. Het gaat mij om de raadsels die hier onder het zand en in deze rotswanden verborgen zijn. Het gaat om onderzoek, Professor. Ik ben ervan overtuigd dat deze ontdekking deel uitmaakt van een grotere schat, waarvoor het nodig is dat de expeditie in zijn geheel voortgaat met ontdekking en onderzoek – en dan niet op de wijze zoals u dit tot op heden heeft gedaan.' Zij rechtte haar rug en voelde zich energieker dan gewoonlijk als de zon scheen, en dat verbaasde haar; zij wist dat haar toorn hier de oorzaak van was. 'Deze ontdekking zal de passende erkenning ontvangen en volledig geregistreerd worden, al moet ik elk stukje zelf aankopen. En alvorens u een poging doet om erachter te komen wat ik zal publiceren, zoals u heeft gewaagd het werk van andere leden van deze expeditie aan banden te leggen, laat mij u waarschuwen dat ik deze ontdekking tot in detail zal documenteren, met inbegrip van hetgeen morgenochtend ontbreekt.'

Baundilet besloot zich hier brutaal doorheen te slaan. 'Het lijkt erop dat u mij niet vertrouwt, Madame; waarom is dat? Een vrouw als u luistert toch zeker niet naar geruchten?' Hij probeerde haar te kalmeren, haar te charmeren in plaats van te antwoorden, doch dat was niet voldoende voor Madelaine.

'Het lijkt er juist op dat ik dat niet doe,' zei zij met meer welgemanierdheid dan hij tentoonspreidde. 'Onder de omstandigheden zult u moeten toegeven dat ik daar reden toe heb. Uw publicaties geven mij grond tot ongerustheid, Professor Baundilet.'

Baundilets ogen glimlachten niet meer, maar zijn gezicht straalde nog steeds. 'Publicaties. O ja, publicaties. Ik geloof dat ik u nu begrijp. En nu weet ik waar de bron van mijn moeilijkheden te vinden is. Hoezeer heeft u mijn zaken de uwe gemaakt, Madame. Dat is een van de voornaamste argumenten om geen vrouwen op expedities toe te laten, afgezien nog van de slechte kwaliteit van hun verstand.'

Tot zijn verbazing lachte Madelaine. 'Heb ik iets gezegd dat pijnlijk voor u is? U doet erg uw best om mij van mijn stuk te brengen, door zo naar mij uit te halen. Probeert u iedereen zo te koeioneren, Professor Baundilet? Is dat de manier waarop u bent opgeklommen in de wereld, door hen die bedeesder zijn dan u te schande te maken?' Zij herinnerde zich de blik op Saint Sebastiens magere, wrede gezicht alvorens hij zijn meute losliet op haar vader, voordat Achille Cressie het gezicht van Robert de Montalia verbrijzelde met een brandend metalen komfoor.

'Ik heb erger gezien dan waar u toe in staat bent, en ik ben er nog steeds,' zei zij met grote waardigheid.

Baundilet zag iets in haar gezicht dat hem tot voorzichtigheid maande. 'U zult uw vermaak hebben, Madame,' zei hij, terwijl hij aanstalten maakte om overeind te komen.

'Ik prefereer u op uw knieën, Professor, tenminste totdat dit geregeld is. Het zou als een gril beschouwd kunnen worden, niets meer dan een kleine vrouwelijke nuk. Later zullen we nog wel zien.' Zij stond op en liep naar de deur, onderweg snel de inhoud van het vertrek in zich opnemend, en keek toen naar Baundilet. 'Posteer De la Noye hier met twee gravers. U zou hem wellicht een inventarislijst willen laten maken terwijl u bewaking voor het terrein regelt. Morgenochtend, als er iets verdwenen is, zult u uw verlies bij Magistraat Numair moeten melden, nietwaar? Omdat dit als bewijs zal dienen.'

'Bewijs afkomstig van een christelijke vrouw?' spotte Baundilet, die nu werkelijk kwaad werd. 'Welke schade kan dat toebrengen behalve aan uw...'

'Afkomstig van een Koptische monnik,' zei Madelaine, terwijl zij de vraag liet bezinken. 'U dacht toch niet dat ik alleen was, wel?' Ze deed alsof ze de razernij in Baundilets ogen niet zag, noch hoe zijn blik over haar heen schraapte als om haar kleren aan flarden te scheuren.

'Waar is die knaap?' drong Baundilet aan, zwaar ademend terwijl hij overeind kwam. 'Ik zal met hem afrekenen.'

'Niet zo verstandig,' zei Madelaine, die er alles aan deed om haar kalmte te bewaren; het noemen van Broeder Gurzin was een wilde gok geweest, daar hij die ochtend was vertrokken met verdere brieven van Madelaine, met inbegrip van een schrijven aan haar dierbaarste bondgenoot, die nu in Athene verbleef. De monnik kreeg altijd opdracht om onopgemerkt te vertrekken, doch ditmaal hoopte Madelaine vuriger dan ooit dat Erai Gurzin voorzichtig was geweest. Morgenochtend, wanneer hij zeker gemist zou worden, zou het als verstandig beleid beschouwd worden, haar eigen zinnige maatregel om de Koptische monnik te beschermen. 'De mohammedanen respecteren de meeste christenen en joden als mensen van de bijbel. Zij die een gewijd leven leiden, worden als christen evenzeer geëerd als mohammedanen en joden. Als Gurzin een goede reputatie heeft – en u weet dat dat zo is – zou de Magistraat er niets op tegen hebben om zijn getuigenis aan te horen.' Zij gebaarde alsof zij haar afwezige collega gerust wilde stellen. 'Voor het geval u iets tegen mij zou ondernemen, heb ik een volledig verslag van mijn deelname aan deze expeditie gemaakt en dat is in veilige handen. Uw werk, uw handelwijze, zullen niet aan nauwgezet onderzoek ontkomen.' Zij dwong zichzelf Baundilet recht in de ogen te kijken en hoopte dat hij niet zou beseffen hoe moeilijk dat voor haar was. 'Ben ik duidelijk genoeg geweest, Professor Baundilet?'

'U heeft uw standpunt uiteengezet,' antwoordde Baundilet op vlakke toon. 'Het schijnt dat wij op een dood punt zijn aangekomen.'

'Dat is geheel aan u,' zei zij, en zij dwong zichzelf bij de plek vandaan te lopen alsof de ontdekking werd bewaakt en zij zelf niet in gevaar verkeerde. Pas toen zij haar weg door de grotere tempel had gezocht, stond zij zichzelf toe om trillend tegen een van de papyrusvormige pilaren steun te zoeken.

De volgende morgen, vlak na haar rit van haar villa naar de tempel, zag Madelaine tot haar verbijstering dat Yamut Omat was aangekomen met een klein gevolg Europese vrienden. Hij liet uitbundig zijn plezier blijken en inspecteerde grondig de nieuwe terreinen terwijl hij verscheidene opmerkingen plaatste over de hoogstaande kwaliteit van de gevonden voorwerpen. Hij legde het eropaan om onmiddellijk Madelaine aan te spreken, zich op perfecte wijze over haar hand buigend, en bood haar een kleine roos aan die in de hitte reeds verwelkt was.

'Professor Baundilet heeft mij op de hoogte gebracht van uw grootse ontdekking. Een zeer opmerkelijk man, Professor Baundilet. Hij zegt dat de eer voor deze vondst u toekomt. Hij zegt dat u daar recht op heeft, omdat u de vondst helemaal alleen heeft gedaan. Welk een vrijgevigheid! Is dat niet galant van hem?' Omat glunderde en dit riep verscheidene sluwe glimlachjes op.

'Niet moeilijk te begrijpen hoe het is gebeurd,' fluisterde een van de leden van de Engelse expeditie, een rossige jongeman met harige armen en een flinke snor. 'Ach ja, zo zijn de dames.'

Baundilet kwam op dat moment te voorschijn en maakte er een vertoning van Madelaines hand te kussen. 'Het is bijzonder opmerkelijk. Hier hebben we deze mooie, talentvolle vrouw die een verbazingwekkende ontdekking heeft gedaan, waarlijk de meest toegewijde oudheidkundige die iemand zich zou kunnen wensen als deelnemer aan een expeditie.' Hij trok bijna aan een van haar donkerbruine krullen, doch bedacht zich toen.

Omat klapte in zijn handen en sprak enkele kordate woorden. Zijn bedienden gingen aan de slag om een tent op te zetten vlak bij dat deel van de muur waar Madelaine haar vondst had gedaan. 'Het is niet veel voor een dergelijk groots moment, doch een glaasje champagne en een hapje, wel, het is een feestelijke aangelegenheid, nietwaar?'

'Is dat zo?' vroeg Madelaine zachtjes, en zij keek naar Jean-Marc Paille, die ietwat afzijdig stond met zijn handen diep in zijn zakken gestoken en een gezicht als een oorwurm.

'Ik zou nooit hebben gedacht dat die kant van de muur iets zou opleveren,' zei een van de Engelsen. 'En toch, zo zie je maar.'

'Wat een verrukkelijk idee,' zei Baundilet met een ondubbelzinnige blik op Madelaine. 'Dat Omat u deze huldebetuiging aanbiedt is zeker een eer.'

'Zeker,' beaamde Madelaine, in het besef dat Baundilet zijn uiterste best deed om de schijn te wekken dat zij zijn maîtresse was, en dat de eer voor haar ontdekking een romantisch geschenk van Baundilet aan haar betekende. Zij knarste met haar tanden.

'Omat is bedreven in het bieden van amusement,' zei Enjeu. De laatste paar maanden had hij last van een ochtendhoest en hij was afgevallen. 'Maakt het bijna de moeite waard hier te blijven.'

'Bijna?' vroeg De la Noye, terwijl hij zijn hand uitstak naar nog een stukje van het ronde, platte brood, gevuld met gemalen noten, uien en geitenvlees.

'Meer goud en een zoethoudertje van Baundilet zouden welkom zijn,' bromde Enjeu, en hij haalde zijn schouders op. 'Wel, vanavond zullen er ongetwijfeld vrouwen in zijn villa zijn, en pijpen.' Hij sloeg zijn arm om De la Noyes schouder. 'Die knappe, met die ogen en die borsten, Nadja? Die vind ik heel bijzonder.'

'Omat geeft haar misschien wel aan jou,' zei De la Noye toen hij erover had nagedacht, en hij gooide zijn hoofd naar achteren en schaterde het uit.

Madelaine hield zich afzijdig en probeerde haar woede in toom te houden. Toen zij ervan overtuigd was dat zij zich ervan zou kunnen weerhouden Baundilet in het gezicht te spuwen, liep zij in de richting van het paviljoen, haar gedachten gericht op wat zij zou kunnen ondernemen om het gerucht, dat haar razernij opwekte, de kop in te drukken. Toen zij de halfopen flap van de tent bereikte, voelde zij een lichte aanraking op haar arm. 'Wat?' zei zij geschrokken, maar toen zij zich omdraaide zag zij Trowbridge.

'Ik weet dat hij liegt,' zei Trowbridge met zijn gebruikelijke ernst. 'Ik weet dat u dat nooit zou doen. Ik weet dat u die geneesheer liefheeft. Dat weet ik.' Hij hield nog steeds bezorgd haar hand vast.

Goddank voor Ferdinand Charles Montrose Algernon Trowbridge, dacht Madelaine terwijl zij neerkeek op zijn hand die de hare vasthield. 'U bent bijzonder vriendelijk.'

'Hij is een walgelijke kerel om die dingen over u te zeggen,' verklaarde hij maar hij was discreet genoeg om zijn stem niet te verheffen.

'Het gaat niet om wat hij zegt, maar om wat hij suggereert.' Zij had haar leven lang geruchten gehoord en had geleerd hoeveel vernietigende kracht er van een veelvuldig herhaald sappig roddeltje kon uitgaan.

Trowbridge keek snel op toen De la Noye plotseling lachte. 'Ik zou hem graag een bloedneus slaan, maar... ik ben nooit een echte vechtersbaas geweest.' Hij gaf dit triest toe. 'O, Madame, wat voor de duivel is hij van plan?'

Zij maakte een gebaar alsof zij kruimels wegveegde. 'Hij wil het doen voorkomen dat ik zijn maîtresse ben. Hij wil dat iedereen gelooft dat dat zo is. Daarna, ziet u, wil hij mij ervan overtuigen dat ik, aangezien iedereen het toch al denkt, geen reden meer heb om mij tegen hem te verzetten.' Haar stem klonk broos.

Trowbridge kreeg een kleur. 'Dat zou u toch zeker niet doen, wel? Ik weet dat ik geen goede partij ben maar als u mij de eer zou doen, zou ik een eind maken aan zijn praatjes.' Hij aarzelde. 'Ik zou hem uitdagen als u met mij... u weet wel... zou willen trouwen. Ik ben misschien niet al te goed met mijn vuisten, maar ik ben een kei met het pistool.'

'Ik mag een dergelijk offer niet vragen,' zei Madelaine, geroerd door zijn genegenheid. 'En het zou hoe dan ook geen verschil maken. Ik zal een andere manier moeten vinden.' Zij pakte snel zijn hand. 'Nee,' zei zij zachtjes. 'Nee. Er is geen reden om dit te doen, niet hier, in dit oord.' Zij had de bedoeling gehad iets over de tempels en hun ouderdom te zeggen maar Trowbridge interpreteerde het anders.

'Ach, ja. Dit is een land met vreemde wetten. Gelijk heeft u.' Hij legde zijn hand op zijn buik. 'Van de waarschuwing is nota genomen, Madame.'

Zij lachte, vastbesloten om het terrein zo snel mogelijk te verlaten. De avond tevoren was zij er zeker van geweest dat haar gesprek met Baundilet het gewenste resultaat had gehad: nu wist zij dat zij verscheidene doorslaggevende vergissingen had begaan. Toen zij haar weg langs het paviljoen zocht, hoorde zij Baundilet wederom een dronk uitbrengen op haar betoverende ogen.

Toen zij bij haar villa aankwam, was haar opwinding afgenomen maar het kostte haar moeite te spreken over hetgeen Baundilet had gedaan. 'Ik had kunnen weten dat hij een dergelijke sluwe zet zou bedenken. Ik had iets moeten doen om dat te voorkomen.' Zij maakte de linten van haar hoed los en wierp het eenvoudige hoofddeksel terzijde.

Lasca, die haar hielp haar ochtendkleding voor haar middaghuisjapon te verwisselen, wist wel beter dan een opmerking te maken.

'Hij aast op mijn vondst, niet louter om die als zijn verdienste aan te merken, maar om die te *bezitten*, om die tot de zijne te maken. Hij is vastbesloten om die tot de zijne te maken.' Zij ging op de rand van haar bed zitten. 'Ik kan maar niet besluiten wat mij het meest kwaad heeft gemaakt, zijn aandringen om de leiding van de vondst over te nemen, of zijn vastbeslotenheid mij tot zijn maîtresse te maken omdat hij intelligente vrouwen verafschuwt.' Zij sloeg op het kussen dat naast haar lag en haar trekken verzachtten zich. 'Trowbridge was volledig bereid een excuus te vinden om om mijnentwille te duelleren, hetgeen roerend doch dwaas is. Als Falke bij me was geweest, zou het erop uit zijn gedraaid dat hij Baundilet de huid vol had gescholden maar dat zou niets uitgehaald hebben.' Zij leunde naar achteren, maar haar hele lichaam stond zo strak gespannen als een boog. 'Over een week gaat er een dhow richting Caïro. Ik geloof dat het het verstandigst zou zijn als jij aan boord ging. Saint-Germain stuurt zijn jacht naar Caïro. Iemand moet daar zijn om het op te wachten.'

'Madame!' protesteerde Lasca. Een wereld van verontwaardiging lag in dat enkele woord.

'Dat zou verstandig zijn,' herhaalde Madelaine. 'En ik zou me geen zorgen meer om jou hoeven maken. Als ik nu noordwaarts zou gaan, zou dat niet opvallen. Iedereen weet dat Baundilet en ik met elkaar overhoop liggen. Als ik Thebe een tijdje zou verlaten' – zelfs het te zeggen viel haar zwaar – 'zou niemand er iets achter zoeken.' Zij wierp Lasca een blik toe. 'Het is beter als jij weggaat, zodat ik als ik eenmaal vertrek, slechts voor mezelf hoef te zorgen.'

'Maar het is niet gepast om u alleen te laten.' Lasca sloeg haar handen ineen. 'Madame, als u niet tevreden bent met mijn diensten, of als u mijn moed in twijfel trekt, daartoe heeft u geen reden; ik zweer u dat...'

'Als ik aan je moed zou twijfelen, zou ik je niet naar Egypte hebben meegenomen,' zei Madelaine uiterst bedaard. 'Maar nu is het tijd om ons verstand te gebruiken. Een wijs persoon doet niets om de problemen te verergeren, en als ik jou hier zou houden, zou ik dat wel doen. En wat Saint-Germain betreft, in zijn laatste brief schreef hij dat hij zijn jacht zou sturen en ik meen het dat iemand dat op zou moeten wachten.' Zij ging overeind zitten. 'Hij is een schat, Saint-Germain. Hij heeft een schitterend jacht en je zult wat tijd nodig hebben om je aan boord te installeren.'

Lasca's ogen gloeiden somber. 'Ik wil niet weggestuurd worden als een in ongenade geraakte nicht.'

'Dat word je ook niet.' Madelaine haalde diep adem. 'Als ik heimelijk moet vertrekken, wil ik ervan overtuigd zijn dat ik veilig ben als ik in Caïro aankom. Ik kan het niet zomaar iedereen toevertrouwen mij hier vandaan te helpen... levend en wel.'

'Levend?' herhaalde Lasca, wit wegtrekkend.

Madelaine keek haar bediende niet aan. 'Zoals ik nu ben.'

Tekst van een brief van Honorine Magasin in Poitiers aan Jean-Marc Paille in Thebe.

Aan mijn liefste, allerliefste vriend Jean-Marc,

Het heeft mij in mijn hele leven nog nooit zoveel moeite gekost als nu om mijn pen op het papier te zetten om jou te schrijven. Nooit in mijn meest angstaanjagende nachtmerries heb ik mij de vertwijfeling voorgesteld die ik nu voel; maar als een goede, christelijke vrouw en tevens een die jou zo lang en zo oprecht heeft liefgehad, moet ik je vertellen van de verandering van mijn gevoelens en mijn leven. Ik had nooit kunnen denken dat mijn gehechtheid aan jou ooit zou kunnen verzwakken of dat mijn liefde zou wankelen.

Ja, ik vrees dat mijn gevoelens zijn veranderd. Ik heb ontdekt dat ik mijn verbintenis met jou niet langer kan onderhouden op de manier zoals wij tot nu toe hebben gedaan. Ik heb om raad gebeden want ik kan niet tot uitdrukking brengen hoezeer ik mijn zwakheid verafschuw, alhoewel ons wordt geleerd dat vrouwen zwakke schepsels zijn. Mijn biechtvader zei dat jou in het geheel geen blaam treft, behalve dat jij mij hebt toegelaten met jou te blijven corresponderen toen mijn vader dat had verboden. Hij zei dat stilzwijgen geen pas geeft, en daarom moet ik jou deelgenoot maken van de gebeurtenissen die hebben geleid tot het schrijven van deze brief, en mijn hartgrondig gemeende smeekbeden dat je mij niet te diep zult verachten als je hem hebt uitgelezen.

Zoals ik je heb laten weten, heeft mijn neef Georges onlangs geld en land geërfd. De legaten waren royaal en bijzonder behulpzaam met betrekking tot de voorwaarde van het testament dat zijn grootvader heeft nagelaten. Hij verdient waarlijk een dergelijk geluk, zoals je ongetwijfeld met mij eens zult zijn, want hij is zo'n goede vriend voor ons geweest in deze lange maanden, toen wij volledig afhankelijk waren van zijn discretie en hulp. Over neef Georges moet ik nu spreken, want ik ben in een

bijzonder pijnlijke positie geraakt en heb behoefte aan je goedheid
en begrip.
Mijn vader heeft pogingen gedaan een echtgenoot voor mij te
vinden, ditmaal met veel meer vastberadenheid dan hij voorheen
tentoonspreidde. Hij had al bijna overeenstemming bereikt met
een kameraad van hem die gruwelijk rijk is, en tot de slotsom
was gekomen dat het tijd werd om een gezin te stichten. Hij is
tweeënvijftig, een handelaar in verfstoffen, en hij gebruikt
snuiftabak, waardoor zijn hemden aan de voorkant vol kruimels
zitten. Mijn vader heeft mij zo goed als op het veilingblok
aangeboden, terwijl hij het afschuwelijkste ultimatum stelde. Hij
wilde dat ik deze vriend zou accepteren en zo niet, dan zou ik
onterfd worden. Dat was voor hem de enige aanvaardbare
afspraak. Je kunt je wel voorstellen hoe wanhopig ik was want
mijn vaders plannen werden met grote vastberadenheid geuit, en
uit zijn woorden bleek dat er geen manier zou zijn hem te
overreden, zoals tante Clémence en mij in het verleden wel
vergund was. Het is hier veel moeilijker voor mij geweest, omdat
ik, zolang ik in Parijs was, mijn vader niet elke dag onder ogen
hoefde te komen, niet onder zijn dak leefde en zijn woorden reeds
tijdens het ontbijt moest aanhoren. Zijn halsstarrigheid is
toegenomen en zijn houding weerspiegelt deze onbuigzaamheid.
Ik begrijp dat zijn teleurstelling over Solanges recente miskraam
groot was, want haar geneesheer heeft aanbevolen dat het beter is
geen verdere pogingen te ondernemen tot het voortbrengen van
erfgenamen, aangezien zij heeft bewezen te zwak te zijn voor de
ongemakken van zwangerschap. Door deze droevige
omstandigheden is mijn vader nog strijdlustiger geworden in zijn
vastberadenheid om kleinkinderen te krijgen. Hij heeft zijn
schoonzoon laten weten dat de erfenis gehalveerd zal worden.
Aan mij heeft hij de eisen gesteld die ik reeds vluchtig heb
genoemd.
Zoals je mag veronderstellen, heb ik onmiddellijk tante Clémence
geschreven en zij heeft Georges geschreven. Allebei arriveerden zij
bij de eerste gelegenheid in Poitiers, elke dag van zonsopgang tot
zonsondergang onderweg. Tante Clémence zei dat het een geluk
was dat de koets geen schade had opgelopen door de snelheid van
hun reis. Zij deed een poging mijn vader te overreden, doch

tevergeefs. Hij was zelfs zo lomp hun kamers in zijn huis te weigeren, en zij moesten noodgedwongen hun intrek nemen in de herberg bij de postkoetshalte totdat zij door Georges' goede vriend Henri d'Erelle werden uitgenodigd bij hem te verblijven, hetgeen mijn vader woedend maakte, daar hij nog nooit een uitnodiging had weten te bemachtigen van Monsieur d'Erelle, hoewel hij dat wel had geprobeerd.

Tante Clémence is tot driemaal toe met mijn vader in conclaaf gegaan, doch moest uiteindelijk toegeven dat zij hem niet kon overreden zijn eisen jegens mij in te trekken. Zij en ik hebben samen geweend, en een avond lang hebben wij besproken hoe ik deze plek zou kunnen ontvluchten, aan boord zou kunnen gaan van een schip op weg naar Egypte om jou op te zoeken. Maar ik ben nog nooit in vreemde landen geweest, behalve in Italië, en ik vrees dat ik niet zou weten hoe ik verder zou moeten gaan zonder jou om mij te leiden. Na lange discussie beseften wij dat wij praktisch moesten zijn.

Nu wil het geval dat tante Clémence veel van dit alles heeft doorverteld aan neef Georges, hem smekend alle invloed waarover hij beschikte aan te wenden om mijn vader van gedachten te doen veranderen. Het resultaat van deze discussie was dat neef Georges mij, onder de meest gunstige voorwaarden, een aanzoek heeft gedaan. Hij heeft mijn vader verzekerd dat, zo hij van plan zou zijn een erfenis na te laten, die als kapitaal voor zijn erfgenamen zal worden beschouwd. Hij wilde niet ingaan op het verzoek van mijn vader om zijn naam in Magasin te veranderen. Georges is hoe dan ook van betere afkomst dan wij, en het zou bijzonder ongelukkig zijn als hij zijn stand zou verlagen om mijn vader een plezier te doen.

Ik weet dat je mij een luchthartige beuzelaar zult vinden, en tevens een die voor altijd jouw haat en verachting heeft verdiend, maar ik hoop dat je het moeilijke parket waarin ik verkeerde met het vooruitzicht van een gedwongen huwelijk met mijn vaders kameraad, in overweging wilt nemen. Ik weet dat ik niet zo standvastig in mijn genegenheid ben als ik gewenst had te zijn en het kan best zijn dat ik mijn beslissing zal betreuren wanneer jij met roem en glorie wordt overladen, maar ik moet je zeggen, Jean-Marc, dat ik alles heb gedaan wat ik kon om aan de eisen

die aan mij werden gesteld te ontkomen, en nu ik mij er niet
tegen kan verzetten zonder door mijn familie verbannen te
worden, heb ik gedaan waarvan ik meen dat het, voor alle
betrokkenen, het verstandigst is want ik ben altijd bijzonder op
Georges gesteld geweest, al vanaf dat wij kinderen waren. Het is
waar dat hij mij vooruitgang en een positie aanbiedt maar dat
deed de pretendent die mijn vader had uitgezocht eveneens, dus
is het niet alsof ik alleen materialistisch ben in mijn keuze.
Georges en ik begrijpen elkaar goed. Het lijkt niet op de
hartstocht die jij in mij opwekte maar ik begin het vermoeden te
krijgen dat dergelijke hartstocht, zoals de Kerk ons voorhoudt,
gevaarlijk kan zijn. Hartstocht leidt, louter door de aard ervan,
tot vele zonden en in het huwelijk kan deze lijden teweegbrengen
zoals ik vaak heb gezien. Als ik aan jou denk, doet het pijn maar
met de tijd zal dat minder worden en zal mijn grilligheid
afnemen. Ik weet dat ik dankbaar zal zijn als dat gebeurt. Ik
weet dat Georges voor mij zal zorgen en mij nooit reden tot
onrust zal geven. Hij weet dat ik begrip heb voor zijn behoefte
aan het gezelschap van mannen, en dat ik hem niet de les zal
lezen als hij zich met hen ophoudt. Hij heeft beloofd dat hij niet
veel meer van mij zal verlangen wanneer wij eenmaal twee
kinderen hebben, hetgeen mij uitstekend van pas komt. Georges is
een schitterende partij, zelfs mijn vader heeft dat toegegeven, en
zijn plaats in de wereld verzekert mij van een verbetering van
positie in het leven. Toen ik in Parijs was, heb ik gezien hoe het
in de wereld toegaat, en ik heb leren begrijpen dat een vrouw
haar eigen belangen in het oog moet houden als zij niet tot haar
dood aan de genade van haar vader en haar echtgenoot
overgeleverd wil zijn.

Jij, en de herinnering aan hoe ik jou liefhad, zijn zeker de
grootste schatten van mijn leven. Georges is zo vriendelijk mij toe
te staan het halssnoer dat je mij hebt gezonden, te behouden,
evenals je brieven. Hij heeft tevens gezegd dat je ons moet komen
opzoeken als je naar Parijs terugkeert. Hij wil je helpen een
passende positie te vinden totdat je je aansluit bij een volgende
expeditie naar Egypte, zoals je zeker moet doen.

Als je het over je hart kunt verkrijgen mij te vergeven, zal ik je
naam zegenen want ik smeek nederig om je vergiffenis voor

hetgeen ik jou heb aangedaan, en voor de nutteloze hoop die ik in je hart heb opgewekt. Er bestaat geen akte van berouw voor wat ik heb gedaan, behalve de spijt die mij voor altijd als een innerlijke smet zal bekleven, een wond die nooit helemaal geneest. De troost die jij wellicht voelt als je weet dat mijn hart gebroken is door het verlies van jou, zij je gegund.

Op 19 oktober vindt hier in Poitiers onze bruiloft plaats. Mijn vader heeft gezegd dat het de meest grootse trouwpartij zal zijn sinds de Keizer is verbannen. Ondanks wat ik je heb aangedaan, geloof dat je altijd een plekje zal hebben in de geheimen van mijn ziel.

Met verdriet,
Honorine
24 april, te Poitiers

Twee

Zij hadden bijna een uur gereden en de hitte was inmiddels als een reusachtige handpalm die hen terneerdrukte. De rotswanden weergalmden van het geluid van de hoeven van hun paarden, en het geratel van het graafwerk in de steile rotswand in de verte langs de rivier. De grond was ruw en beschadigd en zelfs de enkele baan van de weg zat vol groeven en was bezaaid met stenen.

'We kunnen beter wat inhouden!' riep Trowbridge. 'De groep van Wilkinson moet zich hier ergens in de buurt bevinden.' Hij was zo rood als een kreeft en transpireerde hevig, maar zijn glimlach was nog steeds enthousiast. 'Vriendelijk van u om mij een stukje van uw ochtend te schenken, Madame.'

'En vriendelijk van u om mij naar de westelijke oever van de rivier te begeleiden,' klonk haar weerwoord, terwijl zij haar zwetende merrie beteugelde tot een stap. 'Waarom maakten zij hun bouwwerken zo reusachtig groot, denkt u?' vroeg zij toen zij weer zo'n zittend gevaarte passeerden.

'Met de bedoeling indruk te maken, vermoed ik,' zei Trowbridge. 'Om die reden doen mensen veel dingen. Het ligt in de aard van het beestje om te pronken.' Hij schraapte zijn keel en maakte met zijn licht gehandschoende handen een gebaar in de richting van de rotswanden. 'Men zegt dat zich hier overal tempels bevinden.'

'En meer wat we nog niet hebben blootgelegd,' zei Madelaine, in wier voorhoofd een frons verscheen onder haar zwierige hoed met de huzarenkroon.

Trowbridge bracht zijn lichte vos naast Madelaines roze muskaatschimmel. 'U maakt zich zorgen, Madame?'

'O, niets waar u zich druk om hoeft te maken. In het geheel niets.' Zij glimlachte, de bezorgdheid verdwenen. 'Er zijn problemen door gekibbel. Ik ben niet geheel zonder schuld, dat weet ik. Maar er is hier zoveel te doen, en zoveel te leren, en er is niet veel tijd.'

'Zijn u en Professor Baundilet tot een vergelijk gekomen?' vroeg

Trowbridge scherpzinnig. 'Is u dat gelukt? Ik heb nog geen bewijs van hartelijkheid gezien, vandaar mijn vraag. Bent u er samen uitgekomen? Ik heb daar nog geen teken van kunnen bespeuren.' Hij meed met opzet haar blik.

Zij lachte zachtjes. 'Nee, geen hartelijkheid moet ik helaas bekennen,' zei zij. 'Hij ziet mij het liefst vertrekken, en het zal misschien noodzakelijk zijn dat ik wegga als Baundilet Omat en Numair ervan weet te overtuigen dat ik niet bij de expeditie thuishoor. Baundilet heeft veel invloed op Omat, die op zijn beurt veel invloed op Numair heeft. Met die twee aan de macht is mijn positie niet bijzonder goed.' Zij tuurde naar een bergkloof in het verschiet, die naar het noordwesten afboog. 'Is daar enig graafwerk verricht?'

'Een beetje, heb ik gehoord,' zei Trowbridge, en hij voegde eraan toe: 'Enkele gravers hebben ons verteld dat er zich graftombes in de rotswanden bevinden.'

'Maar ze weten niet zeker waar die graftombes liggen,' maakte Madelaine zijn zin voor hem af. 'Ach, hoe vaak hebben wij dat verhaaltje gehoord.' Zij liet haar paard een kort stukje de bergkloof in draven. Was dit de plek waar dat arme meisje boven de afgrond was opgehangen? Wat een afschuwelijke plek om te sterven. Was dit de plek waar – wat was de naam van het kind? – heen was gebracht om in de zon om te komen? 'Hesentaton,' zei zij zonder te beseffen dat zij hardop had gesproken.

'Pardon?' zei Trowbridge, wiens kleine ogen zo rond werden als mogelijk was. 'Wat zei u daar?'

Madelaine beteugelde haar merrie tot die tot stap overging en maakte daar gebruik van om een paar seconden te winnen om na te denken. 'Een naam geloof ik. Egyptisch. Ik heb geprobeerd om te bedenken wat het kan zijn, een naam of een ander soort woord. Mijn beheersing van de taal is amper redelijk maar hier ben ik dan eindelijk uit.'

Trowbridge scheen werkelijk opgelucht. 'Piekeren over de goden en ogen en vogels, trachten ze correct uit te spreken. Ik moet zeggen dat ik u die taak niet benijd maar ik ken het gevoel. Je weg zoeken door onbekende woorden. Ja. Ik herinner mij dat ik vroeger, toen ik zelf nog een jonkie was, een hond had. Qua ras niets om over naar huis te schrijven maar hij was aan mij gehecht; zo zijn honden soms. Zijn naam was Pomeroy maar toen ik een kind was kon ik dat nooit onthouden en ik noemde hem Pryboy. Het slaat nergens op en het is niets moeilijker om Pomeroy te zeggen dan Pryboy, maar op mijn woord, het heeft me een jaar gekost om het goed te kunnen uitspreken.' Hij pakte zijn zweepje en wees naar de rand van de rotswand hoog boven hen. 'Voelt u die hitte? Het is nog erger dan een smidse.'

'Een waar woord,' zei Madelaine, die om zich heen keek en tot haar schrik besefte dat zij een aanzienlijke afstand de vallei in waren gereden. 'Waar is Wilkinson, Trowbridge? Hadden we hem hier niet moeten treffen?'

Zijn kleine ogen vernauwden zich. 'Ik heb geen flauw idee. Een vreemde zaak. Zijn briefje lag gisteravond op mijn bureau, vol met kleine schetsjes en iets over die kruiken die u in die muur heeft gevonden. Ik was er zeker van dat hij ons door iemand zou laten opwachten om ons te tonen wat hij heeft gevonden. Dat heeft hij in het verleden ook gedaan.' Hij trok zijn hoed van zijn hoofd en veegde zijn voorhoofd af. 'Het was een reuze dringend briefje. Je zou denken dat hij ongeduldig zou zijn om u te zien.'

De wind blies over hen heen, droog en verzengend, de adem van een oven of een draak.

Madelaine slikte, haar mond plotseling uitgedroogd. Zij voelde een koude rilling langs haar ruggengraat lopen en een heet gevoel van beknelling onder haar korset. Zij ging in de stijgbeugels staan en keek om zich heen. 'Ik zie niemand.' Haar stem beefde licht.

'Ik evenmin,' beaamde Trowbridge gespannen. Hij liet zijn paard keren en keek terug in de richting van de rivier. 'Wilkinson!' riep hij uit, en hij moest zijn lichte vos in toom houden toen het paard steigerde uit protest tegen het lawaai. 'John Gardner Wilkinson!' Hij liet de vos naar voren springen en trok toen aan de teugels, terwijl hij luisterde of hij antwoord kreeg.

Madelaine bracht haar merrie naast de vos. 'Ik hoor niemand. Ik zie niemand.' Haar stem klonk zacht en helder, terwijl zij vocht tegen een toenemend gevoel van vrees.

'Ik begrijp het niet. Het is niets voor Wilkinson om ons in het ongewisse te laten. En al helemaal niet om ons op deze manier hierheen te laten komen. Wilkinson is een beetje gek, maar hij is geen dwaas. De ontmoeting is zijn idee. Hij heeft de tijd in het briefje vastgelegd.' Zijn gezicht versomberde. 'Ik zal een hartig woordje met hem wisselen als we hem treffen, dat beloof ik u. Het is één ding om mij hierheen te sleuren, maar een geheel andere zaak om u te ontrieven.'

'Geen noodzaak voor verontwaardiging tot we weten of Wilkinson de feitelijke schrijver van de brief is,' zei Madelaine, ontzet door de verdenkingen die haar geest overspoelden.

'Niet de schrijver?' riep Trowbridge ongelovig uit terwijl hij zich in het zadel omdraaide. 'Wat is dit verdomme – excuses voor mijn taal – voor onzin? U bent een redelijke vrouw, Madame. U gelooft toch niet...'

Madelaine onderbrak hem. 'Dat Wilkinson dat briefje niet heeft gestuurd? Ja, dat geloof ik,' zei zij, en zij bedacht dat het niet eerlijk was: zij had ruim een eeuw geleefd, had aan de Revolutie en de guillotine weten te ontkomen, en nu werd haar leven bedreigd vanwege een stel tweeduizend jaar oude kruiken. 'Ik geloof dat we in een val zijn gelokt.'

'Maar door wie? Een val?' Trowbridge keek nog eens om zich heen in de bergkloof. 'Het is onmogelijk, Madame. Wie zou een dergelijke lafhartige streek uithalen?' Hij deed er het zwijgen toe toen de gruwelijkheid van het gevaar waarin zij zich bevonden plotseling tot hem doordrong. 'Maar het is geen grap.'

'Ik ben bang van niet,' zei Madelaine, wier blik verhardde. Zij dwong zichzelf de angst te negeren die aan haar knaagde en probeerde te bedenken hoe hen hier uit te redden, de val zich te laten openen. Saint-Germain had hier gelopen, had hier geleefd. Hij had het overleefd. Er zat aarde in haar schoenen. Zij moest nadenken.

'Genadige Verlosser,' fluisterde Trowbridge.

Madelaine deed haar ogen dicht teneinde de stenen om zich heen buiten te sluiten. Zij keek Trowbridge niet aan toen zij zeer zachtjes, en met een vertrouwen dat zij niet voelde, zei: 'Ik heb misschien een idee. Zeg niets maar luister. Doe alsof u uw sjaal recht trekt of onze stijgbeugelriemen stelt of iets dergelijks, zodat wij niet de indruk wekken een gesprek te voeren.'

'Zoals u wenst,' zei Trowbridge onmiddellijk, en hij zwaaide zijn been naar voren en trok de zadelflap omhoog. 'Gaat u door, Madame.'

'Wij moeten aannemen dat iemand ons in de gaten houdt en dat wij met een bedoeling hierheen zijn gelokt. Dus moeten wij voorzien wat degenen die ons in het oog houden veronderstellen.' Onder de rand van haar rijhoed waren haar paarsblauwe ogen even donker en koud als in obsidiaan gegraveerde scarabeeën. 'We moeten proberen om uit deze bergkloof te komen. Zolang we hier zijn, zitten we in een kooi.' Zij leunde dichter naar hem toe, alsof hij haar hulp nodig had met de stijgbeugelriem. 'We mogen niet laten merken dat we weten wat er aan de hand is. We moeten het doen voorkomen alsof wij geen besef hebben van het gevaar. We moeten iets amusants doen. Daag mij uit voor een wedren. Maak er een sport van. En rij dan recht- streeks naar de rivier. Het is een zuidoostelijke lijn naar de Nijl als je eenmaal om die steile rots heen bent.' De steile rotswanden leken haar nu tweemaal zo hoog als toen zij voor het eerst de bergkloof in was gereden. Zij deed haar best om de schaduw van uitgestrekte vleugels die over haar heen streek te negeren.

'O god,' fluisterde Trowbridge. 'Ik heb een keurig klein pistooltje maar dat ligt nog in mijn kamer. Dat had ik mee moeten brengen.'

'U kon toch niet weten dat u het nodig zou hebben,' zei Madelai- ne, in een poging hem van zijn nutteloze zelfkastijding af te brengen. Zij hield haar hand beschuttend boven haar ogen en keek de vallei nog eens rond. Zij richtte zich op en gebruikte dit als dekking om een betere zit te krijgen. Meestal maakte het haar niet uit om in amazo- nezit te rijden, maar hier, in dit oord, had zij liever schrijlings op haar merrie gezeten. 'Wilkinson, bent u daar?' riep zij, en zei toen ietwat luider dan noodzakelijk tegen Trowbridge: 'Waar is die vervloekte man? U heeft mij gezegd dat hij hier zou zijn.'

'Dat dacht ik ook,' zei Trowbridge het spel meespelend. 'Zijn brief- je vermeldde één uur 's middags en het is al twintig minuten over een.' Hij riep Wilkinson en wachtte weer. 'Hij hoort ons waarschijnlijk niet.'

'Hoe is dat mogelijk?' vroeg Madelaine, die maar niet probeerde te lachen. 'Hij is even erg als de anderen; als hij in een inscriptie of een schildering verdiept is, vergeet hij alles om zich heen. Daar heb ik zelf ook last van.' Zij trok aan haar teugels en haar handen in haar dun- ste rijhandschoenen transpireerden, zij het niet louter door de hitte.

'We moesten hem maar aan de studie laten,' zei Trowbridge terwijl hij een snel, subtiel gebaar naar Madelaine maakte.

'Waarom ook niet? Het is bijna tijd voor de middagrust. Ik wil niet buiten blijven gedurende het heetst van de dag. Zoveel zon maakt dat ik mij onpasselijk voel,' zei zij waarheidsgetrouw.

Trowbridge zette zijn hoed achter op zijn hoofd en maakte een ver- toning van zijn irritatie en rusteloosheid. 'Wel, wat zou u zeggen van een geïmproviseerde wedstrijd, uw merrie tegen deze ruin? Het is geen slecht parcours voor een goede wedren; laten we zeggen om de steile rots en naar de weg. Wie het eerst de weg bereikt, heeft gewonnen.' Hij tikte met zijn zweepje tegen de rand van zijn hoed. 'Om, laten we zeggen, tien pond?'

'Wilt u met mij een weddenschap aangaan, Trowbridge?' vroeg Madelaine en zij was hem zo dankbaar dat zij besloot om een speciale ontvangst voor hem te organiseren voordat hij huiswaarts keerde. Hij was zo'n lieve man. Wie hem ook als echtgenoot zou krijgen, zou gelukkiger zijn dan de meesten. Zij gunde hem het geluk. En zij zou hem missen als hij weg was.

'Niet geheel zoals het hoort, dat weet ik, maar in aanmerking genomen waar wij ons bevinden, wie kan er bezwaar tegen hebben?' riep hij uit, er een uitdaging van makend. 'Om de steile rots naar de weg, wat zegt u ervan?'

Zij liet haar blik nog eens door de rotskloof gaan in de hoop hun bespieders te ontdekken maar op het oog om hun koers te bepalen. 'Geen sluiproutes. We moeten op de weg blijven,' zei zij, in de wetenschap dat de grond hier verraderlijk was en zij niet het risico konden lopen afgeworpen te worden als hun paarden onderuitgingen. Zo gevaarlijk als hun netelige situatie was, van hun paarden geworpen zouden zij verloren zijn. 'Nu goed dan; tien pond. We houden een wedren.'

Met zijn knieën spoorde hij zijn paard dichter naar het hare toe om ze op een lijn te krijgen, doch hij maakte er gebruik van om tegen haar te zeggen: 'Ze bevinden zich waarschijnlijk voor ons. Die steile rots biedt een uitstekende dekking en vormt een hindernis voor onze ontsnapping.' Ietwat luider zei hij: 'Elkaar van de weg af dwingen is niet toegestaan en elkaar voor de voeten lopen evenmin.'

'Ja, dat heb ik gezien.' Zij stemde in met zijn beoordeling van de situatie maar was bang dat er meer dan een bespieder zou kunnen zijn en dat zij in een kruisvuur zouden kunnen geraken. Haar volgende woorden werden zachtjes uitgesproken en gingen gepaard met gebaren van haar zweep die niets te betekenen hadden. 'We moeten dicht bij elkaar blijven. Nooit meer dan een paardlengte tussen ons en indien mogelijk dichterbij.' Het was riskant om zo nabij elkaar met grote snelheid over ruw terrein te rijden maar hun omstandigheden hielden meer gevaar in dan de risico's van de weg. 'Kijk uit voor struikeldraden of...'

'De flikkering van geweerlopen,' zei hij met een vastberaden hoofd-knikje. 'Gelijk heeft u.' En met die woorden gaf hij zijn lichte vos de sporen, terwijl hij luidkeels schreeuwde om zijn paard aan te vuren.

Madelaine gebruikte haar zweepje om haar merrie tot galop aan te zetten en leunde naar voren omwille van het evenwicht van het paard; de lichte vos was haar ruwweg twee lengtes voor. Zij kneep haar ogen samen toen de hete wind hard in haar gezicht sloeg en haar hoed plotseling meevoerde. Haar merrie maakte een schrikbeweging door de wegwaaiende hoed, en deed een sprong zijwaarts terwijl zij een protesterend gehinnik liet horen. Toen de voorsprong van Trowbridge groter werd, gebruikte Madelaine nogmaals haar zweepje en spoorde de merrie tot haar maximale snelheid aan. Zij konden zich een te grote afstand tussen hen in niet veroorloven omdat zij dan beiden onbeschut waren. Madelaines haar woei om haar gezicht en soms voor haar ogen.

De steile rots doemde op aan hun rechterzijde, verblindend geelbruin glanzend in de schittering van de middag. Trowbridge zwaaide met zijn zweep en wees naar een plek ongeveer halverwege naar boven op de stenen helling en schreeuwde iets wat Madelaine niet kon horen boven het geluid van de paarden uit.

En toen klonk er een schot.

Trowbridge zakte naar voren in het zadel en klapte met een akelige kreet tegen de zadelknop. Hij sloeg zijn armen om de hals van zijn paard terwijl de lichte vos voortsnelde, in paniek door het schot en door Trowbridges bloed dat langs zijn flank vloeide.

Madelaine schreeuwde en probeerde haar merrie tot grotere spoed te manen. Maar het paard had haar grens bereikt en kon niet meer geven, en ongeacht hoezeer zij zich inspande, zij kon de ruin en de gewonde man die hem bereed, niet inhalen.

Er klonken nog twee schoten en Madelaines merrie viel hinnikend en spartelend neer. Madelaine was al verdoofd door de tweede kogel, die een lange striem langs de zijkant van haar voorhoofd tot in haar verwaaide haar had achtergelaten, en voelde niets van de schok toen zij van het verraderlijke amazonenzadel afviel en net niet geheel bewusteloos in de volle kracht van de zon bleef liggen. Zij kon zich niet omdraaien: ze lag met haar gezicht naar de zonneschijf.

Toen de merrie zich overeind had geworsteld, probeerde ze Trowbridges ruin te volgen, pijn en razernij hielden haar een behoorlijke afstand op de been, waarna zij plotseling tot een loopgang vertraagde, toen wankelde en een paar maal hard hoestte. Toen begaven haar knieën het en stortte zij ter aarde. Hoog boven haar zweefde de eerste aasgier op de meedogenloze wind.

Viermaal werd Trowbridge bijna uit het zadel geworpen, hetgeen de lichte vos nog meer angst aanjoeg. Het paard snakte naar lucht, zijn vacht bevlekt met schuim en donker van het zweet. Ondanks de hitte bleef het rennen, met wijd open mond, en zijn hart bonsde zo hard dat Trowbridge de hartslag door de zadelflappen heen kon voelen, hoewel hij dat gebons niet kon thuisbrengen.

De weg lag voor hem uit, en daarachter een stuk bevloeid land en de Nijl. Trowbridge was zich vaag bewust van deze dingen maar hij kon ze niet duidelijk zien. Zijn armen deden pijn – hij dacht dat het door zijn vreemde rijhouding kwam, als een aap aan de vos vastgeklampt – en toen hij lachte, proefde hij bloed in zijn mond. Er was iets verschrikkelijk verkeerd, dat wist hij. Zijn zij voelde aan alsof iemand heet metaal tegen zijn lichaam had gelegd, en zijn armen noch zijn benen werkten naar behoren. Hij was zich ergens ver weg bewust van een enorm gevaar, en van een risico niet alleen voor zichzelf maar tevens voor Madame de Montalia. Madame de Montalia. Madame de Montalia. Er was iets...

Eindelijk drong het tot hem door en hij slaakte een kreet van vertwijfeling die boven zijn pijn uitsteeg. Zij was gevallen. Zij reed niet meer achter hem. Er waren schoten geweest.

Toen wist hij het: hij was gewond. Als bevestiging nam de verscheurende pijn in hevigheid toe alsof een reusachtige kat zijn tanden en klauwen in hem had vastgezet. En Madame de Montalia reed niet meer achter hem. God, dacht hij, terwijl hij met het beetje kracht dat hem nog restte probeerde zijn paard in bedwang te krijgen, voordat het arme dier zich doodrende. Alstublieft God, laat mij lang genoeg leven om haar te helpen. Sta me dat toe. Alleen dat. Daarna kom ik, en met blijdschap, dat beloof ik. Hij herhaalde de woorden voor zichzelf terwijl hij aan de teugels trok en vast bleef houden tot de lichte vos ten slotte terugviel in een uitgeputte draf.

Het was iets later – hij wist niet precies wanneer, aangezien hij af en toe het bewustzijn had verloren terwijl zijn paard zich langs de weg voortsleepte naar de plek waar de beelden werden uitgegraven – toen Trowbridge zich bewust werd van stemmen en uitroepen. Hij deed een poging zijn hoofd op te tillen en kwam tot de ontdekking dat die inspanning te groot was. Hij probeerde te antwoorden maar het enige dat hij voortbracht was een geblaat dat half een vloek was. Hij werd mensen om zich heen gewaar, hoorde het plaatselijke dialect en Frans en toen, goddank, Engels.

'Grote god, man. Je bent gewond.' Het was Symington, die pas twee maanden daarvoor was aangekomen, vers van Cambridge.

Orders werden gebrabbeld en er kwamen meer gravers om te helpen; handen maakten zijn om de hals van het paard geslagen armen los; hij voelde hoe hij uit het zadel werd getild.

'Je bent aangeschoten,' verklaarde Symington verbluft. 'Deze man,' zei hij tegen de anderen, 'is aangeschoten.' Hij keek naar de andere expeditieleden die zich bij hem hadden gevoegd. 'Hij heeft een geneesheer nodig.'

'Heeft veel bloed verloren,' zei een van de anderen maar Trowbridge herkende de stem niet.

Door de golven van pijn heen fluisterde Trowbridge: 'Duitser.'

'Zei hij Duitser?' vroeg Symington, terwijl hij zich naast Trowbridge op zijn knieën liet zakken en zijn mousseline sjaal wegtrok om er de bloedstroom mee te stelpen. 'Duitser?'

'Die Duitse geneesheer aan de overkant van de rivier,' zei een van de mannen.

'Ja,' mompelde Trowbridge, wiens foltering toenam toen Symington de benodigde druk aanbracht op de wond in zijn zij. 'Falke.' Toen dwong hij zichzelf zijn ogen te openen en Symington recht in het gezicht te kijken, hoewel de man zich in een mistbank leek te bevinden. 'Vertel hem. Onmiddellijk. Zodra hij hier aankomt.' Hij slikte en negeerde de metaalachtige smaak van zijn eigen bloed. 'Madelaine.' In een of ander afgelegen deel van zijn geest besefte hij dat dit de eerste maal was dat hij haar voornaam gebruikte. 'Vertel het hem. In de vallei.' Hij was duizeliger en het was hoe dan ook moeilijk te spreken. 'Zij is neergeschoten.'

'Bedoel je dat er een tweede slachtoffer is?' vroeg Symington, wiens ogen nu zeer ernstig stonden.

'Ga Falke halen,' hijgde Trowbridge. 'Nu.'

'We zorgen er meteen voor,' zei Symington terwijl hij een van de Engelse oudheidkundigen een teken gaf. 'En haast je,' zei hij zachtjes.

De man knikte. 'Ik ben al weg. Ik zal hem zo snel mogelijk hierheen brengen.' Hij maakte een bemoedigend gebaar en snelde weg naar de boten die aan de korte steiger lagen.

'Hij is er erg slecht aan toe,' zei de hoofdgraver hoofdschuddend, toen hij zich over Trowbridge heen boog. 'Wat verschrikkelijk.'

Trowbridge stak de hand die minder pijn deed uit en probeerde de voorkant van Symingtons mouwvest te grijpen. 'Madelaine.' Zo, nu had hij het tweemaal gezegd. 'Red haar.' Het was vreemd, dacht hij, toen hij zijn vingers verstrengelde met die van Symington. De marteling was minder nu, alsof het herhalen van haar naam een pijnstiller was. Hij maakte zich niet langer ongerust over het bloed dat zijn kleren doorweekte.

Het viel Symington moeilijk antwoord te geven. 'We zullen ons best doen, kerel. Ik geef je mijn woord. We zullen het de Duitser vertellen zodra hij arriveert, zodra hij jou heeft onderzocht.' Hij keek op en deed zijn best niet te stotteren of zich te laten gaan, want hij kon zien dat het met Trowbridge bijna gedaan was. 'Heeft iemand gezien waar hij vandaan kwam? Als er zich daar ergens een vrouw bevindt, moeten we haar zoeken...'

'Ga maar op de aasgieren af,' ried de hoofdgraver aan.

'Nee,' zei Symington. Hij drong zijn tranen terug. 'Nee. We moeten haar vinden. Ik heb hem mijn woord gegeven.'

De gravers wisselden zachte woorden en harde blikken en de oudste aanwezige Engelse wetenschapper zei: 'Gelijk heb je.'

'Het is rusttijd,' zei de hoofdgraver. 'Als ze zich daar ergens bevindt, zal ze niet lang in leven blijven.'

Trowbridge had geen kracht meer om Symingtons hand vast te houden. Zijn oogleden trilden toen hij zijn ogen opensperde. 'Ga.' Hij haalde adem. 'Haar zoeken.'

'Ja,' beloofde Symington vriendelijk, in de wetenschap dat Trowbridge hem niet langer hoorde en dat zijn open ogen niets meer zagen.

Tekst van een brief van Professor Rainaud Benclair in Parijs aan Professor Alain Baundilet in Thebe.

Mijn waarde Professor Baundilet,

Enige maanden geleden heeft een van uw collega's mij geschreven met betrekking tot de gedragingen van uw oudheidkundige expeditie, hetgeen toentertijd werd afgedaan als de misnoegde jammerklacht van een eerzuchtig man, die ontevreden was over de hardheid van het leven van een oudheidkundige. Wij hebben hem toen medegedeeld dat hij verder diende af te zien van dergelijke onverantwoordelijke beschuldigingen, en hem een waarschuwing meegegeven deze vergissing niet meer te herhalen. Toentertijd leek dat het meest verstandige wat wij konden doen, de weg die omzichtige en beleidvolle mannen zouden moeten volgen als zij geconfronteerd worden met vragen van deze aard. Wij handelden op een verantwoordelijke en weldoordachte wijze, althans zo meenden wij.

Toen werd ons onder de aandacht gebracht dat de Eclips Pers in Gent onlangs een uitgebreide monografie heeft gepubliceerd van een assistente van uw expeditie, Madame de Montalia. Deze monografie behandelt het werk dat zij, als lid van uw expeditie, heeft verricht en is deels een dagboek van een jaar bij de expeditie, met notities over het werk van iedere dag, waar het werd verricht en door wie. De monografie, een fraai boekdeel van honderdvierenveertig pagina's met enkele prachtige gravures, is getiteld: Een Oudheidkundig Dagboek van de Opgraving van Faraonisch Thebe en Luxor: Twaalf Maanden, en heeft serieus de aandacht getrokken in verscheidene universiteiten in Frankrijk en Engeland. Madame de Montalia is een beknopt schrijfster en haar presentatie is helder en duidelijk. U zult zeker trots zijn op de kwaliteit van haar werk, want de norm dat het stelt zou heel goed als voorbeeld kunnen dienen voor menig andere publicatie van dien aard. Terwijl deze Eclips Pers niet altijd verstandig is bij de keuze uit de verscheidenheid van onderwerpen van het uitgegeven materiaal, kan het wetenschappelijke niveau dat hier is bereikt, niet ontkend worden. Dat is een van de aspecten die deze zaak zo delicaat maken.

Het blijkt dat Madame de Montalia, in het dagboekgedeelte van haar monografie, verdiensten toeschrijft aan leden van uw expeditie en door hen verricht werk beschrijft dat niet overeenstemt met de verslagen in uw eigen geschriften. Terwijl wij vanzelfsprekend enig onderscheid verwachten, veroorzaakt door de natuurlijke verschillen in waarneming en mening van verschillende mensen, zijn wij gestuit op een paar

doorslaggevende vaststaande feiten die, naar wij geloven, in uw
werk ontbreken als wij dat vergelijken met het hare. Dit is de
bron van ons dilemma, want als uw begunstigers willen wij de
verklaringen die u heeft afgelegd niet in twijfel trekken, noch
verlangen wij ernaar de methoden die u heeft aangewend
teneinde uw werk te kunnen voortzetten, waar het om een
Egyptische afspraak gaat, nauwkeurig te onderzoeken. Maar toch,
de beschuldigingen van Madame de Montalia zijn duidelijk en
haar documentatie lijkt bijzonder nauwgezet. Het is de wijze
waarop zij haar weerleggingen heeft gepresenteerd die geleid heeft
tot enige bezorgdheid, want voor ons, als begunstigers van uw
werk, zou het een betreurenswaardige ontwikkeling betekenen als
uw geloofwaardigheid in twijfel zou worden getrokken, omdat die
blaam ons allen zou treffen. Ongetwijfeld is dit voor u even
pijnlijk als voor ons, en bent u bereid ons bij te staan in onze
poging de twijfels uit te bannen die de geschriften van Madame
de Montalia over uw expeditie hebben opgeroepen.
Uw onlangs ontvangen mededeling betreffende de nieuwste
vondsten aldaar worden hier met geestdrift verwacht, want wij
geloven dat dit wellicht de belangrijkste ontdekking zal blijken te
zijn sinds Champollion de Steen van Rosetta vertaalde en ons
toegang verschafte tot de taal van die volkeren van weleer. Wij
zien uw bevindingen tegemoet zodra u gereed bent deze te
verzenden, en wij zijn even verlangend deze prachtige artefacten
te zien. Uw doorslaggevende rol in het aan het licht brengen van
deze schatten zal in uw voordeel spreken waar het die andere
kwestie betreft, daarvan ben ik zeker.
Wij stellen het hoogste vertrouwen in u en hebben niet de
bedoeling uw onkreukbaarheid in twijfel te trekken, want een
man in uw positie moet zeker een eerbare man zijn. Wij geloven
echter wel dat er zich gelegenheden hebben voorgedaan waarbij u
wellicht meer ijver tentoon heeft gespreid dan nodig was in het
benadrukken van de rol die u heeft gespeeld in het werk van uw
expeditie. Het is niet onze wens om u in verlegenheid te brengen,
maar deze monografie is gepubliceerd en er zijn mensen die een
verklaring zoeken voor de verschillende tegenspraken in uw
beider werk.
Wij stellen een manier voor om deze verschillen op te lossen en

leggen u die ter overweging voor. Wij hebben besloten dat een
puntsgewijze vergelijking van uw verscheidene oudheidkundige
dagboeken zal onthullen hoe dit misverstand is ontstaan, en het
minder moeilijk zal maken voor alle betrokkenen om deze vragen
beantwoord te krijgen. De dagboeken van LaPlatte, die het
toezicht had over uw gravers, zouden ons onderzoek evenzeer
helpen als die van Paille, Enjeu en De la Noye. Wellicht zullen
wij Claude-Michel Hiver eveneens ondervragen, want ons is ter
ore gekomen dat hij voldoende is hersteld om van tijd tot tijd
lezingen te geven. Hoe grondiger de vergelijking is, des te
vollediger kunnen wij uw critici van repliek dienen. Wij
vertrouwen erop dat u bereid zult zijn uw dagboeken per
omgaande post te sturen, en wij op onze beurt kunnen u
mededelen dat wij aan het eind van het jaar een vergelijkende
publicatie zullen hebben geregeld. Uw assistentie zal de gelukkige
dag bespoedigen dat er geen twijfel of verwarring meer zal
heersen met betrekking tot het werk van uw expeditie.
Wij zijn in afwachting van de vreugdevolle gelegenheid dat deze
kwestie zal zijn afgedaan en u volledig van blaam gezuiverd zult
zijn.
Met de meest oprechte persoonlijke groeten en tevens
professioneel respect,

Verblijf ik,
Professor Rainaud Benclair
9 mei 1828, te Parijs

Drie

Hij sprong van het platbodem schip, dat dienst deed als veerpont om voorraden en mensen van de ene oever van de Nijl naar de andere te brengen, voordat de roeiers het aan de korte steiger hadden vastgelegd. Zijn jas hing over zijn arm, hij had geen das, noch een sjaal om, en droeg zijn dokterstas en bovendien een koffertje met smeersels en verband. Egidius Maximillian Falke zag zo wit als een laken; zijn blauwe ogen gloeiden als het binnenste van een oven. 'Waar?' vroeg hij in het plaatselijke dialect aan de eerste persoon die hij zag.

'De Engelsman is gebracht naar...' begon de magere, gebogen roeier, maar Falke schoof hem aan de kant en spoedde zich naar het groepje Europeanen dat hij iets verderop zag staan.

Terwijl hij zich naar het groepje haastte, stak een bescheiden jongeman met een opvallende adamsappel ter begroeting zijn hand uit en zei: 'U moet Falke zijn; ik hoop dat u Engels spreekt want ik moet tot mijn spijt bekennen dat ik geen Duits ken.' Hij had zich voorzichtig opgesteld tussen Falke en een bedekte vorm op de weg achter hem.

'Een beetje. Frans gaat mij beter af,' zei hij, zijn uitspraak aarzelend en gekunsteld. 'Waar is de boodschapper?' Hij begon Symington uit de weg te duwen maar deze hield hem tegen.

'Ik ben Roland Symington. Ik... heb voor uw vriend gedaan wat ik kon.' Hij ging niet uit de weg.

'Dank u.' Falke was meer dan kortaf. Toen bemerkte hij de grimmige uitdrukking in Symingtons ogen en zijn toon veranderde. 'Is hij... Ik neem aan dat hij... dood is.'

'Neergeschoten; in zijn rechterzij, net boven zijn middel. De ribben zijn naar binnen toe gebroken, een ravage.' Eindelijk ging hij opzij en knikte in de richting van de gestalte. 'Hij heeft mij nog een boodschap doorgegeven. Hij zei dat iemand die Madelaine heet zich daar nog bevindt – we vermoeden in een van de bergkloven...'

'Madelaine.' Toen drong de gruwelijkheid tot hem door; Falke brulde het uit van woede en wanhoop, zijn hoofd naar de hemel geheven, zijn ogen bijna gesloten. 'NEE!' Hij legde de afstand naar Trowbridges lichaam in zes wankele stappen af, zeeg toen op zijn knieën en liet zijn tas en koffertje op de grond vallen. 'Hij was een held. Een held,' herhaalde hij. Hij tilde het doek op, zijn gezicht nu onbewogen, terwijl hij de schade die de kogel had aangericht in zich opnam. 'Ingeslagen van opzij en diep doorgedrongen. Er was geen redding mogelijk,' zei hij zachtjes, en hij wendde zich vervolgens tot Symington. 'Was dat alles? Dat Madelaine daar ergens is?'

Dit werd alsmaar erger, dacht Symington. 'Hij zei... dat zij was neergeschoten.' Hij sprak de woorden zo vriendelijk mogelijk uit, alsof dat ze minder afschuwelijk zou maken.

'Neergeschoten?' Het was nauwelijks verstaanbaar, maar de vertwijfeling op zijn gezicht was overduidelijk.

'We proberen uit te zoeken waar ze waren,' vertelde Symington aan Falke als verzachting van zijn verdriet. 'We gaan straks zoeken.'

Falke leek hem niet te horen. 'Neergeschoten. O, *mein Gott*. Ik moet haar zoeken. Onmiddellijk. Madelaine. Ik heb twee ezels nodig,' zei hij met stemverheffing tegen Symington. 'Nu meteen. Vertel mij uit welke richting hij kwam, dan volg ik de sporen...'

'Op deze grond?' Symington was bezorgd en vreesde dat de Duitse geneesheer door zijn vertwijfeling overmand zou worden. Hij zei praktisch: 'Hoe kunt u de sporen volgen? Kijk dan. De grond is te hard; u zult nooit...'

Ditmaal werd Symington in de rede gevallen. 'Ik kan het bloedspoor van Trowbridge volgen. Hij heeft bijna al zijn bloed verloren, dat zal mijn spoor zijn.'

'Zijn bloed?' Symington was bleek geweest maar nu werd hij asgrauw. 'Goeie god, man, dat kunt u niet menen.'

'Ik heb in mijn leven nog nooit iets serieuzer gemeend.' Hij strekte zijn arm uit en greep Symington bij de revers van zijn mouwvest. 'Haal die ezels voor me. Of wilt u dat deze dappere man voor niets is gestorven?' Zijn blik gleed naar Trowbridge en toen terug naar Symington. 'Niemand hoeft met mij mee te gaan.'

'Het is moeilijk, beseft u dat wel? Over drie uur zou het geen probleem zijn. Het is het heetst van de dag,' zei Symington ongelukkig en Falke kromp ineen, want hij herinnerde zich wat Madelaine hem had verteld over het gevaar van de zon. 'De gravers gaan niet op zoek tot het iets koeler is. Ik denk niet dat ze zich de bergkloof in wagen voordat een groter deel ervan in de schaduw ligt.' Hij keek ongemakkelijk naar de met het doodskleed bedekte gestalte van Trowbridge. 'Maar ik zal zien of sommigen van hen wat eerder willen komen. Over twee uur; nog eerder als ik het voor elkaar krijg.'

'Eerder,' zei Falke zacht en het klonk als een bevel.

Symington knikte en deed toen een stap terug, zich met die beweging uit Falkes greep bevrijdend. 'Ik zal voor uw vriend zorgen.' Het aanbod was compenserend, een verontschuldiging voor zijn niets-doen.

'Zijn naam was Trowbridge, Ferdinand Trowbridge,' zei Falke, en hij barstte toen uit: 'De ezels, man! Breng ze hier!'

Enkele van de andere Engelse oudheidkundigen hadden de woordenwisseling gevolgd; een van hen kwam naast Falke staan. 'Ze komen eraan, sir.'

'*Danke*.' Hij hing zijn tas over zijn schouder en pakte zijn koffertje op. 'Ik ben u dankbaar,' zei hij tegen Symington, maar Symington noch Falke zelf geloofde dat.

Symington schraapte zijn keel. 'We zullen hem uit de zon halen. Uw vriend. Trowbridge.'

'Goed,' zei Falke, en hij keek om zich heen of hij de ezels al zag. 'Kunt u mij wat water meegeven?'

'Natuurlijk,' zei Symington, bijzonder opgelucht dat hij iets kon doen waar niet minachtend op neergekeken zou worden. 'Drie zakken,' bood hij aan, en hij klapte in zijn handen voor de hoofdgraver, terwijl hij bits orders uitdeelde in de plaatselijke versie van Egyptisch Arabisch.

'Er is in Thebe geloof ik een Engelse kapelaan,' zei Falke tegen Symington. 'Laat die komen.'

'Ja. Dat zal ik doen.' Symington knikte een paar maal als om zijn woorden te benadrukken. 'Daar zijn de ezels.' Hij haalde eens diep adem toen een van de gravers twee ezels meevoerde, met volle waterzakken over hun Egyptische zadels gehangen. Toen Falke vloekend de grootste van de twee ezels besteeg, kwam Symington nog een laatste keer naar hem toe en reikte Falke de teugels van de tweede ezel aan, waarmee hij deze kon leiden. 'We zullen u zoeken, twijfel daar niet aan. Als u tegen de avond niet terug bent, zullen we de ezels van lantaarns voorzien en doorgaan met zoeken tot we u hebben gevonden.' Hij deed een stap terug. 'Succes.'

'Amen,' zei Falke terwijl hij het witte dier met de lange oren tot een bottenschuddend sukkeldrafje aanspoorde en de leidsels van zowel het volgdier als zijn eigen rijdier in een stevige greep hield. Onder het rijden hield hij zijn blik op de stoffige weg gericht en volgde de donkere spatten die reeds in de aarde waren opgenomen. Zonder het te beseffen bad hij.

Boven haar hoofd was de zon zijn hoogtepunt voorbij en begon naar het westen af te dalen. Hij hing daar, enorm en onverzoenlijk, boven steile rotswanden die zongen in de hitte. Het beetje wind dat er stond was kurkdroog en rook naar stof.

Hoewel zij haar ogen gesloten hield, kon Madelaine de zon door haar oogleden heen zien; het licht drong naar binnen en brandde op haar oogleden alvorens hetgeen zij ontwaarde in een dansend rood te veranderen. Dat meisje had aan de rotswand gehangen. Hoe afschuwelijk moet zij hebben geleden. Madelaines kleren hadden het grootste deel van haar lichaam een tijd lang beschermd, maar het lichte mousseline was niet afdoende om haar de brandplekken te besparen waarop zich nu blaren begonnen te vormen. Als zij zich zou kunnen omdraaien, wist zij dat dat een beetje verlichting zou geven, hoe pijnlijk het ook zou zijn om op de brandplekken te liggen, maar zij kon zich niet bewegen, de zon pinde haar even vast alsof zij aan de grond genageld was. Er was niets om haar af te leiden behalve het gekrijs van de aasgieren en zo nu en dan de voorbijglijdende schaduw van hun vleugels als zij tussen haar lichaam en de zon door vlogen. Moet en Atoem-Re, bracht zij zichzelf in herinnering. Beide waren goden in het faraonische pantheon, beide een deel van de Egyptische ziel. De goede aarde van Savoie in haar schoenen gaf haar niet meer dan een greintje hulp, terwijl het geelkoperen gezicht van die oeroude god langzaam, onvermijdelijk het leven uit haar loogde.

Zij zou het eind van de dag wel halen, daarvan was zij vrijwel zeker, maar zij zou verbrand en zwak zijn. Mogelijkerwijs zou zij 's nachts kruipend dekking kunnen zoeken onder de uitstekende rotsen van de steile wand. Die lagen op enige afstand maar als zij niet al te zeer verzwakt was, zou zij het misschien kunnen halen voordat de zon weer opkwam. Niet veel schaduwen van de steile rotsen reikten tot waar zij lag en dus zou zij direct na zonsopgang in de volle zon liggen. Zij wist zeker dat zij voor de middag van de volgende dag dood zou zijn als zij er niet in zou slagen uit de zon te komen.

Om de onherroepelijke dood al zo spoedig te moeten sterven! Als zij in staat was geweest te huilen, had zij dat gedaan. Zij troostte zich met de gedachte dat tranen op haar verbrande huid even pijnlijk als zuur zouden aanvoelen. Er begonnen zich nu blaren te vormen op haar gezicht en handen, en haar lippen waren zo erg gekloofd en gebarsten dat zij betwijfelde of zij een woord zou kunnen uitbrengen zonder helse pijn te lijden.

Wees geduldig, hield zij zichzelf voor. Iemand zal komen. Haar volgende ironische gedachte was dat de enige persoon die wist waar haar te zoeken, degene was die haar en Trowbridge had neergeschoten. Zij verwachtte dat haar moordenaar later op de middag terug zou komen om zijn werk af te maken. In haar verzwakte toestand zou zij hem niet tegen kunnen houden. Zij durfde niet te hopen dat Trowbridge had weten te ontkomen.

Drie aasgieren gingen lager vliegen en cirkelden rond boven het lichaam van Madelaines gevallen merrie. Hun kreten lokten meer vogels die boven haar bleven hangen.

En als het nu eens niet Baundilet was? vroeg zij zich af. Het zou iemand anders kunnen zijn. Er waren er die haar wantrouwden en niet mochten. Zij sloot zich resoluut af voor de eerste geluiden van de aasgieren die neerstreken om aan hun feestmaal te beginnen. Als Baundilet werkelijk degene was die haar dood wenste, zou hij niet zelf komen; hij zou een afgevaardigde sturen. Guibert wellicht. Of Suti, die haar een gruwel vond. Een gruwel, dacht zij in een poging haar gedachten af te leiden van de pijn die zich met het toenemen van de brandplekken over haar lichaam verspreidde. Een gruwel: dat wat voortekenen negeert of tegenwerkt.

Er streken meer aasgieren neer om het paard te verslinden en onderling begonnen de vogels te krakelen; schelle kreten en verontwaardigd geklok echode door de bergkloof.

Het ergste van het hier te moeten sterven was dat zij Saint-Germain zou verlaten. Ondanks het feit dat zij nooit lang samen konden zijn, was de wetenschap dat hij op de wereld was een reden voor vreugde. Om zijn liefde nu te verliezen was moeilijker dan al het andere. Zij dacht aan zijn gezicht, zijn donkere, onweerstaanbare ogen, die haar vanaf de eerste keer dat zij hem zag hadden betoverd, aan zijn mededogen en goedertierenheid en liefde. Zij hadden zo weinig tijd als minnaars samen doorgebracht, en toch hielden die luttele uren haar staande. En toen zij tot zijn leven toetrad, werd hun band versterkt, ondanks het feit dat zij het vermogen elkaar te beminnen waren kwijtgeraakt. Zij zou nooit meer zijn stem horen, noch die luchtige, ironische glimlach zien die haar zo fascineerde.

De geheimen van de tempels van Luxor en Thebe zouden voor haar altijd verborgen blijven, hetgeen haar plotseling zo woedend maakte dat zij haar protest wilde uitschreeuwen, hoewel zij daar geen kracht meer voor had. Zij was net begonnen! Eén eeuw slechts en het was voorbij; te snel, veel te snel! Er was nog zoveel te doen, er lagen nog zoveel ontdekkingen onder het zand verborgen, wachtend om wederom onthuld te worden. Zij zou nooit weten of zij Saint-Germains Huis des Levens had gevonden.

Zij zou Falke nooit meer zien, of naast hem liggen met haar hoofd op zijn borst en het rijzen en dalen van zijn ademhaling voelen terwijl hij sliep. Hij was nabij en dat maakte het erger, want die nabijheid zette aan tot verlangens. Wat was het heerlijk om hem te beminnen, om de kracht van zijn leven te voelen, om het geschenk van zijn begeerte te aanvaarden en het te beantwoorden met verrukking. Zij zou geen gewekte hartstocht met hem delen, zijn mond niet kussen, haar lichaam niet voor hem openstellen. De pijn die haar doorvoer, werd evenzeer veroorzaakt door begeerte die nooit zou worden bevredigd, als door de blaren op haar voorhoofd en lippen die opensprongen en zwart werden.

Een aasgier streek vlak bij haar neer want zij voelde de luchtstroom van zijn vleugels en rook zijn weerzinwekkende stank. Hij slaakte een krassende kreet en vloog toen weer weg, teleurgesteld dat zijn prooi nog ademde.

Het was moeilijk om de hitte en de zon en de verwondingen te negeren die bezit van haar namen, maar zij deed haar best om aan andere dingen te denken. Als zij haar hopeloosheid toestond de overhand te krijgen, zou zij te moedeloos zijn om 's avonds in beweging te komen, en dat was haar enige overlevingskans. Zij dwong haar gedachten door de jaren te dwalen. Zij was honderddrie jaar geleden geboren, zij was vierentachtig jaar geleden uit haar graf opgestaan. Er was zoveel geweest om te leren, er waren zoveel plaatsen om heen te gaan. Zij had niet genoeg gedaan, nog lang niet genoeg om klaar te zijn voor de onherroepelijke dood. Zij wenste dat zij kon wegdoezelen maar door de zon, die haar brandmerkte, was dat onmogelijk.

Er klonk een geratel in de verte.

Madelaine luisterde en probeerde de plaats te bepalen waar het geluid vandaan kwam. Het klonk als vallende rotsen. Was de moordenaar eindelijk in aantocht?

Weer een geluid in de verte, vermengd met het gekras en de kreten van de aasgieren.

Ditmaal wist zij dat het gekletter werd veroorzaakt door rotsen; aan het zuidoostelijke eind van de bergkloof. Iemand was aan het graven geweest in de rotswanden aan die kant van de bergkloof; zij herinnerde zich dat zij en Trowbridge er opmerkingen over hadden gemaakt bij het binnenrijden van de val.

Trowbridge. Angst om hem overspoelde haar. Spijt dat zij hem in gevaar had gebracht volgde daarop.

Zij probeerde haar hoofd om te draaien en jammerde van de stekende pijn in haar gezicht en hals die de poging haar bezorgde. De schaafwond die de kogel had achtergelaten, gloeide met vernieuwde hevigheid. Zij beet op de binnenkant van haar lip maar kon het niet volhouden zonder de pijn te verergeren.

Hoefgetrappel. Zij hoorde hoefgetrappel.

Wie waren het? vroeg zij zich in een plotselinge flikkering van angst af. Was het haar redding of was het de genadeslag, de laatste triomf van haar moordenaar?

Falke zag het kadaver van Madelaines gevallen paard dat door de aasgieren werd kaalgeplukt en zijn hart bonsde in zijn borst. Hij spoorde zijn ezel voorwaarts, zijn blauwe ogen tot spleetjes vernauwd terwijl hij voor zich uit tuurde. De schittering van de geelbruine rotsen verblindde hem en hij vertraagde zijn gang.

Zij kon niet spreken, en beweging was zo'n marteling dat Madelaine haar enige kans voorzichtig moest pakken. Er lag een brok steen onder haar linkerhand dat sinds haar val reeds in haar handpalm drukte. Toen zij het vastpakte, sprongen de blaren op de rug van haar hand open. Zij durfde niet tegen deze pijn in te bewegen, omdat dat haar van haar laatste restje kracht zou beroven.

'Madelaine!' riep Falke uit, en terwijl hij dat deed, besefte hij dat als zij hem al kon horen, zij waarschijnlijk niet in staat zou zijn antwoord te geven. 'Madelaine!'

Zo het vastpakken van de steen ter grootte van een kopje al afmattend was geweest, hem optillen was een marteling. Zij verzamelde het laatste sprankje kracht waarover ze nog beschikte en wierp de steen zo ver als zij kon. Hij viel vlak naast haar voet op de grond. Zij hield haar adem in.

Aanvankelijk wist Falke niet zeker of hij iets anders dan weer een nijdig gekakel van de aasgieren had gehoord, maar toen besefte hij dat het geluid uit een andere richting was gekomen en hij hield zijn hand beschermend over zijn ogen terwijl hij de bodem van de bergkloof nauwkeurig afzocht. Hij gaf voor het eerst sinds hij op weg was gegaan toe dat zijn onmogelijke hoop wellicht niet geheel ijdel was. De kreet die hij slaakte toen hij Madelaines deerniswekkende gestalte in het oog kreeg, weerkaatste tegen de wanden van de bergkloof en deed de aasgieren opvliegen, terwijl de twee ezels balkten uit protest.

Falkes stem. Madelaine wist zeker dat zij het zich verbeeldde. Hoe kon Falke hier zijn? Zij probeerde te roepen en slaakte een zachte, vertwijfelde jammerklacht.

Haar stem was zo door pijn gefolterd dat hij hem eigenlijk niet had kunnen horen, maar hij hoorde hem wel. Hij drukte zijn hielen in de flanken van de ezel en sleepte het tweede dier achter zich aan, beide bijna tot een korte galop dwingend. Toen hij naderbij kwam, was hij ontzet bij de aanblik van de brandplekken en vochtafscheidende blaren, de opgezette en deels gescheurde oogleden en gebarsten lippen. Hij liet de ezels halt houden en strekte zijn arm uit naar de dichtstbijzijnde waterzak, terwijl hij zich uit het zadel zwaaide en slechts de tijd nam om de ezels aan middelgrote keien vast te maken alvorens over de rotsen te klauteren naar de plek waar zij lag. 'Madelaine. Madelaine,' herhaalde hij steeds weer, terwijl hij zich over haar heen op zijn knieën liet zakken, haar met zijn lichaam tegen de zon beschermend. 'Heilige Baptist! O, mijn liefste, aller-, allerliefste.' Hij leunde naar voren om haar te kussen maar hield zich in, beseffend dat de lichtste aanraking haar nog meer kwelling zou bezorgen. '*Mein Gott.* Je gezicht. Je handen...' Hij was te veel geneesheer om zichzelf te kunnen bedriegen: haar beproeving had haar verwoest. Troosteloosheid welde even in hem op toen hij de waterzak openmaakte en een paar druppels in haar mond liet vallen.

'Geen water,' bracht zij krassend uit terwijl zij haar door de blaren opgezwollen ogen probeerde te openen.

'Ja. Ja, water,' zei hij zijn hand uitstrekkend voor meer ervan. 'Je hebt water nodig.'

'Leven,' mompelde zij.

'Ja.' Hij drukte zijn vingers op haar lippen en probeerde dat zo zacht mogelijk te doen, maar zijn haast maakte hem onhandig en hij beroerde per ongeluk haar gezicht. 'Het spijt me. O god, Madelaine, het spijt me.'

Zij maakte geen geluid maar de rilling die haar doorvoer, getuigde van haar lijden.

'Nee, nee, liefste, Madelaine, lieveling.' Zijn handen beefden zo hevig dat hij het zichzelf niet toevertrouwde om meer water op haar arme bloedende lippen aan te brengen. 'Ik heb geen opium of... iets anders tegen de pijn meegebracht.' Hij haatte zichzelf voor dit gemis. 'Ik heb smeersels maar jij... geen smeersels voor zoals jij verbrand bent.' Hij streek haar haar glad en lette erop dat hij haar gezicht niet beroerde of te hard drukte.

Zij zag de ontreddering in zijn ogen en wist dat hij dacht dat zij het niet zou overleven. 'Zoek wat schaduw,' dwong zij zichzelf te zeggen, hoewel het geluid dat zij voortbracht een travestie van spraak was.

Hij boog zich dichter naar haar toe. 'Nee, nee, dierbare Madelaine. Nee. Dat zou je te veel pijn bezorgen.' Hij wilde zo graag een plekje vinden waar hij haar kon kussen, slechts met zijn mond langs haar huid strijken, maar durfde het niet te proberen. 'Ik zal je hier beschutten. Anderen zijn in aantocht.'

Pijn laaide op in haar arm toen zij zich dwong deze uit te strekken om zijn hand vast te pakken. 'Zoek schaduw.' Ditmaal klonken de woorden ietwat duidelijker.

'Vraag dat niet van mij.' Hij zette zijn handen aan weerskanten van haar hoofd zonder haar aan te raken. 'Dat kan ik niet, Madelaine.'

Terwijl zij daar lag, met zijn schaduw over haar heen, voelde Madelaine een zwakke sensatie van energie. 'Je moet,' zei zij. 'Alsjeblieft.'

Hij kon haar geen antwoord geven; hij werd heen en weer geslingerd tussen zijn verlangen om haar te beschermen en de noodzaak om haar te behandelen. Met oneindige zorg legde hij zijn vinger tegen haar lippen. 'De pijn zou ondraaglijk zijn.'

Zij verstevigde haar greep op zijn hand. 'Gevaarlijk hier.'

Dit ving zijn aandacht. Hij keek vluchtig om zich heen. 'Ik zie niemand.'

'Rotswanden,' zei zij, en zij hoestte pijnlijk.

'Er is op je geschoten door iemand die zich in die rotswand schuilhield?' Hij kwam half overeind en liet zich toen weer neer om haar in de schaduw te houden. De bodem van de bergkloof was zo ontzettend helder, zo heet. Hij herinnerde zich wat zij hem over de zon had verteld en zijn vermogen om haar te verbranden, te doden. Er waren ook andere dingen die zij had gezegd maar die bande hij uit zijn gedachten.

'Ja.' Zij was nu uitgeput, zo ernstig dat ademhalen een inspanning betekende. De enige reden dat zij zijn hand niet losliet was omdat dit te veel moeite zou kosten.

Het was nog nooit zo moeilijk geweest om helder te denken en het was nog nooit zo kritiek geweest. Hij draaide zich van de ene kant naar de andere, terwijl hij met zijn ogen de rotswanden afzocht naar enige aanduiding van wie zich daar bevond. Hij moest iets doen, maar hoe? Zijn hemd en mouwvest plakten aan zijn lichaam en hij besefte nu dat hij zichzelf evenzeer als Madelaine tegen de zon moest beschermen. 'Ik wil je geen pijn doen. Ik wil dat je in leven blijft.'

Het minieme opheffen van een schouder moest een schouderophalen voorstellen; als haar gezicht niet zo verbrand was geweest, zou zij hem met een wrange glimlach hebben aangemoedigd. 'Ja.'

Toen hij ditmaal naar de zuidelijk gelegen rotswanden keek, zocht hij naar de dichtstbijzijnde overstekende hoge rotsen en keien waar zij enige verlichting van de zon zouden kunnen vinden. Hij bleef voor zichzelf herhalen: 'Rustig, rustig, rustig,' hoewel hij dat bij lange na niet was. Uiteindelijk vond hij wat hij zocht: drie hoge heuvels, en op een daarvan lag een reusachtige naar beneden gerolde steen. Er zou dekking zijn aan de voet daarvan. Er zou wellicht ook plaats genoeg zijn voor de twee ezels. Maar de plek lag op enige afstand en hij wist niet zeker of hij haar zo ver zou kunnen dragen of dat zij het kon verduren gedragen te worden. Hij durfde haar niet op een van de ezels te zetten want zij was te zwak om zichzelf in het zadel te houden en als zij viel...

Iets van dit alles lag in zijn aanraking, in zijn ogen. Madelaine mompelde: 'Over je schouder.'

Hij bewoog zich dichter naar haar toe. 'Nee. O, nee, Madelaine. Dat zou...'

'Over je schouder,' murmelde zij.

Geen van beiden had de kracht om een discussie aan te gaan; hij besefte dat dit het enige was dat hij kon doen, hoezeer het hem ook tegenstond. 'Ik zal mijn best doen je enige pijn te besparen,' zei hij heel zachtjes. 'Ik moet de ezels halen. Daarna kom ik bij je terug. Ik...' – hij moest gal wegslikken – '...zal je over mijn schouder leggen. Ik zal proberen het niet erger te maken dan nodig is.'

'Dat weet ik.' Hoewel haar toon ruw was, was deze voor hem een streling. 'Ga.' Zij zette zich schrap tegen de hernieuwde aanval van de zon, en terwijl zij blootgesteld lag aan zijn onverbiddelijke schittering, sloot zij zich van alles af, behalve van haar verzet tegen zijn machtige gruwelijkheid.

Toen was Falke er weer en hij sleepte de ezels achter zich aan, terwijl hij haar toeriep, haar waarschuwde. Zijn handen waren zacht en hij verzette zich tegen zijn eigen afkeer van de verschrikkelijk pijn die hij haar bezorgde. 'Houd je vast om mijn middel,' zei hij door opeengeklemde tanden toen hij haar over zijn schouder had gelegd. 'Dan zul je minder schudden.' Om haar te helpen, pakte hij haar polsen vast en hield ze in de hand die niet de ezels meevoerde.

In de schaduw van het uitsteeksel bevond zich een beschutte holte zo groot als een kast die bescherming bood zowel tegen de zon als tegen priemende ogen. Falke liet Madelaine zachtjes van zijn schouder op de harde grond glijden en draaide zich toen om teneinde de twee ezels bij de ingang van de holte vast te binden, waarbij hij zich even tijd gunde om elk dier wat water te geven alvorens zijn aandacht weer op Madelaine te richten, zich schoorvoetend bewegend uit vrees voor wat hij te zien zou krijgen. De dood was wreed in de woestijn en Madelaine was extra kwetsbaar als ook maar de helft van wat zij over haar aard had verteld waar was. En als dat wat zij had gezegd waar was, vervolgden zijn gedachten, zou hij even kwetsbaar zijn als zij, als hij zou proberen haar herstel te bewerken.

Nu zij beschut lag, kon zij haar ogen iets verder opendoen. 'Dank je,' zei zij tegen hem. 'Het is een begin.'

Hij kwam naast haar staan, zijn dokterstas open. 'Blijf stil liggen. Ik zal iets bedenken om je pijn te verlichten.' Het was een ijdele belofte en hij voelde dat zij dat evengoed wist als hij. 'Dat zal ik.'

'Ik zal genezen,' fluisterde zij. 'Nu zal ik genezen.'

'Ja,' loog hij, in de wetenschap dat er geen remedie bestond voor brandwonden zo ernstig als de hare.

'Dat zal ik.' Zij verschoof iets, zodat zij met haar hoofd op zijn arm kon steunen. 'Mettertijd.'

Zijn ogen stonden zo vol tranen dat hij haar niet duidelijk kon onderscheiden. 'Ja, mijn lieveling.' Er moest in zijn koffertje iets te vinden zijn. Er moest iets zijn wat hij kon doen; hij liet alles nog eens aan zijn geest voorbijgaan en vond evenveel vruchteloze antwoorden als tevoren. Zij had hem gewaarschuwd dat hij gevaar liep, dat zij te vaak intiem samen waren geweest; haar zijn bloed te geven zou haar kunnen redden maar hij zag op tegen het gevolg daarvan. Maar zij was stervende. Hij had niets in zijn tas, noch in zijn koffertje waarmee hij haar kon helpen.

Hij zag een paarsblauwe flikkering in de diepte van haar gezwollen oogleden. 'Help mij.'

Niets kwelde hem meer dan dat eenvoudige verzoek. Van alle mensen moest uitgerekend hij bij haar in gebreke blijven. Hij had geen beloftes meer voor haar. In zijn ellende beroerde hij haar mond met de zijne, zowel om te voorkomen dat hij iets zou moeten zeggen, als om zijn liefde voor haar te uiten. Tot zijn verbazing beantwoordde zij zijn kus, hoewel haar lippen daardoor begonnen te bloeden. 'Nee, Madelaine,' zei hij zich terugtrekkend. 'Dat zal het erger maken.'

'Ja,' antwoordde zij. 'Bemin mij.'

Hij staarde haar aan, verbluft door hetgeen ze opperde. 'Ik... het is niet mogelijk. Je brandwonden...'

Zij drong aan. 'Bemin mij.'

'Dat is niet mogelijk,' zei hij stotterend.

'Falke.' Zij was erin geslaagd haar ogen halfopen te krijgen. Bloed liep uit haar ogen in plaats van de tranen die zij niet kon plengen. 'Bemin mij.'

Hevige begeerte overspoelde hem, zelfs terwijl hij terugdeinsde voor iets dat zo afgrijselijk voor haar moest zijn. De brandwonden die haar misvormden, de striem op haar slaap, niets deed ertoe, zelfs niet zijn eigen gruwelijke transformatie tot haar leven, want het ging om Madelaine en zijn liefde voor haar kwam uit het diepst van zijn hart. 'Ik heb je al genoeg pijn gedaan,' fluisterde hij.

'Bemin me dan.' Zij tilde haar hoofd een stukje op. 'Of ben ik te af-zichtelijk?'

'Nee,' zei hij snel. 'Nee.' Hij kuste haar een tweede maal en deze keer kostte het hem meer wilskracht om haar niet dicht tegen zich aan te trekken. In verwarring probeerde hij van haar weg te komen. 'Ik heb verbandmiddelen.'

'Vergeet ze,' zei zij, minder ademloos dan voorheen.

'Madelaine...' Hij wist dat hij haar kleding weg zou moeten snijden en de omvang van haar brandwonden zou moeten onderzoeken, en ze dan verbinden, maar nu had hij angst voor datgene wat hij daar-na verlangde. Alsof zijn handen iemand anders toebehoorden, keek hij toe toen die de keurige rijjas van zachte mousseline openmaakten. Zachtjes pelde hij hem van haar schouders af en begon toen de knoop-jes van het hemd eronder los te maken. Hij stond verbaasd over hoe hevig zijn verlangen naar haar was toegenomen. Hij wierp haar hemd terzijde. 'Je korset heeft nog enige bescherming geboden.'

'Eindelijk. Korsetten zijn dus ergens goed voor,' mompelde zij ter-wijl zij haar arm een beetje verlegde, zodat hij bij haar rug kon om de veters los te maken.

'Dit zou ik niet moeten doen,' zei hij, en hij fronste zijn wenk-brauwen terwijl hij doorging met het verwijderen van haar kleren. De hartstocht voor haar kolkte door zijn lichaam; hij dacht niet aan zijn eigen dood, zo ver verwijderd en zo onwezenlijk, maar aan de on-middellijke mogelijkheid van de hare. 'Ik wil niet...' Hij staarde naar haar borsten, de huid rood, de harde tepels. 'Madelaine, ik wil niet...' De aanraking van zijn vingers, zijn armen, zijn mond was louterend, de eerste stap van wat een langdurig herstelproces zou worden. Hij was zo voorzichtig, zo liefdevol, zijn bewegingen langzaam, teder, grenzend aan aanbidding; zijn hartstocht brandde helderder dan het reepje zonlicht aan de overzijde van de holte.

Zij ervoer verrukking en gulzigheid onder de bezoeking en de pijn. Om gewiegd te worden in de welving van zijn lichaam, dusdanig vast-gehouden dat zij niet bezeerd zou worden of in de verdrukking zou komen, gaf haar hernieuwde hoop. Toen zij zich over hem heen boog, hem in haar lichaam opnam, verheugde zij zich in de huivering van naderende bevrediging. De wereld, die een bezoeking was geweest, en de hemel verschrompelden nu tot de heerlijkheid van zijn lichaam en de tederheid van zijn liefde. Terwijl hun verrukking toenam, drukte zij zich dichter tegen hem aan, totdat haar lippen zijn hals beroerden en zij zich verloren in onverwachte vervoering.

Tekst van een brief van Erai Gurzin in Thebe aan Saint-Germain op Kreta.

Mijn vereerde leermeester en meester,

Zij is veilig en verborgen. Ware het niet voor de Duitse geneesheer, zou dat niet zo zijn. Zij werd in een bergkloof achtergelaten om te sterven maar hij werd gewaarschuwd door een jongeman die zelf het leven verloor toen hij het bericht bracht. Falke heeft haar teruggebracht naar een verlaten gebouw ten noorden van Thebe en houdt haar daar verborgen.
Ik moet u waarschuwen dat zij ernstig verbrand is. Een groot deel van haar gezichtshuid is afgestroopt en Falke zegt dat hij vreest dat zij er littekens aan over zal houden. Zij beweert dat dat niet zo is en ik geloof haar.
Op haar verzoek heb ik inlichtingen ingewonnen over wie haar kwaad zou willen berokkenen, en de bewijzen richten zich nog immer rechtstreeks op Baundilet of een van zijn handlangers. Ik heb daar geen overtuigend bewijs voor, doch als ik zou moeten zweren dat Baundilet volkomen onschuldig was aan de tegen haar gerichte handelingen, zou ik dat niet kunnen. Dus zal ik voortgaan hem als haar vijand te beschouwen en afdoende maatregelen treffen. Door alle gebeurtenissen geloof ik nog steeds dat zij in groot gevaar verkeert. Als haar verblijfplaats bekend zou zijn, zou ik niet voor haar veiligheid kunnen instaan. Alleen Falke en ik bezoeken haar, Falke zowel om haar te verzorgen als om van zijn toewijding blijk te geven. Ik ben er niet van overtuigd dat haar schuilplaats zo veilig is dat wij niet meer bewakers nodig hebben maar dat zou het risico vergroten dat anderen de plaats zouden ontdekken, en dus hebben Falke en ik het onder ons gehouden.
Madame de Montalia heeft mij opdracht gegeven naar Caïro terug te keren, teneinde een officiële aanklacht in te dienen bij de Franse diplomaten aldaar, met betrekking tot Baundilets gedrag, maar uw orders luiden dat ik bij haar moet blijven en totdat u

die herroept, zal ik doen wat u mij heeft opgedragen. Zodra zij voldoende is hersteld om te reizen, zal ik haar stroomopwaarts naar Edfoe brengen, waar Baundilet haar niet zal kunnen vinden; ik zal haar daar zo lang vasthouden als nodig is voor haar veiligheid, of voor zo lang zij mij toestaat haar te beschermen. Ik heb weinig vrouwen ontmoet die zo zelfstandig waren als Madame de Montalia.

Wat betreft de mogelijkheid om Baundilet in Egypte te berechten, ik denk niet dat dit waarschijnlijk is, want Europeanen worden niet vaak voor een Egyptische Magistraat gebracht. Numair, de Magistraat alhier, is zo omkoopbaar dat een volgende ruime schenking van Baundilets universiteit zijn vrijheid zou verzekeren. En daarbij, Baundilet heeft veel transacties met Yamut Omat gedaan, en die zou hem in bescherming nemen indien Madame de Montalia zou proberen hem voor het gerecht te brengen. Als er enige genoegdoening voor zijn daden zou moeten plaatsvinden, zou dat vermoedelijk uit Europa moeten komen en dat lijkt niet mogelijk te zijn. Welke genoegdoening zij ook zoekt, daarvoor zal een andere manier gevonden moeten worden.

Laat mij u opbiechten, geachte leermeester, dat ik Madame de Montalia heb onderschat, niet louter haar geleerdheid en vastberadenheid maar tevens de kracht van haar karakter. Ik veronderstelde van meet af aan dat zij hetgeen zij hier ondernam moe zou worden en vermaak zou opzoeken, net als die Engelse vrouwen die met de bedoeïenen willen meerijden. U vertelde mij dat ik haar verkeerd inschatte en dat is waar. Ik vraag uw vergiffenis en zal eveneens om de hare verzoeken voor het feit dat ik zo weinig respect voor haar had, en ik zal bidden dat ik in de toekomst niet zo verblind zal zijn.

Ik zal u op de hoogte houden van haar vooruitgang en tevens van Baundilets handelingen. Voor wat betreft de grondigheid van haar bewaking, u kunt volledig vertrouwen op mijn trouw aan die taak. Als u overweegt haar zelf op te zoeken, moet ik u in herinnering brengen dat u nog steeds gezocht wordt en uw tegenstanders hebben lange armen en een nog langer geheugen. Het is moeilijk om haar verborgen te houden en te bewaken; het zou onmogelijk zijn u beiden te beschermen.

Moge God u zegenen en leiden, en moge Hij Madame de Montalia doen herstellen, zowel om harentwille als de uwe.

In de Naam van God
Erai Gurzin, monnik
13 mei 1828

Vier

In het lamplicht leek Madelaines gezicht niet meer zo rauw en verveld. Zachte, nieuwe huid kwam van onder de brandplekken en blaren vandaan. De groef aan haar slaap was verdwenen; een enkele dunne framboeskleurige streep was nog te zien, maar die vervaagde. Zij kon zonder inspanning glimlachen want haar mond was geheeld. 'Ik zei toch dat er geen littekens zouden achterblijven.'

'Door wat je bent,' zei Falke en hij slaakte een zucht. 'Dat beweer je tenminste.'

'Door wat ik ben.' Zij kuste de kromming van zijn kaak. 'Zonder jou zou ik nog steeds lijden als ik al in leven zou zijn.'

Hij liep bij haar vandaan en deed een stap in de richting van de ramen waar luiken voor zaten. 'Ik moet weer gaan, Madelaine. Ik was van plan hier een uurtje te blijven en kijk nu: de zon is al onder.'

'Ik mag niet uit de ramen kijken,' zei zij en er klonk enige prikkelbaarheid in haar stem door.

Hij draaide zich naar haar om. 'Je mag niet gezien worden. Als iemand je hier zou vinden, zou het...'

Zij hief haar handen in spottende overgave. 'Ik weet het. Jij en Broeder Gurzin samen hebben mij dat nog geen halve dag laten vergeten.' Zij liep terug naar haar divan. 'Ik zou graag iets te doen willen hebben. Ik heb de kelder hier al onderzocht, die maakte waarschijnlijk eens deel uit van een nog ouder gebouw. Maar dat is niet hetzelfde. Er bevinden zich niet ver van hier muren met bas-reliëf. Niemand heeft ze ooit nog geschetst. Het is als een feestmaal waar het mij verboden is te dineren.'

Hij kwam achter haar staan en sloeg zijn armen om haar middel, zijn gezicht tegen haar haar. 'Je moet voorzichtig zijn, Madelaine. Ik zou het niet kunnen verdragen je te verliezen.'

Zij maakte een dubbelzinnig gebaar. 'Ik ben me bewust van de risico's. Ik weet dat het verstandig is hier te blijven om weer op krachten te komen. God is mijn getuige dat ik nooit weer door wil maken...'

'Ssst,' zei hij zachtjes.

'Maar ik verveel me,' zei zij terecht, zich in zijn armen naar hem toekerend. 'Falke, kun je dat niet begrijpen? Jij en Gurzin zijn de goedheid zelve voor mij. Ik ben dankbaar, echt waar. Maar jullie verstikken me. Ik verveel me.'

'Ik kan je geen boeken brengen, liefste. Er wordt op me gelet en het is al moeilijk genoeg om ongemerkt weg te komen om je op te zoeken. Als ik boeken mee zou brengen, of ze bij me zou hebben, zouden degenen die mij in de gaten houden achterdochtig worden.'

'Breng me dan iets om mee te schrijven. Breng pennen en inkt en papier voor me mee. Geef me iets te *doen.*' Zij kuste hem nogmaals, ditmaal met meer aandrang. 'Afgezien hiervan.'

Hij grinnikte zogenaamd beledigd. 'Dus dit verveelt je, hè?'

'Nooit,' zei zij ernstig. 'Maar niemand kan elk uur van de dag de liefde bedrijven. Bovendien, je loopt al enig risico en je hebt nog niet gezegd of je wel een vampier wilt worden en na je dood wilt herrijzen. Als je dat liever niet wilt, kunnen we elkaar nooit meer in hartstocht en bloed beminnen.' Haar paarsblauwe ogen hielden zijn blauwe vast. 'Ik zal je mijn leven niet aanbieden als je dat niet wilt.'

'Maar dan zul je me evenmin beminnen,' zei hij terwijl hij haar losliet en zijn handen liet neerhangen.

'Dat mag ik niet,' zei zij, hem nog steeds in zijn ogen kijkend tot hij zijn blik afwendde.

Zijn jasje hing over de enige stoel in het vertrek en hij ging het halen. 'Ik moet nu echt gaan.' Er lag aarzeling in de glimlach die hij haar schonk, een verontschuldiging waarvan hij niet wist hoe deze te maken.

Zij knikte, met een warm gevoel onder haar ribben dat vreugde noch pijn inhield maar een verontrustende mengeling van beide was. 'Kom je morgen weer?'

'Ik zal niet veel tijd hebben.' Hij lachte zachtjes. 'Heus. Ik zal niet lang kunnen blijven.' Hij stond stil en staarde haar aan met begeerte en verdriet in zijn gezicht. 'Ik zal proberen papier en inkt voor je mee te brengen.'

'En een pen,' zei zij, en het gevoel werd sterker.

'Ja. Een pen.' Hij aarzelde en draaide zich toen om in de richting van de smalle ingang van het oude gebouw. 'Morgen.'

'Ik zal er zijn,' zei zij, en ze deed haar best het als een grapje te laten klinken.

Hij stond op het punt nog iets te zeggen, wierp haar toen een kushand toe en glipte de deur uit, met zorg zijn komen en gaan camouflerend door een voorhang voor de deur dicht te trekken alvorens deze te openen.

Met een onbewogen gezicht luisterde zij naar het geluid van zijn wegdravende paard. Zij schoof, vervuld van treurige gedachten, de grendel op zijn plaats. Hij zou haar geschenk niet aanvaarden, dat wist zij al. Hij zou na zijn dood niet tot haar leven willen toetreden. En dus zouden zij nooit meer minnaars zijn. Zij ademde langzaam uit, alsof het dan minder op een zucht zou lijken.

Zij had niets beters te doen en dus ging zij door met de reparatie van het borduurwerk op een van de grote kussens die door het kleine vertrek verspreid lagen. Het was een van de weinige bekwaamheden die zij van de Zusters van Sainte Ursule had geleerd, een die haar nog steeds van nut was. De enkele lamp maakte het onmogelijk om de kleuren nauwkeurig bij elkaar te zoeken, doch aangezien het vertrek nooit aan daglicht werd blootgesteld, besloot zij dat dat er niet toe deed. Met zorg koos ze de oude rafelige strengen en stak een zijden draad door het oog van haar naald.

De kleine Hollandse klok op de lage bronzen tafel had een uur geslagen toen Madelaine opkeek van haar werk. 'Gurzin?' riep zij zachtjes.

Er klonk geen antwoord maar in de tuin bracht een geknars van het grind haar geheel op haar hoede. Terwijl zij de naald in het borduurwerk vastzette, schoof zij het kussen terzijde en deed een stap terug uit de flauwe lichtschijn van de lantaarn naar een kleine nis waar een dolk verborgen lag.

Iemand morrelde aan de deur, niet in staat deze open te duwen door de zware houten grendel aan de binnenzijde. Toen werd er weifelend geklopt. 'Madame?' De stem klonk zacht, beverig, zeer jong.

Madelaine pakte de dolk en stapte de nis uit. 'Wie is daar?' vroeg zij zachtjes, in het besef dat wat zij deed roekeloos was.

'Madame de Montalia? Het is Rida Omat,' klonk het beverige antwoord. 'Wilt u mij binnenlaten? Alstublieft?'

'Rida?' Madelaine aarzelde en zij vroeg zich af hoe de Egyptische haar had gevonden. 'Ben je alleen?'

'Ja.' Zij snotterde. 'Ik ben zo bang.'

Het was dwaas om haar binnen te laten. Zij had geen reden om aan te nemen dat Rida echt alleen was gekomen. Madelaine stapte in de schaduw van het gordijn dat de deur bedekte en trok de grendel terug, maar deed de deur niet open. 'Duw maar naar binnen,' zei zij. 'Ik ben gewapend.'

De zware deur zwaaide naar binnen en Rida Omat glipte het door het gordijn afgescheiden deel van de kamer in, onmiddellijk tegen de deur leunend om hem weer te sluiten. Terwijl Madelaine de grendel weer op zijn plaats schoof, barstte Rida in tranen uit. Het was een gestadig, krampachtig gesnik dat door haar heen joeg en haar uitputte.

Madelaine stak haar dolk tussen haar sjerp, liep naar Rida toe en sloeg haar arm om haar heen, hoewel zij wist dat Rida een dergelijke familiariteit met een Ongelovige aanstootgevend vond. 'Wat is dit? Wat is er aan de hand?'

'Ik ben bang,' snikte zij, en zij duwde Madelaine van zich af terwijl zij een van de reusachtige kussens uitzocht en zich daarop liet neervallen.

'Waarom dan wel?' vroeg Madelaine, weer naar haar toelopend. Zij had liever vernomen hoe Rida haar had weten te vinden maar wist dat zij haar zou moeten kalmeren voordat zij daar een antwoord op zou krijgen. 'Wat is er gebeurd?' Er lag een aantal kleinere kussens en Madelaine trok de dichtstbijzijnde naar zich toe en ging erop zitten.

Een tijdlang kon Rida alleen maar huilen maar met moeite kreeg zij zichzelf toen voldoende onder controle om antwoord te geven. 'Ik ben zwanger,' zei zij ten slotte.

'Zwanger?' herhaalde Madelaine die bekend was met de hoge straffen die in dit land golden voor jonge vrouwen die niet kuis bleven. De strenge regels tegen ongeoorloofde minnaars legden meer verplichtingen op aan mohammedaanse vrouwen dan aan Europese. 'Maar hoe is dat mogelijk?'

'Het is mogelijk op de manier zoals het altijd mogelijk is,' zei zij plotseling woedend. 'Zij zullen mij ervoor stenigen tot de dood erop volgt. Mijn vader zal ze niet tegenhouden. Hij zal me vervloeken.' Hoewel zij nog steeds huilde, werd haar gesnik minder.

'Maar welke minnaar... wie?' Het was de vraag die zij nooit had mogen stellen. Het was al vernederend genoeg voor Rida dat Madelaine van de zwangerschap afwist; dat zij de identiteit van Rida's minnaar zou kennen was onverdraaglijk.

'Hij... hij zei dat hij met me zou trouwen. Hij zei dat het in orde zou zijn om twee echtgenotes te hebben, dat het niets zou geven.' Ze veegde met haar mouw langs haar ogen.

Madelaine bleef roerloos zitten. 'Baundilet.' Zij was er zeker van nog voordat Rida uitriep dat hij Frans was. Wie anders zou zo wreed zijn? vroeg zij zich bitter af. Wie anders zou zich zo kolossaal misdragen? 'Weet hij ervan?'

'Ik dacht dat hij blij zou zijn.' Zij werd opeens heel rustig. 'Hij vertelde me dat hij me niet kon helpen. Dat was alles, dat hij me niet kon helpen.' Alle kleur trok uit haar gezicht. 'Hij wilde niet meer met me spreken. Hij zei dat hij niets kon doen. Hij liep weg.'

Toen zij dit hoorde, verlangde Madelaine naar een kans om Baundilet te ontmaskeren voor wat hij was, om zijn roofzucht en hebzucht en boosaardigheid te onthullen. 'Wanneer?'

'Vandaag. Eerder vandaag. Tegen zonsondergang.' Zij sloeg haar armen om het kussen waar zij op lag. 'Hij wilde in het geheel niet met mij spreken.'

Madelaine keek naar beneden en staarde naar haar handen. 'En waarom heb je mij opgezocht? Hoe?'

'Iedereen zei dat u in de woestijn was verdwaald en gestorven was.' Zij begon heen en weer te wiegen terwijl ze sprak. 'Ik was zo bezorgd om u, stervend in die woestenij. Maar ik hoorde een van de Franse bedienden zeggen dat iemand u had gevonden. Toen heb ik de bediende omgekocht, en die bracht mij naar een andere bediende, en toen heb ik die omgekocht, en die bracht mij naar de oude vrouw, en die vertelde mij waar ik u zou vinden. Ik heb haar een kleinood gegeven.'

'Ik begrijp het,' merkte Madelaine op, in het besef dat zij toch iets tegen Rida moest zeggen. Welke oude vrouw wist waar zij zich bevond? Aan wie had zij het nog meer verteld? Zij zou morgenochtend met Gurzin moeten spreken en daarachter zien te komen.

'Mijn vader weet het nog niet, vermoed ik. Maar als hij erachter komt, zal hij mij verstoten en mij aan de Magistraat overdragen.' Zij huiverde. 'Ik ben ten dode opgeschreven.'

'Nog niet,' zei Madelaine, haar gezicht vastberaden. Zij kwam overeind en liep door de beslotenheid van het kleine vertrek. Was zij hier maar niet alleen. Met een bediende of een bewaker zou zij kunnen handelen. Zoals de zaak er nu voor stond, was zij gedwongen bij Rida te blijven totdat Broeder Gurzin arriveerde, en dat kostte haar een waardevolle voorsprong.

'Wat moet ik doen, Madame? Kunt u mij dat vertellen?' Rida's ogen liepen vol verse tranen. 'Ik wil niet sterven.'

'Weinigen van ons willen dat,' zei Madelaine, die bleef staan bij het door luiken verblind raam. Een nachtvogel krijste en zijn alarmsignaal werd door andere overgenomen. 'Iets verstoort hen.' Terwijl zij zichzelf streng voorhield dat de vogels mogelijk door talloze andere oorzaken opgeschrikt hadden kunnen worden, groeide haar bezorgdheid. Zij wierp een blik op Rida. 'Heeft iemand je gevolgd?'

'Nee,' zei zij, huiverend bij de gedachte.

'Weet je dat zeker?' vroeg Madelaine maar zij wachtte het antwoord niet af. 'Iets verstoort die vogels.'

'Ratten. Een hond, een kat.' Zij lag op het kussen, haar knieën tegen haar borst opgetrokken, haar gezicht verstard van angst.

Madelaine schudde haar hoofd en maande tot stilte. 'Dat denk ik niet,' sprak zij zonder geluid, terwijl zij naast de luiken ging staan, luisterend.

Dichtbij mekkerde een geit, en wat verder weg begon een hond te blaffen.

'Het gaat weg,' mompelde Rida. 'Goed zo.'

Het volgende ogenblik werden de luiken met drie enorme mokerslagen opengebroken, en Professor Baundilet stapte door de wrakstukken naar binnen met Ursin Guibert aan zijn zijde. 'Nu dan,' zei hij terwijl hij van Rida naar Madelaine keek. 'Nu kunnen we het eindelijk afhandelen.'

Rida gilde en kromp ineen met opengesperde ogen. '*Nee! Nee! Nee! Nee!*' Terwijl zij met haar rug tegen de muur kroop, jankte zij en probeerde zich zo klein mogelijk te maken.

Madelaine verschikte haar dolk zo dat de plooien van haar rok hem aan het oog onttrokken. Zij wenste dat zij meer van haar bovennatuurlijke kracht had herwonnen om tegen deze verschrikkelijke man te kunnen gebruiken. Zij bleef staan en bezag hem rustig.

'Pak haar op, Guibert,' zei Baundilet op Rida wijzend, voordat hij zich omdraaide en de moker nu vasthield alsof het een wandelstok was en hij over de boulevard drentelde. 'Mij kwam een gerucht ter ore dat u niet dood zou zijn.'

'Niet dankzij u.' Zij was blij dat zij zo kalm klonk.

'Suti is niet zo'n goed schutter als hij beweerde te zijn,' zei Baundilet, die haar opmerking afdeed door zijn wenkbrauwen op te trekken.

'Hoe bent u er evenwel in geslaagd te overleven daar in die bergkloof?'

'Ik heb geluk gehad. Ik heb wat schaduw gevonden.' Hem aankijken, hem zo dicht in haar nabijheid te hebben, maakte haar misselijk. 'Hoe heeft u mij gevonden?'

'Ach, ik zou denken dat dat voor de hand ligt; ik liet het meisje door Guibert in de gaten houden. Toen zij haar vaders villa verliet, is Guibert haar gevolgd, en ik heb mij bij hem gevoegd toen hij mij liet komen.' Hij gebaarde met zijn hand naar Guibert, die Rida overeind had gesleurd en een koord ergens uit zijn wijde mouw vandaan haalde om haar handen vast te binden. 'Niet te strak. En zorg dat ze ophoudt met dat gekrijs.'

Madelaine maakte een beweging in Rida's richting. 'Doe haar niet nog meer pijn.'

Guibert veinsde haar niet te horen en ging verder met zijn taak. 'Ik zal haar knevelen, Professor,' verzekerde hij Baundilet, terwijl hij Rida's haar vastpakte en zijn greep verstevigde. 'Als je stil bent, laat ik je los.'

Rida's klaagzang verstomde onmiddellijk.

'Veel beter,' zei Baundilet goedkeurend. Hij slenterde in de richting van Rida. 'Wat ben je toch een dom, ijdel schepsel. Hoe kon je zo dwaas zijn?' Hij gaf Rida een klap en Madelaine schreeuwde in protest. Baundilet keerde zich tegen haar. 'Zij had tenminste nog het excuus van stommiteit. U bent trots en halsstarrig, Madame, en dat is onvergeeflijk. U bent intelligent genoeg om zaken uit de weg te gaan die u niet aangaan.' Hij strekte zijn arm uit en greep haar bij de schouder vast. 'U was niet te overtuigen en u wilde niet gewaarschuwd worden en u wilde niet verstandig zijn. Wat moest ik dan met u doen?' Hij verstevigde zijn greep en genoot van de kracht die hij aanwendde. 'U kunt slechts zichzelf de schuld geven van uw netelige positie. Dat weet u.'

Madelaine gunde hem niet de voldoening haar te zien ineenkrimpen of een poging te zien doen zich uit zijn greep te bevrijden. Zij had de zon overleefd; er was niets dat Baundilet kon doen wat zij niet zou kunnen verdragen, hield zij zichzelf voor.

'Het is jammer dat ik me van u moet ontdoen. Wat haar betreft doet het er niet toe, maar u bent interessant. U heeft enige aanleg voor oudheidkundige wetenschap, hetgeen verrassend is. Aristo's zijn gewoonlijk alleen in oude dingen geïnteresseerd als zij ze aan hun stamboom kunnen hangen.' Hij lachte om zijn eigen geestigheid.

Rida trok aan de koorden die haar vasthielden en probeerde zich te bevrijden. 'Ik heb van jou gehouden. Ik heb alles verloren dankzij jou.'

Hij keek over zijn schouder en nam niet eens de moeite haar aan te zien. 'Je hebt je in mijn armen geworpen. Jij verlangde heviger naar mij dan ik naar jou. Ik ben menselijk genoeg om niet in staat te zijn een vrouw af te wijzen die zich op een dergelijke manier aanbiedt.' Zijn ogen flitsten terug naar Madelaine. 'U heeft mijn aanbod nooit geaccepteerd, Madame. Ik begrijp nog steeds niet waarom.'

'Ik vind u weerzinwekkend,' zei Madelaine op een toon alsof zij thee bestelde. 'En de manier waarop u Mademoiselle behandelt, bewijst dat ik gelijk had.' De dolk zat nog steeds op zijn plaats; zij verschikte de plooien van haar rok opdat hij verborgen zou blijven.

'*Touché*,' zei Baundilet, en zijn glimlach verhardde zich tot een grimas. 'U kunt net zo goed zeggen wat u op uw hart heeft.'

'Omdat ik nooit weer zal kunnen spreken?' opperde Madelaine. 'Bent u dat van plan? Het is uw bedoeling dat zowel Mademoiselle Omat als ik verdwijnen?'

Baundilet begunstigde haar met een galante kleine buiging. 'U bent reeds verdwenen. Er is driemaal naar u gezocht en elke keer zonder succes. Rida Omat zal niets meer zijn dan een van die ontelbare meisjes die uit het huis van hun vader verdwijnen. Ik zou een beloning kunnen uitloven voor haar terugkeer teneinde Omats verdriet ietwat te verzachten.' Hij wenkte naar Guibert. 'Breng haar hier.'

Rida jammerde toen Guibert haar naar Baundilet toeschoof. 'U hoeft haar niet zo schandelijk te behandelen,' zei Madelaine, en zij voegde er voor Rida aan toe: 'Jij hebt geen reden om ineen te krimpen. Dat is hij niet waard.'

Baundilet liet Madelaines schouder los en met een bedrieglijk loom gebaar sloeg hij haar tweemaal, de tweede keer met zoveel kracht dat zij wankelde maar niet viel. 'Ik wil niets van dien aard meer horen,' sprak hij kortaf, terwijl zijn geveinsde vriendelijkheid plaatsmaakte voor woede. 'Het is u niet toegestaan nogmaals het woord tot Rida te richten. Heeft u dat begrepen?'

'Ik hoor wat u zegt,' zei Madelaine tegen hem, en zij stak nogmaals haar hand tussen de plooien van haar rok om de dolk te bedekken.

Guibert keek Baundilet aan. 'Wat wilt u dat ik nu doe?'

'De rivier is waarschijnlijk het beste. Wanneer het lichaam gevonden wordt, zal men denken dat ze zichzelf uit schaamte heeft verdronken.' Hij zag de afschuw in Madelaines ogen en glimlachte.

Rida boog zich voorover, kokhalzend en kreunend.

'U bent heel wat anders.' Hij deed een stap terug en bekeek haar van boven tot onder met roofzuchtige ogen. 'En u heeft veel om zich voor te verantwoorden, niet louter de beschuldigingen die u heeft gepubliceerd, maar tevens uw gedrag op deze expeditie. Vanaf uw aankomst te Thebe heeft u moeilijkheden veroorzaakt. En nu, aangezien toch al wordt aangenomen dat u gestorven bent, ontbreekt de noodzaak om de details keurig af te handelen. U hoeft niet meteen te sterven.'

'Wellustig en onbeschaamd,' zei Madelaine verachtelijk, terwijl zij een kans zocht om het wapen te gebruiken. 'Bent u van plan mij te verleiden of geeft u de voorkeur aan vernedering?' Zij spuwde naar hem en hief haar hoofd met trots toen hij een kreet slaakte.

Baundilets gezicht werd duister van razernij en hij strekte zijn hand nogmaals naar haar uit. 'Jij *poissarde*! Arrogante aristocraat! Jij *liante* hoer!' Hij sleurde haar dicht tegen zich aan, bewerkte haar met zijn vuisten en deed tegelijkertijd een poging haar te kussen.

Madelaine pakte de dolk en stootte die met al haar kracht in zijn rug, net onder de ribben, het lange, smalle lemmet opwaarts gericht. 'Rida! Maak dat je wegkomt!' riep zij uit, toen Baundilet brulde en nogmaals naar haar uithaalde, haar met de meest verachtelijke krachttermen vervloekend. Een klap raakte haar oor; dat deed haar hoofd suizen maar zij wankelde niet. Zij bleef het gevest van de dolk vasthouden en weigerde deze los te laten, totdat Baundilets stem haperde en hij tegen haar aan zakte terwijl het bloed uit zijn mondhoek liep. Zijn ogen werden glazig en hij gleed langs haar lichaam naar beneden. Terwijl hij instortte, deed hij een greep naar haar borsten, haar taille, haar dijen en bleef toen uitgestrekt aan haar voeten liggen.

'O, grote god.' Het was een vloek zowel als een smeekbede. Zij beefde en moest houvast zoeken tegen de muur. Baundilet was dood en zij had hem vermoord. Zij had haar dolk gepakt en hem gedood. Haar

zicht werd wazig en haar knieën weigerden haar goed te ondersteunen. Toen pas besefte Madelaine dat Guibert Baundilet niet te hulp
was gekomen en dat hij Rida nog steeds in zijn greep hield. Zij had
geen ander wapen maar kon zichzelf er niet toe brengen om de dolk
uit Baundilets rug te trekken. Toen zij van Baundilet wegkeek, kruiste haar blik die van Guibert en zij verstijfde.

Guibert had Rida Omat weer overeind getrokken en stond tegen de
muur uit de buurt van Madelaines worsteling. Hij had zijn arm om
Rida's lichaam geslagen, het opeisend. Vele seconden lang maakte niemand een beweging. 'Dit verandert de zaak,' zei Guibert, toen de stilte ondraaglijk was geworden.

'Maar hoe?' vroeg Madelaine, zonder een poging te doen haar ongerustheid te verbergen.

Guibert ging wat rechter staan. 'Wat zult u... Maar u kunt me niet
tegenhouden.' Hij duwde Rida achter zijn rug. 'Zij is van mij. Ik heb
haar verdiend. Al die tijd dat Baundilet met haar scharrelde wist ik
ervan, en ik wist ook dat hij haar bedroog. Ze is geen hoer en het gaf
geen pas haar op een dergelijke manier te misbruiken. Ze is een deugdzaam meisje en dat wist hij. Ik ben haar iets schuldig omdat ik er niets
aan heb gedaan terwijl Baundilet haar ruïneerde.' Er volgde opnieuw
een korte stilte. Hij hoestte. 'Ik heb een huis – niets groots, maar ook
niet armzalig – in de buurt van Beni Suef.'

Madelaine raakte in verwarring door wat hij zei. 'Waarom vertelt u
mij dit?' vroeg zij toen Guibert niet verder sprak.

'Daar zal ik haar heenbrengen en met haar trouwen. Zij kan niet
terug naar haar vader; zij zou ter dood gebracht worden. Zij kan beter met mij meegaan. U kunt me niet tegenhouden. Ik zal erop toezien dat haar niets overkomt. Zij zal niet gestenigd worden. Voor het
kind zal gezorgd worden.' Hij deed geen moeite om te zien of Rida
instemde met dit alles.

'Met "zorgen voor" bedoelt u verkopen,' wees Madelaine hem terecht.

'Dat zou noodzakelijk zijn,' zei Guibert zonder verontschuldiging.

'Kun je daarmee instemmen, Rida?' Madelaine vermande zich voldoende om dit te vragen, in de wetenschap dat Guibert misschien niet
voor rede vatbaar zou zijn als haar antwoord hem niet beviel.

'Ik ga met hem mee,' fluisterde Rida.

'Ik werk met veel Fransen,' zei Guibert. 'Andere Europeanen eveneens. Zij zal niet nutteloos zijn zoals de meeste Egyptische vrouwen. Ik zal haar hulp kunnen gebruiken en zij de mijne.' Er klonk nu een zweempje trots in zijn woorden door, en tevredenheid. 'Mijn vader had een herberg te Versailles en ik weet hoe ik reizigers moet assisteren. Rida zal het werk op den duur prettig gaan vinden.'

Madelaine wist dat zij niet in de positie verkeerde om hem tegen te spreken. Nu Baundilet dood was, had zij alle hoop verloren in Egypte te kunnen blijven. 'En ik?'

'U bent dood, Madame. U bent een Europese. Wat kunt u doen?' Hij wees naar Professor Baundilets lichaam. 'U kunt hier zeker niet blijven.'

'Nee,' beaamde zij met een huivering toen zij nogmaals neerkeek op Baundilet. 'Ik ben nog niet hersteld. Nu te moeten reizen zou moeilijk zijn.' Zij voegde er niet aan toe dat een reis over het water afmattend zou zijn nu haar brandwonden nog zo gevoelig waren.

Guibert haalde veelbetekenend zijn schouders op. 'U kunt maar beter niet hier blijven,' zei hij terloops. 'Als hij gevonden wordt, is het beter als er geen spoor van u te bekennen is. Zoek een andere plek om te genezen.' Hij strekte zijn arm naar achteren uit, pakte Rida's gebonden polsen en trok haar aan zijn zij. Voorzichtig maakte hij haar los. 'U moet nu maar gaan. Laat het aan mij over om de zaken hier af te handelen. Zoek die Koptische monnik van u of de geneesheer – laat ze u verbergen tot de opwinding is bedaard en vertrek dan.' Hij gaf Rida een schouderklopje dat veel weg had van hoe hij een lievelingspaard een klopje zou geven. 'Zolang u uit Egypte wegblijft, Madame, kunt u rekenen op mijn stilzwijgen. Als u terugkeert, zal ik niet in staat zijn u te beschermen en ik zal het ook niet proberen.' Zijn snelle, dierlijke glimlach vertoonde geen spoortje kwaadaardigheid.

'Wat gaat u doen?' vroeg Madelaine. Haar gedachten werden beheerst door de verschrikking van Baundilets dood en zij kon nog aan niets anders denken.

'Ik zal het doen voorkomen of er een schermutseling met grafrovers heeft plaatsgevonden. Dat zal niet zo moeilijk zijn. Van Baundilet was bekend dat hij af en toe antiquiteiten verkocht' – ditmaal klonk zijn sarcasme nijdig – 'en als ik klaar ben zal het erop lijken of er een handgemeen is ontstaan.'

Madelaine deed haar ogen dicht en knikte. 'Uitstekend.' Toen zij haar ogen weer opendeed, meed zij resoluut de aanblik van het lichaam van de man die zij had gedood. 'Ik zal mijn woord houden: ik vertrek tegen de ochtend. U zult mij tijdens uw leven nooit meer zien.'

Guibert wierp haar een respectvolle groet toe. 'Dat geeft blijk van gezond verstand.' Hij wees naar de stukgeslagen luiken. 'Neem die uitgang. Ik wil niet weten waar u heen gaat. Vertrek nou maar.'

'Ja,' zei Madelaine. Zij voelde een diep verdriet door zich heen trekken, om zichzelf, om Rida, om Egypte, misschien ook om Baundilet. Zij stak haar hand naar Rida uit maar de jonge Egyptische wilde haar niet aanraken. 'Vaarwel,' zei zij tegen het meisje.

'Vaarwel,' zei Rida, alsof zij tegen een vreemde sprak.

Tekst van een verslag van de Magistraat Kareef Numair.

Betreffende de ontdekking van het lichaam van de Fransman Alain Baundilet: een anonieme boodschap werd vijf dagen geleden bij het hof afgegeven, met de mededeling van de moord op Professor Baundilet, die de leider van de Franse oudheidkundige expeditie was geweest, welke zich bezighield met de oude monumenten van Thebe, met de steun van twee Franse universiteiten. Het bericht werd niet gelezen toen het arriveerde, want verklaringen tegen de Europeanen zijn hier gebruikelijk. De boodschap werd bij vele soortgelijke gelegd en vergeten. Maar de volgende dag deed Professor Merlin de la Noye een beroep op het hof om assistentie bij het zoeken naar Professor Baundilet, die vermist werd. Aangezien tevens een van de andere expeditieleden verdwenen was, werd het tamelijk dringend geacht om een onderzoek in te stellen naar de Professors afwezigheid.

Te dien einde heb ik Yamut Omat ontboden, die een vriend en vertrouweling van Professor Baundilet was, en ontving zijn verklaring, afgelegd met zijn hand op de koran, dat hij niet op de hoogte was van de verblijfplaats van Professor Baundilet maar zich ongerust maakte over de verdwijning van zijn dochter Rida. Omdat de andere Franse oudheidkundige die vermist werd ook een vrouw was, werd er eerst gedacht dat er een verband zou kunnen zijn tussen al deze gebeurtenissen. Met de bedoeling om de waarheid van een dergelijke veronderstelling te staven, heb ik drie beambten van het hof gemachtigd een onderzoek in te stellen.

Het gerucht ging al geruime tijd dat Professor Baundilet bemiddelde in de verkoop van antiquiteiten aan Europeanen. Hoewel dit niet onwettig is, heb ik als Magistraat verklaard dat ik geen goedkeuring schenk aan de verkoop van dergelijke voorwerpen aan anderen dan Egyptenaren. Yamut Omat heeft toegegeven dat hij en Baundilet gedurende de laatste drie jaar verscheidene van dergelijke onderhandelingen hebben gevoerd, en dat hij, Baundilet, blijkbaar ook met anderen onderhandelde. Een van de beambten heeft met de overige expeditieleden gesproken, en een van hen heeft gezegd dat hij een vermoeden heeft dat dezelfde persoon die Professor Baundilet om het leven heeft gebracht, tevens Madame de Montalia heeft vermoord, want zij sprak openhartig haar kritiek uit over diegenen die antiquiteiten verkochten.

Het lichaam van Professor Baundilet, naakt en ernstig verminkt, werd drie dagen later gevonden in een afgelegen gebouw waarvan werd beweerd dat er heksen hadden gewoond. De toestand waarin het lichaam zich bevond, was slecht gezien de na het overlijden verstreken tijd en de hitte, maar uit bepaalde aanwijzingen kon worden vastgesteld dat hij waarschijnlijk het slachtoffer is geworden van een zekere bekende groep grafrovers, en het vermoeden is gerezen dat er onenigheid is gerezen en dat zij hem toen gedood hebben. Het is een redelijke veronderstelling, en een die overeenkomt met wat wij weten van zowel Professor Baundilet als de betreffende rovers.

Derhalve ben ik tot de slotsom gekomen dat Professor Baundilet ter dood is gebracht door grafrovers tijdens een transactie om antiquiteiten te kopen of te verkopen, en ik zal de Franse regering en de steunende universiteiten dienovereenkomstig berichten.

Sta mij toe die instellingen te waarschuwen dat, als zij de wens hebben de expeditie te laten doorgaan, zij onmiddellijk een nieuwe leider zullen moeten aanstellen, en zich ervan verzekeren dat de vereiste sommen worden afgedragen voor toestemming om de opgraving van de ruïnes te Thebe voort te zetten. Als hier niet aan wordt voldaan, zal ik geen andere keus hebben dan de

toestemming voor het onderzoekswerk van de expeditie in te
trekken.
In de naam van Allah de Alom-Glorierijke,

Kareef Numair
Magistraat

Vijf

Een schitterende Baltimore klipper, opgetuigd als zeilschip, lag te wachten aan het eind van de korte pier, even misplaatst tussen de dhows en feluccas en markabs alsof het in het geheel geen schip was maar een exotische uitvinding. De *Eclips* was de avond tevoren gearriveerd, en heel Edfoe was uitgelopen om het schip in ogenschouw te nemen.

'In de tweede luxehut ligt aarde uit Savoie,' legde Roger aan Madelaine uit, terwijl hij haar hielp haar weinige zaken te verzamelen. Hij had blond haar, blauwe ogen, was van middelbare leeftijd, en ging gekleed in de donkere slipjas die hem kenmerkte als de zeer verheven bediende die hij was. 'Daar zult u zich op uw gemak voelen.'

Zij glimlachte naar hem maar haar ogen stonden vermoeid. 'Dank je.'

Roger keek haar bezorgd aan. 'Weet u zeker dat u zich goed genoeg voelt om de reis te aanvaarden? Gurzin beweert van wel, maar na dergelijke brandwonden heeft u wellicht wat meer tijd nodig.'

'Dat is het niet,' zei zij, en zij schudde nauwelijks merkbaar haar hoofd. Het begin van een frons tekende zich tussen haar wenkbrauwen af. 'Ik ben...' Zij sloeg haar handen open om aan te tonen dat zij niet wist hoe zij haar gevoelens moest beschrijven. 'Maar ik wil hier weg. Broeder Gurzin is bijzonder zorgzaam geweest en de monniken hebben alle moeite gedaan om mij te helpen maar zij willen me kwijt. Ik breng ze in verlegenheid omdat ik Europees ben, en bovendien een vrouw, en... al het andere.' Ze pakte haar sjaal die op de enige kist lag die in de kamer stond. 'Het is voor mij ook beter om hier te vertrekken.'

'U heeft uw dromen en herinneringen?' opperde Roger vriendelijk. 'Degenen met lange levens hebben meer dromen en herinneringen dan de meesten.'

'Nachtmerries en kwellende gedachten lijkt er meer op,' antwoordde zij beverig. 'Ik ontwaak tegen de dageraad met de herinnering aan

481

hoe Baundilet stierf of met de vrees dat ik weer terug ben in de woestijn.' Zij vouwde de sjaal open en sloeg hem over haar schouders. 'Ik heb even behoefte aan een andere omgeving. Hoewel ik het niet graag toegeef, moet ik deze prachtige monumenten voor een tijdje verlaten. Ik... ik heb mijn gevoel voor perspectief verloren. Ik heb de behoefte om Saint-Germain weer te zien, teneinde mijn gevoel voor richting te herwinnen.' Haar schetstas stond tegen de kist geleund; zij pakte hem op en hing hem over haar schouder.

Roger nam de grotere tas op om deze over zijn eigen schouder te hangen. 'Hij bevindt zich op Kreta en wacht daar op u. Als er in Egypte geen prijs meer zou staan op zijn hoofd, zou hij hier zelf zijn.' Hij deed de deur voor haar open. 'De monniken zijn in gebed verzonken; ik heb ze namens u vaarwel gezegd.'

Zij moest een lachje onderdrukken toen hij dat zei. 'En dit is uw beleefde manier om mij te vertellen dat ze blij zijn van mij af te zijn. Mijn vertrek kan ongemerkt verlopen. Keurig gedaan, Roger.' Terwijl zij hem de nauwe gang in volgde, aarzelde zij. 'Ik zou een schenking moeten doen of...'

'Dat is al gebeurd,' verzekerde Roger haar.

'Ach,' zei Madelaine spijtig. 'Natuurlijk. U arriveerde met een buidel goudstukken, nietwaar?'

'Mijn meester heeft voor een gift gezorgd, zoals hij eveneens heeft gedaan voor Niklos Aulirios.' Zij hadden bijna de zijdeur bereikt. Hij bleef staan voor de deur van Erai Gurzins cel. 'Wilt u een briefje voor hem achterlaten?' opperde hij.

'O, ja,' zei Madelaine, en zij aarzelde toen. 'Het zou voor hem niet gepast zijn om het te ontvangen, is het wel?'

'Op de grens,' zei Roger. 'Gurzin heeft de gelofte afgelegd om gedurende de rest van zijn leven in het klooster te blijven, dus het zou hem niet al te ernstig aangerekend worden. Maar hij zou niet worden aangemoedigd het te aanvaarden als u dat bedoelt.' Hij keek haar recht in de ogen. 'Wat wilt u?'

'Ik wil hem geen moeilijkheden bezorgen, niet na alles wat hij voor mij heeft gedaan.' Zij maakte haar kleine tas niet open. 'Denk je dat ze hem zullen toestaan een brief te ontvangen?'

'Van Saint-Germain zeer zeker. U kunt uw dankbetuigingen daarbij insluiten.' Hij bleef staan, haar de kans gevend om een besluit te nemen.

'Dat zou waarschijnlijk het beste zijn.' Zij keek een ogenblik naar de celdeur en wendde zich met een lichte zucht af. 'Dan wacht ik tot ik op Kreta ben alvorens het te doen. Na al wat hij voor mij heeft gedaan, zou ik zijn leven hier niet willen bemoeilijken.' Zij bracht haar handen naar haar gezicht. 'Ik ben ietwat angstig om het klooster te verlaten. Ik ben sinds mijn aankomst niet meer buiten de muren geweest; ik heb 's nachts in de tuin gewandeld maar niet verder dan dat.' Terwijl zij dit zei, dacht zij aan de eeuwen die Saint-Germain in de Tempel van Imhotep buiten het Huis des Levens had doorgebracht. Haar verblijf hier had haar een idee gegeven van de beperkingen van dat leven en dat stemde haar bedroefd. 'Ik verwacht nog steeds dat iemand van de expeditie of het hof van de Magistraat mij staat op te wachten.'

'Ik ga u voor als u dat wilt.' Roger deed de deur open en stapte naar buiten, het gloeiende ochtendlicht in. 'Iedereen is bij de rivier.'

'En staat naar de *Eclips* te kijken,' maakte Madelaine zijn zin af. 'Nu, ze is het waard om bekeken te worden.' Haar handen beefden en dus balde zij ze tot vuisten toen zij de nauwe steeg in stapte. Zij en Roger waren hier volkomen alleen. 'Goed dan. Ik volg je wel.'

Roger boog zijn hoofd. 'Zoals u wenst.' Hij begaf zich op weg naar de straat en bleef dicht langs de muren van het klooster lopen. 'Dit pad is veel ouder dan de weg die voor ons ligt,' vertelde hij haar terwijl zij verder liepen. 'Het lag hier al toen de grote Tempel van Ramses III nieuw was en het zal hier blijven liggen. Het is jammer dat u de overblijfselen van de tempel niet heeft kunnen onderzoeken. Het snijwerk daar is veel indrukwekkender dan het meeste.' Zij hadden de straat bereikt. 'Als u naar rechts kijkt, kunt u een deel van de tempel zien. Niemand heeft moeite gedaan hem te restaureren of uit te graven. De inscripties zijn ondergeschikt aan de friezen. Saint-Germain heeft kopieën van veel van de bas-relïef inscripties en het geschrevene op de tempelpoorten en zuilen binnenin.' Hij ging haar voor de straat op die nagenoeg verlaten was. 'Weinig mohammedanen bezoeken deze buurt vanwege het klooster.'

'Je bent vastbesloten mijn gedachten af te leiden, Roger,' zei Madelaine, die zijn gestage woordenvloed herkende voor wat die was.

'En u te voorzien van een gunstiger indruk van deze plaats. U bevindt zich nu halverwege Thebe en de Eerste Cataract. Dit is Boven-Egypte en u heeft geen kans gehad hier onderzoek te verrichten.'

Bij de eerste kruising stuitten zij op een karavaan die vanuit de stad op weg was naar de woestijn. Kamelen en ezels schuifelden voort, aangemoedigd door berijders die zongen en ze uitvloekten. Twee van de mannen maakten, toen hun oog op Madelaine viel, het teken tegen het Boze Oog.

'Neemt u daar alstublieft geen aanstoot aan, Madame,' zei Roger rustig. 'Dat doen ze tegen alle Europeanen, omdat ze geloven dat het duivels zijn.' Hij bleef geduldig staan wachten terwijl de karavaan voorbijtrok, en stak toen de straat over. 'Er komen niet veel Europeanen naar Edfoe. De meesten gaan naar Philae, dat fraaier is maar minder leerzaam.' Hij bleef haar onderhoudend toespreken terwijl zij hun weg vervolgden in de richting van de Nijl. 'De Overstroming is net begonnen. Wij laten ons stroomafwaarts meevoeren naar de zee en varen dan naar Kreta.'

'En Saint-Germain wacht ons daar op.' Zij kon een glimlach niet onderdrukken. 'Het is het waard het water over te steken om hem te zien.'

'Hij zou van u hetzelfde zeggen.' Zij hadden de pier bereikt, en Roger leidde haar door de kleine menigte die naar de majestueuze *Eclips* stond te staren. 'Blijf dicht bij mij, Madame. En blijf niet staan om met iemand te spreken.' Hij bood haar zijn arm, een beleefdheid waar hij zich in Europa, waar het ongepast zou zijn, niet aan zou wagen. Hier in Egypte nam zij hem dankbaar aan.

'Wie is de kapitein?' vroeg zij toen zij de loopplank bereikten. 'Ik wil hem naar behoren aanspreken.'

'Zijn naam is Araldo Uliviero, uit Palermo. U zult hem niet eerder hebben ontmoet.' Hij liep de loopplank op en leidde haar aan boord. 'U bent de bijzonder welkome gast van le Comte de Saint-Germain,' begroette hij haar vormelijk toen zij aan dek stapte.

'Wat bijzonder elegant van u,' zei zij verwonderd met een zweem van een glimlach, en toen keek zij op naar de man in kapiteinsuniform, die vanaf het voordek op hen toe kwam lopen.

'Madame de Montalia,' stelde Roger voor, 'sta mij toe Kapitein Araldo Uliviero aan u te introduceren.'

Terwijl zij een revérence maakte, tikte hij tegen de rand van zijn hoed. 'Welkom aan boord, Madame,' zei hij, en hij kuste haar hand. 'Het is een eer u bij ons te hebben.' Hij was beleefd en correct maar er lag een nieuwsgierigheid in zijn ogen die zijn oorsprong vond in de wetenschap dat deze passagier de reden voor hun reis was, en de speciale zorg van zijn werkgever. 'Roger zal u naar uw luxehut brengen. De meeste van uw zaken zijn reeds aan boord. We zullen Thebe aandoen om het restant van uw bezittingen op te halen, en dan naar Kreta doorreizen.' Hij maakte een volmaakte kleine buiging en voegde eraan toe: 'We vertrekken over vijftien minuten.'

'Ik sta te uwer beschikking, Kapitein Uliviero,' zei Madelaine. Zij wendde zich tot Roger. 'Welaan, gaat u mij voor, alstublieft.'

De luxehut was ruimer dan zij had verwacht en terwijl Roger haar tassen opborg, zei hij: 'Onder de matras is een laag aarde uit Savoie aangebracht, genoeg om het water te neutraliseren. Gaat u rusten. Ik zal u laat in de middag roepen.'

Zij deed een poging om te lachen maar het geluid bleef in haar keel steken. 'Ik stel dit alles bijzonder op prijs, Roger.'

'U bent nog steeds niet volledig hersteld van uw beproeving, Madame,' zei Roger met grote zorgzaamheid. 'Ik herken de tekenen. U zult rust nodig hebben.'

'Ja. Dank je.' Zij deed haar sjaal af en hing hem over een van de twee stoelen die in de luxehut stonden. 'Zal het de kapitein opvallen als ik geen maaltijden samen met hem gebruik?'

'Nee. Ik heb hem gezegd dat u gevoelig bent voor zeeziekte en dat u waarschijnlijk in uw hut zult blijven. Hij weet dat mijn meester nooit eet wanneer hij zich op het water bevindt, en aangezien het bekend is dat u van zijn bloed bent, zal hij waarschijnlijk aannemen dat de zwakheid... nou ja, een familietrekje is.' Zijn ogen schitterden maar hij glimlachte niet.

'Je weet precies wat je doet, nietwaar?' vroeg Madelaine, die de troost van haar geboortegrond reeds voelde.

'Na zo'n lange tijd zou het vreemd zijn als het niet zo was,' antwoordde Roger, en hij maakte nogmaals een buiging alvorens de kamer te verlaten.

Madelaine nam niet de moeite om meer dan haar jurk uit te trekken. In haar onderrok en korset ging zij op het bed liggen en gaf zich over aan de herstellende kracht van haar geboortegrond, terwijl de *Eclips* zijn reis over de Nijl aanving.

Doordat de aanzwellende Overstroming hen meevoerde, had de Baltimore klipper er flink de vaart in kunnen zetten. Tegen zonsondergang hadden zij Esna bereikt, dat nagenoeg halverwege Edfoe en Thebe lag.

'In die stad bevinden zich enkele fraaie ruïnes,' zei Roger toen zij er op de stijgende Nijl voorbij gleden. 'Van latere datum, dat heeft mijn meester mij tenminste verteld; uit de tijd nadat de Grieken naar Egypte waren gekomen. Hij was toen al niet meer hier.' Hij leunde tegen de reling en keek uit over de donker wordende heuvels. 'Op zekere dag, als hij hier zonder risico kan terugkeren, moet u zich alles door hem laten tonen.'

'En tevens wanneer ik hier weer veilig kan terugkeren,' voegde Madelaine eraan toe. 'Ik heb nooit gedacht dat ik in Egypte niet welkom zou zijn.'

'Dat komt omdat u vergat dat het twee landen zijn, en het land dat u zoekt is verdwenen.' Roger keek uit over de rivier, waar het water afwisselend donker blauwgrijs en bleek goudkleurig was. 'Niet zo heel lang geleden ging ik naar Gades; daar ben ik geboren. Nu heet het Cadiz. De stad die ik kende, bestaat al eeuwenlang niet meer, en ik kon er niets meer van vinden, hoe hard ik ook heb gezocht.' Hij keek op naar de hemel waar de eerste sterren verschenen. 'Zelfs zij veranderen in de loop der tijd.'

Madelaine staarde omhoog naar de zeilen en de sterren daarboven. Na een tijdje zei zij: 'Wanneer bereiken we Thebe?'

'Volgens Kapitein Uliviero zijn we daar overmorgen tegen de middag. Dan laden wij uw bezittingen in en zijn voor zonsondergang weer vertrokken. Kapitein Uliviero heeft toestemming om 's nachts te varen; Europeanen moeten gewoonlijk aanleggen, behalve als zij over een schriftelijke ontheffing van de raad van de Khedive beschikken. Egyptenaren mogen de hele nacht doorvaren als ze daartoe in staat zijn.' Hij wees naar de westoever. 'Er is daar geen plek groot genoeg om dit schip af te meren, dus moeten wij doorvaren.'

'Kapitein Uliviero moet bijzonder ervaren zijn,' zei Madelaine met een ironische glimlach.

'Vanzelfsprekend,' zei Roger die haar toon opving. 'Blijft u vannacht op of gaat u nog wat rusten?'

'Rusten denk ik. Ik wil voorbereid zijn op overmorgen.' Dat was niet geheel de waarheid; zij was erger uitgeput dan zij had verwacht, en had behoefte aan meer rust. 'Als ik mij aan land moet begeven, zal ik...'

'Nee. Dat kunnen we niet toestaan,' zei Roger verontschuldigend. 'De Magistraat zou het in zijn hoofd kunnen halen om te eisen dat u ter ondervraging moet voorkomen, en dat mogen we niet laten gebeuren. U zult aan boord van het schip blijven en de bemanning zal ervoor zorgen dat uw bezittingen aan boord komen. De ossenwagens zijn al geregeld, en we hebben de bevestiging van Jean-Marc Paille dat hij toezicht zal houden op het inladen van uw schetsen en ander materiaal. Hij was bijzonder genegen u te helpen. Hij kan berichten voor u bezorgen als u met iemand in contact wenst te treden. Hij zegt dat hij u dank verschuldigd is.'

Madelaine glimlachte flauwtjes. 'Dat is niet zo maar het is vleiend dat hij er zo over denkt.' Zij kwam naast Roger aan de reling staan en keek neer op de rivier, waar zij niets anders zag dan de weerspiegeling van de lichtpuntjes aan de hemel en van de looplampen. 'Ik heb een paar briefjes die afgeleverd moeten worden en het zou plezierig zijn om Jean-Marc nog eens te zien alvorens Egypte te verlaten.' Er was geen spoor te zien van haar weerkaatsing in de Nijl en zij moest zich schrap zetten tegen de duizeligheid die haar dreigde te overmeesteren.

'Bent u in orde, Madame?' vroeg Roger.

'Ja,' zei zij even later. 'Uitstekend in orde.' Zij keek nogmaals op de Nijl neer om aan zichzelf te bewijzen dat zij daartoe in staat was. 'Maar ik ben doodop. Ik wens je goedenacht.'

'Wilt u gewekt worden voor Thebe?' vroeg hij, toen zij bij hem vandaan liep.

'Ja. Ja, roep mij een uur of zo voordat wij daar aankomen, zodat ik me kan voorbereiden.' Zou Falke komen als zij hem bericht stuurde? De enige manier om daar achter te komen zou zijn om Jean-Marc te vragen hem op te zoeken en haar brief af te leveren. Met een flauwe hoop keerde zij terug naar haar luxehut en bracht de volgende drie uur door met het bedenken van de verschillende versies van het berichtje dat Falke naar haar toe zou brengen. Toen zij ten slotte haar pogingen staakte, was zij niets dichter bij iets dat haar beviel. Zij vertrouwde erop dat de slaap zou meewerken om haar gedachten te ordenen maar dat was niet zo. Niet die nacht, noch de volgende.

Toen Roger op de deur van haar luxehut klopte, was zij reeds halfwakker en haar geest was actief. Zij stond op en verfriste zich alvorens zich aan te kleden, met zorg haar fraaiste jurk kiezend, gemaakt van een zacht linnen voile in een rustige roze tint, met mouwen die niet helemaal zo overvloedig opbolden als de mode nu voorschreef, doch voldoende om acceptabel te zijn. Zij had haar haar nonchalant opgestoken en in plaats van een hoed droeg zij een krans van zijden bloemen. Tegen de ergste straling van de zon had zij een tere parasol bij zich. Toen zij aan dek verscheen, smaakte zij de voldoening te zien hoe Kapitein Uliviero als blijk van goedkeuring zijn wenkbrauwen optrok. Zij liep met een verholen glimlach op hem toe. 'Ik dank u voor uw uitstekende zeilkunst, Kapitein; ik heb amper enige beweging gevoeld, zo goed heeft u het schip onder controle.'

Uliviero glunderde bij deze loftuiting. 'Saint-Germain stelt hoge eisen aan zijn bemanning. Het doet mij plezier u van dienst te zijn, Madame.' Hij wees naar het eerste groepje gebouwen op de oostoever van de rivier. 'We komen over een halfuur te Thebe aan, als wij de zeilen niet behoeven te trimmen vanwege meer verkeer op de rivier.'

'Ik herken hiervandaan enkele ruïnes,' zei zij, en zij voelde een steek van heimwee. Wat zou zij graag aan wal gaan en nog eenmaal door die oude plaatsen wandelen. 'Ze zijn zo prachtig, zo fascinerend.' Zij stond op het voordek toen de Baltimore klipper zachtjes tegen de steiger botste, en keek toe hoe de zeelieden met Roger de loopplank afliepen. Zij wenste dat zij met hen mee kon gaan. Nog slechts één wandeling door de kleine tempel die zij had ontdekt, nog één kans om erachter te komen of dit het Huis des Levens was. Hoe onmogelijk en onverstandig het ook was, zij verlangde er hevig naar.

Roger kwam terug met de eerste ossenwagen en terwijl de mannen deze uitlaadden en haar bezittingen in het ruim stouwden, sprak hij met Madelaine. 'Ik heb uw briefjes aan Jean-Marc Paille afgegeven en hij beloofde ze onmiddellijk te zullen bezorgen. Hij vroeg mij tegen u te zeggen dat hij, ondanks de geruchten die de ronde doen, er zeker van is dat u nooit antiquiteiten heeft verkocht. Hij heeft tegen de Magistraat gezegd dat u te boek staat als tegenstander van de handel die Baundilet dreef.'

'Dat had hij niet hoeven doen,' zei Madelaine met een vreemd dankbaar gevoel jegens Jean-Marc. 'Het verheugt mij dat hij het wel deed, natuurlijk, maar ik geloof niet dat het noodzakelijk was.'

'Ik betwijfel of hij uw opvatting deelt. Hij lijkt vastbesloten u vrij te pleiten van elk zweempje schuld.' Hij zag de plotselinge bleekheid van haar gezicht. 'Daar weet hij niets van en ik ben ervan overtuigd dat hij u daar niet de schuld van zou geven als hij het wel zou weten.'

'Mogelijkerwijs,' zei zij toen zij bedacht hoe woedend en angstig

Paille was geweest toen hij ontdekte hoe Professor Baundilet zijn vertrouwen had geschonden. Zij vermande zich. 'Is hij van plan het schip te bezoeken voordat wij uitvaren?'

'Hij brengt u zijn spijt over en voert de werkdruk als verontschuldiging aan. Hij gelooft dat het beter is als hij niet komt. Ik heb hem niet onder druk gezet, Madame. Hij is zo bereidwillig uw brieven te bezorgen en wellicht is dat het enige risico dat hij zich nu kan veroorloven. Hij heeft mij gezegd dat hij de wens heeft met u te corresponderen over de ontdekkingen die de expeditie zal doen.' Hij wachtte even. 'Ik moet naar uw villa terugkeren. Uw bedienden hebben gretig assistentie verleend. Ik denk dat zij ernaar uitzien de villa te verlaten.'

'Mijn reputatie zal nog wel slechter zijn geworden,' zei Madelaine in een poging tot luchtigheid. 'Nu, de meesten keurden mij toch niet goed, dus nu kunnen zij hun meningen als gerechtvaardigd beschouwen, en ik veronderstel dat sommigen door anderen werden betaald om verslag van mijn bezigheden uit te brengen. Reden temeer om naar elders te vertrekken.' Zij keek in de richting van de weg die naar haar villa leidde. 'Bedank ze namens mij als dat je verstandig lijkt.'

'Dat zal ik met trots doen,' zei Roger, die vervolgens een buiging maakte en zich op weg spoedde.

Madelaine deed een stapje terug om de zeelieden meer ruimte te geven op de loopplank. Zij liep terug naar het voordek, lusteloos slenterend, nu en dan een blik op de Nijl werpend, terwijl zij niet aan zichzelf wilde toegeven dat zij wachtte op antwoorden op haar brieven, vooral op die ene.

De middag sleepte zich voort en de meeste van haar spullen waren aan boord van de *Eclips* gebracht, toen een Egyptische jongeling bij de loopplank verscheen en een brief aan een van de zeelieden overhandigde met de boodschap dat deze voor Madame was bestemd. Hij was vertrokken voordat de zeeman haar kon ontbieden, en dus overhandigde hij haar de brief zonder in staat te zijn haar meer informatie te geven. Madelaine pakte de brief aan en liep terug naar het voordek, waar ze verwachtingsvol het zegel verbrak, terwijl zij haar parasol dichtklapte.

Toen zij hem had uitgelezen, bleef zij enige tijd over het water uit staan staren, de opengevouwen brief nog in haar handen.

'Falke?' vroeg Roger toen hij op haar toe liep.

'Ja,' zei zij, zich niet naar hem toekerend.

Hij kwam nog een stap dichterbij. 'Komt hij?'

'Nee.'

Roger sprak niet meteen. 'Zegt hij ook waarom?'

Zij haalde haar schouders op en liet de brief los, en keek toe hoe hij opsteeg en over de rivier waaide, een papieren vogel die naar zijn ver verwijderd nest fladderde. Haar ogen lieten hem niet los zolang hij in de lucht bleef.

'Al uw spullen zijn aan boord. Kapitein Uliviero treft voorbereidingen om te vertrekken,' vertelde Roger haar korte tijd later; er lag een vraag in zijn woorden besloten.

'Mooi,' zei zij afwezig. Zij kon de brief niet langer zien.

'Kan ik hem zeggen dat u akkoord bent?' Zijn fletsblauwe ogen stonden vol medegevoel en zijn stem klonk teder.

'Caïro, en dan Kreta,' zei Madelaine, daarmee haar goedkeuring betuigend. Zij liep bij Roger vandaan in de richting van de voorsteven van de klipper. In het licht van de namiddag gloeide zij met alle kleuren van de zonsondergang. Haar paarsblauwe ogen stonden afwezig, glazig door de tranen die zij onmachtig was te vergieten.

Zeilen werden ontvouwd en vingen de eerste avondbries. De wind deed ze opbollen en de *Eclips* naar het midden van de rivier trekken, om op de opkomende vloed weggevoerd te worden van de mysteries van de ruïnes van Thebe in de richting van de zee en Kreta en Saint-Germain.

Tekst van een brief van Yamut Omat aan Jean-Marc Paille, beiden in Thebe.

Aan mijn beste Professor Paille,

Ik moet u gelukwensen met uw benoeming tot leider van de expeditie. Ik feliciteer u met de toename van het aantal stafleden, want vijf oudheidkundigen meer zal zeker het werk van de expeditie nog opmerkelijker doen zijn dan hetgeen er reeds is bereikt. Dit is een onmiskenbaar blijk van vertrouwen in uw werk, hetgeen u bijzonder aangenaam moet zijn. Na de ongelukkige gebeurtenissen met wijlen Professor Baundilet, zult u zich zeker van alle blaam gezuiverd voelen, nu de universiteiten hebben besloten dat uw klachten gegrond waren.

Wat u vertelde over de trouweloosheid van uw vroegere verloofde is betreurenswaardig en bijzonder choquerend maar oudere mannen weten dat vrouwen immer wispelturige schepsels zijn, onderhevig aan bevliegingen en verrassingen die er slechts toe dienen zichzelf in opspraak en mannen tot razernij te brengen. Zo is het altijd geweest en geen verstandige man zou vertrouwen in een vrouw stellen, laat staan zijn hart aan haar overgeven, want vrouwen hebben waarlijk geen besef van de schat die zij ten geschenke krijgen, en zij zullen die uit ijdelheid en onwetendheid versmaden. U beweert dat zij u geen waarschuwing heeft gegeven voor deze verandering van gevoelens, en dat het u choqueerde dat zij haar behoefte aan rijkdom zo volledig haar leven heeft laten beheersen. Hoe zouden wij ze kunnen begrijpen? Ik deel uw verbijstering: ik ben er nog steeds niet in geslaagd te weten te komen waarom mijn dochter is gevlucht met de mannen die Professor Baundilet hebben gedood, want de Magistraat heeft vastgesteld dat het zo moet zijn gebeurd. Wat kan haar hebben bezield om dat te doen? Als zij in hun gezelschap verkeerde, hoe heeft zij dan getuige kunnen zijn van de verschrikkingen die op Professor Baundilet zijn gepleegd en toch de wens hebben gehad bij hen te blijven? Als vader ben ik van vrees vervuld voor haar lot maar als man vervloek ik het bestaan van vrouwen, omdat zij zo volledig afhankelijk zijn van hun gevoelens. Ik heb haar uit de familie verbannen en ik raad u aan deze trouweloze hoer uit uw hart te bannen en u gelukkig te prijzen dat u van haar veilheid op de hoogte was alvorens met haar te trouwen, want zij zou u zeker bedrogen hebben omwille van een prul of een avond in de concertzaal.

Voor wat betreft Professor Baundilet moet ik u mededelen dat ik vind dat zijn onrechtmatige toe-eigening van uw werk en dat van anderen onvergeeflijk is. Ik geef toe dat ik mij niet bewust was van deze activiteiten; had ik er kennis van gehad, dan zou ik minder geneigd zijn geweest hem zo gastvrij te ontvangen of hem als een echte vriend te beschouwen. Het verontrust mij te bedenken wat er van u als geleerde zou zijn geworden als zijn kleine zonden onopgemerkt waren gebleven, want dan zou het u niet mogelijk zijn geweest de positie te bemachtigen die u nu

inneemt, en die u zo rijkelijk verdient. De zuivering van uw
naam en zijn veroordeling zouden als voorbeeld moeten dienen
voor alle oudheidkundigen, en voor iedereen een duidelijke
waarschuwing moeten zijn dat dergelijke chicanes in het veld niet
getolereerd worden. Ik juich uw vastberadenheid om de zaak
openbaar te maken toe, want dat was een groot risico voor een
man in uw positie. Uw moed is prijzenswaardig.
Er is echter een aangelegenheid die u, naar ik hoop, heeft
overdacht, en dat is de vraag of de schatten die u ontdekt Egypte
wel mogen verlaten. Ik ben verontrust door het aantal
monumenten en andere voorwerpen die naar Europa en Amerika
en andere plaatsen zijn verdwenen. Als Egyptenaar kan ik niet
geloven dat dit juist is. Ik ben vastbesloten alles te doen wat in
mijn macht ligt om deze grote ontdekkingen in dit land te
behouden, waar zij thuishoren. Ik zie niet in waarom de Duitsers
een fraaiere collectie Egyptische antiquiteiten zouden moeten
bezitten dan in Caïro te vinden is. Te dien einde moeten u en ik
de aard van uw ontdekkingen bespreken, evenals uw bereidheid
om mij toe te staan deze voorwerpen tegen redelijke prijzen te
kopen. Ik heb ondervonden dat Professor Baundilet veel begrip
kon opbrengen voor deze zaak, en ik ben ervan overtuigd dat uw
gezonde verstand u tot een conclusie zal leiden die niet afwijkt
van de mijne. U kunt het geld dat ik u geef aanwenden om het
werk van uw expeditie uit te breiden en de gebieden te vergroten
waarvoor u toestemming heeft om opgravingen te verrichten.
Gezien de vondsten van de afgelopen zes maanden moet u
bijzonder gretig zijn het recht te verwerven om op die terreinen
in Luxor te graven die de meeste mogelijkheden lijken te bieden.
U verkeert in de sterkste positie in termen van de bekwaamheid
van uw staf en met steun zou u uw doel kunnen bereiken zonder
te veel geld uit te moeten geven aan steekpenningen en andere
eisen van dien aard.
Zeg mij slechts dat u dit aanbod zult overwegen. Ik wil niet dat u
het gevoel heeft dat ik u onder onredelijke druk zet om deze
handelwijze te accepteren, maar u zult er zeker begrip voor
hebben dat er mij veel aan is gelegen om mijn verzameling uit te
breiden, en tevens de kunst en artefacten van het oude Egypte te
beschermen. U kunt dit streven van mij tot werkelijkheid maken.

Ik heb aan het eind van de week een onderhoudende avond georganiseerd. Ik hoop dat u met uw staf zult komen, met inbegrip van de nieuwe leden die onlangs zijn gearriveerd, die zeker gaarne kennis willen maken met andere Europeanen die hier in Thebe wonen. Nu de Engelse groep op de westoever aan het werk is en u aan de oostkant, is dit zeker de opwindendste periode voor ons allen. Hoewel het niet gepast zou zijn om te beweren dat u en zij elkaar beconcurreren, ben ik mij ervan bewust dat de aanwezigheid van beide groepen er veel toe heeft bijgedragen om de inspanningen van beide te prikkelen. Tijdens de samenkomst zult in u staat zijn de informatie waarnaar u op zoek bent te verkrijgen in een omgeving die een goede verstandhouding zal bevorderen. De gezellige avond zal u allen in de gelegenheid stellen uw bevindingen te vergelijken en van een aardig klein concert alsmede twee voortreffelijke maaltijden te genieten. U bent bekend met mijn samenkomsten en ik hoop dat u naar de komende net zo zult uitzien als ik naar uw aanwezigheid hier.

Mijn persoonlijke rijtuig zal u afhalen. Vertelt u de koetsier alstublieft of u meer leden van uw staf mee wilt brengen. Tijdens uw verblijf hier zal ik een uur of zo reserveren voor een kort onderhoud. Ik hoop dat u tegen die tijd de condities zult hebben vastgesteld waaronder wij onze privézaken zullen doen.

Met mijn allerbeste wensen en in de verwachting dat wij in de nabije toekomst tot ons beider tevredenheid zaken zullen doen,

Met hartelijkheid,
Yamut Omat
18 juli 1828

Epiloog

Tekst van een brief van le Comte de Saint-Germain in Praag aan Madelaine de Montalia te Montalia in Savoie.

Mijn liefste hart Madelaine,

Je mag jezelf niet de schuld geven van Falkes dood. Hij heeft ervoor gekozen om de woestijn in te lopen toen hij ziek werd, jij hebt hem daar niet toe gedwongen. Dat hij zich zo goed verborgen heeft en zo volkomen is verbrand, bewijst dat hij wist wat hij deed. Jij hebt hem ons leven aangeboden en hij heeft het geweigerd; dat is mij zo vaak overkomen dat ik de tel ben kwijtgeraakt. Jij bewonderde zijn moed om het werk te verrichten dat hij deed, terwijl het juist die moed was die tot zijn dood heeft geleid, niet jouw liefde voor hem. Dit is niet jouw last om te dragen, mijn lief; deze behoort jou niet toe en als je probeert hem op je te nemen, zul je je herinneringen aan de man vernietigen. Dus nu, door Jean-Marc Pailles meest recente verslag, verlang je er hevig naar om terug te keren naar Thebe. Er zal veel tijd moeten verstrijken voordat het voor jou veilig is om daarheen te gaan, zoals er veel tijd zal moeten verstrijken voordat de prijs op mijn hoofd zal zijn verdwenen. Over een jaar of twintig zul je je waarschijnlijk bij een andere expeditie kunnen aansluiten en daar aan het werk kunnen gaan zonder al te veel risico. Tot die tijd zul je je tevreden moeten stellen met de ruïnes die je vindt in Savoie en de Provence, zoals die oude stenen huizen en de verlaten forten in de heuvels. Zij mogen dan niet even indrukwekkend zijn als de stenen van Egypte, maar zij hebben hun eigen geschiedenis, die even boeiend kan zijn als je je daarvoor openstelt.

Ik heb nagedacht over je vraag waarom ik jou nooit een lijfeigene heb geschonken zoals ik Niklos Aulirios aan Olivia heb gegeven,

zoals ik Roger voor mezelf heb en daarvoor Aumtehoutep. Daar
kan ik geen logische verklaring voor vinden en dus is het
hoogstwaarschijnlijk het antwoord van mijn hart: dat je al een
lijfeigene hebt, dat ik je aan niemand kan afstaan, zelfs niet aan
een lijfeigene als bewaker, want jij hebt mij een wedergeboorte
geschonken terwijl ik de hoop had opgegeven die ooit nog te
beleven. Het is dwaas: jij bent zo'n belangrijk deel van mij dat ik
het niet zou verdragen je aan een ander over te geven. Nee, ik
ben niet jaloers op je minnaars, tot nog toe niet tenminste. Maar
een lijfeigene is een andere kwestie, en ik geloof dat ik je lijfeigene
ben en altijd je minnaar zal zijn, hoewel wij geen minnaars meer
kunnen zijn zoals wij ooit zijn geweest.
Want zo ik je lijfeigene ben, ben ik ook je minnaar, nu en voor
altijd; niets zal dat veranderen, en dat zou ik ook niet willen. Dat
is jouw triomf en tevens die van mij. Al het andere, de
vierduizend jaren, het leren, de gewonnen en verloren fortuinen
en vrienden, het bloed dat het leven zelf is, is zinloos zonder mijn
liefde voor jou, en dat zal mij kracht geven gedurende alle jaren
die nog zullen volgen, gedurende onze scheidingen, tot aan de
onherroepelijke dood zelf.

Saint-Germain
(zijn zegel, de eclips)

17 juni 1831, Praag, Bohemen